# 한국의 사회발전과 정책

## - 磨巖 尹正吉敎授 停年記念 論文集 -

2006

磨巖 尹正吉敎授 停年

記念論文集 刊行委員會

# 한국의 사회발전과 정책

– 磨巖 尹正吉敎授 停年記念 論文集 –

한국학술정보㈜

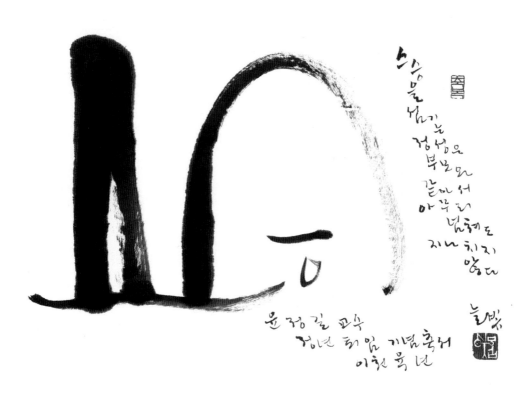

산을
심기는
정성은
부모와
같아서
아무리
닦해도
지나치지
않다

윤 정 길 교수
정년 퇴임 기념 축서
이천 육년

늘벗

按努與勞力力與與能給報之心體原
尹心吾傅士社會心義說丙寅正友淮軍

# 磨巖 尹正吉(족보명: 世容) 敎授의 略歷 및 硏究業績

## 출생 및 성장

1940년(호적:1941.5.2) 2월25일(음력) 坡平 尹氏 貞靖公派 35世孫으로 충남 부여군 장암
면 지토리 487번지에서 출생하였고, 세도면 청포리 646번지 토정에서 5남매 중 장남으로
성장하였다.

## 가족관계

磨巖 先生의 가족으로는 부인 鄭貞姬여사와 1녀 3남(자형, 성덕, 경덕, 이덕)이 있다.

## 학 력

| | |
|---|---|
| 1953.2 | 인세초등학교 졸업 |
| 1956.2 | 강경중학교 졸업 |
| 1959.2 | 강경상업고등학교 졸업 |
| 1959.3 | 건국대학교 정치대학 정치외교학과 입학 |
| 1964.1 | 육군제대 |
| 1965.2 | 건국대학교 정치대학 정치외교학과 졸업(정치학 학사) |
| 1967.9-1969.8 | 건국대학교 행정대학원 석사학위 과정 입학.수료 |
| | 행정학 석사학위 취득: 학위논문 제목, "제3공화국 대통령의 리더십에 관한 연구" |
| 1970.3-1973.2 | 건국대학교 대학원 행정학과 박사학위과정 입학.수료 |
| 1977.2 | 건국대학교 대학원 행정학박사학위 취득(국내1호): 학위논문제목, "한국 행정의 발전기획능력에 관한 연구" |

## 경 력

1979.3-1983.3    건국대학교 정치대학 정치행정학부 조교수

1983.4-1988.3    건국대학교 정치대학 정치행정학부 부교수

1988.4-2006.8    건국대학교 정치대학 정치행정학부 교수

1980.3-1981.2    건국대학교 정치대학 정치행정학부 행정학과장

1984.3-1989.2    건국대학교 정치대학 정치행정학부 행정학과장

1987.3-1988.8    건국대학교 행정대학원 교학부장

1988.3-1990.2    건국대학교 정치대학 행정학과 주임교수

1989.9-1993.8    건국대학교 부설 행정문제연구소 소장

1991.3-1997.2    건국대학교 정치대학 정치행정학부 행정학과장

1993.9-1999.8    건국대학교 정치대학 정치행정학부 주임교수

1995. -1997.    건국대학교 사회과학연구소장

1998.2-2000.7    건국대학교 행정대학원장

1998.9-1999.8    건국대학교 정치대학장(겸임)

2001.3-2002.8    건국대학교 정치대학 정치행정학부 주임교수

2001.7-2002.8    건국대학교 정치대학장


## 주요학회 및 정부 관계

1973.3.-현재    한국 정치학회 회원 (및 이사)

    한국행정학회 회원 (및 이사)

1992.-    한국 정책학회 회원 (및 상임이사, 연구담당 부회장)

1983 - 1990    행정고시 출제, 채점 및 면접위원

1995.8-    중앙제안심사위원회 전문위원(총무처장관)

1997.- 2000    서울특별시 선거관리위원회 위원

1999.10-2000.12    한국정책학회 회장

2002.    서울특별시 관악구 제2건국 추진위원회 고문

2003.3    한국정책학회 학술상 위원

2003.1.    한국행정관리협회 시험관리위원회 전문위원

2003.10    서울특별시 관악구 업무평가 위원회 위원

2006.3-    하남시 의정비 심의위원회 위원(부위원장)

## 저 서

PRs論(1983, 건대출판부)

發展企劃能力論(1984, 범론사)

政策過程論(1987, 범론사)

組織과 民主主義(1989, 공저, 건대출판부)

官僚組織과 政策執行(1996, 공역, 조명문화사)

管理와 PR(2000, 대영문화사)


## 주요논문

전략기획을 통한 지방정부 발전전략 수립에 관한 연구, 한국 행정연구 제12권 제3호,2003.

공공부문의 조직성과 영향요인에 관한 연구(공동), 연구논총 제29집,2002.

거버넌스 이론의 이데올로기성 비판(공동), 사회과학논집, 제25집, 2001.

도로 종류별 안전도에 관한 연구(공동), 사회과학논총 제24집, 2000.

복지정책의 철학적 정당성 논의(공동), 연구논총 제27집,2000.

복지정책과 사회정의(공동), 연구논총 제26집, 1999.

행정 철학의 실천과제, 연구논총 제25집, 1998.

교통안전시설 투자정책에 관한 연구(공동), 사회과학논총 제2집, 1997.

현대조직론의 현상학적 연구, 사회과학논총 창간호, 1996.

비 선호 시설 입지와 주민조직의 활용 방안, 사회과학논총, 창간호, 1996.

The Use of the Concept of Injustice for Policy Analysis: The Deconstruction of the Concept of Justice to Make a Normative Approach Possible, 사회과학논총 제2집, 1997.

A Study of the Political Influences of Legislators on the Distribution of Federal Benefits to Metropolitan Statistical Areas(MSAS), 연구논총 제23집, 1995.

A Study of the Compensatory Effects of Religiosity on Perceptions of Psychological Well-being: Proposing and Testing Structural Equation Models. 행정연구 제19집, 1995.

공공정책과 정부실패, 정치논총 제30집, 1995.

현상학적 행정 철학, 학술지 제39집, 1995.

전략기획과정에 관한 연구, 행정연구 제19집, 1995.

버스사업의 공영화 정책에 관한 고찰, 행정연구 제18집, 1994.

지역복지정책의 추진을 위한 방법론의 모색, 행정연구 제17집, 1993.

한국 정책연구의 현황과 방향: 한국정책학회의 창립을 중심으로, 정치논총 제27집, 1992.

정부 간 교통행정 기능 배분, 연구논총 제26집, 1992.

토지이용 규제정책 집행에 영향을 미치는 변수들의 인과관계에 관한 분석, 행정연구 제16집, 1992.

한국 지방자치제의 과거와 현재 및 전망: 중앙정치와 지방정치의 관계를 중심으로, 정치논총 제26집, 1991.

정책분석과정에 관한 연구, 행정연구 제15집, 1991.

한국 정치·경제·사회발전의 선행요인, 행정연구 제12집, 1988.

조직과 인간, 정치논총 제23집, 1988.

조직과 환경, 연구논총 제16집, 1988.

정책평가에 관한 연구, 행정연구 제11집, 1987.

계획과정론, 연구논총 제15집, 1987.

정책집행에 관한 연구, 학술지 제31집, 1987.

엘리트 의견과 정치적 의사결정, 연구논총 제13집, 1985.

정책결정(자)과 여론, 정법논총 제13집, 1985.

정책의제 설정에 관한 연구, 행정연구 제9집, 1985.

정책과정 모형, 연구논총 제12집, 1984.

기타 PR과정론 외 53편


## 연구보고서

고속철도 건설이 국가경영전략에 미치는 영향(공동: 한국정책학회장. 연구책임자)

제16대 국회의원 선거 정견, 정책자료집(공동: 한국정책학회장, 연구책임자)

# 刊 行 辭

세월의 무정함은 이렇게도 빨리 교수님을 정년 앞에 세우셨습니다. 실감이 나지 않지만 참으로 그지없는 아쉬운 마음과 함께 저희들로 하여금 교수님의 숭고한 삶을 되돌아보게 합니다.

교수님께서는 호(磨巖)에서 말하듯이 바위를 갈듯 수양과 학문탐구의 고독한 삶을 이겨내시며 오직 학문의 발전과 제자들을 위한 외길 인생을 살아오셨습니다. 교수님께서는 어려웠던 학창시절과 사회초년시절을 강인한 정신력으로 극복하셨고, 급변하는 사회환경 속에서 허다한 유혹을 뿌리치시고 30여 연간 모교인 건국대학교에서 행정학의 발전과 후진양성이라는 사회적 소임을 다하기 위하여 생을 바치셨습니다. 참으로 쉽지 않은 숭고한 생애인 동시에 축복받은 삶이 아닌가 생각합니다.

교수님의 학문 속에는 당신의 인생역정(人生歷程)이 녹아내려 논리를 이룩하고 그를 후학들에게 전수함으로써 우리나라의 행정학 발전에 큰 공헌을 하셨습니다. 특히 교수님께서 저술하신 「政策過程論」과 「管理와 PR」 및 「發展企劃能力論」등에 소개된 내용들은 행정학의 발전과 후학들에게 큰 도움이 되고 있습니다. 경쟁관계에서 공정한 승부를 위한 "싸움 문화론(rule of the game)", 공정한 배분의 기준으로서의 "보상적 사회정의관"(사회정의란 능력과 노력에 따른 보상체계의 구현: 按努力與能力給與報酬之体係), 하급자에게 필요한 "followership", 그리고 인간의 의사결정이 당·부당(當·不當)과 이·불리(利·不利)의 계산에 의하여 이루어진다는 "결정률(決定律 혹은 行動律)", 그리고 표결의 원칙으로서, 투표자의 진정한 선호의 정도(選好度)를 반영하기 위한 "질(質)의 다(多)"의 원칙("數의 多"와 대비되는 개념) 등은 교수님의 삶 속에서 일구어낸 이론으로 생각되며 지금도 우리들의 머릿속에 생생히 살아있습니다.

또한 교수님께서는 행정의 실무를 통해서도 모교의 발전과 한국 행정학의 발전에 많은 공헌을 하셨습니다. 행정학과장, 정치대학장, 행정대학원장 등의 보직을 통하여 학교발전에 많은 공헌을 하셨는가 하면, 한국정책학회 회장직을 역임하시면서 한국행정학 및 정책학의 발전에도 큰 업적을 남기셨습니다.

교수님께서는 참으로 진솔하시고 제자들을 사랑하는 마음이 남달랐습니다. 그래서 교수님의 주변에는 진솔한 사람들이 항상 많았고 제자들 역시 그러한 교수님의 모습을 닮아가고 있습니다. 저희들이 교수님과 함께 관악산을 오르내리며 간간히 벌였던 토론과 정초에 늘 교수님 댁에서 세배하고 떡국을 나누며 담소하였던 추억들은 저희들 마음속에 사모님의 따뜻한 정과 함께 교수님에 대한 온유하시고 인자하신 기억으로 언제나 남아 있을 것입니다.

그동안 교수님께서 저희들을 포함한 모든 후학들에게 베풀어주신 은혜에 감사하며 교수님께서 지금까지 살아오신 청량(淸良)하고 숭고(崇高)한 삶을 기리기 위하여 磨岩文友會 제자들이 모여 작지만 소중한 마음으로 정년을 기념하는 논문집을 간행하게 되었습니다. 이 조그마한 논문집이 교수님의 참다운 삶을 기리기에는 너무나 부족하나 제자들의 사회적 성장의 표시이고 정성의 표시로 간행하는 것이므로 이를 위안으로 삼아주셨으면 합니다.

법적 제도에 의하여 이제 교수님께서 정년을 맞이하여 사회적 소임의 일부를 내려놓으시지만 앞으로도 건강한 모습으로 학문에 정진하시며 사회에 공헌하시리라고 믿고 아쉽고 서운함을 달래봅니다. 이제 인생의 짐을 일부 내려놓으신 만큼 여유로운 마음으로 가족들과 따뜻한 사랑을 마음껏 나누시고, 새로운 인생계획 속에서 그간에 다 못한 일들을 성취하시며 즐겁고 보람 있는 생활을 하시기를 기원합니다. 그리고 항상 변함없이 내조하시고 제자들을 따뜻하게 맞아주신 사모님과 가족들에게도 늘 건강하시고 행복하시기를 기원합니다. 또한 기념논문집 제호(題號)와 축하휘호(揮毫)를 써주신 심응섭 교수님, 축사를 써주신 노화준 교수님, 박응격 교수님, 황윤원 교수님, 그리고 허만형 교수께 감사드리며 기고를 해주신 마암 문우회 여러분께도 감사의 마음을 전합니다. 이 논문집의 간행을 승낙하여 주신 한국학술정보(주) 채종준 사장님과 직원 여러분의 수고에 감사드립니다.

2006년 8월

磨巖 尹正吉 敎授 停年記念論文集刊行委員會

委員長　韓永洙

# 祝 辭

盧 化 俊
서울대학교 행정대학원 교수

磨巖 尹正吉 교수님을 처음 만난 것은 지금부터 31년 전인 1975년 봄이었던 것으로 기억됩니다. 이제 어언 30여년이 흘러 그동안 많은 학문적 업적을 내고, 후학을 지도해 오시다가 건강한 몸으로 정년을 맞이하게 된 것을 30여 년간 같은 행정학 분야를 연구한 학문연구의 동반자로서, 그리고 같이 친교하면서 생활해온 친구로서, 여러 동료교수님들과 친구들, 제자들 및 온 가족들과 더불어 진심으로 축하드립니다.

미국에서 갓 행정학 박사학위를 마치고 귀국하여 서울대학교 대학원에서 시간강사를 하던 때 은사님이신 朴東緒 교수님의 소개로 건국대학교 행정대학원 행정학과에서 박사학위 논문을 작성 중이던 尹正吉 교수님을 처음 만나서 논문작성에 필요한 자료 분석을 위하여 통계 패키지로 回歸分析을 하는 방법을 조언하게 되었고, 그 조언에 따라 컴퓨터 작업을 한 결과 한없이 컴퓨터에서 출력되는 자료를 보고 당황하였다는 尹正吉 교수님의 말씀을 듣고, 같이 당황했던 일이 엊그제 같습니다. 당시 박사학위 논문으로 작성하셨던 "韓國行政의 發展企劃能力에 관한 硏究"는 후에 "發展企劃能力論"으로 발전시켜 우리나라 정부의 發展企劃力量을 크게 업그레이드 시키는데 공헌하셨고, 학문적으로도 發展企劃力量提高에 관한 이론을 발전시키는 데에도 크게 기여 하였습니다.

연구주제의 선택, 특히 박사학위 논문의 주제의 선택은 연구자 본인의 학문적 지향과 학문적 신념의 일부를 나타내는 중요한 선택입니다. 尹正吉 교수께서는 30여년 전인 1970년대 중반에 이미 정부부문의 국가경쟁력을 향상시키기는 것이 무엇보다도 중요하고, 이를 위해서는 행정역량(능력)을 발전시키는 것이 중요하다고 하는 것을 직감하셨으며, 이것을 향상시키는 일환으로 발전기획능력을 업그레이드 시킬 수 있는 이론과 방법을 발전시키기 위하여 경험적 연구를 착수하셨던 것입니다. 30여년이 지난 2006년 5월 매년 국가경쟁력 순위를 조사하여 발표하는 스위스 국가경영개발원(IMD)은 한국의 국가경쟁력이 전체 61개 조사대상국들 중 38위를 기록하였고, 국가경쟁력을 구성하는 4개 부문 중 정부부문의 경쟁력이 2005년의 31위에서 2006년에는 47위로 급락하였다는 보고를 하였습니다. 이는 행정역량의 발전이 국가발전, 그리고 그의 견인차가 되는 정부부문의 국가경쟁력 향상에 가장 중요한 관건임을 말해주는 것입니다. 尹正吉 교수님의 깊은 혜안은 30년 후를 내다보고 그때부터 차근하게 행정역량을 업그레이드 시킬 이론적 기초를 다지기 위하여 경험적 기초 연구를 시작했던 것입니다.

尹正吉 교수님은 한국 행정학에서 행정PR이론과 전략기획이론연구에도 선구적 역할을 하였습니다. 이러한 연구의 중요성은 오늘날 정부에서 정책홍보와 각급 정부 조직들의 전략기획 작성을 중요한 국정의 방향으로 설정한 것만 보아도 알 수 있습니다.

尹正吉 교수님은 기획이론과 PR이론 분야 이외에도 정책집행과 정책평가, 복지정책, 리더십 등 다방면에 걸쳐 폭넓게 연구 활동을 하여 왔으며, 교수생활을 하는 동안 거의 매년 1~2편의 연구논문이나 저서들을 발표하셨고, 학자로서 연구에 대한 정열을 유지하여 왔습니다. 교수로 재직하시는 동안 수많은 박사학위 논문과 석사학위 논문작성을 지도하여 후학을 양성하셨고, 높은 존경을 받아왔습니다.

尹正吉 교수님은 학문연구뿐만 아니라 대학교 발전과 학문공동체인 학회발전에도 남다른 열정을 보였습니다. 대학교에서는 건국대학교 정치대학장과 건국대학교 행정대학원장을 비롯하여 여러 학교 보직들을 헌신적으로 수행하시면서 학교발전을 위한 초석을 쌓았으며, 학생지도에도 남다른 애정을 실었다는 평을 듣고 있습니다.

또한 학문공동체인 학회발전을 위해서는 교수 생활을 시작한 1970년대 초부터 한국정치학회, 한국행정학회 등의 회원으로 연구논문의 발표자, 토론자, 사회자 등으로 활동하였으며, 특히 1999년 12월부터 2000년 12월까지 1년간은 한국정책학회 회장의 중책을 맡아 탁월한 리더십을 발휘하여 IMF의 어려움을 막 겪은 사회적 혼란 속에서도 발전의 초창기에 있던 한국정책학회발전의 기틀을 튼튼하게 다졌습니다.

尹正吉 교수님은 통찰력 있는 연구자로, 자애로운 교육자로, 헌신적인 조직에 대한 봉사자로, 그리고 낙천적인 사회활동의 동반자로 많은 선배, 동료, 그리고 후학들의 사랑을 받으면서 정년을 맞게 되었습니다. 다시 한번 尹正吉 교수님의 정년을 축하하며, 정년 이후에 맞는 제2의 인생에서도 더 건강하시고, 선배, 동료, 후학들과 교류하면서 오래토록 즐거운 인생을 살 수 있기를 바라는 마음 간절합니다. 다시 한번 尹正吉 교수님의 정년을 축하드리며, 가정에도 평안과 큰 행운이 있기를 빕니다.

2006. 8.

# 祝　辭

박 응 격
한양대 행정·자치대학원장

　윤정길 건국대 교수님의 정년기념논문집 발간에 즈음하여 본인이 축사의 글을 올리게 된 것을 매우 영광스럽고 기쁘게 생각합니다. 우리 모두가 존경하는 윤 교수님이 2006년 8월말로 정년을 맞이하시게 되었다는 소식에 접하고, 세월은 화살처럼 빠르다는 것을 새삼스럽게 실감합니다.

　지금도 20대 젊은이처럼 매일 아침 60kg의 역기를 100회씩이나 들어 올리시는 건강을 유지하시는 모습을 볼 때 마다, 65세 정년이 모든 교수에게 적용하는 것이 과연 옳은 것인가에 대한 회의(懷疑)를 갖게 합니다.

　우리나라 대학도 구미선진국들처럼 대학교수의 정년을 65세 나이에 고정시키지 말고, 윤 교수님처럼 건강하시고, 학문의 업적이 뛰어난 교수님들에게는 정년을 폐지하는 것이 어떨가 하는 생각이 드는 것은 저 뿐만 아니라 대학에 몸담고 있는 교수님들의 한결같은 바램이 아닌가 생각됩니다.

　저에게는 60년대 중반의 학창시절부터 오늘에 이르기까지 40년 가까이 윤 교수님과 학문적 교분 뿐만 아니라 친교를 지속할 수 있었던 것은 저의 인생에 큰 행운이었습니다. 윤 교수님은 60년대 초의 국민소득이 100불이 미치지 못한 시기에서 오늘의 2만불시대를 같은 우리 세대와 함께 일궈내신 '변화와 발전의 선구자'로 대학켐퍼스를 단 한번도 한눈을 팔지 않으시고 꿋꿋이 지켜오셨습니다.

　우리에게 널리 알려진 '문명충돌'의 저자 새무엘 헌팅톤은 그의 또 다른 저직인 '문화가 중요하다(Culture Matters)에서 이렇게 적고 있습니다. '나는 우연히 60년대에 지구촌에서 가장 소득수준이 낮은 국가의 하나인 아시아의 한국과 아프리카의 가나를 비교연구하면서 이들 두 나라가 인구, 영토, 산업구조, 소득수준이 모두 비슷하다는 것을 알게 되었다. 당시의 국민 개인소득이 이 두 나라가 100불 미만인 것도 동일하였다. 그 후 30년이 지난 90년대에 이들 두 나라를 비교해보니, 가나는 60년대의 수준과 모든 것이 비슷했으나, 한국은 세계 14위 경제산업국가로 성장하여 유럽의 그리스 수준을 따라 잡고 있는 중이었다.

그래서 나는 무엇이 이 두 나라의 격차를 크게 만들었는가에 대한 연구조사활동에 심취하였다. 많은 변수가 발견되었으나, 그 중에서도 가장 중요한 변수의 원인이 문화 (culture)에 있다는 것을 검증하게 된 것이다'

우리나라가 지난 30년 동안 이룬 산업화와 국가발전은 선진국들이 100년에서 200년동안 발전해온 기간에 해당하며, 지구상에서 지난 20세기에 세계의 최저빈국에서 10대경제국가로 성장한 예는 한국밖에 없다고 세무엘 헌팅턴은 물론 피터 드러커 교수도 증언하고 있습니다. 도대체 지난 30년 아니 40년 동안에 한국에서는 무슨 일이 벌어졌기에 이러한 역동적인 변화와 발전이 있었던 것입니까? 한국대학에는 지난 60년대부터 전국 어느 대학에나 국가발전을 실용적으로 이끌어 나갈 전략을 연구하고 가르치는 행정학과가 개설되었습니다.

그 때나 지금이나 세계 어느 나라에 가보아도 우리나라 대학처럼 행정학과 학부과정에서부터 대학원에 이르기 골고루 개설된 나라는 없습니다. 바로 대학의 행정학교육이 국가발전에 대한 열망을 문화로 승화시켜 '행정인의 가치관, 태도'를 발전행정인으로 탈바꿈하여 초기의 식량마저 자급자족하지 못하고 겨우 농수산물위주의 3천만불 수출에서 이 나라를 불과 30년만에 3천억불 수출국가로 변신시킨 것입니다. 이는 우리가 잘 아는 바와 같이 18세기 유럽국가에서 근대화의 후발국가인 프러시아의 1세에 의하여 1727년 Halle 대학과 Frankfurt 대학에 행정학(,Kameralwissenscahft)과를 개설하여 우수한 관료를 유럽 최초로 양성함으로써 후발국가인 프러시아가 선진국가인 프랑스나 영국을 따라 잡을 수 있었던 것과 비교할 수 있습니다.

윤 교수님은 바로 이와 같은 한국사회의 40년 동안의 격변기를 슬기롭게 변화시키는데 우리 대학생들에게 발전행정학과 정책을 강의하시고, 연구하시면서 중앙정부와 지방정부의 행정개혁작업을 역동적으로 추진하는데 타의 추종을 불허하는 에너지와 지혜를 쏟아 부으신 장본인 이십니다. 또한 스승으로서 모든 지도역량을 발휘하셔서 행정학박사 제자를 50명이나 배출시키셨고, 행정학 제자는 직접 지도하신 제자만도 수 백명에 이르고 있습니다.

윤 교수님께서는 1999년 10월에서 2000년 12월까지의 임기인 한국정책학회장을 역임하셨기 때문에 20세기와 21세기에 걸쳐서 학회장을 하시는 행운을 가지시기도 하셨습니다. 그동안 저술활동도 활발하셔서 1983년에 「PRs론」을 출간하셨고, 이어서 1984년에는 「발전기획능력론」을 발간하셨습니다. 또한 1987년에는 「정책과정론」을 출판하셨습니다.

이들 저서들은 일본학계에도 널리 소개되어 윤 교수님의 저서의 내용들이 다수 일본저서에서 인용되기도 했습니다.

비록 윤 교수님께서 이번에 정년을 맞이하셨지만, 연구활동은 더욱 왕성하게 펼치실 것으로 기대됩니다. 이번 교수님의 정년을 계기로 더욱 자유롭게 국가발전과 학문발전에 더욱 큰 기여를 하실 것을 확신합니다. 청년 같은 건강하심과 기개로 새로운 인생의 장을 펼치시어 선후배, 교수, 동료, 그리고 사랑하는 윤 교수님의 제자들에게 변함없는 인생과 학문의 반려자로서, 스승으로써 큰 가르치심을 주시기 바랍니다.

내내 건강하심과 행운을 기원합니다.

감사 합니다.

# 祝 辭

황윤원

중앙대학교 행정학과 교수


　세월이 유수라는 말을 실감나게 하는 일은 우리 주변에 흔히 있습니다. 그 중에서도 늘 가까이에서 학문적 교류를 나누고 있는 학계의 주변 인사들이 정년을 맞이한다고 할 때가 가장 크게 실감나게 할 것입니다. 특히 마암 윤정길 교수님께서 정년을 맞이하신다는 사실에 세월의 유수함을 절감하면서 놀라지 않을 수가 없는 게 필자만은 아닐 것입니다. 필자는 이 글을 쓰면서도 여전히 윤정길 교수님이 정년퇴임을 하신다는 사실을 믿고 싶지 않습니다. 그만큼 그 분은 늘 노익장을 과시하시면서 젊게 살아가고 계시다는 생각이 들기 때문입니다.

　처음 제가 축사 청탁을 받고서는 많이 망설였습니다. 천학비재한 데다 인생의 깊이를 도량할 수 있을 만큼 연륜도 충분하지 않기 때문이었습니다. 그러나 워낙 깨끗한 인생을 사시고 순박함이 심산유곡 숲 속에 깊이 묻혀 큰 나무 그늘 아래 수줍게 피어 있는 하얀 산 도라지꽃 같다는 생각을 늘 해왔던 터라 용기를 내었습니다. 필자같이 촌티 풀풀 나는 주제에 감히 이런 영광이 어디 있어 마다할 수 있겠냐는 생각에서지요. 마암 선생님은 사람이 지녀야 할 수많은 품성 중에서도 인간적인 면이 특히 돋보이는 분으로 보입니다. 말하자면, 교육심리학자 Howard Gardner가 제시한 인간의 여덟 가지 지능 이외의 지능인 영성(spirituality), 도덕적 감수성(moral sensibility), 직관(intuition) 등의 인간적 지능이 더 발달한 분이라는 거지요.

　이런 이유로 필자는 오랫동안 그분과의 교류를 영광으로 여기며 살아가고 있습니다. 때로는 너무도 솔직하여 자신의 손해를 감수하면서 까지도 자신이 생각하기에 옳은 일이면 우직스럽게 버티시는 바람에 고집불통으로 오해받기도 할 것 같지요. 남들이 뭐라고 해도 그분의 콧수염은 늘 그 자리에 가지런히 정리되어 매달려 있지요. 그것도 그런 고집불통이라는 소리를 듣는 이유 중 하나라는 생각이 듭니다. 그러나 가까이 다가가서 보면 비단결처럼 부드러운 성격에 심지어는 연약하기까지 한 분이기도 하지요. 아마 모르긴 해도 방송드라마 보면서 그리 슬픈 장면이 아닌데도 혼자 눈물 훔치는 때가 많을 거라는 생각도 듭니다. 상대에게 격하고 심한 말싸움을 하고 난 뒤에는 반드시 돌아가서 후회하고 미안해하는 절절함이 그분에게는 아무도 모르는 지극한 인간미로 감춰져 있다고 한다면 모르긴 해도 그분은 아마 "이 사람, 제법 사람 볼 줄 아는구먼!"하고 무릎을 치면서 껄껄껄 웃으실 거라 믿지요.

그 분은 늘 필자를 친아우처럼 아껴주셨지요. 그건 아마 필자가 워낙 촌티 나는 어설픈 학자로 '혹시나 실수하지 않을까?' 하는 노심초사의 내리사랑 때문이었으리라 생각됩니다. 자신이 스스로 무엇을 성취하기보다는 아끼는 후배나 제자가 더 크게 성취하기를 간절히 바라는 청출어람의 철학을 평생 실천하고 살아가는 분이지요. 언젠가 필자에게 '참스승상'을 얘기하면서 자신보다 더 뛰어난 제자를 많이 교육하는 것이 올바른 스승의 역할이라고 힘주어 말하시던 기억이 납니다. 그러면서 당신은 자신보다 더 나은 제자가 많은 것을 자랑스러워 하시며 엄청나게 우쭐대시던 모습이 생각납니다. 가시고기가 새끼들을 다 키워 집을 내보낸 후에도 다시 돌아오면 죽어가는 자신의 살까지 뜯어먹게 하며 새끼들을 키워나가는 지극한 어미사랑 같은 윤 교수님의 내리사랑이라고 비유하면 지나칠까요?

제가 아는 윤정길 교수님은 또한 언제나 긍정적이고 마음이 늘 여유롭지요. 필자는 아직 그분과 20여년 교분을 맺으면서 안 된다는 말을 들어 본 기억이 잘 나지 않습니다. 아마 지금 살고 계시는 하남 야산의 유일한 집 한 채 조차 제가 그저 달라 해도 내줄지 모른다는 착각이 들 정도지요. 게다가 순박함 또한 어찌 주체할 길 있으리오!. 필자는 종종 그 분이 진짜 21세기 서울사람인지 궁금할 때가 있습니다. 가까이서 겪어보면 아마 이 분이 조선시대 산골에서 뛰어노는 산동이라는 생각이 들만큼 때 묻지 않은 순수함과 순박함이 가득하지요. 환갑 지난 지도 오래됐는데 아직도 아령 들고 이두박근 키우는 모습 보면 가히 그의 순박함을 짐작할 수 있을 테지요.

무엇보다도 마암 선생님께서 지닌 가장 큰 장점은 의리를 소중히 여긴다는 거라고 생각합니다. 의리를 지키려는 황소 같은 고집은 가히 일품이지요. 말하자면 의리 앞에서는 물불을 가리지 못하는 용맹스러움을 지녔지요. 옳고 그름은 차후의 일이요, 오로지 의리만이 먼저이지요. 그래서 그 분에게는 우리 행정학계나 건국대학교 안에서 그의 이런 의리의 혜택을 받은 이들이 적지 않았을 것으로 생각합니다. 혹자는 학자에게 있어 의리는 그리 큰 덕목이 아니라 할지언정 그분에게는 그러나 그렇게 소중한 자산으로 쌓아 두고 살아가리라 믿습니다.

오늘 필자는 참으로 두서도 없고 전후도 없이 이런 어설픈 산문으로 마암 선생님의 정년기념논문집에 축사를 감히 적고 있습니다. 그러나 마암 선생님에게 있어 정년은 학문과 활동의 마감이 아니라 새로운 출발의 찬란한 팡파르로 보여 집니다. 왜냐하면 그 분은 늘 그렇게 좋은 생각으로 좋은 사람 만나 좋은 인연 맺고 새롭게 살아가시는 분이기 때문에 갖는 확신이지요.

"마암 선생님! 정년을 마음 깊이 축하드립니다. 그래도 당신께서는 그리도 소중히 여기는 탁월한 후학들을 잔뜩 길러 내셨으니 그만하면 큰 복이 아니실 런지요? 요즘 세상에 이리도 후하게 제자들이 잔치 해주는 동네 그리 많지 않다고 합디다. 앞으로도 내리사랑 더욱 가꾸시고, 전정가위 들고 뜰 안 장식만 하지 마시고, 가끔씩은 동업자들 만나 행정학, 정책학, 정치판 얘기도 소주잔 곁들여 얘기하면서 더욱 편한 인생 더 힘차게 살아가시기를 바랍니다. 노익장 여전히 빛나게 해 주시고, 화목한 가정 더욱 힘써 주시길 빌겠습니다."

# 정년헌사(停年獻辭): 몇 시입니까, 교수님의 시간은?

허만형

건국대 사회복지학과 교수

윤정길 교수님과 스승과 제자로서 인연의 시작은 대학시절이었다. 그 때 교수님의 모습을 그려보라면 건장한 체격, 굵은 뿔테 안경, 그리고 열정적인 강의, 이 세 가지가 가장 먼저 떠오른다. 한 마디로 젊은 분이셨다. 하루 스물 네 시간을 삶의 여정에 비유한다면 아마 열 시 정도가 아니었을까, 하는 생각이 든다.

학위를 받고 교수님의 젊은 시절처럼 나도 대학 강단에 섰을 때 교수님은 약간 변해 있었다. 체격, 안경, 그리고 열정은 그대로였지만 상징 하나가 더 늘어나 있었다, 분명히 나의 대학 시절에는 없었던 콧수염이었다. 오년 아니 십년 정도의 세월이 흘렀건만 교수님의 시간은 열시에서 콧수염이라는 점 하나 정도밖에 흐른 것 같지 않았다.

가끔 교수님의 방에 노크를 하고 들어가 보면 책, 책상과 의자, 그리고 응접세트가 빽빽이 들어선 좁은 공간에서 열심히 아령을 들어 올리는 모습을 볼 수 있었다. 무게로 따지자면 10킬로그램이 넘을 것 같은 무지하게(?) 큰 아령이었다. 비록 콧수염은 여전히 멋진 자태를 뽐내고 있었지만 교수님의 시간은 힘과 파괴력까지 겸비한 채 나의 대학시절 그 모습으로 되돌아가 있었다.

아령을 열심히 들어 올리면 삶의 시계를 거꾸로 돌릴 수도 있다는 생각이 떠올라 나도 아령 하나를 장만하기로 했었다. 스포츠 센터에 가서 10킬로그램짜리를 집었더니 지켜보던 여성 점원이 내게 다가와 말을 건넸다. 아저씨한테는 너무 무거워요, 라면서 절반 정도 되는 아령을 집어서 내게 내밀었다. 자세히 살펴보니 6킬로그램짜리였다. 아주 가끔 그 작은 아령을 들어 올릴 때면 늘 교수님의 덩치 큰 아령과 비교하며 웃음을 짓곤 한다.

교수님을 따라서 가끔 산 좋고 물 좋은 골프장을 찾기도 했었다. 솔직히 말하자면 교수님은 잘 치는 골프는 아니지만 다이내믹한 스윙에 아령으로 다져진 팔뚝에서 내뿜는 파워만으로도 상대를 제압할 정도였다. 언젠가 10미터 정도의 거리에서 칩샷을 했는데 그대로 홀컵으로 빨려 들어간 그 장면을 목격한 적이 있었다. 그때 좋아라 두 팔을 번쩍 들어

올린 교수님의 그 모습에는 초등학생과 같은 천진함이 배어 있었다.

2000년 교수님은 한국정책학회 회장에 취임하셨고, 난 총무이사로 교수님을 모셨다. 학회 운영에 관하여 의논을 할 때면 언제나 대답은 한결같았다. 교수님은 모든 것을 맡긴다고 한 마디로 잘라 말씀하셨고, 실제로 그랬다. 모시고 일하기가 무지 편한 분이었다. 그러다보니 혹시 월권을 하는 게 아닌가, 하는 생각에 더 마음이 쓰이기도 했었다. 그래도 학회 운영의 큰 그림은 그려주셨다. 학회 창립 후 한동안 인연이 끊어져 있던 중앙선거관리위원회와 다시 연결시켜 『정당의 정책공약 비교분석집』을 내기도 했고, 굵직한 연구 과제도 수주하여 『남북고속철도가 국가경영에 미치는 전략』과 같은 멋진 과제를 수행하기도 하여 큰 보람을 느끼기도 했었다.

남북고속철도에 대한 연구를 하면서 교수님과 함께 남북이 철도로 연결되면 통일의 도화선이 될 수 있다는 결론을 이끌어냈었다. 그 후 몇 년이 지나 남북철도 연결이 중요한 통일사업의 하나가 되었다. 그 연구의 또 다른 결론에서처럼 남북이 고속철도로 연결되면 한반도는 중국을 지나 중앙아시아를 연결(Trans-China Railway)하고, 러시아의 시베리아를 지나 유럽까지 이어지는 세계철도(Trans-Siberia Railway)의 중심이 될 수 있다는 꿈이 실현되는 날이 머지않았음을 다시 한 번 기대해 본다.

학회 운영에 필요한 연구 과제를 마무리한 후 노래방에라도 가면 교수님의 레퍼토리는 끝이 없었다. 가무가 어우러진 멋진 분위기를 연출하면서 "젊은 오빠"로서의 면모를 발휘하지 않은 때가 한 번도 없었다. 그때 함께 일한 명지대 정윤수 교수와 중앙대 문태훈 교수를 만날 때면 젊은 오빠의 노래와 춤, 그리고 콧수염에 대한 이야기를 나누곤 한다. 젊게 사시는 분이라고.

교수님은 한 번 마음에 드는 음식점이 있으면 줄기차게 가는 성미를 가지고 계신다. 옮길 법도 하건만 흔들림이 없다. 사람을 대할 때도 그렇다. 한 번 좋아하면 단점까지도 장점으로 보이는 그런 믿음을 보낸다. 젊은 마음을 가지지 않고서는 도저히 할 수 없는 행동이라 생각한다. 상대에 대한 신뢰와 믿음은 아무나 할 수 있는 일은 아니다. 풋풋한 20대의 젊은 마음을 간직하고 있어야 가능하다.

상대에게 보내는 신뢰를 생각하면 교수님을 처음 만났을 때에는 마흔이 가까운 오전 열 시 정도였는데 정년을 맞은 지금 내게는 인생의 시계가 거꾸로 돌아가 아침이슬을 머금고 있는 청년으로 다가온다.

그래서 난 이런 질문을 던지고 싶다. 교수님, 도대체 교수님의 시간은 몇 시입니까?

# 목 차

# 제1편 한국의 사회발전과 행정

# 제1장 행정학의 성립배경과 사회적 맥락 : 자극과 반응
## -온 고 이 지 신-

윤 정 길*

## Ⅰ. 서론 : 학문으로서의 행정학

일반적으로 대학을 학문의 전당이라고 말한다. 학문이란 뜻의 한자어 표현에는 "글을 배운다"는 의미의 學文과 "질문을 배운다"는 뜻의 學問이란 표현[1]이 있다. 넓은 의미에서, 교육기관에서는 이 같은 學文과 學問을 다같이 다루게 되겠지만 오늘의 대학은 學問을 다루는 곳으로 일반화되기에 이르렀다.

여기에서, 學問(learning, scholarship)한다는 것을, "질문을 배우는 것"으로 수용할 때, 이것은 현상에 대한 단순한 기술적 이해나 설명만이 아닌 인과적 이해 또는 설명으로 풀이 할 수 있다. 사회현상을 고찰의 대상으로 삼고 있는 사회과학은 자연과학에 비해 인과적·법칙적 귀결이 깔끔하게 떨어지지 못하는 한계가 있다. 그것은 사회현상이 주로 사회적 맥락 속에서 인간행위를 매개로 해서 일어나는 현상이고 인간행동이란 사물에 대한 판단·결정 그리고 행동(또는 행동유보)으로 이어지는 과정상에서 좌뇌적 판단과 우뇌적 판단[2]이 복합작용하게 되고 이것 역시 완전한 정측성(定則性)을 갖고 있지 않기 때문이

---

건국대학교 행정학과 교수

1) 학문이란 뜻을 국어사전에서 찾아보면 學文과 學問을 다음과 같이 풀이하고 있다.
　　學文 : 詩書六藝의 글을 배움(주역, 서경, 시경, 춘추, 예, 악 등).
　　學問 : 배워서 익힘(learning scholarship)

2) 인간의 두뇌작용은 두 가지 역할구조로 되어 있는바, 좌뇌적 역할과 우뇌적 역할이 그것이다. 일반적으로 좌뇌적 판단은 분석적, 합리적, 과학적, 이성적 판단을 주도하고 우뇌적 판단은 정서적, 감정적(경우에 따라서는 비합리적), 초합리적 판단을 주도하게 된다. I.Q와 E.Q. 및 C.Q.는 이를 기초로 하고 있다. 개인이 사물이나 현상에 대해 판단, 결정, 행동을 하는 경우 그것은 상황에 따라 개인의 성향에 따라 정보의 접근여하에 따라 저마다 다른 반응으로 나타날 수 있고 또한 그것은 case별로 달리 반응할 수도 있다.

다. 이런 점에서 사회과학은 자연과학에 비해 과학성(인과성)이 뒤떨어질 수밖에 없는 한계를 가지게 된다. 다른 차원에서 보면 사회과학은 자연과학에 비해 과학성이 뒤지지만 이를 극복하기 위해 초과학성을 필요로 하는 학문의 영역이라고도 말할 수 있다.

학문(學問)의 한 영역으로서의 행정학은 본래 유럽에서 발생하였다. 행정학의 발달을 관방학(官房學)과 슈타인의 행정학에서 찾는 경우 더욱 그렇다. 그러나 오늘날 우리에게 보편화된 행정학 이론은 미국에서 발단된 것으로 보는 것이 지배적이다. 다른 학문도 그러하겠지만 행정학의 발단은 특정의 시대적 맥락 속에서 필요 또는 자극(Stimulus)에 대한 반응(Response)으로 나타났다. 유럽의 경우 관방학(Kameralwissenschaft, Cameralism)은 16C 중엽이후부터 18C말에 이르기까지 독일과 오스트리아에서 발달한 정책학으로서의 성격을 지닌 절대주의국가(경찰국가)의 행정사상이다. 이것은 그 당시 영국의 해외 지향적 중상주의와 불란서의 중농주의에 대응하려는 독일적 대응전략의 성격을 지닌 것으로 "행복촉진주의적 복지국가관"을 근본사상으로 하고 있다(辻清明, 1956: 10).

미국 행정학을, 1887년 윌슨(Woodrow wilson)의 행정의 연구(The Study of Administration)에서 찾는 경우 미국은 유럽보다 3세기 정도 뒤늦게 행정학에 관심을 가지게 된 셈이다. 미국의 시대적 맥락은 유럽과 달랐기 때문에 미국 행정학은 유럽 행정학과 역사적 배경을 달리하였고, 그 내용도 차이가 있지만 그 어느 경우이든 정부가 당면한 문제해결(problem solving)을 위해 여하히 효율적인 운영을 수행해 갈 것인가 하는 점에서는 공통적이라 할 것이다.

본 주제는 행정학 성립배경을 인과적인 차원에서 자극(S)·반응(R)의 관계로 규명함으로써 한국 행정학을 여하히 토착화하고 발전시켜 나아갈 것인가를 모색하자는 데 그 목적이 있다. 이를 위해 독일의 관방학과 경찰학 및 슈타인 행정학의 전개과정이 그 시대의 사회적 맥락과 어떤 관계가 있었는지를 살펴보고 특히 한국 행정학에 지대한 영향을 미친 미국 행정학의 성립배경에 초점을 맞추기로 한다. 윌슨(Woodrow Wilson)이나 화이트(Leonard D. White)등과 같은 초기 행정학자들이 들고 나온 논리는 그 시대의 사회적 맥락이나 행정 철학 및 행정사상과 관련하여 어떤 반응으로 대두되었는지를 살펴봄으로써 한국 행정학도 우리의 맥락과 사상을 통해 한국화 내지는 토착화된 학문으로 발전될 수 있는 계기를 마련하고자 한다.

# Ⅱ. 독일 행정학 성립과정의 인과적 이해 : 자극(S)과 반응(R)

## 1. 독일 관방학의 성립과 자극(S)·반응(R)

17~18세기에 프랑스에서는 훌륭한 관로체제 내지는 중앙집권적인 행정체제 속에서 경찰학(science de la police)[3]이 발달했던 것과는 달리 일찍이 16C 중엽이후부터 독일에서는 관방학이 발달하였다. 따라서 이하에서는 16C 중엽, 독일의 시대적 맥락을 살펴봄으로써 관방학 성립(R)을 위한 자극(S)을 규명하고자 한다.

당시 영국과 프랑스는 절대군주국가의 위세를 발판으로 식민지 획득과 시장개척에 주력하는 한편 국가적인 보호정책을 통하여 민족국가를 확대·발전시켜 가고 있었다. 이에 반해 독일은 농업국으로서 민족국가적인 정치적 통일이 이루어지지 않았고 경제적 후진성을 면치 못한 상황이었다. 때문에 독일은 부국강병책을 내세워 자국산업을 보호하고 민족적 절대군주제 수립의 필요성을 절감하게 되었다. 따라서 절대군주에 봉사할 상비군과 능률적인 관료기구를 요청하기에 이르렀고 국내자원의 진흥개발을 통하여 군주의 관방재정을 증강시키려는 지식 및 기술에 관한 학문의 필요성을 가졌고 그 결과로 나타난 반응이 관방학 이었다.

관방학은 1727년을 전후로 하여 전기와 후기로 구분되는 바,[4] 전기 관방학은 이것이 재정학이나 경제정책과 혼재되며 후기 관방학은 유스티(Justi)에 의해 재정학이나 경제정책과 구별되는 독자적인 경찰학의 체계로 발전되었다는 특색이 있다. 행정학의 아버지라고도 불리어지는 유스티의 경찰학은 주로 국가자재[5]의 확보를 그 임무로 하는 바, 이것

---

3) 여기서 경찰이란 오늘날의 치안업무를 담당하는 경찰 이라기보다는 합리적인 정부조직이라는 넓은 의미이다. 17~18세기 기간 발달한 경찰학은 법학에 기초를 두고 있으나 법해석에 그치지 않고 국가행정의 실무적 차원에서 도움이 되는 원리를 제시하려는 경험적인 성격을 띠었다. 任道彬, Jacques Chevallier의 단일 사회과학으로서의 행정학, 오석홍 편, 행정학의 주요이론 (서울 : 경세원, 1996), p. 30.

4) 관방학은 보통 프리드리히·빌헬름 1세(Friedrich Wilhelm Ⅰ)가 1727년 Halle대학과 Frankfurt am Oder 대학에 관방학의 강좌를 설강하게 된 시점을 중심으로 전·후기 관방학으로 구분한다. Hans J. Wolf, Verwaltungsrecht Ⅰ, 1959, S. 48; 辻淸明, 전게서, p.11.

5) 여기서의 자재란 단순히 물질적 재화만을 의미하는 것이 아니라 국민의 능력이나 기술도 포함되는 개념으로 쓰이고 있다.

은 행정제도에 의하여 국가의 자재를 유지·증식할 뿐만 아니라 국가를 내부로부터 강력히 만드는 것을 연구하는 것이라고 하였다. 이 같은 경찰학의 결정적 의의는 행정(＝경찰)의 존재성격을 국가목적 내지는 국가이념을 실현하기 위한 합목적적인 국가 활동으로 포착한 점에서 찾을 수 있다.

이와 같은 관방학 내지는 경찰학도 18C말을 고비로 시민사회의 발전에 따른 사회적 맥락의 변화에 따라 쇠퇴의 길로 추락하였다. 즉, 국가권력에 의한 "행복촉진주의" 또는 "공공복지사상"은 점차 시민적 개인주의 내지는 자유주의사상과 충돌하기에 이르러[6] 결국 경찰수단을 한정시킴과 동시에 국가행정활동을 가급적 축소시켜야 한다는 소극적 태도로 변질되기에 이르렀다. 여기서 우리는 이것이 소극적 행정관 내지는 제퍼슨(Thomas Jefferson, 1743~1826)의 행정사상 즉, "최소한의 행정이 최선의 행정(government is best when governing least)"이란 관점과 부분적으로 일맥상통하고 있음을 알게 된다.

요컨대, 16C말에서 18C에 이른 기간 독일의 군주 중심적 사회적 맥락에서 독일식 문제해결 방식으로 출현한 관방학과 경찰학도 19C에 이르러 시민적 개인주의 내지는 자유주의 사상의 여파로 새로운 도전 또는 자극을 가져와 (S→R→S→) 새로운 돌파구를 마련하지 않으면 아니 되게 되었다.


## 2. 슈타인 행정학의 성립과 자극(S)·반응(R)

슈타인(Lorenz von Stein, 1815~1875)은 19C 독일 행정학을 대표하는 인물로서 18C의 관방학 시대에서 19C 이후의 행정법시대에 이르는 과도기적 마지막 관방학자이다(박응격, 1995:1401). 그는 관방학의 근본개념이었던 경찰(polizei)을 憲政(사회→국가)과 行政(국가→사회)의 두 개념으로 분리시키고, 헌정과 행정간의 대립관계를 공법학에서처럼 헌정

---

6) 민주국가가, "국민의, 국민을 위한, 국민에 의한 국가"로서의 성격을 가진다면, 절대군주국가는, "군주의, 군주를 위한, 군주에 의한 국가"로서의 성격을 지닌 것으로 비유할 수 있다. 따라서 「행복촉진주의」나 「공공복지사상」이란 것도 어느 시대의 것이냐에 따라 그 성격과 내용이 달라질 수 있다. 이런 점에서 관방학은 절대 군주를 위한 통치술의 연구라는 범위를 넘지 못한 것이었으며, 「군대와 관료제에 의하여 강제된 기계적인 권력장치」로서의 경찰국가에 봉사하는 것에 지나지 않았다는 비판이 수용될 수 있다. H. Preuß, Verfassungs politische Entwicklungen in Deutschland und Westeuropa, 1927, S.297. 김규정, 신행정학원론(서울 : 법문사, 1967), p.46.에서 재인용 참조.

의 행정에 대한 절대적 우월관계로 보지 않고 양자간에는 상호간의 우월성을 인정하는 이중관계로 파악하는 입장을 견지하고 있다. 여기서 헌정(verfassung)이란 국가라는 유기체를 구성하는 개인이 국가의사의 결정에 참여하는 국가적 권리를 의미하며, 행정(verwaltung)은 국가가 모든 개인의 향상을 촉진할 임무를 수행하기 위한 국가의 행위 혹은 활동수단이다.

슈타인은 행정을 5대 영역으로 구분하였는 바, ①외무부〔외교(국제교통)〕②육해군부〔체력(군대제도)〕③법무부〔법(사법)〕④내정각부〔발전(내무행정)〕 ⑤재무부〔국가경제(국가경제생활)가 그것이다(김운태, 1980:46).

슈타인의 행정학도 그 성립과정에서 당시의 시대적 환경변화요인에 의해서 영향을 받아왔다는 것은 재론할 필요가 없다. 이를 축약해서(박응격, 1995:1402) 보면 대체로 다음과 같이 지적할 수 있다. 첫째, 정치적 근대화의 물결이다. 즉, 19C 초엽인 1806년 나폴레옹전쟁으로 프러시아 절대국가가 붕괴하면서 시민적 개혁운동이 일어나고, 그 후 독일동맹(1814), 독일관세동맹(1834), 3월 혁명(1848), 북독일연방 결성(1867) 독일제국의 성립(1871) 등 일련의 정치적 근대화 과정이 그것이다. 둘째, 자유주의로의 국가이념의 변천이다. 정치적 근대화는 근대적 시민층을 성장시키고 이들에게는 강제대신 자유가 요구되었으며 그 결과 국가중심의 복지국가와 경찰국가에 대신하는 새로운 국가관과 행정이론을 필요로 하였다는 것이다.

이상에서 16C 중엽 이후에 출현한 관방학, 경찰학 및 슈타인 행정학의 내용과 성립과정에 대한 인과적 이해에 대해 축약적으로 설명하였다. 그 후의 독일 행정학의 발전과정에 대하여 여기서는 다루지 않고 있다(〈그림 1-1〉참조). 그것은 행정학의 성립과정에 주안점을 두고 있기도 하지만 우리의 관심이 한국의 행정학에 가장 영향을 준 미국 행정학의 성립과정에 집중되고 있기 때문이다. 19C말 이후의 행정학은 미국으로 장을 옮겨 살펴보기로 한다.

〈그림 1-1〉독일(→서독)의 행정과학의 계보

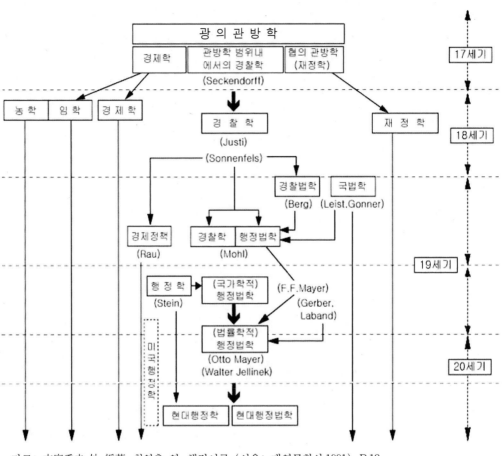

자료: 吉富重夫 外 編著, 최영출 역, 행정이론 (서울: 대영문화사.1991) .P.12

## Ⅲ. 미국 행정학 성립과정의 인과적 이해: 자극(S)과 반응(R)

미국에서는 비록 영국의 정치철학이 연방주의자와 제퍼슨의 공화주의자들의 행정에 영향을 끼치긴 하였지만 미국의(공공)행정은 대부분 미국적인 창조물이며 고유하고도 독특한 것이었다(Frederick C. Mosher(ed.), 1975:7). 미국의 경우 19C 후반까지는 행정이 지적관심의 영역이 되지 못하였다. 그러다가 윌슨(Woodrow Wilson)이 1887년에 "행정의 연구"(The Study of Administration)란 논문을 발표하면서( Woodrow Wilson, 1887: 197-222) 미국행정학에 대한 지적관심은 싹이 트게 되었다. 이런 점에서 미국 행정학의 성립은 1887년을 기점으로 한다.

이 논문에서 윌슨은 헌법을 제정하기보다는 그것을 운용하기가 더 어렵다고 지적하면서 국가관리를 위한 지적자원의 확보를 강조하였으며 또한 "행정의 영역을 정치의 영역이 아닌 관리의 영역(a filld of business)"으로 봄으로써 행정을 정치로부터 분리하는 이른바 정치 · 행정 2원론의 시각을 견지하였다.

이 같은 시각은 행정을 정치의 소용돌이와 갈등으로부터 분리시켜 행정의 독자성을 부각시키려는 의도였지만 그것은 분명히 당시로서는 행정(학)의 독립선언문이라 말할 수 있다. 즉, 그것은 행정이 정치로부터 독립(이혼)하고 관리〔또는 사무(business)〕와의 결합을 의미하는 것이었다.[7]

윌슨이 행정에 관한 최초의 논문을 썼다면 화이트(Leonard D. White)는 1926년 최초의 행정학 교과서(introduction to the Study of Public Administration)를 썼다. 미국행정에 관한 체계적 연구를 1887~1926년으로부터 출발하는 이유도 바로 여기에 있다. 당시 화이트는 행정을 국가목적달성을 위한 인적 · 물적 자원의(조직적 · 관리적 · 재정적 및 법적) 관리와 관련된 기술로 보았다. 초기의 행정학을 기술적 행정학이라 부르는 뜻도 여기에 있다.

윌슨은 행정연구의 목적(the object of administrative study)을 ① 정부가 적절하고도 성공적으로 할 수 있는 일은 무엇이고, ② 이러한 과업들을 수행함에 있어 어떻게 하면 최소의 돈이나 에너지와 같은 비용(cost)을 투입해서 최대의 능률(efficiency)을 올릴 수 있는 방법을 찾아내는 데에서 찾고 있다. 이런 점에서 초기의 행정학은 능률행정학이기도 하다.

모든 사회적 현상의 전개가 그러하듯이 초기의 행정학은 미국의 사회적 맥락과 사상적

---

7) 이런 점에서 행정학은 정치학을 어머니로 하고 아버지는 인접 제 사회과학으로서 AB형의 혈액형인 혼혈아적 성격을 지닌다고 말할 수 있다. 혼혈아인 행정학은 정체성(Identity)시비로 고통을 받고 있다. 윤정길, 발전기획능력론(증보판) (서울 : 범론사, 1984), p.5, p.265. 한편, 헨리(Nicholas l. Henry)는 행정학의 역사 -그 혼미의 1세기- 〔Public Administration and Public Affairs(New jersey : Prentice - Hall, Englewood Cliffs, 1986), pp.19~47〕에서 행정학과 정치학 및 관리학간의 관계를 친부와 양부로 비유하고 있다. 즉, 행정학의 친부모는 정치학이고 양부모는 관리학으로서 행정학은 이들 친부모와 양부모로부터 많은 영향을 받아왔지만 그 반대로 행정학의 발달(출세)도 친부모(정치학)와 양부모(관리학)의 발달에 많은 영향을 미쳤다고 지적하고 있다.

맹아(萌芽) 속에서 행정적 진단과 처방을 강구하는 과정 속에서 성립하였다. 환언하면 당시 미국적 맥락 속에서 필요에 대한 대응으로 출현한 것이 미국 행정학의 성립이 되었는바, 여기서는 이를 자극(S)·반응(R) 내지는 인과적으로 설명하기로 한다. 모든 행정현상은 행정의 사회적 맥락 속에서 다루어지며 행정학이나 그 이론도 이를 반영하기 때문이다 (〈그림 1-2〉 참조).

〈그림 1-2〉 행정의 사회적 맥락

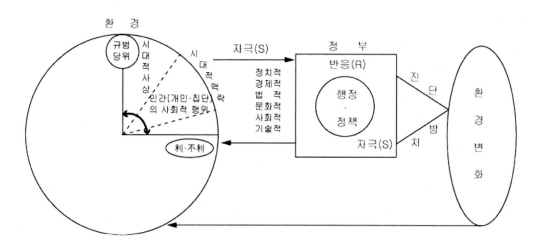

## 1. 미국 행정학의 사상적 맹아

미국 행정학의 지적 관심을 최초로 자극시킨 윌슨은 「행정의 연구」에서 다음과 같이 지적하고 있다. 즉 "행정학은 프랑스와 독일 학자들에 의하여 발전되었고, 작은 국가와 고도로 중앙집권화 된 정부형태에 알맞도록 만들어졌다. 따라서 이들 이론을 미국 행정에 응용하기 위해서는 단순하고 작은 규모의 국가가 아닌 복잡하고 다양한 국가에 맞도록 이론이 각색되어야 하고 고도로 분권화된 정부형태에 알맞도록 만들어져야 한다. 우리가 행정학을 수용하고자 한다면 우리는 행정학을 미국화(Americanize) 하여야 하며 그것도 언어라는 형식만이 아닌 근본적인 사상, 원리, 목적까지도 토착화하여야 한다. 행정학은 미국의 헌법을 철저히 인식하고 그 근저에서 관료제적인 열기를 뽑아 없애야 하며 매우 자유스런 미국의 대기를 흠뻑 호흡하도록 해야 한다"는 것이 그것이다.

월슨의 이 같은 지적 속에서 알 수 있듯이 미국 행정학은 유럽과는 차별되는 시대적 맥락 속에서 미국적 행정사상을 담은 행정학이라는 것이다.

미국의 행정사상은 미합중국헌법 초안자들에서 찾아 볼 수 있는바, 이들은 행정의 본질과 실체에 대해서 의견을 달리하고 있다. 그것은 ① 인간의 본질에 대한 시각차이, ② 정치권력에 대한 태도차이, ③ 사회에서 정부의 역할에 대한 해석차이에서 비롯되고 있다(Richard J. Stillman Ⅱ/Joseph A. Ureges, Jr.(ed), 1992:5-6). 미국 행정사상은 연방정부의 초대 재무장관이었던 해밀턴(Alexander Hamilton, 1757~1804)의 행정철학과 제3대 대통령인 제퍼슨(Thomas Jefferson, 1743~1826) 및 제 7대 대통령 잭슨(Andrew Jackson, 1767~1845)의 민주행정사상에서 그 근원을 찾고 있다(김규정, 1967: 50-51). 또한 혹자는 미국의 행정을 해밀턴, 제퍼슨 그리고 매디슨(James Madison)의 정치철학이 내포되어 있는 세 가지 유형으로 구분하기도 한다(Richard J. Stillman Ⅱ and Jeseph A. Ureges, 1982:.5). 따라서 여기서는 이들 모두에 대한 관점을 간략히 정리하기로 한다.

## 1) 해밀턴주의(Hamiltonianism) : 강력한 정부와 능률적인 행정

해밀턴은 미국의 독립전쟁 당시 워싱턴 장군 휘하에서 23세의 명철한 부관이었을 때로부터 워싱턴 대통령내각 초대 재무장관으로 있을 때까지 능숙한 기획, 통제와 국가재정의 발전 등을 가져오게 한 유능한 행정가였다. 해밀턴의 행정관념에서 가장 두드러진 주제는 그의 열정적인 국가주의(nationalism)였다. 그의 주제는 정치·경제·군사적인 국력에 있어서 보다 강력하고 보다 넓고, 보다 대담한 미국의 이미지였다. 따라서 그는 미국 건국 초창기의 어려운 국제 정세하에서 강력한 연방정부에 의한 보호·육성을 바라는 신흥공화국의 상공업자본 세력을 배경으로 하여 중앙집행권의 강화·능동화를 요청하는 정치철학을 구상하고 주장함과 동시에 실천에 옮긴 사람이다.

해밀턴의 이 같은 철학에는 그가 인간본성을 보는 시각이 홉스(Hobbs)와 유사한 부정적 인간관을 갖고 있었기 때문이란 것이다.[8] 그에 따르면 강력한 공공기관은 인간의 자유를 보호하기 위하여 필요하다는 것이다. 과다한 권한이 독재에 이르듯이 과소한 권력은 무정부주의에 이르게 되며, 양자 모두 결국에는 인민을 파멸시킨다고 기술함으로써[9] 해

---

8) 해밀턴의 부정적 인간관은 그가 미국 독립전쟁에 참여했던 워싱톤 장군(뒤에 초대 대통령)휘하의 부관이었던 군경력과 관련된다고 볼 수 있다.

9) "The Continentalist, No.1, July 12, 1781", in The Papers of Alexander Hamilton, vol. Ⅱ

밀턴이 얼마나 강력하고 효과적이며 활기에 찬 정부를 편애했는지를 알 수 있다. 중앙행정의 강화·능동화를 요청하는 해밀턴주의는 뒤에 과학적 관리운동과 연결해서 이루어지는 행정능률관념의 선구적 역할을 하였지만 인간성에 대한 부정적 인식 때문에 그때나 지금이나 미국 국민들의 사랑을 받지 못하였다는 비판이 있다. 또한 정부 역할의 확대와 국가를 지나치게 사랑한 나머지 정부 밖의 형태에 대한 관심을 사상(捨象)시켜 버리고 말았다(해밀턴주의를 반영한 행정을 고전적(Classical) 행정유형으로 부른다).

## 2) 제퍼슨주의(Jeffersonianism) : 온건한 권력과 검소한 정부

해밀턴이 강력한 정부와 능률적인 행정을 강조하며 연방파(Federalists)를 이끌어가고 있었던 것과는 대조적으로 제퍼슨은 온건한 권력과 검소한 정부를 내세워 공화파(Republicans)를 이끌어 갔으며 시민의 자유와 대표의회의 우위를 옹호하였다. 따라서 해밀턴이 정부의 권한·책임·재량 등에 관하여 관심을 보인 것과는 대조적으로 제퍼슨은 정부에 대한 통제, 개인의 권리와 자유, 대중의 행복추구 등을 강조 하였다( Lynton K. Caldwell, 1944: 236-241). 요컨대, 제퍼슨은 온건한 권력과 현명하고 검소한 정부(wise and frugal government)의 행정사상을 가지고, "최소한의 행정이 최선의 행정"(government is best when governing least)이라고 보았으며 행정분권화의 필요성을 부각시켰으며, 정부를 가능한 한 민중(grass root)에게 가까이 두는 것이 중요하다고 강조하였다. 따라서 제퍼슨은 미국의 행정을 민주주의 이념에 기초를 두게 하는 데 공헌하였다. 해밀턴의 사상이 그의 군부경력과 관련될 수 있다면 제퍼슨의 사상은 그가 버지니아의 대농장주 출신이었다는 데서 비롯된다고 말할 수 있다. 제퍼슨의 미국에 대한 비전은 건전한 자유농민으로 구성된 목가적인 생활이었기 때문이다.

## 3) 잭슨주의(Jeacksonianism)

잭슨은 미국 제7대 대통령으로서 제3대 대통령이었던 제퍼슨의 민주행정이념 못지 않게 철저한 민주주의 이념을 추구하였다. 그는 서부개척자(Frontier)의 서민세력을 지지기반으로 대통령이 되었기 때문에 "프론티어"적인 인간평등관에 입각한 민주주의 이념을 반영하였다. 즉, 그것은 선거권의 확장, 민선관리의 증가, 공직재임의 단축, 공직 취임권의

(New York : Columbia University Press, 1964), p.651.

평등화 등으로 요약될 수 있는데, 관직교체제(rotation in office)는 그의 사상을 제도적으로 실천한 표본이다. 그는 공직을 정부관료제의 전유물로 하기보다는 자주 교체함으로써 공무수행의 능률화 내지는 공직취임 기회의 확대에 기여하고 이것이 공화정치이념의 제1원칙이며, 장기간에 걸쳐 공직을 가짐으로써 초래되는 부패와 타락의 위험을 제거하기 위해 이 제도를 구상하고 채택했다.

그러나 이 제도는 잭슨의 이상과는 달리 엽관제도(Spoils System)나 정실임명(Patronage)으로 타락하였다. 그럼에도 불구하고 잭슨주의자의 공헌은 정부행정의 민주주의적 성격을 확고히 했다는 점에서 평가될 수 있다. 이렇듯 잭슨의 민주주의에 대한 열정은 확고했으나 자신의 사상을 부엌내각(Kitchen Cabinet)[10]에 의존해야 하는 한계로 말미암아 그가 내놓은 관직교체제는 국민앞에 한발 더 다가서겠다는 민주주의 발상과는 달리 역사는 잭슨의 편에 서주지 않았던 것이다.

## 4) 메디슨주의

메디슨은 제퍼슨이 정열적으로 주장한 농업에 기초한 사회 즉, 농업민주국가(agrarian democracy)와 전원공화국(rural republic)의 건설에 의견을 같이 하고 있다. 그러나 그의 사상은 해밀턴이나 제퍼슨과 구별된다.

메디슨은 분석의 시각을 파당(派黨; faction)[11]에 두고 있다. 여기서의 파당은 파벌이나 족벌과 같은 부정적 의미가 아니라 오늘날의 이익집단과 같은 뜻을 지니고 있다. 메디슨은 정부개념을 본질적으로 균형 메커니즘의 개념 즉, 서로 경합하는 파당사이에서 중재자로 보고 있다. 역사가인 케참(Ralph Ketcham)이 지적하는 바와도 같이, 메디슨은 아리스토텔레스적인 중용(中庸; golden mean)을 선망 했다는 것이다. 즉, 다른 이익과 균형을 이루는 주와 지방의 이익, 사법, 행정 간의 이익들이 상호 견제하여 균형을 이루는 그런 상태를 선망했다는 것이다. 따라서 행정부의 독주도 꺼려했지만 입법부의 주도도 혐오하였다. 권력의 분립과 상호견제를 주장하면서도 무기력한 집행자나 정부를 바라지는 않았

---

10) 잭슨 대통령은 정규교육을 받은 일이 없어 정치적·사회적 철학에 어두웠고 자기 사상을 전달하는 데 어려움을 느끼게 되어 켄달(Amos Kendall)과 같은 PR 전문가를 기용하여 자기 사상을 의회나 국민에게 전달할 수 있었다. 윤정길, PRs론 (서울 : 건대출판부, 1983), p.50.

11) 메디슨은 미국 정치에서 파당이 존재하는 근거를 인간본질에서 찾고 있다. 즉, 인간은 위대성, 자비, 미덕 등을 가지면서도 다른 한편 격정적이고 이기적이며 자의적인 양면성을 지닌 탓으로 이해관계가 비슷한 사람이나 집단끼리 이익집단 즉, 파당을 형성한다는 것이다.

다. 이런 점에서 메디슨은 "확장된 공화주의 정부형태"(extended republican form of government)를 머릿속에 그리고 있었다.

이상에서 미국 행정에 영향을 준 4대 사상을 행정부와 입법부 또는 정치와 행정과의 관계를 중심으로 요약하면 다음과 같다. 해밀턴이 행정권의 강화에 역점을 두고 있다면, 제퍼슨과 잭슨은 입법부 우위의 정치 쪽에 비중을 두고 있으며, 메디슨은 양자의 균형을 통한 활력 있는 정부를 그리고 있었다고 말할 수 있다. 또한 해밀턴의 행정철학과 제퍼슨 및 잭슨의 민주행정사상은 미국 행정학의 중심과제를 능률과 민주주의라는 2대 지도이념으로 올려놓는 기초가 되었다.

## 2. 19C말 미국의 사회적 맥락 : 도전과 자극

19C말(1887년) 미국 행정학의 탄생은 전세기말에서 금세기초에 있어서의 "위대한 사회"로의 도전이라는 시대적 배경을 가지고 있으며(Dwight Waldo, 1948:3) 행정이 정치와의 관계를 단절시켜야 하는 시대적인 요청을 수용하는 것이었다. 이즈음 미국의 사회적 환경은 정부가 개입해서 능동적으로 해결해야 할 일은 많은데 정치·행정의 현실은 무능하고 비능률적이며 부패되어 있는 상황이었다. 이런 시대적 맥락 속에서 나타난 대응은, 한편으로는 문제해결을 위한 정부의 개입이 많아지면서 행정기능의 확대·강화를 가져왔고, 다른 한편으로는 개혁운동과 과학적 관리운동으로 나타났다.

### 1) 사회변동과 관련된 문제해결을 위한 정부개입의 필요성 증대 : 직능국가로의 추세

19C말 미국은 산업혁명의 결과 비약적인 미국 자본주의의 생성을 가져왔고 그 결과로 독점 자본 내지는 기업이 출현하고 도시화, 빈부격차, 노동운동 그리고 천연자원의 약탈적 개발 등과 같은 현상이 야기되었다. 이 같은 추세는 우리나라가 1960년대부터 시작한 조국 근대화 정책의 추진과 그 성과로부터 빚어진 일련의 추세와도 같다. 이를 보면 우리가 지금 왜 직능국가(service state)의 단계에서 정부의 역할을 기대하고 있는지를 설명해 주고 있다. 이 같은 정부역할(service)의 증대는 정부예산의 증가와 공무원 수의 증가를 가져와 이른바 행정국가에로의 양상을 수반하게 된다.

행정국가란 입법국가에 대응되는 개념으로 행정 또는 정부역할의 증대(요구)와 더불어 행정의 영향력이나 권한이 상대적으로 강화된 상태의 국가를 지칭하게 되며 이것은 인위적인 것이 아니라 사회변동추세에 대응해야 할 시대적인 요구로서 필연적인 귀결로서의 의미를 가지는 것이다. 이 같은 직능국가로서의 행정의 역할증대와 행정국가로서의 행정의 위상제고는 정부행정에 대한 국민의 관심증대를 가져오게 되고 여기서 행정의 실제와 이를 설명하기 위한 논리인 이론을 연결시켜 하나의 학문 즉, 행정학으로서 탄생을 촉발하게 되었다. 따라서 오늘날 행정학의 실천성이나 적실성에 대한 요구는 행정학을 성립시킨 사회적 맥락으로 보아 당연한 귀결로 보인다.

### 2) 정부부패와 비능률에 대한 시민의 정부개혁운동

19C말 미국은 잭슨 민주주의(Jacksonian Democracy) 수단의 하나인 관직교체제가 불러들인 엽관제도로 인해 정부의 부정·부패와 비능률로 시달림을 겪고 있었다. 잭슨의 민주주의에 대한 이상은 현실적 암초에 부딪혀 결국 실패로 끝나게 되었다. 이를 계기로 "전리품은 승리자에게"(to the victor belongs the spoils)란 기치하에 수행되었던 공무원제도는 1883년에 제정된 "펜들턴법"(Pendleton Act)[12] 에 따라 실적제(merit system)로 바꿈으로써 엽관제로 인한 온갖 폐해를 극복하고자 하였다. 이 과정에서 시민에 의한 정부개혁운동(governmental reform movement)[13]이 많은 영향을 끼쳐왔음은 물론이려니와 이를 통하여 행정학 성립의 분위기를 조성했던 것도 사실이다.

### 3) 과학적 관리운동

과학적 관리운동(Scientific Management Movement)은 19C말에서 20C초 "산업혁명의

---

12) 미연방정부에서 실의에 찬 실업자에 의한 Garfield 대통령 암살사건은 1883년 Pendleton법에 규정된 연방공무원제도의 확립에 추진력이 되었다. 펜들턴법은 미연방정부에 실적제를 도입하였고, 엽관제를 축출하기 위한 최초의 체계적인 시도였다. 이 법의 밑바탕에 흐르는 주요 관심은 연방주의자의 통치원리를 잭슨 대통령이 거부한 이래 자취를 감추었던 행정의 중립성을 재확립하고 유지하려는 것이었다. 행정의 중립성개념은 논리적 지침으로 기여하여 왔다. Jong S. Jun, Public Administration : Design and Problem Solving, 윤재풍, 정용덕 역, 행정학-구상과 문제해결(서울 : 박영사, 1987), p.60.

13) 정부개혁운동은 1870년대로부터 1890년대에 걸쳐 진행되었으며 ①선거제도개혁 ②시정개혁 ③공무원제도 개혁운동으로 나타났는바, 이 가운데서 공무원제도 개혁운동이 가장 큰 비중을 차지하고 있다.

제2단계"에 들어간 미국산업사회에서 전개된 운동이다. 이 시대 미국은 생산능력이 시장의 소화능력을 초과하기 시작하자 그 대응책으로서 기업합리화의 필요성이 제기될 수밖에 없었던 시대적 맥락을 지니고 있었다. 때문에 이 운동은 노동의 생산성을 높이면서 노동자가 반대하는 임금율의 인하 없이 생산 1단위당 임금지출을 최소화하려는 데 목적을 둔 초기의 경영관리 합리화운동에서 그 발단을 찾을 수 있다. 이 과정에서 테일러(Frederick W. Taylor, 1856~1915)의 과학적 관리법[14]은 중심적인 위치에 있는바, 그 2대목표는 "노동자의 번영과 고용주의 번영"이란 어찌 보면 "zero sum"적 과제를 생산성 향상으로 해결하려 했던 것이다.

이 과학적 관리법은 20C에 들어와서 도시·주정부·연방정부의 행정에도 적용되었으며 행정을 권력현상으로서가 아니라 관리현상으로서 파악하려는 일파의 행정학을 성립시키는 데 커다란 영향을 미쳤던 것이다.

## 3. 미국초기행정학성립 내용의 인과적 설명

미국의 초기 행정학은 19C말 미국사회의 시대적 맥락(자극)을 배경으로 하고 미국의 사상적 토대위에서 미국이 독창적으로 만들어낸 귀결(반응)이란 것이 여기에서 전개하려는 일관된 논리이다.

전술한 바와 같이, 윌슨은 행정의 독립선언에서 "행정은 정치의 영역이 아니라 관리의 영역"이라고 기술 했는 바, 여기서의 관심 또는 질문은 이 내용에서, ① 무슨 이유로 행정이 정치로부터 벗어나려고 했으며, ② 왜 하필이면 관리(business)와의 연관성을 들고 나왔는가 하는 점이다. 그리고 ③ 초기의 행정학을 기술적 행정학이나 능률행정학이라고도 지칭하고 POSDCoRB 행정학이라고도 불리는데 그 이유는 무엇인가 하는 점을 설명하려 한다.

---

14) 과학적 관리법은 최소의 노동과 비용으로 최대의 생사효과를 확보하려는 최선의 방법과 최선의 용구를 찾아내기 위하여 생산 공정을 최소단위로 분해하여 이를 능률적·계획적으로 배치하는 방법을 연구하는 것이다. 즉, 그것은 개개의 작업을 요소동작으로 분해하고 시간연구와 동작연구를 통하여 업무를 표준화하고 이를 통해 하루의 적정과업을 설정하는 방법이다. 김규정, 전게서, pp.53~54 참조.

## 1) 행정은 왜 정치와의 별거를 선언했나? (위기를 기회로)

정치와 행정 간의 관계[15]는 이원론, 일원론 및 신이원론 등으로 시대적 맥락과 사조에 따라 관점을 달리하여 왔다. 이것은 정치·행정현상을 파악하는 사람들의 관점이 시대에 따라 달라질 수 있음을 의미한다. 그런데 초기 미국 행정학이 태동될 당시에는 정치·행정 이원론으로 출발하고 있다. 따라서 그 당시 시대적 맥락이 어떠하였기에 양자간의 관계를 분리해서 보아야 할 필요가 있었겠는가를 찾는 것이 논리적 순서가 될 것이다.

우리는 이미 앞에서 19C말에서 20C초의 미국 사회적 맥락을 살펴보았다. 이 가운데서 정치·행정관계를 떼어 놓는 가장 직접적인 것은 엽관제로 인한 정부의 부정·부패와 정치의 횡포 그리고 행정의 비능률이었던 것이다.[16] 설명의 편의상 여기서 정치를 남편, 행정을 부인으로 해두자. 부인(행정)이 남편(정치)에 대해서 이혼이나 별거를 결단하게 하는 상황이나 조건은 ① 남편이 밖에 나가서 활동하는 행동거지가 바르지 못해서(부정·부패), 주위사람들(국민)로부터 지탄받을 행동을 하고 다니면서 ② 집안에 들어와서 부인과 자녀들에 대해서 횡포가 지나칠 때 부인(행정)의 입장에서 어떤 행동이 가능하겠는가? 이같은 내우외환에 처한 분위기에서 당시 부인(행정)은 남편(정치)에 대하여 이혼 내지는 별거를 선언할 수밖에 없었던 것이 그 당시 미국 역사속의 현실이었다. 그래서 윌슨은 「행정의 연구」에서 행정은 정치의 영역이 아니라는 입장을 천명한 것이다. 물론 당시 정치·행정 이원론(별거론)은 엽관제 등의 정치적 악영향을 배제시킨다[17]는 실천적 이유에서였지 정치로부터 행정의 완전 분리나 진공상태를 의도한 것은 아니라고 하나[18] 행정이

---

15) 윌슨은 정치문제로부터 행정문제를 분리하는 기준을 구체화하지 않았다. 그래서 F. Goodnow 가 1900년대에 정치와 행정 간의 기술적인 구별을 시도하였다. 즉, 정치란 정책 혹은 국가의사의 표현과 관련되며 행정은 그러한 정책의 집행과 관련된다는 것이다. Frank J. Goodnow, Politics and Administration (New York : Macmillan, 1914), p.22.

16) 윌슨은 "행정은 정치적 소란과 투쟁에서 벗어나야 하는 것이며 그것은 적어도 논란의 여지가 있는 헌정연구의 분야와는 동떨어진 것이다"라고 말하고, 행정은 정치의 고유영역 밖에 있으며 행정의 문제는 정치의 문제가 아니라고 지적하였다. 비록 정치가 행정의 과업을 설정하지만 정치가 굳이 행정을 조정하도록 방치해서는 아니 된다는 것이다.

17) 통치기능을 결정과 집행으로 나누는 경우, 일반적으로 결정은 정치의 영역이고 집행은 행정의 영역에 속한다. 이때 행정의 영역에서 배제되어야 하는 정치란, 현실에서는 엽관(spoils)과 정실임명(patronage)을 관리하는 정당정치이고, 소요와 투쟁, 자의와 음모의 세계였다. 엽관제도는 대표기제의 침투에 의한 관료통치의 억제라고 하는 당초의 민주적인 탄력성을 상실하고, 모든 차원의 통치행정에 무능과 낭비와 부패를 낳았다. 정치·행정 이원론은 무엇보다도 이러한 나쁜 속박에서 행정을 해방하자는 논리였다. 吉富重夫外 編, 최영출 역, 행정이론(서울 : 대영문화사, 1991), p.47.

정치와의 완전 이혼까지는 아니라 하더라도 별거의 선언이었음은 분명한 사실이었다.

초기의 행정학은 바로 정치·행정 이원론의 기반위에서 전개되었던 것이 행정학설사적인 사실이기 때문이다.[19] 다음에 규명되어야 할 것은 잭슨 민주주의의 상징인 관직교체제가 왜 엽관제나 정실임명제로 타락하고 부정·부패 및 횡포와 비능률로 이어져 국민들로부터 지탄을 받게 되었느냐 하는 점이다. 그것은 첫째로, 선거를 통해 승리한 정당이 권력을 잡는 것은 당연하나 이때 정치적인 지위 뿐만 아니라 행정직(정부관료제)도 집권당의 전리품으로 배분하는 과정에서 부정과 비리(이를테면 인사과정에서 매관매직이나 선거과정상의 공로에 따라 공직 배분 등)가 초래될 개연성이 높았고, 관직의 담당자들도 신분이 보장되고 있지 않기 때문에 온갖 부정과 비리 유혹에 빠질 가능성이 많았다는 것이다. 뿐만 아니라 집권당에 의해 시혜방식으로 공직이 배분되다 보니 이들은 지나친 상전노릇으로 횡포를 야기할 수밖에 없는 것이었다. 둘째로, 왜 비능률을 자초했는가의 문제이다. 관직교체제는 은연중 관직이란 전문성이나 경력을 필요로 하는 것이 아니라 보통사람이면 누가 담당해도 괜찮을 정도의 사무로 가정하였던 바, 과연 관직이 그런 것이냐에 대하여 우리가 동의할 수 있겠느냐 하는 것이다. 본래 공직(관직)이란 일정한 자격을 가진 사람으로 충원되고 교육·훈련하여 안정된 신분 보장하에 전문성과 경륜을 통한 노하우(know-how)를 전제로 했을 때만이 능률성을 기대할 수 있는 것인데 당시의 엽관제로서는 이를 기대할 수 없었음은 너무나도 당연한 귀결이며 역사 속에서 이것은 입증이 되었던 것이다.

## 2) 행정은 왜 관리(또는 사무, business)의 영역과 결연하였는가?

행정이 정치와의 별거를 선언하고 (좀더 정확한 표현은 별거를 선언할 수밖에 없었고) 관리(business)와 결연하였다는 것은 윌슨이 행정의 독립선언에서 이미 밝힌바 있다. 왜 이렇게 되었을까? 그것은 다음의 두 가지 측면에서 설명될 수 있다. 첫째는 행정의 본질

---

18) 백완기, 행정학(서울 : 박영사, 1992), p.99. 여기서의 정치·행정 이원론은 경험적 사실로서보다는 하나의 처방적 규범이론으로서 이해되어야 한다. 다시 말해, 실제 현실 속에서 정치와 행정이 구별된다는 것을 주장한다기보다는 현실적 문제를 해결하기 위해서는 정치로부터 중립적이고 능률중심적인 행정의 발전이 필요하다는 것이다. 정성호, Woodrow Wilson의 행정에 대한 연구, 오석홍 역, 행정학의 주요이론(서울 : 경세원, 1996), p.100.

19) 정치행정 이원론은 반세기 이상 아니 지금까지도 미국행정학의 사상적 조류에 커다란 영향을 미쳐왔다. Jong S. Jun, op. cit., p.62.

적 성격이란 측면에서 찾아볼 수 있고, 둘째는 행정의 독자성을 위해 새모습 가꾸기와 그 시대가 요구했던 행정의 능률성을 끌어들일 대상으로서 경영 또는 관리 분야가 적합하였다는 현실적 필요성 측면이다. 생각건대, 일반적으로 정치와 행정, 결정과 집행은 통치현상에서 언제나 결합되어 있어서 그 경계를 인위적으로 절단하는 것은 쉬운 일이 아니다. 즉, 행정의 본질적 측면에는 단순한 집행만이 아닌 정치적인 요소 또는 결정이란 요소가 포함되어 있는데 이 가운데서 정치적인 요소를 제거하고 난 후의 행정의 영역은 사무 또는 관리(business)의 분야 혹은 전문기능(expertise)의 영역만 남을 수밖에 없다는 것이다.

이렇듯 초기의 미국 행정학의 발단은 행정에서 정치적인 요소를 탈색시킨 모습으로 남게 되자 마치 그것은 민간분야의 경영의 모습과 닮아지기에 이른다. 이것을 우리는 공·사 일원론적 시각이라 부른다. 공·사 일원론적인 차원의 행정에서는 능률성(efficiency)을 중요한 가치로 추구하게 되는데, 19C말 미국정부에 대한 사회적 요구 역시 능률성을 제고하라는 것이어서[20] 행정은 관리의 영역과 필연적으로 결연될 수밖에 없었던 것이다. 윌슨이 행정연구의 두 번째 목적을 능률성제고에 두었던 것도 바로 이 때문인 것이다. 이렇게 되자 초기 행정학은 정치학에 대해서 친근감을 느끼기보다는 경영관리론과의 사이에 보다 큰 연대성을 찾게 되었다.

### 3) 초기 행정학은 왜 기술적 행정학, 능률행정학 그리로 POSDCoRB 행정학으로 불리어지고 있는가?

행정학은 행정의 정치와의 관계를 어떻게 보느냐 또는 어떻게 보아야 할 필요성이 있느냐에 따라 그 접점(focus)이나 이론구성을 달리하여 왔다. 즉, 미국 행정학의 계보를 정치·행정 이원론(Politics- administration dichotomy)에 바탕을 두고 있는 기술적 행정학과 정치·행정 일원론에 입각하고 있는 기능적 행정학으로 구분하여[21] 설명하는 것이 그것이다. 또한 정치·행정의 관계는 민주성과 능률성의 관계를 대차관계로 보느냐 또는 보완관계로 보느냐에 따라 그 위상이 달라진다. 따라서 미국의 초기 행정학은 잭슨민주주의 상징인 관직교체제를 내용으로 하는 엽관제의 병폐를 극복하고자 행정을 정치로부터 분리시키고 민주성보다는 능률성에 더 비중을 두는 입장을 견지하였다. 이른바 기술적 행정

---

20) 정부활동의 수행에 있어 능률향상을 위한 주장은 그 대부분이 납세자의 운동이었다고 할 수 있다. 정부활동의 비능률은 쓸데없이 비용을 낭비하는 것이며 결국 세금인상을 가져오기 쉽다.

21) 현대 행정학의 계보를 기술적 행정학과 기능적 행정학으로 구분하는 것은 일본의 辻淸明 교수이며, 그로인해 우리나라 행정학 교과서에서도 이 같은 분류를 시도하고 있는 경향이 많다.

학으로 지칭될 수 있는 미국의 초기행정학은 행정을 권력현상으로 파악하지 않고 관리현상으로 파악하며, 또한 정치와 행정을 구별하여 행정을 정치가 형성한 의사의 기술적 수행화정으로 보고 있다. 기술적 행정학은 1887년 윌슨을 필두로 하여 1940년 제2차 세계대전의 전후반에 이르기까지 약 반세기 동안 지탱되었다. 이것은 ① 정치·행정 이원론 ② 과학적 연구 ③ 원리 접근법 ④ 능률지상주의를 그 특징으로 하고 있다.

기술적 행정학의 출발은 당시 미국 시민의 능률향상과 반정실주의운동이 빚어낸 작품으로 능률이념을 부각시키고 있다는 점에서 능률행정학이라고도 불리어진다.

굴리크(L. Gulick)는 "행정학에 있어서도 경영학에서와 같이 기본적인 선(the basic good)은 능률이며 이것이야말로 행정의 가치척도에 있어서 첫째가는 공리(axiom number one)"(Luther Gulick, 1937:192-193).라고 언급하고 있다. 그런데 기술적 행정학이나 능률행정학에서 부각시키고 있는 능률은 단순히 기계적 능률관에 서 있다는 것이다.

기계적 능률은 앞서 윌슨도 지적하였듯이, 최소의 돈이나 에너지와 같은 비용을 투입해서 최대의 성과를 가져온다는 것으로 사회적 능률관(social efficiency)[22)과는 구별된다.

디모크의 사회적 능률관은 기존의 기계적 능률관이 공공부문에서는 적용하는 데 한계가 있다는 점을 전제로 민주사회에서 능률이란 사회화와 인간화에 바탕을 둔 민주성 지향적이어야 함을 강조하는 것이다. 왈도는 디모크의 사회적 능률개념을 인용하면서 "능률"이 (공공)행정의 주된 목적인 것은 사실이지만 그것은 사회적·인간적으로 해석되어져야 한다는 것을 부각시키고 있다. 능률이란 질의 문제이어야 하며 양적·기형적인 측정방법은 회피하여야 한다고 결론내리고 있다(Dwight Waldo, 1948:197).

이상에서 보통적 행정학이라고 할 수 있는 기술적 행정학 또는 능률행정학에 대하여 개략적으로 살펴보았다. 1940년대를 전후하여 이 같은 행정학의 틀은 이른바 기능적 행정학으로 방향전환을 하게 되는 바, 그것은 정치와 행정의 관계를 이원론으로 보는 입장이 아니라 그것을 일원론으로 보고 행정을 기능적으로 파악하는 것이다. 기능적 행정학에서

---

22) 디모크는 능률기념의 재음미에서 능률의 사회화와 인간화의 필요성을 강조하고 민주주의의 입장에서 기계적 능률개념으로부터 사회적 능률개념으로의 대체를 제창하였다. 효과적인 행정은 따사롭고도 공명할 수 있는 것이어야 하고 인간적인 것이어야 하는데, 기계적 능률은 냉담하고 타산적이며 비인간적인 것이어서 사기나 열광적인 협동정신을 끌어들일 수 없다는 것이다. 기계적 능률은 협동이나 창의보다도 공포와 생존의 본능에 의존하고 있다. 따라서 기계적 능률은 일시적으로 성공하는 것처럼 보일는지 모르지만 궁극적으로는 실망적인 것으로 나타난다는 것이다. Marshall E. Dimock, "The Criteria and Objectives of Public Administration", in John M. Gaus, Leonard D. White, and Marshall E Dimock (eds.), The Frontiers of Public Administration (University of Chicago Press, 1936), pp.120~126.

는 정치와 행정의 관계를 일원론에 기초하여 연속과정(continuous process), 상관과정(reciprocal process)·순환과정(circular process)으로 받아들인다. 1940년대를 전후로 하여 미국사회는 새로운 시대적 맥락[23]에 직면하게 됨으로써 지난날의 행정학에 대한 패러다임(paradigm)은 그 역사적인 사명을 완료하고 새로운 패러다임을 구축하게 되었다는 것이다. 미국 행정학은 1·2차 대전을 계기로 경영학, 정치학, 사회학, 심리학 및 통계학 등 인접사회과학의 발전에 영향을 받아 다양한 학설을 형성하게 되자 그것이 이른바 기술적 행정학파에서 기능적 행정학파, 인간관계학파 및 사회학파로 분류되는 추세를 가져왔다.

우리는 미국의 전통적 행정학을 다룸에 있어 POSDCoRB를 빼놓을 수 없다. 이것은 규릭(Luther Gulick)이 최고관리자의 과업을 POSDCoRB[24]로 규정한데서 비롯되는 것으로 한 때 행정학의 연구대상이 되었다는 점에서 POSDCoRB 행정학이라고도 불리어지고도 있다. 행정현상을 관리론적인 차원에서 보았을 때, 기획, 조직, 인사, 재무행정이 오늘의 시점에서도 중요한 행정학 교과목이 되고 있는 것을 보면 전통적 행정학 특히 POSDCoRB 행정학의 유물이 아직도 상존하고 있음을 말해주고 있다.

여기서 한 가지 유의할 점은 훼이율이나 규릭이, 관리 또는 행정현상을 파악함에 있어 그들의 시각이 조직 내부에만 두고 있다는 점이다. 이것은 조직현상을 고찰함에 있어 환경과의 관계를 중시하지 않던 조직폐쇄론(closed theory)적 시각에서는 적합할 수 있을는지 모르지만 환경과의 관계를 중시하는 조직개방론(open theory)적 시각에서는 보완되어져야 하는 한계성을 지니고 있다. 즉, 그것은 관리 또는 행정현상을 POSDCoRB로만 볼 것이 아니라 이것을 POSDCoRB-PR로 보아야 한다는 것이다. 왜냐하면, 오늘의 관리 또는 행정현상은 조직 내적인 시각만이 아닌 조직과 환경, 특히 조직과 공중(public)과의 관계(relations)를 포함하는 시각이 보편화되어 있기 때문이다. 이런 점에서 관리의 4대

---

23) 1929년부터 비롯된 세계대공황과 양차대전의 경험, New Deal정책과 같은 ①경제·사회적 변화, ② 직능 국가적 경향이 확대·강화 될 수밖에 없고 나아가 행정국가화의 경향, ③ 능률개념의 재구성의 필요성, ④ 행정영역의 안정된 분위기와 자신감 등이 행정이 정치와의 별거를 청산하게 된 배경이라 할 수 있다.

24) POSDCoRB란 Planning (기획, Organizing(조직화), Staffing(정원 또는 인사), Directing(지휘), Coordinating(조정), Reporting(보고), Budgeting(예산업무)의 두문자를 모아서 관리론적 차원에서 최고 관리자의 광업을 설명하는 입장인 바, 이것은 Henri Fayol이 제시하고 있는 Management의 5가지 구성요서에 착상한 개념이다 Fayol은 Management를 ① to forecast and plan (미래를 검토하여 행동계획을 도출함), ② to organize (인적·물적 구조의 설정), ③ to command (구성원들의 활동을 유지시킴), ④ to cordinate (자활동과 시도를 결속·통일·조화시킴), ⑤ to control (제반사항이 설정된 규칙과 하달된 명령에 따라 부합되고 있는지 여부를 감시하는 것)의 5가지 구성요소로 설정하고 있다.

기능을 기획, 인사, 예산(내부적 측면) 및 PR(외부적 측면)로 설명되고 있는 것은 적절한 관점인 것이다 (〈그림 1-3〉 참조).

〈그림 1-3〉 행정관리의 연구대상(POSDCoRB-PR)

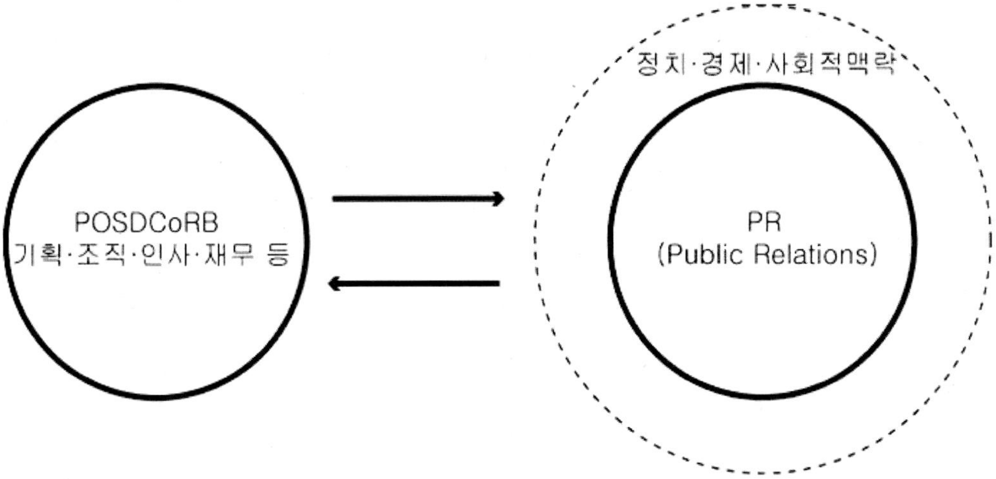

## Ⅳ. 결 론

"하늘 아래 새로운 것은 아무 것도 없다" (전도서 1 : 9)하였음에도 불구하고 우리는 새로운 것을 좇아다니는 타성이 있다. 어찌 보면 인간의 이 구신성 때문에 우리의 삶이 달라지고 사회도 변화되며 학문도 발전될 수 있을 것이다. 그런데 새로움의 추구에는 언제나 목적과 방향설정이 분명하여야 함에도 불구하고 경우에 따라서는 목적이나 방향도 묻지 않은 채 새롭다는 사실만 보고 무턱대고 좇아가는 경향이 많다. 이것은 나침반 없는 항해와 같아서 무의미하고 위험한 일이다. 우리가 행정학을 학문으로 받아들이고 이해하고 연구하는 과정에서 우리의 나침반은 언제나 휴대하고 있었는지 자문할 때 많은 반성이 뒤따르는 것도 사실이다.

본 주제는 행정학의 성립배경이란 점에서는 새로운 것이 없는 낡은 제목이나, 사회적 맥락 속에서 자극과 반응이란 틀을 통하여 조명해서 인과적 이해를 하려는 점에서는 새로운 것이다. 인과적 이해를 통해서만이 나침반 있는 항해가 될 수 있고 우리의 진로를 바로 잡을 수 있다. 여기에 온고이지신(溫故而知新)의 의미가 부각된다.

　본론에서 우리는 독일 행정학의 성립과정이나 미국 행정학의 성립과정을 그 당시 사회적 맥락 속에서 무엇이 자극이 되고 또 그것이 원인이 되어 어떤 목적을 위해 어떤 반응 내지는 해결책을 강구해 왔는가를 살펴보았다. 독일 관방학은 16C 중엽 영국과 프랑스와는 차별되는 독일의 시대적 맥락 속에서 부국강병책의 일환으로 능률적인 관료기구의 필요성에 대한 반응으로 출현하였다는 것이다. 후기 관방학에 있어서 유스티의 경찰학은 행정의 존재 성격을 국가목적 내지는 국가이념을 실현하기 위한 합목적적인 국가 활동으로 포착하고 있다는 점에서 그 의의를 찾게 해준다. 관방학 또는 경찰학도 18C말에 이르러 시민사회의 의식발전에 따른 시민적 개인주의 내지는 시민적 자유주의에 도전을 받아 국가권력에 의한 행복촉진주의나 공공복지 사상이 쇠퇴의 조짐을 보이게 되고 국가의 행정활동이 축소되는 경향을 보이게 된다. 이것을 미국의 행정사상과 관련시켜보면 해밀턴주의(강력한 정부와 능률적인 행정)에서 제퍼슨주의(온건한 권력과 검소한 정부의 소극적 행정관)로의 변화로 풀이될 수 있다. 이 같은 추세 속에서 19C초 독일의 시대적 맥락은 국가 중심의 복지국가와 경찰국가에 대신하는 새로운 국가관과 행정이론을 요청하게 되었으며 이에 기초하여 성립된 이론이 슈타인 행정학이었다. 독일의 행정학이 관방학에서 경찰학을 경유하여 슈타인 행정학으로 전개된 추세를 더 축약하면 다음과 같다. 부국강병의 주도는 국가 또는 군주 중심에서 시민중심(또는 시민과 더불어)으로 옮겨가고 행정권은 강(정)에서 온(반)으로 그리고 조정(합)으로 전개되는 추세를 보여주었다고 말할 수 있다.

　미국 행정학은 19C말 미국적인 상황 속에서 미국적인 논리로 확립했다는 것이 전반적인 흐름이었음을 확인하였다. 윌슨은 「행정의 연구」에서 미국도 독일이나 프랑스와 같이, 사회변화와 정부기능의 복잡성에 따른 행정학 연구의 필요성을 가지는데 미국의 정치체제와 상이한 그들의 행정학 연구를 어떻게 참조할 것인가 하는 문제에 직면하자 "칼을 잘 가는 기술을 가진 강도로부터 칼 가는 목적(강도 행위 또는 살인)은 배제하고 기술만을 배울 수 있다"고 함으로써 미국인의 실용주의적 측면에서 기술로서의 유럽행정을 참조할 수 있다고 하였다. 이런 점에서 윌슨의 정치·행정이원론(별거론)은 비민주적인 군주제하의 정치체제의 행정에서 민주체제의 행정이 참조해야 할 필요성을 생각하면서 칼 가는 목적(절대군주체제)을 떼어내고 칼 가는 기술(행정)만을 배울 수 있는 가능성에 관심을 보인 것으로 풀이할 수도 있다. 그래서 초기의 행정학은 기술로서의 행정학이란 성격을 부여했다고 볼 수 있다. 그러나 미국 행정학은 윌슨도 기술하고 있듯이 미국적 독창성(미국화・토착화)을 가지고 성립되었다. 미국의 행정철학이나 사상도 정치(입법부)와 행정(행정부)의 관계 내지는 정부와 국민간의 관계란 측면에서 보았을 때 정・반・합 이란 변증법적 관계로 살펴볼 수 있다. 즉, 그것은 강력한 정부의 해밀턴의 행정철학(정)에서 온건한 정부(국민에 한발 더 가까이 가는 정부)의 제퍼슨 사상(반)을 거쳐 양자의 균형을 통한 활력 있는 정부를 설계했던 매디슨 사상(합)을 살펴볼 때 대체로 정・반・합의 논리관계로 볼 수 있다는 것이다. 이 같은 착상의 변화는 시대흐름의 경향일 수도 있다.

1887년 미국에서 윌슨이 최초의 행정에 관한 논문을 썼고, 1926년 화이트가 최초의 행정학 교과서를 씀으로써 1887~1926 기간을 우리는 초기 행정학 성립기로 설정하게 된다. 초기 행정학이나 전통적 행정학에서는 행정은 정치와의 별거를 선언하게 되고 관리(또는 사무)와의 결연을 하게 되며, 기술적 행정학 내지는 능률행정학으로서의 성격을 가지게 되었다. 또한 그것은 POSDCoRB 행정학으로까지 불리어지고 있으며 그 유산은 아직도 오늘의 행정학 교과목의 중심과목으로 상존하고 있는 것이 사실이다. 이 같은 시각은 시대와 맥락의 변화에 따라 앞에서 설명한 바와 같이 그 성격이 달라져 왔다. 이른바 기술적・능률적 행정학으로부터 기능적 행정학파, 인간관계학파 및 사회학파 등으로 분류되어 가는 경향이 그것이다. 또한 POSDCoRB도 이제는 POSDCoRB-PR로 대체되는 것이 올바른 시각이라 볼 수 있다. 행정관리의 연구대상을 조직 내부적인 측면에서만 보아서는 아니 되며 조직과 그 내 외부 공중과의 관계(PR)에서도 보아야 할 필요성이 있기 때문이다.

이상에서 미국 행정학의 성립배경과 사회적 맥락과의 관계를 자극(S)・반응(R)의 틀로 검토하면서 한 가지 분명한 사실을 확인할 수 있었다. 그것은 우리가 1950년대에 미국 행정학을 도입하면서 윌슨이나 화이트와 같은 미국의 초기 행정학자들이 다루었던 입장을 갖지 못한 채 행정학을 직수입했다는 점이다. 윌슨이 19C말 독일이나 프랑스와 같은 유럽행정학을 심층 분석하고 미국적인 맥락에서 미국적인 행정학을 탄생 시켰는 바, 우리도 미국의 행정학을 1950년대에 도입함에 있어서 이를 한국적 맥락에서 다시 한국화(Koreanization)했더라면 오늘의 한국 행정학의 내용과 위상은 크게 향상되었을 것이라는 점이다. 따라서 지금이라도 이를 "역사속의 유토피아"[25]로만 바라볼 것이 아니라 한국적인 맥락에 적합한

---

25) "역사속의 유토피아"란 Charles Renouvier가 표현한 것으로 어쩌면 역사에서 일어났을지도 모르는 과거의 모든 가능성을 지칭하는 것이다. Charles Renouvier, Ulchronie ( L'vtopia dans L'Histoire), Quated by Alberto Guerrero Ramos, "Modernization : Toward a Possibility Model", in Willard A, Beling and George O. Toften (eds.), Developing Nations : Quest for a Model, Van Nostrand Reinhold Company, 1970, p.27, 최영출, 전게역서, p.71.

한국 행정학을 하루 속히 확립해 나아가야 할 것이다. 그러기 위해서는 우선 한국의 행정철학이나 사상의 확립이 필요하고 한국적 맥락에 따라 한국의 풍토에 적용될 수 있는 한국 행정학의 확립이 필요하다. 적실성 있는 행정학은 이를 통해서만 가능하기 때문이다.

# 참고문헌

김규정.(1967). 신행정학원론, 서울 : 법문사.

김운태.(1980). 행정학원론. 서울 : 박영사.

박응격.(1995). Lorenz von Stein의 학문적 생애와 행정사상, 「한국행정학보」. 29(4).

백완기.(1992), 행정학. 서울 : 박영사.

오석홍 편.(1996). 행정학의 주요이론. 서울 : 경세원.

윤정길.(1984), 발전기획능력론(증보판). 서울 : 범론사.

------.(1983). PRs 론. 서울 : 건대출판부.

Dwight Waldo. (1948). The Administrative State : A Study of the Political Theory of American Public Administration, (The Ronald Press Co).

Frank J. Goodnow. (1914). Politics and Administration (New York : Macmillan).

Frederick C. Mosher(ed.). (1975). American Public Administration : Past, Present, Future(University, Als. : University of Alabama Press).

Jong S. Jun, Public Administration : Design and Problem Solving, 윤재풍, 정용덕 역. (1987). 행정학-구상과 문제해결. 서울 : 박영사.

Luther Gulick. (1937). science, Values and Public Administration. in Luther Gulick & Lyndall Urwick(eds.), Papers on the Science of Administration (New York : Institute of Public Administration).

Lynton K. Caldwell. (1944). The Administrative Theories of Hamilton and Jefferson : Their Contribution to Thought on Public Administration (Chicago University of Chicago Press).

Marshall E. Dimock. (1936). The Criteria and Objectives of Public Administration, in John M. Gaus, Leonard D. White, and Marshall E Dimock (eds.), The Frontiers of Public

Administration (University of Chicago Press).

Nicholas l. Henry. (1986). Public Administration and Public Affairs(New Jersey : Prentice - Hall, Englewood Cliffs)

Richard J. Stillman Ⅱ/Joseph A. Ureges, Jr.(ed).(1982). Public Administration History and Theory in Contemporary Perspective (New York : Marcel Deeker, Inc).

Woodrow Wilson. (1887). The Study of Administration. Political Science Quarterly, vol.2, No.2. pp. 197~222.

辻淸明. (1956). 行政學講義(上卷). 東京 : 동경대학 출판회.

吉富重夫外, 최영출 역. (1991) 행정이론. 서울 : 대영문화사.

# 제2장 한국 정치·경제·사회발전의 선행요인

윤 정 길*

# Ⅰ. 서 론

일반적으로 국가발전을 전개해 감에 있어서는 정의적인 차원(affective dimensions)과 인식적인 차원(cognitive dimensions)에서[1] 검토하며, 이때 국가발전이란 정치, 경제, 사회 및 문화의 제 영역에서 이러한 제 하위체제(subsystem)들이 바람직한 방향으로의 변화와 성장을 의미 하게 된다.

국가발전의 문제는 이렇듯 제 국가하위체제의 포괄적 상태의 발전문제를 다루어야 하나 여기서는 가장 핵심적 과제이며 우리 사회가 확립해야 할 정치·경제·사회발전의 선행요인에 대하여 평소에 관심을 가지고 있던 것을 정리하여 다루고자 함에 이글의 목적이 있다.

한 체제의 발전문제는 제도적 접근에서도 다룰 수 있고 또한 다루어 나아갈 필요성이

---

* 건국대학교 행정학과 교수

1) 이것은 발전의 주체가 사람이고 사람들의 활동을 이끌어 가는 두뇌의 작용이 정의적인 차원과 인식적 차원에서 영향을 미치고 있기 때문이다. 즉, 인간의 두뇌는 두 부분(좌반부와 우반부)으로 구성되어 있는바, 좌뇌는 인식적(cognitive)인 것과 그리고 우뇌는 정의적(affective)인 것과 관련된다. 일반적으로 「과학 뇌」또는 「우세한 뇌」라고 불리는 좌 뇌는 과학적이고 합리적인 접근을 다루고 있어 수학, 물리 등에 흥미를 느끼며 지성과 이성을 우선 시켜 근대과학을 탄생시켰다. 지능지수(I.Q)는 좌뇌 능력의 척도이다. 일반적으로 「열세한 뇌」라고 불리는 우뇌는 감각적, 즉흥적으로 반응하여 예술성이 풍부하다. 또한 분석적이기보다는 총괄적으로 사물을 파악하여 매사를 추상적으로 해석하려든다는 것이다. 그런데 한국인은 오랫동안 정적이고 변화가 심하지 않은 우뇌의 문화를 이룩해 왔는데 지금은 과학적이고 좌뇌의 문화를 힘차게 일으키는 과정에 있다고 한다.

있으나 여기서는 이러한 제도가 부여된 것(givens)으로 보고 이러한 제도 속에서 어떠한 정신과 윤리 및 정의관이 확립되어져야 제도발전 그 자체도 가능하게 되느냐를 다루려는 데 관심을 갖고 있다. 따라서 이러한 문제를 다루어 나아가기 위해서는  정치·경제·사회 등의 문화적 접근이 요구될 것이다.

## Ⅱ. 정치발전의 선행요인으로서의 게임의 룰 확립 : 싸움문화론

한국의 민주정치는 낙관론적 시각을 가질 수도 있고 비관론적 시각을 가질 수도 있다. 전자의 관점에서 보면 ① 한국은 민주주의의 전통을 가지고 있으며, ② 사회, 경제발전이 한국민주정치에 긍정적으로 작용하고 있다는 것이다. 다른 한편, 후자의 입장에서 볼 때 한국의 민주정치제도가 뿌리를 내리는 데 실패한 이유는 그러한 제도를 뒷받침해줄 선행조건이 갖추어져 있지 않았기 때문이라고 하면서 그 구체적 사항으로 ① 한국의 분단 상태, ② 한국의 정치문화, ③ 조국근대화론 및 ④ 안정적  민주주의론과 관련시켜 설명하고 있다(이극찬 편, 1985:.410-424). 그런데 여기서 다루고자 하는 것은 한국 민주주의의 비관론이나 낙관론 그 자체가 아니라 민주주의를 한국에 토착화하고자 할 때 고려하여야 할 정치·문화적 측면 가운데 게임의 룰(rule of the game) 내지는 싸움문화론을 다루고자 하는 데 그 뜻이 있다.

홉스는 인간의 사회관계를 "만인의 만인에 대한 투쟁관계"로 규정한 바 있다. 확실히 이와 같은 관점은 인간이 모여 사는 사회 속에서 삶의 체계를 갈등관계로 파악하는 입장에서 비롯된다.

인간역사의 전개는 이런 시각에서 보면 투쟁의 역사로서 그것은 민주제체나 사회주의 체제를 모두 포함한다. 따라서 어느 체제이든 투쟁의 역사 속에서 사회의 성장과 변화가 야기되며 여기에 게임의 법칙(rule of the game) 또는 싸움의 법칙(rule of the struggle)이 나름대로 확립되어 왔고 또한 확립되어야 한다.

하나의 사회적 제도가 그 나라의 문화적 요인에 의해 만들어지고 운영되는 것이라 할 때, 서구의 정치적 제도는 서구문화의 소산이며, 따라서 서구의 "싸움문화"가 그 정치제도를 운영하고 있다고 볼 수 있다.

정치란 국리민복을 위한 것이지만 이를 위해 권력을 장악하고 유지하는 과정은 경쟁 또는 싸움의 과정이다. 다만 이 과정에서의 싸움은 일방이 타방을 완전히 제거하고 섬멸하려는 것이 아니라 더불어 사는 삶의 과정에서 쌍방이 공존될 수 있는 것이어야 하기 때문에 싸움하는 방식에 대한 룰(rule)이 적용되어야 한다. 따라서 이때의 싸움은 게임 (game)이어야지 전투가 되어서는 아니 되며, 게임으로서의 싸움이라도 거기에 룰(rule)이 있어야 전투로 확대되지 않는 것이다. 이것은 정치를 직업으로 삼고 있는 정치인에 대해서뿐만 아니라 정치적 인간(political man)으로서의 국민 일반에 대해서도 다같이 적용되는 것이다. 이런 점에서 민주적 제도를 제대로 운영해 가기 위한 건전한 "싸움 문화"의 형성은 우리들 삶의 체계에서 대단히 의미 있는 중요한 위치에 있다.

그런데 우리 사회가 전통적으로 강조해 온 가치 내지 생활교훈은, "싸우면 못써"라는 관념으로 지배되어 왔는 바, 이것은 싸움(혹은 투쟁) 자체를 어느 경우이든 부정적으로 받아들이는 무비판적 답습으로서 평가된다.

그런데 필자의 생각으로는 여기에 하나의 문제점이 있다고 보며, 그것에 대한 대안을 정치·문화적 시각 또는 접근으로 검토하려는 것이 이 글의 하나의 목표가 된다. 앞에서 지적한 바와 같이 인간의 사회관계가 투쟁관계로 설명된다면 우리의 삶은 비록 그것을 바라지 않는다 해도 어쩔 수 없이 싸움을 떠나서 살 수 없는 것이 현실이다. 이상적으로는 싸움을 하지 않는 것이 바람직하지만 현실은 이를 완전히 배제할 수 없다. 따라서 싸움은 최소한의 것이라도 존재할 수밖에 없으니 우리는 그것을 완전히 외면할 수 없다. 오히려 싸움의 부정성만을 지적해 왔지 그것이 지니는 긍정성에 대해서는 생각해 오지 않는 데서 문제가 있다. 여기서 필자는 싸움의 긍정성을 인정하고 여기에 능동적으로 대처하는 규칙, 즉 게임의 룰을 확립하자고 제안하고 싶다.

우리 사회에서 그간 "싸우면 못 쓴다"라고 겉으로는 강조해 오면서도 실제로는 더 많은 싸움을 해온 것을 인정한다면 이제는 싸움하는 방식을 체계적으로 가르치는 교육과 훈련이 어려서부터 성인에 이르기까지 공식적으로 이루어져야 한다고 생각한다. 이것이 용기와 비열성을 갈라놓는 습성을 지향해 가기 때문이다. 이런 교육과 훈련을 통하여 어떤 경우에 싸워야 하고, 싸움에는 어떤 규칙이 적용되며, 이긴 자(승자)의 자세와 진 자(패자)의 자세는 어떠해야 하며, 어느 상황에서 싸움은 종결되어야 하는지, 이를 긍정적인 차원에서 검토할 때가 왔다고 본다. 그래야만 싸움을 하는 과정에서 공개적이고 정면적인 "신사의 도"가 이루어지는 것이며 비열한 싸움이 종식될 수 있기 때문이다. 예컨대

서구사회에서의 결투의 방식을 우리는 서구의 기사도에서 보아왔고, 서부활극을 통하여 Gunmanship을 살펴 왔다. 거기에는 대결의 방식이 확립되어 있었고, 이들은 그것을 지켜 왔다. 이런 점에서 볼 때 서구사회의 민주주의는 "게임의 룰"(rule of the game) 또는 싸움문화가 존재한 환경에서 이룩된 것이라 할 수 있다.

다른 한편, 민주사회에서의 정치과정은 다양한 요구와 주장이 섞여서 때로는 이해가 상반되는 세력간의 충돌과 대립이 지속되는 갈등의 장이다. 따라서 이 과정에서의 유능한 리더십은 갈등의 관리를 효율적으로 수행할 수 있는 능력에 따라 좌우된다. 대체로 이 과정에서 이해가 상반되는 세력들은 각기 자기의 이익을 극대화하기보다는 충돌로 인한 양자간의 손실을 극소화하는 전략을 강구할 필요가 있다.

환언하면, 갈등관계에서 유능한 리더십은 상대방을 인정하고 의식하여, 자신의 이익을 극대화하려는 로빈슨 크루스 모델(Robinson Cruise Model) 이나 최대극대화(Maximax) 전략이 아니라 각자의 손실을 최소화하려는 최소극대화(Minimax) 전략에서 결정이나 만족을 추구해 가야 한다. 이것은 인간의 존재를 자신의 이익을 극대화하려는 경제적 인간(homo economics)으로 보는 것이 아니라 상대화 더블어서 만족을 추구하는 행정적 인간(administrative man)으로 보아야 한다는 관점이다. 정치과정에서의 갈등은 갈등집단 간에서 공생관계의 유지를 전제로 하여야 하기 때문이다.

정치의 장은 정치적 의사결정의 논리에 따르기 마련이고 이때 대립되는 집단 간에서는 집단적 차원의 합리적 접근도 이루어져야 하나 이것으로 해결이 되지 않을 때는 협상, 흥정, 타협 및 교환과 같은 방식으로 문제를 해결할 수밖에 없다. 저마다의 합리성, 논리성만 가지고는 문제해결이 되지 않을 수도 있기 때문에 민주주의사회에서는 이 때 협상 및 타협의 논리를 따라야 할 때가 많다. 비민주사회에서는 이 논리가 별로 필요하지 않을 수 있으나 민주사회에서는 그 제도적 장치를 원만하게 이끌어가기 위해 협상 및 타협의 논리가 필수적인 요건이 될 수밖에 없다. 그런데도 불구하고 우리사회에서는 협상이나 타협은 정상배나 할 짓이지 선량한 정치인을 자처하는 사람에게는 고집스런 선명노선[2]과 저항·투쟁논리 및 흑백논리[3]만을 펼쳐 나아가야 된다는 생각을 가진 사람도 많다. 정상배식 협

---

2) 이 같은 태도는 그동안 한국의 정치인들(특히 야당정치인)이 정치변동의 와중에서 지나치게 자신들의 입장을 그때 그때의 정치상황에 따라 변신하였고 또한 여당과의 막후거래를 함으로써 정치도의를 무너뜨린 경험에 대한 강한 반발로 나타난 것으로 여겨진다.

3) 노재봉교수는 우리의 정치풍토가 그동안 외세에 의한 종속성에서 벗어나려는 사상이 남달리 강력했고 이것이 그대로 저항사상으로 이어졌을 뿐만 아니라 정치적 억압 속에서 이 같은 저항의식은 더욱 강화되었다고 지적하는바, 그 결과 선명노선을 정치적 지조로 생각하기에 이른

상이나 타협은 처음부터 합리적 또는 논리적 문제해결을 위한 접근을 시도하려 하지 않고 매사를 비합리적·물질적 홍정과 교환으로 문제를 해결하자는 것이기에 정치의 논리 면에서 부도덕하나 여기서 주장하는 협상 및 타협의 논리는 여러 세력간에서 합리적·논리적 접근을 추구하다가 이것으로 문제해결이 되지 않을 경우 차선책(second best)으로 협상 및 타협의 논리를 받아들여야 한다는 것이다. 이 때 협상이나 타협의 방향은 극대화의 원리가 아니라 손실의 극소화 원리에 따라야 한다. 그리고 이런 차원의 협상의 논리를 정치인이나 국민 모두가 배워나가야 한다는 것이 우리의 정치발전을 위해 도움이 된다는 것이다. 따라서 정치발전을 민주주의 제도의 형성과 토착화라 볼 때 "게임의 룰"의 확립과 협상 및 타협의 논리를 수용함은 우리에게 부여된 정치발전의 선결과제인 것이다.4)

## Ⅲ. 경제발전의 선행요인으로서의 한국적 경제윤리관 확립

「게임의 룰」과 더불어 경제발전의 선행요인으로 고려되어야 할 것은 경제행위에 대한 논리관의 확립이다.

정치발전에 있어서와 마찬가지로, 경제발전을 자본주의사회 제도의 형성과 토착화로 보는 경우,5) 이를 위해서는 경제활동에 관한 한국적 이즘 (-ism)이 확립되어야 한다는 것

---

것 같다. 또한 김학준 교수에 의하면, 분단은 남북한 사이에 적대감과 불신을 키워놓았을 뿐만 아니라 남한내부에 흑백논리를 키워 놓았으며 중도노선 또는 협상노선에 대한 의혹과 불신을 자아내는 정치풍토를 배양했다고도 지적하고 있는바, 이 모든 것들이 저항투쟁논리로 나타나고 있다. 노재봉, "현대한국의 정치사상에 있어서 방법의 문제," 한국사상연구회, 한국사상의 현대적 과제(1976), 이극찬, 전게서 p.411에서 재인용 참조; 김학준, "해방과 분단의 정치문화," 서울대 사회학연구회편, 「한국사회의 전통과 변화, 이만갑 교수 화갑기념논총」(서울: 법문사, 1983), pp.306-308 참조.

4) 한국의 민주화를 다루어 나아가기 위한 접근은 ① 정치 또는 정책의 환경변수로서 정치문화적 측면과 사회경제적 측면도 고려되어야 하고, ②정치제도적 측면도 고려해야 하나 여기서는 정치문화적 측면을 부각시키고 이 가운데 "싸움문화론"을 중심으로 고찰하려는 데 그 뜻을 두었다. 그것은 얼핏 보기에는, 정치제도적인 측면이 정치문화나 사회·경제적 측면(환경변수)보다 먼저 고려되어야 할 것이나 우리 사회에서 민주화의 뿌리가 제대로 내리지 못한 것은 정치제도 때문이라기보다는 엘리트나 국민들의 행태 때문이라고 보았기 때문이다.

5) 이것은 경제발전을 경제체제의 발전으로 본 시각이다.

이 이 글에서 다루고자 하는 두 번째 목표가 된다. 이것은 우리 사회에서 자본주의제도를 정착시키기 위한 사람들의 가치관이나 태도에 역점을 둔 시각이다.

사회가 안정되기 위해서는 우선 경제적 기초가 튼튼하여야 하며 이는 경제성장과 소득의 합리적 배분을 통해서 도달될 수 있다 함은 주지의 사실이다. 사람들의 사회적 불만은 빈곤 자체보다도 부나 소득의 합리적 배분에 있다. 즉, 빵이 없는 것은 개인적 불만의 대상이나 빵의 배분이 잘못되었다고 생각될 때 이것은 사회적 불만의 대상이 된다는 것이다. 이것은 개인적인 차원에서나 국가적인 차원에서 동일한 것이다. 환언하면, 재화가 없는 상태에서보다도 그것이 존재하나 배분과정에서 불만이 있는 곳에 다툼이 있게 마련이고 이것이 사회적 불만으로 잉태되는 것이다. 한 지역사회 안에서도 잘사는 가정이 있고 못사는 가정도 있듯이 국제사회에서도 더 잘사는 나라도 있고 잘 못사는 나라도 있게 마련이다. 이 때 사회적 불만이나 사회적 불안은 못사는 상태에서보다는 점점 잘사는 사회로 이행되는 과정에서 더 많이 나타나는 것이 일반적인 현상이다. 우리 사회가 못살던 시절보다 더 잘사는 사회로 이행되어 가면서도 사회적 불만이나 불안이 점증적으로 나타나는 것은 바로 이 때문이다. 즉, 빈곤현상이 절대적인 것으로부터 상대적인 것으로 바뀌어 가고 있다는 것이다. 따라서 오늘의 빈곤문제는 절대적 빈곤문제 못지않게 상대적 빈곤문제가 더 큰 사회적 과제가 된다. 그런데 이 사회적 과제에 대한 처방 또는 해결책은 그 사회의 지배적인 세계관, 이데올로기 및 신조(popular myths)에 따라 좌우되게 되는데, 빈곤문제에 대한 근거는 가치판단 또는 관점의 차이 때문에 많은 논란이 있게 마련이다. 이를테면, 빈곤(poverty)을 사람에 따라서는 ① 어떤 사건의 결과 또는 불가항력의 사회상태(inevitable states of society)로 규정짓기도 하고, ② 사악한 인간행동의 결과, 또는 ③ 빈자 자신들의 결격(imperfections in the poor themselves)의 소치(Ritchie P. Lowry, 1974:19-46).라고 정의내리기도 한다. 빈곤에 대한 이러한 개념정의적 입장은 그들이 자신들의 세계관이나 이데올로기 및 신조에 따라서 문제 상황(problematic situation)에 포함된 요소들을 선택적으로 인지(selective perception)하기 때문이다. 따라서 빈곤은 이들 모두의 근거와 연결되는 것이지 어느 하나만으로 파악하려는 것은 잘못이다. 왜냐하면 이러한 세계관이나 이데올로기 및 신조가 부분적으로 타당할 수도 있으나 다른 한편에서는 잘못일 수도 있기 때문이다.[6] 이런 점에서 빈곤문제의 해결은 개인적인 차원과 국가 내

---

6) 빈곤의 정의에서 첫째는 자연주의적 관점(naturalistic perspective)인 바 여기에서는 빈곤을 역사적 사건이나 어쩔수 없는 자연적인 현상으로 보기 때문에 이들은 빈곤문제를 해결하기 위해 부에 대한 재배분정책을 전개하는 것은 무의미하다고 주장한다. 물론 현실적으로 볼 때 이러한

지는 사회적인 차원에서 함께 강구되어야 하며 본 논문에서 다루고자 하는 것은 주로 전자에 관한 것이다. 그것은 자본주의제도의 토착화를 위해 개인들이 어떤 경제윤리적 기초 위에 서서 이를 수용할 것인가가 여기서 다루어야 할 과제이기 때문이다. 따라서 서구의 자본주의정신이 어떤 사회적 논리의 기초와 연계되고 발전되어 왔는가를 살펴봄으로써 우리의 현실을 조명하고자 한다. 자본주의적 특성은 세계의 여러 곳에서 생성되었지만 이것이 근대에 이르러 특히 서구에서 오늘날과 같은 형태의 자본주의를 형성하고 발전시켜 왔다는 점에서 여기서 문제 삼고자 하는 것은 서구자본주의인 것이다. 또한 이것은 민주적 자본주의(democratic capitalism)를 근간으로 하고 있다. 오늘날 민주적 자본주의는 우리 인류의 역사가 이룩해 온 모든 정치・경제체제들 가운데 인간생활의 일상적 기대를 혁명적으로 변화시켜왔다. 그 가운데는 수명을 연장시키고, 빈곤과 기아를 근절 할 수 있다는 믿음을 주고, 인간적 선택의 범위를 넓혀준 것 등의 변화가 포함되어 있음은 물론이다(김학준・이계희 역, 1986:7).[7] Novak은 민주적 자본주의를 다음과 같이 정의 내리고

---

주장은 잘못된 것이지만, 이러한 신조를 가지고 있는 사람들은 어느 사회이고 빈곤문제를 완전히 해결할 수 없었다는 사실을 분석가들에게 환기시켜 주고 있다. 둘째는 도덕주의적 관점(moralistic perspective)인데, 여기서는 빈곤을 자본가들이나 지주들의 부도덕한 착취의 결과라고 보고, 따라서 이들은 사유재산제도는 낭비와 착취, 사회적 무책임성 등을 유발한다고 주장하나 이것 역시 문제가 있다. 셋째는 환경론적 관점(environmental perspective)인 바 이것은 빈곤이나 다른 사회문제들을 그것에 연루되어 있는 당사자들의 환경적요인 탓이라고 본다. 즉, 빈곤을 가난한 사람들 자신의 결함으로 돌리는 입장이다. 여기서는 사회적 책임보다는 빈자 자신들을 비난하는 한편, 사회적으로 볼 때 일정수의 사람들은 '빈곤'이라는 상태에 머물러 있을 수밖에 없다는 사실을 지적한다. 이 같은 관점은 자칫하면 인도주의자(humanitarian)들처럼 "피해자들을 비난하는"(blaming the victim) 자기모순적 오명을 가져올 수 있다. 왜냐하면, 인도주의자들은 그들의 자비로운 이해심을 피해당사자들의 결함을 파헤치는 데 쏟고 있는 수가 있기 때문이다. William Ryanm, *Blaming the Victim* (New York: Pantheon Books, 1971), p.7. William Dunn: *Public Policy Analysis: An Introduction* (Englewood Cliffs, N.J.: Prentice-Hall, Inc, 1981), p.108.

7) 중국관영 신화사통신 홍콩분사장(지사장)인 許家屯도 "현대자본주의는 인류의 위대한 창안이며 공산주의자들은 이로부터 많은 것을 배워야 한다"고 홍콩의 친중국계신문이 1988년 3월22일 보도했다. 이날 文應報가 분사사장의 한 중국잡지와의 회견을 인용, 보도한 데 의하면 許는 이어 "일부 우리동지들은 자본주에 대해 거의 아는 것이 없어 두려워만 하고 있을 뿐"이라고 지적하고 "자본주의에 대한 두려움이 과거 중국에 커다란 경제적 손실을 안겨주었다"고 말했다. 홍콩주재 중국대사의 역할을 하고 있는 許는 이어 "과거 우리는 자본주의가 곧 종언을 고할 것이라고 믿었으나 오늘날 현대자본주의는 많은 발전의 여지를 갖고 있다"고 밝히고 ▲자유로운 경쟁의 환경을 보장하고, ▲생산력을 고도로 발전시키며, ▲훌륭한 법체계를 갖추고 있는 현대자본주의의 유익한 경험과 지식을 중국이 체계적으로 도입해야만 한다고 주장했다. 한국일보, 1988.3.23.7면.

있다. 즉 그것은 지배적인 시장경제, 개인의 생활권·자유권·행복추구권을 존중하는 정체, 그리고 자유와 정의의 이상에 의해서 운용되는 문화제도의 체계를 뜻한다. 다시 말하면 그 것은 민주적 정체, 시장과 이윤동기에 기초하는 경제 및 다원주의적인(넓은 의미에 있어서 자유주의적인) 도덕·문화체계 등 세 개의 동적인 체계가 하나로 기능하는 것을 일컫는다. 이와 같이 자본주의란 말은 정치, 경제 및 사회적 의미를 함축하고 이들 간에 상호연계성이 있음을 알게 된다. 즉, 실제로 정치적 민주주의는 오직 시장경제체제와만 공존할 수 있으며, 그러한 정치적 민주주의와 시장경제는 다같이 다원적인 자유주의적 문화를 육성하며, 또한 그러한 자유주의적 문화에 의해서만 정치적 민주주의나 시장경제가 꽃필 수 있다는 것이다(김학준·이계희 역, 1986:8).

그런데 위와 같은 자본주의가 서구에서 자리 잡고 발전하는 데 있어서는 우연의 일이 아니며 그것은 서구사회의 윤리와 연계되고 있다는 점에서 우리가 자본주의사회를 토착화함에 있어 이를 조명할 필요성을 갖는다.

어떠한 경제체제이든지를 불문하고 그것이 번영하기 위해서는 특별한 가치체계를 요구하고 생성되는 바, 이 점에서 있어 자본주의도 예외는 아닌 것이다. 자본주의는 고전적 자유인의 가치인 자조, 자유, 개인주의, 경쟁 및 성취란 윤리의 발전에 의존하고 있고 또 그러한 윤리의 발전을 조장하고 있다.[8]

서구사회에서의 자본주의 발전은 베버(Max Weber)가 「신교논리와 자본주의정신」에서 지적한 바와 같이, 그들 사회의 저변에 깔려있는 신교논리의 가치관과 더불어서 가능했다고 보는 것이 지배적이다. 자본주의 개념을 설명의 편의상, "돈의 축적은 다다익선이다"라는 말로 단순화시켜 보는 경우,[9] 이 때 서구에서는 부의 축적행위와 그 과정에 대하여

---

8) 자본주의 경제의 성공적인 운영을 위해서 요구되는 이러한 가치체계는 성공적인 공공복지제도를 뒷받침하는 데 필요한 가치와는 명백히 상치되는 것이다. 공공복지제도가 발전하기 위해서는 자조의 미덕에 대한 강조는 타인을 도우려는 욕구에 대한 강조로 대체되어야 하고, 개인주의는 공동체전체에 대한 관심으로 대체되어야 한다. 마찬가지로 경쟁은 협동으로, 성취는 개인적인 측면에서보다는 사회적이고 공동적인 측면에서 규정되어야만 한다. 즉, 자유주의적 가치가 아닌 사회주의적 가치체계가 필요한 것이다. 따라서 경제제도와 복지제도는 아주 상이한 가치체계를 요구하고 거기에 의존한다. 이렇게 볼 때, 경제적 목표와 사회적 목표간의 갈등과, 자유주의 가치와 사회주의 가치사이의 갈등은 자본주의 사회에 본질적으로 내재하고 있다고 한다. Vic George and Paul Wilding, *Ideology and Social Welfare*, 원석조·강남기역, 이데올로기와 사회복지(서울 : 홍익재, 1987), p.128.

9) 자본주의를 이렇게 단순화시킨 것은 자본주의의 본질적 요소라기보다는 우리사회에서 자본주의가 가져온 결과에 대해서 이렇게 받아들이는 경향이 있다는 것이다. 본래, 베버에 의하면(종교사회학 논집 머리말), "영리욕 즉, 돈(그것도 가능한 한 많은 돈)을 획득하려는 영리추구 그

신교논리가 보완작용을 했다고 보는 것이 옳을 것이다. 본래 소득의 축적치인 부란 자본주의 사회에서 정당한 것이다. 누구라도 부를 이룰 수 있다는 가능성이 자본주의 사회에서 활력의 근원인 것이다. 그러나 그 축척의 과정은 정당해야 하며 그 축척의 기회는 누구에게나 공정하게 열려 있어야 한다. 만약 그렇지 못했을 때, 그 결과로서의 부의 양은 사회적 갈등을 유발하고 사회의 정의마저 무너뜨리기 쉽다.

감기약의 처방에는 소화제가 포함된다고 한다. 왜냐하면 감기를 낫게 하는 약의 성분에는 위장을 상하게 하는 역기능적 성분이 포함되어 있기 때문에 이때에 이를 중화시켜 주기 위하여 소화제가 필요할 것이기 때문이다.

이와 같이 모든 사회제도에는 각기 장단점이 있게 마련이며 자본주의제도 역시 역기능적인 측면이 있을 수 있다. 그런데 이때 자본주의의 병폐를 어느 정도 치유할 수 있는 윤리가 서구에서는 신교윤리였다고 설명한다. 확실히 돈의 축적이 다다익선이지만 그 과정상에서 성실하고 땀을 흘리는 부지런한 생활태도를 통해서만 그것이 사회에서 긍정적 선(positive good) 내지는 현실과 내세의 구원관과 연결된다는 신교윤리는 서구자본주의사회의 저변에 자리 잡고 있음으로써 자본주의제도의 발전을 가능하게 한 것이라고 보아진다.

그런데 우리 사회는 어떠한가? 해방이후 서구의 자본주의가 민주주의와 함께 들어왔지만 그 외형만이 도입되었기 때문에 양제도가 우리사회에 정착되는 데는 더 많은 세월이 필요할 것이다. 경제적인 차원에서 이때에 중요한 것이 서구사회의 신교윤리에 상당하는 한국적 경제윤리가 형성되어야 할 것이다. 그것은 돈의 축적 과정에서 근면·성실하고 정당한 노력의 대가를 지불한 자만이 현실에서뿐만 아니라 내세의 구원과 연결될 수 있다는 신교적 윤리를 포함하는 것이어야 한다. 그리고 이런 과정을 통해 땀 흘려 돈을 축적한 자에 대하여 우리는 고개를 숙여 존경하고 선망의 적(的)으로 받아들일 줄 아는 태도를 갖추는 것이 필요하다.

## Ⅳ. 사회발전과 필자의 사회정의관

자체는 자본주의와는 관계가 없다는 것이다. 무제한적인 영리추구욕은 적어도 자본주의와 동일시 되어서는 아니되며, 더구나 자본주의 정신은 결코 아니란 것이다. 오히려 자본주의 정신은 이러한 충동의 억제 또는 적어도 합리적 조절과 동일시 될 수 있다고 한다. 그래서 자본주의적 경제행위란 교환기회를 이용한 이윤기대에 의존하며, 따라서(형식적으로) 평화적인 이윤교환에 의존하는 행위를 지칭하고 있다.

정치발전이나 경제발전은 궁극적으로 광의의 사회발전(societal development)으로 귀결되고 또한 그래야 한다. 사회발전은 한 사회의 제도가 공평하여 "더불어 사는" 인간사회에서 삶의 질이 향상되는 것이어야 한다. 그런데 사회제도 가운데서 가장 소중한 것 중의 하나는 보상체계에 관한 것이다. 즉, 보상체계가 어떻게 형성되어 토착화되어야 하는 것이냐 하는 것은 한 사회제도가 어떻게 형성되어야 하는 것이냐를 의미하며 이것은 사회발전의 중요한 영역이란 것이다.

자본주의사회와 사회주의사회는 여러 가지 면에서 상이하겠지만 보상체계란 면에서도 차이가 난다. 사회제도란 결국 인간들의 삶을 의미 있고 바람직한 방향으로 이끌어서 생활의 질 (quality of life)을 향상시키는 것이어야 하기 때문에 어느 체제이든지 막론하고 어떤 방식이 더 나은 보상체계인지를 탐색하고 이를 제도화해 나갈 것이 요망되며 이 글의 세 번째 목적이 바로 여기에 있다.

생각건대, 이데올로기를 의식할 필요도 없이 한 사회나 조직집단에서의 보상체계가 어떠해야 하는가? 란 물음에 대해서는 다음과 같은 차원에서 검토하는 것도 의미 있는 일이다. 즉, 현재까지 어떤 방식으로 그것이 이루어져 있는가를 생각해 보고 그것에 대한 어떤 문제점이 예견될 수 있다거나 나타나고 있는지를 규명해서 바람직한 방식을 찾아내는 일이 그것이다. 이것은 현실적인 접근과 규범적인 접근을 함께 고려하자는 시각이다. 일반적으로 보상체계와 관련하여 어떤 사회가 정의로운 사회이냐? 라는 물음에 대한 답변은 가치판단이 작용하기 때문에 각양각색으로 표현될 수 있으나 여기서는 다음과 같은 입장을 전제로 논의를 이끌어 가고자 한다. 즉, 한 사회에서의 보상체계는 능력에 따라서 이루어져 있고(sein), 또 그래야 되는 (sollen) 것은 경쟁사회의 현실을 저버릴 수 없기 때문이다. 그러나 다른 한편, 정신적으로나 육체적으로 애쓰고 땀 흘리는 정도에 따라서도 보상이 이루어져야 능력이 뒤지거나 없는 사람들도 "살맛이 나는 사회"가 될 것이며, 이것이 바로 정의로운 사회라고 볼 수 있다는 것이다. 왜냐하면, 사회란 다양한 계층과 상이한 능력을 가진 사람들로 구성되며 이들이 함께 모여 "더불어 사는 삶"의 체계이기 때문이다.

이런 점에서 필자는 사회정의(보상적 정의)를 노력과 능력에 따른 보상체계의 구현으로 설명하고자 한다.

최근 소련의 프라우다 지(1986년 3월14일: 조선일보 1986년 3월15일 4면)는, "소득은 일의 양과 질에 의하여 직접적으로 결정된다"고 밝힌 바 있는데, 이것은 보편적인 관점으로서, 제한된 의미에서 필자의 사회정의관과 유사성을 갖고 있다. 왜냐하면, 보상=소득, 일의 양=노력 및 일의 질=노력(숙련)과 능력(자질)의 관계가 성립될 수 있기 때문이다.

그런데 자본주의 사회에서 소득원으로서의 능력에는 개인이 지니고 있는 고유의 능력[10]이외의 다른 외부능력, 이를테면, 상속된 부모의 재력이 소득에 영향을 미칠 수 있고, 자유경쟁 사회이기 때문에 기회(chance)도 소득원이 될 수 있다. 이것은 민주·자본주의 사회의 본질에서 오는 귀결이기도 하다. 상속제도의 지나친 통제는 부에 대한 축적의지를 손상시키게 되고 이를 조장한다면 선의의 경쟁을 무기력화하게 되므로 민주·자본주의사회에서는 적절하게 이를 통제하는 과세정책을 추구함으로써 더욱 열심히 노력하는 자세를 인센티브로 제공하고 있다. 사회주의사회에서, 설사 "소득이 일의 양과 질에 의해 결정된다"[I=f(W. quan. W. qual.)]하더라도, 그 소득을 누가 소유하고 관리할 것이냐? 란 물음에는 자본주의사회와 대조를 이루고 있다. 즉, 사회주의 국가에서는 일반적으로 소득은 국가 또는 공공기관이, 그리고 자본주의 사회에서는 이것을 개인이 소유함과 동시에 관리하고 있다는 점에서 크게 구별된다. 소득이 개인의 노력과 능력에 따른 것이라면 이것은 당연히 개인이 소유하고 관리하는 것이어야 하며, 이를 통하여 더욱 열심히 노력하고 능력을 키우는 인센티브가 뒤따르게 될 것이다. 본래 성과(performance)란 능력(ability)과 동기부여(motivation)의 상승작용[p=f(a·m)]에 의한 것이므로 동기부여 없는 능력은 성과로 연결되지 않는 것이다. 어떻게 보면 자본주의 사회는 능력 있는 개인의 동기부여를 최대한 활용하려는 제도를 확립하고 있는 반면, 사회주의사회에서는 이에 대한 인센티브가 없거나 낮은 사회제도[11]를 갖고 있는 것 같다. 따라서 사회주의사회에서는 능력발휘를 위한 인센티브나 힘이 낮아서 보상이 주로 노력에 의존하는 결과 하향평준화된 사회를 만들어 결국 가진 자와 덜 가진 자간의 격차해소에는 도움이 될 수 있는 점도 있으나 이것은 일반적인 논리이고, 그 사회에서도 다른 제도장치(예:공산당독주) 때문에 빈부의 격차는 있게 마련이다.

이처럼 외형적으로 보면, 사회주의 사회에서는 노력에 대한 보상이 잘 이루어지는 것 같고, 자본주의 사회에서는 능력에 따른 보상이 잘되는 사회인 것 같지만, 전자에서는 능

---

10) 소득원이 될 수 있는 개인의 능력에는 학벌, 기술(솜씨), 체력, 고유의 경제력과 사회적 배경 등이 포함된다.

11) 최근 사회주의체제 국가에 있어서도 경제활동의 인센티브를 조장해 가기 위하여 부분적으로 사유와 영리활동을 인정해가고 있다

력을 발휘할 인센티브가 약화된 결과 보상의 두 날개 중 노력에 따른 보상만이 눈에 띄는 결과로 나타나고 있을 뿐이다. 물론 자본주의사회의 자유경쟁적 정신은 능력에 따른 보상을 조장하기 마련이고 노력은 능력을 키워나가기 위한 부차적인 역할을 하고 있는 것도 사실이다. 그 결과 능력 있는 가진 자(haves)와 능력이 없거나 뒤진 덜 가진 자(have nots)간의 소득격차가 크게 벌어져 이것은 경제윤리관이 제대로 확립되지 않은 상태에서 위화감조성 원인의 하나가 되어짐으로써 사회를 불안정하게 만들기도 한다. 때문에 이 같은 불안정을 극복하기 위해서도 능력이 뒤진 자를 방치할 수 없고(利不利的 次元) 또한 사회윤리적인 차원(當不當의 次元)에서도 좌절하지 않고 노력정신을 키워 나아가기 위해 여기에 따른 보상을 강화해 나아가야 건강한 사회를 이룩할 수 있을 것이다. 사회발전은 건강한 사회를 전제하고 있고, 이것은 계층간에서 군림하는 것이(power over) 아니라 더불어 사는(power with) 것이어야 하기 때문이다(William N. Dunn, 1981:87).

요컨대, 사회발전의 원동력은 화평이고 이것은 보상체계가 사회 안정을 위해 도움이 되는 방식으로 이룩되어 있을 때 가능하기 때문에 "노력과 능력에 따른 보상체계의 구현"이야 말로 우리사회 발전의 초석이 된다는 것이 필자의 소신이며 사회정의관이다. 이것은 파레토(Wilfredo Pareto:1848~1923)법칙 즉, 한 사회에서 소득의 최적배분은 다른 사람들의 손실을 유발시킴이 없이는 일부의 사람들이 이익을 얻기 어려운 상태와 연결된다. 파레토의 최적상태(Pareto optimality)는 모든 사람이 그 자신의 능력과 노동(ability and work)에 따라 공정하게 소득을 배분받을 수 있도록 해줄 수 있다.

# V. 결 론

한 나라의 정치·경제 및 사회적인 맥락은 그들 간에 상호 연계되어 있고 여기에서 야기되는 제도는 그 사회의 문화적 행태 속에서 의미를 갖는다. 이런 점에서 서구의 제도는 서구의 문화를 기초로 하여 성립되었기 때문에 이것을 문화의 기초가 다른 여러 나라에 이식시키는 데는 주의를 하여야 한다. 이것은 같은 성분을 갖는 약이라도 환자의 특성에 따라 조제를 달리하여야 한다는 논리와 같다. 그럼에도 불구하고 많은 나라들이 선진국

특히 서구에서 발달된 제도를 그대로 직수입 하는 데서 서구와는 달리 제도운영상의 문제점을 안고 있다는 것은 주지하는 바와 같다. 하나의 제도란 그 사회의 문화에 의해서 생성될 뿐만 아니라 반대로 제도에 의해서 문화가 영향을 받을 수 있다는 것을 전제할 때, 우리나라의 민주주의와 자본주의제도를 토착화시키기 위해서는 이를 우리 문화의 뿌리와 연결시켜 탐색할 필요가 있다는 데서 앞에서와 같은 논의가 이루어진 것이다.

생각건대, 민주주의의 논리와 시장경제의 논리는 상호보완의 관계에 있다. 이 두 개의 논리는 또한 다같이 특수한 도덕·문화적 기반을 필요로 한다. 개인이나 그가 속한 사회의 본질, 자유와 죄악, 역사의 가변성, 노동과 저축, 자제와 상호협력에 관한 확고한 도덕·문화적 전제가 없이는 어떠한 민주주의나 자본주의도 가능할 수 없다. 즉, 도덕·문화적 조건이 결여되었을 경우, 민주주의와 자본주의는 전혀 성과를 거둘 수 없는 것이다. 또한 동일한 민주주의라도 경제적 성장을 전제하지 않는 민주주의는 자기 파괴적 경향을 노정하여 대립적인 분국화(balkani-zation)로 유도되어 파벌투쟁을 조장하지만 경제적 성장을 이룩한 조건에서는 평화롭고 관대한 성격을 갖게 되며, 각 부문들 간에는 융화와 분발을 이루게 된다는 것이다. 민주주의는 이상과 그것을 실제적으로 실현시킬 수 있는 자유를 제공해 준다. 제로·섬 경제(zero-sum economy)의 함정 속에서는 홉스(Thomas Hobbes)가 말하는 "만인 대 만인의 투쟁"이 민주주의의 존립을 불가능하게 하는 것처럼 만든다. 민주주의는 경제적 성장에 의해 해방됨으로써 모든 사람의 동의를 획득하게 된다 (김학준·이계희역. 1986:10)

위와같은 관점을 우리가 수락할 때 과연 우리나라는 서구의 민주주의나 자본주의를 수용할 수 있는 도덕·문화가 형성되어 있는가? 경제발전(경제성장)과 정치발전(민주주의)을 상호연계 속에서 균형적으로 다루어 왔는가? 사회논리나 사회정의에 대한 일반적 합의는 존재하고 있는가? 등에 관하여 질문을 받는다면 이에 대한 답변은 대체로 부정적일 수밖에 없는 것이 우리의 현실이다.

본 논문은 바로 위와 같은 질문에 대한 개략적인 대답을 시도하기 위한 것으로 우리의 정치·경제·사회발전을 위한 선행요인을 다룬 것이다.

지금 우리는 정치·경제적인 측면에서 민주주의와 자본주의의 제도적 장치를 통해 국가발전을 추구해 가고 있다. 그런데 이 두 제도는 서구민주주의사회의 정신과 윤리를 함축하고 생성·발전한 것인데 우리 사회의 전통적 풍토나 문화는 서구의 것과 차이가 있기 때문에 우리 사회에 이것이 정착되는 데에는 어느정도 시간이 소요될 것이라는 것은 이해할 만하다. 환경결정론적인 입장에서 보면 환경이 제도를 생성시킬 것이고, 제도결정론적 입장에서는 오히려 제도가 환경을 변개시키려 할 것이나, 이 두 관계는 상대적인 것으로 서로 영향을 주고 받는 것으로 보아야 할 것이다. 다만 민주주의나 자본주의를 우리가 계속 신봉할 수 밖에 없는 것이라면 이 제도가 독립변수가 되어 환경의 변개를 시도할 수밖에 없을 것이다.

하나의 제도가 도입될 때에는 그 제도가 내포하고 있는 윤리나 정신까지도 이식되어야 하는 것인데 대부분의 경우 그것이 뒤따르지 않은 채, 이것이 도입되는 데서 제도정착상의 어려움이 존재하는 것이다. 지금까지 필자는 우리 사회의 환경문화는 "게임의 룰"이 제대로 발전·확립되지 못하고 협상 및 타협의 논리가 수용되고 있지 못한 채 정치제도를 운영하는 아쉬움과 자본주의 제도를 활성화하는 데 필요한 윤리가 미확립된 채 이러한 제도의 발전을 추구하는 것이 문제점이란 데서 논의를 시작하였다. 따라서 "게임의 룰"의 확립과 협상 및 타협논리의 수용이 정치발전의 선행요인이요, 한국적 경제윤리의 확립이 경제발전의 선행요인이란 것이 필자의 귀결이다. 뿐만아니라 필자는 인간결정론적·발전론적 입장에서 문제의 처방을 추구하기 때문에 "가난의 책임"을 부자에게 전가시키기보다는 오히려 빈자 자신의 성실과 근면과 합리적인 접근을 통해 해결점을 모색하려는 데 관심을 가지고 있다.12) 때문에 부의 축척과정이 정당하였다면 여기에 고개를 숙일 줄 아는 풍토가 조성되기를 기대한다. 다만 여기서 하나의 문제는 가진 자(haves)와 덜가진 자(have nots)는 능력상의 차이가 있기 때문에 "능력에 따른 보상"만이 지배되는 사회는 갈등이 그칠 수 없다는 데서 문제의식을 가지며, 따라서 근면과 성실과 노력에 따른 보상도 있어야 한다는 것이 사회정의적 차원에서 받아들여져야 한다는 것을 강조하고자 하는 것이다. 따라서 가진자는 덜가진 자에 대하여 이 점을 배려한 배분적 정의13)가 구현될 수 있는 윤

---

12) 자기를 반성하는 이에게는 부딪히는 일마다 약이 되거니와 남을 원망하는 이는 생각이 움직일 때마다 창과 칼이 되기 때문이다. 오래 전(1977)의 조사연구이긴 하지만, 우리 사회에서가난의 책임을 사회 잘못으로(18%) 보기보다는 자기 자신의 노력의 부족(80%)으로 보는 경향이 높은 반응을 보여준 것은 사회를 원망하기 전에 스스로를 채찍질하는 규범적 성향을 의미하는바, 이것은 바람직한 가치관 및 태도라 생각된다. 또한 같은 맥락에서 이들은 자가용차의 증가현상에 대해 42%가 "우리나라 사람도 점점 잘 살게 되고 있는 증거이므로 좋은 현상이다."라고 보아 돈이란 각자 벌어서 마음대로 쓰는 것이라는 자본주의 윤리적 성향을 짙게 나타내 주고 있다. 이홍구, "한국의 정치문화와 정치발전-서울시 저소득층 정치성향의 한 단면",「한국정치학회보」, 제11집(1977), pp.124~125.

13) 공공선택의 이론에서는 정부의 정책이 상대적 평등을 실현시키기 위하여 배분적 정의에 의해서 약한 자, 가난한 자에게 자원과 가치를 배분하는 것은 자비나 관대함 또는 인류애 때문이 아니라 의무감(obligation)의 소산이라고 전제한다. Raymond Plants, et al., Political Philosophy and Social Welfare(London: Rouledge and Kegan Paul, 1980), pp.52~71 참조.

리의 확립을 수용하여야 한다. 필자는 이런 시각에서, "사회정의(보상적 정의)란 노력과 능력에 따른 보상체계의 구현"(按努力與能力給與報酬之體系)으로 규정하는 것이다.

배분적 정의관에는 여러 가지 학설[14]이 있으나 필자는 이 가운데 자유주의의 배분적 정의관과 롤스의 정의관을 받아들이되 이들을 조화시켜 앞에서 언급한 바와 같은 사회정의관을 제창하는 것이다. 자유주의적 배분관은 아리스토텔레스에서 그 근원을 찾을 수 있는데, 아리스토텔레스의 배분적 정의는 다음과 같다. 즉, 돈과 명예와 같은 가치를 배분함에 있어서 자질에 따라 평등한 비율로 배분하는 것이며, 자질을 갖추지 못한 자에게는 불평등하게 배분하는 것이 그것이다. 불평등한 자를 평등하게 다루는 것처럼 공정(fair)하지 못한 것은 없다는 것이다(E. Barker(trans), 1946:362-363.

반집산주의자(자유주의자와 유사함)들은 자유와 실질적 평등을 동시에 지지할 수 없다고 한다. Friedman은 "물질적 평등과 자유는 서로 상치되는 것으로 아무도 평등주의자인 동시에 자유주의자일 수는 없다(M. Friedman, 1962:195).고 한다. 노동에 따른 소득의 평등은 노동에 대한 동기유발에 해로운 영향을 끼치게 될 것이라는 불안과, 각각의 직업에 사람들을 끌어들이는 지침으로 작용하는 각 직업에 밀착된 사회적 존경의 파기를 초래하기 때문이다. 따라서 반집산주의자들은 자유의 평등과 소득의 불평등을 주장하며 이는 모순된 주장이 아니란 것이다. 왜냐하면 소득의 평등을 성취하기 위해서는 이들의 으뜸가는 사회가치인 자유의 평등이 희생되어야 할 것이라는 사실 때문이다.

여기서 이들의 주장인 자유의 평등을 위해 소득의 불평등을 수용해야 한다는 논리는 "능력에 따른 보상체계"와 밀접하다. 그런데 한 사회에서 자연상태에 있는 일단의 사람들은 상호일치되는 이해관계뿐만이 아니라 상반되는 이해관계도 가지며 따라서 이들이 하나의 협동체제를 실현시키고자 할 때 이들 상반되는 이해관계 사이의 조정이 불가피하게 되며 이 조정의 원칙이 사회정의의 원칙이라(황경식, 1985:.353). 한다면, 협력에 따른 보상만으로는 "더불어 사는" 협동체제의 구축이 어렵게 된다. 능력이 뒤진 자는 언제나 낙후되기 때문이다. 따라서 이때 그것을 "노력의 과정"에 따른 보상으로 보완하자는 것이다. 뿐만 아니라 능력과 노력 모두가 미비하여 낙후된 자에 대하여는 권리적 보상이 아닌 배려적보상이 필요하며 이때 "최소수혜자에게 최대의 편익(the greatest benefit of the least advantaged)"을 제공해야 한다는 롤스의 정의에 대한 제2법칙(Rawl's second principle)이 적용되게 한다.

---

14) 이를테면 자유주의의 배분적 정의관, 공리주의의 배분적 정의관, 사회주의의 배분적 정의관 및 롤스의 배분적 정의관 등이 그것이다.

# 참고문헌

김학준.(1983). 해방과 분단의 정치문화. 서울대 사회학연구회편, 「한국사회의 전통과 변화, 이만
　　갑 교수 화갑기념논총」. 서울: 법문사.

김학준, 이계희 역.(1986). 민주자본주의의 정신(Michael Novak, *The Spirit of Democratic
　　Capitalism*). 서울: 을유문화사.

노재봉.(1976). 현대한국의 정치사상에 있어서 방법의 문제. 「한국사상의 현대적 과제」. 한국사
　　상연구회.

이극찬 편.(1985). 민주주의와 한국정치. 서울: 법문사.

이홍구.(1977). 한국의 정치문화와 정치발전-서울시 저소득층 정치성향의 한 단면. ,「한국정치학
　　회보」 11.

황경식.(1985). 사회정의의 철학적 기초. 서울 : 문학과 지성사.

Barker E(trans). (1946). The Politics of Aristotle(New York:Osvord University Press).

Friedman M. (1962). capitalism and Freedom(University of Chicago Press).

Raymond Plants. et al. (1980). Political Philosophy and Social Welfare(London: Rouledge and
　　Kegan Paul).

Ritchie P. Lowry. (1974). *Social Problems: A Critical Analysis of Theories and Public Policy*
　　(Lexington, Mass: D.C. Health and Company).

Vic George and Paul Wilding, *Ideology and Social Welfare*, 원석조·강남기 역 (1987), 이데올
　　로기와 사회복지. 서울 : 홍익재.

William Dunn. (1981). *Public Policy Analysis: An Introduction* (Englewood Cliffs, N.J.:
　　Prentice-Hall, Inc).

William Ryanm.. (1971). *Blaming the Victim* (New York: Pantheon Books).

# 제3장 관리자의 리더십과 직무행태 및 조직성과[*]
## - 성별차이를 중심으로 -

권 경 득[**]

# I. 서 론

양성평등사회의 구현이라는 사회적 형평성의 관점에서 여성의 평등고용 권리는 세계 각국의 주요한 정치·사회적 쟁점이 되어 왔다. 특히 여성의 공직임용 기회의 확대는 여성의 권리, 이익 및 고용에 대한 관심을 함축하고 있다. 이러한 맥락에서 세계 각국은 공직에 여성참여를 확대하기 위해 여성공무원의 채용목표제, 여성담당 직역의 확대, 여성관리자의 능력개발 등 여성우대 정책을 적극적으로 추진하고 있다.

우리 사회의 각 분야에서도 여성의 대표성 제고와 성차별의 해소를 통한 양성균형적인 사회발전을 위해 지속적으로 노력하고 있다. 한국 정부는「남녀차별금지 및 구제에 관한 법률」(1999)의 제정과「여성공무원 발전기본계획」(1999)의 수립을 통하여 채용, 승진 및 배치에 있어서 남녀차별을 금지하고 있으며, 여성인력의 활용을 극대화하기 위하여 다양한 근무형태의 개발과 여성지원적이고 유연한 근무환경의 조성을 위하여 노력하고 있다. 특히 공직내 여성의 대표성 제고와 여성인력의 적극적 활용을 위하여 여성채용목표제, 여성승진할당제, 여성전입할당제, 1국 1과 여성 관리자 배치 등과 같은 여성우대 정책을 시행하고 있다(권경득, 2003). 최근에는 여성관리자 임용목표제를 도입하여 2006년도까지

---

[*] 본 논문은 "조직유형에 따른 관리자의 리더십 스타일과 구성원의 직무행태 및 조직성과에 관한 연구: 성별차이를 중심으로"의 제목으로「한국사회와 행정」, 제16권 1호 pp. 57-79에 게재된 논문임.

[**] 선문대학교 행정학과 교수

정부 전체 5급 이상 관리직 공무원 중 여성의 비율을 10%이상 되도록 계획을 수립·시
행하고 있다. 지난 수년간 한국 정부의 여성우대 정책에 따라 공직내 전체 여성공무원의
비율은 물론, 관리직 여성공무원의 비율이 매년 증가하고 있으며(1992년 1.9%, 1996년
2.5%, 2000년 3.5%, 2004년 6.8%), 행정고시에서도 여성합격자의 비율이 매년 증가하고
있다(1992년 3.2%, 1996년 9.9%, 2000년 25.1%, 2004년 38.4%).

　　정부 내 여성인력의 활용에 대한 초기의 관심은 공직내 여성공무원의 비율, 특히 관리
직에 있어서의 여성공무원의 대표성(Hague, 2000 ; King, 1993 ; 김원홍 외, 1999 ; 박영
미, 2000), 공직인사상의 여성차별(김복규·강세영, 1999 ; 제갈돈·송건섭, 2000), 관리직
여성공무원의 육성(김판석 외, 1999) 등에 초점을 맞추고 있다. 그러나 점차 연구의 관심
이 여성친화적 인력정책과 남녀 공무원간의 직무행태의 차이(Chiu & Ng, 1999 ; 권경
득·강제상, 2001), 여성공무원의 잠재적 생산성(박천오 외, 2000), 여성관리자의 정책결
정 스타일의 비교(Dolan, 2000) 등으로 확대되고 있다. 최근에는 정부 내 여성관리자의
수가 증가하는 상황에서 관리직 내 여성인력의 적극적인 활용이 조직성과에 어떠한 영향
을 미치는지에 대한 관심이 점차 높아지고 있다.

　　Dolan(2000)은 미국 고위관리직(SES)을 대상으로 한 연구에서 여성관리자는 남성관리
자와는 다른 정책적 관심을 가지고 있으며, 특히 여성문제에 많은 관심을 가지고 있다고
하였다. 이러한 경향은 여성문제를 다루는 부처 또는 관리계층에 여성공무원의 비율이 상
대적으로 높은 부처에 근무하는 여성관리자에게 더욱 보편적으로 나타나고 있다(Dolan,
2000 : 518). 리더십 스타일의 성별차이와 직무행태에 관한 Gardiner & Tiggemann
(1999)의 연구에 의하면 조직유형별(여성의 비율이 높은 조직 vs. 여성의 비율이 낮은 조
직)로 리더십 스타일의 성별 차이가 나타나며, 여성의 비율이 낮은 조직의 여성공무원은
여성의 비율이 높은 조직의 여성공무원보다 더 많은 직무스트레스를 경험하고 있다는 연
구결과를 보여주고 있다. 그러나 정부 내 남녀 관리자간 리더십 스타일의 차이와 조직구
성원의 직무행태 및 조직성과의 관계에 대한 실증적 연구는 아직 초보적인 수준이라고
할 수 있다.

　　우리나라의 경우, 행정자치부(1998)의 〈공직사회의 여성정책 및 남녀평등 의식조사〉에
의하면 남녀공무원 대다수가 상급자(상사)로 남성을 선호하고 있는 것으로 나타나고 있다.
그 주된 이유로는 '여성의 리더십 부족'(남성 응답자 : 30.3%, 여성 응답자 : 25.5%)과
'일하기가 편해서'(남성 응답자 : 17.1%, 여성 응답자 : 16.4%)를 지적하고 있다(행정자치
부, 1998). 이와 같은 남성중심적인 공직문화 속에서 여성관리자를 육성·확보하려는 여성

우대 정책(여성관리자 임용목표제)이 공직사회의 인력 활용도와 정부의 경쟁력을 제고할 수 있는지의 여부에 대하여 정부 내 인사실무자나 학자들의 관심의 대상이 되고 있다.

본 연구의 목적은 여성의 공직사회 진출이 활발해지고 공공부문에서 관리직 여성의 비율이 점차 증가되고 있는 상황에서 조직유형별(여성의 비율이 높은 조직 vs. 여성의 비율이 낮은 조직)로 관리자간에 리더십 스타일의 차이가 존재하는지, 관리자의 리더십 스타일의 차이가 구성원의 직무행태와 조직성과에 어떠한 영향을 미치는지를 이해하는 데 있다. 본 연구를 위하여 기존문헌을 검토하여 이론적 토대를 마련하고, 14개 중앙부처 공무원을 대상으로 설문조사를 실시하여 그 결과를 분석하였다.


# Ⅱ. 선행연구 검토


외국의 경우에는 여성우대 정책(또는 여성친화적 정책)이 조직과 그 구성원 모두에게 공통의 이익을 가져다 줄 수 있다는 전제하에 공사(公私)조직에서 적극적으로 도입·운영되어 왔다(강혜련, 1995). 여성우대 정책의 도입 필요성을 강조하는 대부분의 연구들은 남성 위주의 전통적인 관리기법을 채택하고 있는 조직에 비하여 여성친화적 관리기법을 채택하고 있는 조직의 구성원들이 직장생활에 만족하고 직무에 헌신적이며 높은 조직성과를 보인다는 실증적 증거들을 제시하고 있다(Scandura & Lankau, 1997 ; Guy, 1993). 민간기업의 경우, 여성우대 정책과 여성친화적 정책이 구성원의 직무만족, 사기, 조직몰입 등에 긍정적인 영향을 미치며, 구성원의 스트레스, 결근율, 이직률, 직장 일과 가사간의 갈등을 감소시켜 조직성과의 제고에 기여하고 있음을 보여주고 있다(강혜련, 1995).

국내의 여성공무원에 대한 연구는 주로 여성 공무원의 임용현황과 공직인사상의 여성차별 실태를 분석하고, 여성의 공직임용의 확대를 위한 방안을 제시하는 연구가 수행되었다(권경득, 2000 ; 박숙자, 2000 ; 제갈돈·송건섭, 2000 ; 김복규·강세영, 1999). 최근에는 중앙정부의 가정친화적 인사정책에 관한 실증적 연구(조경호·이선우, 2000), 공무원의 성별 직무관련 태도의 차이에 대한 연구(권경득·강제상, 2001 ; 박천오 외, 2000), 여성공무원의 직무관련 행태와 잠재적 생산성에 관한 연구(박천오 외, 2001), 여성공무원 리더의 효율성에 관한 연구(김혜숙, 2002; 장재윤·김혜숙, 2002), 여성친화적 정책과 조직성과에 관한 연구(권경득, 2003) 등이 발표되었다. 그러나 남녀 관리자의 리더십 스타일이 구성원의 직무행태와 조직성과에 미치는 영향에 대한 실증적인 연구는 거의 전무한 형편이다.

관리자의 성별, 조직유형(여성지배적 조직 vs. 남성지배적 조직), 리더십 스타일, 직무행태(직무만족, 조직몰입) 및 조직성과에 대한 선행연구를 살펴보면 다음과 같다.

## 1. 조직유형과 관리자의 리더십 스타일

Kanter(1977)는 조직 내 성(gender)의 수적 지배(numerical domination)와 관련하여 여성 대 남성, 15% : 85% 비율을 적용하고 있다. 만약 특정 부서 내 전체 여성의 비율이 15%이상이거나, 관리직 여성의 비율이 15%이상이면 이 부서는 여성지배적(female-dominated) 조직이라고 정의된다. 반면에 특정 부서 내 전체 여성의 비율이 15%미만이거나 관리직 여성의 비율이 15%미만이면 남성지배적(male-dominated) 조직이라고 정의된다(Kanter, 1977 : 965-990). Kanter(1977)의 정의에 의하면 조직 내 여성공무원의 비율을 고려할 때 우리나라 중앙부처의 대부분이 여성지배적 조직이 되며, 여성관리자의 비율을 고려할 때에는 여성부, 보건복지부, 식품의약안전청 등이 전형적인 여성지배적 조직이라고 할 수 있다.

관리자는 성별(gender)에 따라 서로 다른 리더십 스타일을 보여주고 있다. 남성관리자는 과업(task)지향적인 리더십의 행태를 보여주고 있음에 반하여 여성관리자는 인간관계(interpersonal)지향적인 리더십의 행태를 보여주고 있다(Valentine & Godkin, 2000 ; Eagly & Johnson, 1990). 그리고 여성관리자는 남성관리자에 비하여 계층제적 스타일의 리더십을 사용하기보다는 민주적이고 참여적인 리더십을 활용하고, 권력과 정보를 공유하며 동료들을 존중하는 성향이 강하다고 한다(Rosener, 1995 ; Lunneborg, 1990). 우리나라 공무원 5급 이상 관리직 공무원을 대상으로 자기평가방식으로 실시한 리더십 스타일에 대한 연구결과에 의하면, 여성관리자의 리더십 스타일은 남성관리자보다 더 과제(과업)지향적이며, 동시에 관계지향적이고, 남성관리자와 여성관리자간에 변혁주도와 팀 빌딩 지향성에 있어서는 통계적으로 유의미한 차이가 없다고 한다(장재윤·김혜숙, 2002). 우리나라 여성관리자가 남성관리자보다 더 과제(과업)지향적이라는 장재윤·김혜숙(2002)의 연구결과는 Valentine & Godkin (2000), Eagly & Johnson(1990)의 연구결과와 차이를 보이고 있다.

여성관리자의 경우, 리더십 스타일이 조직유형 즉, 여성문제(정책)를 주로 다루는 부처 또는 여성공무원의 비율이 타 부처에 비하여 상대적으로 높은 부처(여성지배적 조직)에 근무하는 여성과 기타 부처(남성지배적 조직)에 근무하는 여성간에 다르게 나타날 수 있다. 남성위주의 조직에 근무하는 여성관리자는 조직환경에 적응하기 위하여 일반적으로 자신의 리더십 스타일을 바꾸게 되고, 이러한 것이 여성관리자의 스트레스를 가중시킨다고 한다(Gardiner and Tiggemann, 1999 : 310-311). 즉, 남성위주의 조직에서 여성관리자는 남성 스타일의 리더십을 발휘(활용)하도록 심리적 압박을 받으며, 이것이 여성관리자의 직무스트레스를 가중시키고, 건강을 해치는 결과를 초래한다. 이와 같이 남성지배적인 관료조직에서 여성관리자는 직무수행의 어려움(장벽)을 인식하게 되고, 직무환경에 잘 적응하지 못하는 경향이 있다(King, 1993 : 2-3). 이와 같이 성별, 조직유형에 따라 관리자는 서로 다른 리더십 스타일을 보일 수도 있다.

## 2. 관리자의 리더십 스타일과 직무행태 및 조직성과

직무만족도(job satisfaction)는 '구성원들이 자신이 수행하는 업무를 통해서 경험하거나 얻게 되는 욕구충족의 정도'를 의미한다(McCormick & Tiffin, 1974 : 298-299). 직무만족의 성별차이에 대한 문헌을 살펴보면, 조직 내 동일한 자격과 직급을 가진 남성에 비하여 상위직으로 승진할 수 있는 기회의 불평등 때문에 여성은 직무만족도가 낮은 것으로 나타나고 있다(Hultin, 1998 ; Chiu, 1998). 반면, 직급에 상관없이 전반적인 직무만족도 및 직무만족에 영향을 미치는 결정요인에 있어 남녀간에 차이가 없다는 연구결과도 있다(Mason, 1995 ; Clifford, 1986). 여성의 경우 남성에 비하여 직급이 낮음에도 불구하고 직무만족도에 있어서 여성과 남성간에 유의미한 차이가 없다고 한다(Greenhaus et al., 1990). 이러한 직무만족도의 성별 차이는 관리자의 성별과 조직유형에 따라 다르게 나타날 수도 있다.

조직몰입(organizational commitment)은 '조직구성원이 자신의 조직에 대해 가지는 충성심 또는 애착심의 정도'를 의미한다(Grusky, 1996 : 489 ; Rainey, 1991). 조직몰입의 성별차이에 대한 문헌을 살펴보면, 일반적으로 여성은 남성에 비하여 채용에 있어서 훨씬 더 많은 어려움을 겪기 때문에 직장을 가진 여성은 남성보다 강한 조직몰입도를 보여 준다고 한다(Mathieu & Zajac, 1990 ; Grusky, 1966). Wahn(1998)은 조직몰입에 대한 성별의 영향력 분석에서 여성의 근속몰입도가 남성보다 높게 나타나고 있으며, 성별과 근속몰입간에는 긍정적인 인과관계가 있다고 주장하고 있다. 반면에 여성은 직장과 가정을 동시에 가져야 하기 때문에 여성은 남성에 비해 조직과 업무에 대한 몰입도가 낮다는 주장도 있다(Schwartz, 1989). 특히 여성은 육아로 인하여 직장을 떠나는 경향이 높으며, 여성에게는 가정이 대안이 될 수 있지만, 남성은 그렇지 못하기 때문이다(Gerson, 1985). 이러한 남녀간에 조직몰입도의 차이는 관리자의 성별과 조직유형에 따라 다르게 나타날 수도 있다.

조직성과는 조직의 목표달성도를 의미하며, 조직의 능률성, 효과성 및 공정성의 관점에서 이해된다(Brewer & Selden, 2000). 성별과 조직성과의 관계에 대하여 근본적인 차이가 있는지, 없는지에 대하여는 분명하게 밝혀지고 있지 않다. 조직성과의 성별 차이에 대한 문헌을 종합적으로 검토한 Robbins(1998)의 연구에 의하면, 조직성과에 영향을 미치는 변수에 있어서 남녀간에 큰 차이가 없다고 설명하고 있다. 그는 과거 몇 십년동안 여성인력의 사회적 진출이 급격히 증가하고 전통적인 성(gender) 역할에 대한 변화가 나타나고 있음을 고려할 때, 여성과 남성간에 조직성과에 있어서 유의미한 차이는 존재하지 않는다고 설명하고 있다(Robbins, 1998 : 44). 반면에 성별이 공무원의 조직성과(잠재적 생산성)에 일부 직무관련 행태변수의 조절변수로서 영향을 미친다는 연구결과도 있다(박천오 외, 2001 : 216-217). 조직성과에 대한 성별의 영향력은 조직유형에 따라 다르게 나타날 수도 있다.

관리자의 리더십 스타일은 구성원에 의해 인식된(perceived) 직무만족, 조직몰입과 같은 직무행태에 영향을 미치는 것으로 나타나고 있다(Valentine & Godkin, 2000). 아울러 직무만족, 조직몰입 등은 조직성과에 영향을 미치는 것으로 나타나고 있다(Shafritz, 1998 ; Arthur, 1994 ; Nyhan, 1999). 직무행태와 조직성과에 미치는 관리자의 리더십 스타일은 조직유형에 따라 서로 다르게 나타날 수도 있다.

# Ⅲ. 연구설계

본 연구는 남녀 관리자간에 리더십 스타일의 차이가 있는지, 조직유형별로 관리자 리더십의 차이가 있는지, 이러한 관리자의 리더십 스타일의 차이가 구성원의 직무행태와 조직성과에 어떠한 영향을 미치는지를 실증적으로 조사·분석하는 데 있다. 보다 구체적으로 본 연구의 주요 내용을 살펴보면 다음과 같다. 먼저 성별에 따라 리더십 스타일의 차이가 있다는 가정하에 ① 관리자의 리더십 스타일의 성별 차이를 분석하였다. 또한 조직유형(여성지배적 조직 vs. 남성지배적 조직)이 관리자의 리더십 스타일에 영향을 미친다는 가정하에 ② 조직유형별로 관리자의 리더십 스타일의 차이를 분석하였다. 아울러 관리자의 성별, 리더십 스타일, 직무행태(직무만족, 조직몰입) 및 조직성과가 관련이 있다는 가정하에 ③ 관리자의 성별차이가 구성원의 직무행태와 조직성과에 미치는 영향력을 분석하고, ④ 관리자의 리더십 스타일이 구성원의 직무행태와 조직성과에 미치는 영향력을 분석하였다.

본 연구를 위하여 중앙부처에 근무하는 공무원을 대상으로 설문조사를 실시하였다. 설문지는 관리자(상급자)의 성별, 관리자의 리더십 스타일, 조직몰입, 직무만족, 조직성과 및 응답자의 개인적 특성(성별, 연령, 학력, 직급, 근속년수) 등에 관한 설문문항들로 구성하였다.

조직유형(여성지배적 조직 vs. 남성지배적 조직)의 분류와 관련하여 본 연구에서는 Kanter(1977)의 조직 내 성(gender)의 수적 지배에 의한 비율(15% : 85%)을 수정하여 활용하였다. Kanter(1977)의 주장이후 선진 외국뿐만 아니라 우리나라에서도 여성공무원의 공직임용확대를 통하여 여성공무원의 수가 꾸준히 증가하였으며, 최근에는 양성평등채용목표제의 도입·운영을 통하여 한 성(性)의 비율을 최소 30%이상을 유지할 것을 규정하고 있다. 그러나 공직내 여성관리자의 비율은 여전히 미흡하여 여성관리자 임용목표제를 통하여 5급 이상 여성관리자의 비율을 10%이상 되도록 계획을 수립·시행하고 있다. 이와 같은 점을 고려하여 본 연구에서는 Kanter(1977)의 성별 비율에 의한 조직유형을 현실에 맞게 일부 수정하여 부서 내 전체 구성원 중 여성의 비율이 30%이상이면 여성지배조직, 30%미만이면 남성지배조직으로 유형화하였으며, 여성관리자의 경우에는 여성관리자의 비율이 15%이상이면 여성지배조직, 여성관리자의 비율이 15%미만이면 남성지배조직으로 유형화하였다.

관리자의 리더십 스타일은 김혜숙·장재윤(2002)의 과제지향성, 관계지향성, 변혁주도, 팀 빌딩 등 4가지 차원의 리더십 유형을 활용하였다. 김혜숙·장재윤(2002)은 리더 행동 지표로 널리 알려진 오하이오 주립대의 구조주도(initiating structure) 행동과 배려행동(consideration) 행동차원의 구분을 참고하여 만든 21개 문항을 토대로 요인 분석하여 과제지향형, 관계지향형, 변혁주도형, 팀 빌딩형 등 4가지 차원의 리더십 유형을 분류하였다. 〈과제지향성〉은 ① 업무지시의 명확성, ② 업무진척사항의 점검, ③ 규정과 절차의 강조, ④ 근무시간의 엄격성 등의 설문문항으로 구성하였다. 〈관계지향성〉은 ① 구성원의 개인적 사정배려, ② 구성원의 의견 공감(지지), ③ 중요한 의사결정시 구성원의 의견청취(반영), ④ 구성원이 권한 내의 자율적 업무수행 등의 설문문항으로 구성하였다. 〈변혁주도성〉은 ① 장기적 비전, ② 목표와 목적의식의 명확성, ③ 구성원 능력의 신뢰, ④ 구성원의 자기계발 독려 등의 설문문항으로 구성하였다. 반면에 〈팀 빌딩 지향성〉은 ① 구성원의 화합중시, ② 구성원의 업무의 조화, ③ 구성원의 공(功) 중시, ④ 구성원의 장점 강조 등의 설문문항으로 구성하였다.

직무만족에 대한 공무원의 인식을 조사하기 위하여 Mason(1995)이 직무만족에 대한 성별차이 분석을 위해 사용한 15개 설문문항을 활용하였다. 이들 문항을 살펴보면 ① 직무기술의 다양성, ② 자율성, ③ 업무의 질에 대한 강조, ④ 승진기회, ⑤ 교육훈련, ⑥ 업무에 대한 흥미, ⑦ 조직의 환류, ⑧ 보수의 조직 내 공정성, ⑨ 동료, ⑩ 보수의 대외적 공정성, ⑪ 감독, ⑫ 성과평가, ⑬ 공정한 대우, ⑭ 직무자체에 대한 만족, ⑮ 직장에 대한 만족 등으로 구성되어 있다.[1]

공무원의 조직몰입을 측정하기 위해서는 Meyer, Allen & Smith (1993)의 조직몰입 설문지(OCQ)를 토대로 정서적 몰입과 근속몰입에 대한 각각 세 개 문항씩을 설문문항으로 구성하였다.[2] 정서적 몰입에 대한 설문문항은 ① 강한 소속감, ② 직장에 대한 특별한 의미부여, ③ 일체감으로 구성하였으며, 근속몰입은 ① 이직가능성, ② 이직용이성, ③ 이직시 개선기대 등의 문항으로 구성하였다.

조직성과를 측정하기 위해서는 Brewer & Selden(2000)이 사용한 12개의 설문문항을 활용하였다.[3] Brewer & Selden(2000)은 조직성과를 평가하기 위하여 조직의 초점을 내

---

1) 본 연구에서는 직무만족 변수를 업무의 만족(①, ⑥, ⑭, ⑮), 구성원의 만족(③, ⑦, ⑨, ⑪), 제도의 만족(②, ④, ⑤, ⑫, ⑬), 보수의 만족(⑧, ⑩) 등 4개의 하위차원으로 분류하였다.

2) 본 연구에서는 Meyer, Allen & Smith(1993)가 사용한 조직몰입에 관한 문항 중 규범적 몰입은 제외하였다. 그 이유는 규범적 몰입이 정서적 몰입과 근속몰입에 비하여 덜 알려져 있고, 그 개념자체도 불분명하기 때문이다(Chiu & Ng, 1999: 박천외 외, 2001).

부적 차원과 외부적 차원으로 구분하고 각 차원에 대하여 구현되는 행정이념을 능률성 (efficiency), 효과성(effectiveness), 공정성(fairness) 세 가지 차원으로 구성하여 6가지 요소로 구분하고 있다(Brewer & Selden, 2000; 박천오 외, 2001). ① 내적능률성은 ⓐ 지식과 기술의 활용과 ⓑ 비용절감 노력, ② 내적 효과성은 ⓒ 부서의 생산성 향상과 ⓓ 업무성과의 질 향상, ③ 내적 공정성은 ⓔ 인사관리의 공정성과 ⓕ 공정한 대우, ④ 외적 능률성은 ⓗ 업무처리의 신속성과 ⓘ 희소한 실책가능성, ⑤ 외적 효과성은 ⓙ 부서업무 의 가치와 ⓚ 높은 목표달성도, ⑥ 외적 공정성은 ⓛ 업무처리의 객관성과 ⓜ 고객만족도 등의 설문문항으로 구성하였다.[4]

본 연구에서 사용한 관리자의 리더십 스타일, 직무만족, 조직몰입, 조직성과 변수에 대 한설문문항은 Likert식 5점 척도로 구성하였다(1='전혀 그렇지 않다', 2='그렇지 않다', 3='보통이다', 4='그렇다', 5='매우 그렇다'). 본 연구에 사용된 변수들에 대한 내적 일관 성을 살펴보기 위하여 신뢰도 분석을 실시하였다. 먼저 관리자의 리더십 스타일의 차원인 과제지향성을 측정하는 4개 문항의 신뢰도 계수는 .7410, 관계지향성을 측정하는 4개 문 항의 신뢰도 계수는 .8865, 변혁주도성을 측정하는 4개 문항의 신뢰도 계수는 .8720, 팀 빌딩 지향성을 측정하는 4개 문항의 신뢰도 계수는 .8934로 나타났다. 이와 같은 결과는 김혜숙·장재윤(2002)의 연구에서 나타난 과제지향성($\alpha$=.73), 관계지향성($\alpha$=.78), 변혁 주도성($\alpha$=.83), 팀빌딩($\alpha$=.80)의 신뢰도 계수보다 높게 나타나고 있다.

조직몰입을 측정하는 6개 설문항목의 신뢰도는 .5844로 나타났으며 하위차원인 정서적 몰입(세 개 항목)의 신뢰도는 .8310, 근속몰입(세 개 항목)은 .6812로 각각 나타났다. 조 직성과를 측정하는 12개 항목의 신뢰도 계수는 .8920으로 나타났다. 그리고 직무만족을 측정하는 15개 설문항목의 신뢰도 계수는 .8796으로 나타났다. 이와 같은 결과는 박천오 외(2001)의 연구에서 나타난 직무만족($\alpha$=.838), 정서적 몰입($\alpha$=.781), 근속몰입($\alpha$=.602), 조직성과($\alpha$=.874)의 신뢰도 계수보다 높은 것으로 나타났다.

본 연구의 설문조사는 2003년 9월부터 10월까지 14개 중앙부처 공무원을 대상으로 실

---

3) Brewer & Selden(2000)은 조직성과의 제 차원에 대한 이론적 탐색과 기존문헌의 검토를 통하 여 조직성과를 설명(예측)하는 모델을 개발하였으며, 이 모델을 미국실적제도보호위원회 (MSPB)의 1996년 The Merit Principle Survey 자료를 활용하여 검증하였다.

4) 본 연구에서처럼 공무원의 인식을 바탕으로 조직성과를 측정할 경우 단일방법에 따른 제약과 편견의 개입가능성을 배제할 수 없다. 그러나 상당수 선행연구들에서 조직성과에 대한 인식측 정이 조직성과에 대한 객관적 평가와 긍정적인 상관관계가 있는 것으로 파악되고 있어, 조직 구성원의 경험에서 우러난 인식을 토대로 조직성과를 측정하는 방법은 나름대로 타당성을 지 니고 있다고 할 수 있다(박천오 외, 2001: 211; Brewer & Selden, 2000: 697).

시하였다(설문대상 부처는 〈표 3-3〉 참조). 중앙부처 행정기관별로 직급별, 성별 표본수를 배분하는 할당표본추출방법(quota sampling)을 사용하여 표본을 추출하였으며, 총 556부를 배포하여 491부를 회수하였다(회수율 88.3%).[5]

〈표 3-1〉 설문응답자의 특성(n=483)

| 변 수 | 범 주 | 비 율 | 변 수 | 범 주 | 비 율 |
|---|---|---|---|---|---|
| 성 별 | 남성 | 71.7% | 직 급 | 4급이상 | 11.6% |
| | 여성 | 28.3% | | 5급 | 34.7% |
| 학 력 | 고졸이하 | 4.8% | | 6급 | 37.2% |
| | 전문대졸업 | 7.9% | | 7급이하 | 16.3% |
| | 대학졸업 | 59.0% | 근무년수 | 5년이내 | 13.9% |
| | 대학원졸업 | 28.2% | | 5-10년미만 | 19.1% |
| 연 령 | 20대 | 4.8% | | 10-15년미만 | 28.2% |
| | 30대 | 7.9% | | 15-20년미만 | 13.9% |
| | 40대 | 59.0% | | 20-25년미만 | 14.6% |
| | 50대이상 | 28.3% | | 25년이상 | 10.2% |

전체 응답자중 남성의 비율은 71.7%, 여성의 비율은 28.3%이며, 직급의 경우 4급 이상 11.6%, 5급 34.7%, 6급 37.2%, 7급 이하 16.3%의 분포를 보이고 있다. 그 외 설문응답자들의 인구통계학적 특성은 〈표 3-1〉과 같다.

# Ⅳ. 분석결과 및 해석

본 연구에서는 먼저 t-test를 통하여 성별과 조직유형에 따른 리더십 스타일의 차이분

---

5) 설문지는 기획예산처(25부), 행정자치부(50부), 외교통상부(50부), 교육인적자원부(50부), 문화관광부(50부), 여성부(21부), 과학기술부(30부), 보건복지부(50부), 식품의약안전청(30부), 통계청(50부), 환경부(35부), 국가보훈처(30부), 정보통신부(50부), 노동부(35부)가 배포되었다. 회수된 설문지 중 활용이 어려운 8부를 제외하고, 모두 483부의 설문지가 본 연구의 분석에 활용되었다.

석을 실시하였다. 그리고 직무행태와 조직성과에 대한 리더십 스타일의 영향력을 분석하기 위하여 회귀분석을 실시하였다. 관리자의 성별, 리더십 스타일, 설문응답자의 특성변수 등을 독립변수로 사용하였으며, 직무만족, 조직몰입 및 조직성과와 이들 변수들의 하위차원을 구성하는 문항들의 평균값을 종속변수로 사용하였다.

## 1. 조직유형과 관리자의 리더십 스타일

### 1) 성별과 리더십 스타일

관리자의 리더십 스타일에 대한 성별차이는 〈표 3-2〉와 같다. 남성관리자의 과제지향성 리더십 점수는 3.503, 여성관리자는 3.479로 나타나고 있다. 관계지향성 리더십에 있어서는 남성관리자 3.677, 여성관리자 3.628, 변혁주도성 리더십에 있어서는 남성관리자 3.55, 여성관리자 3.392, 팀 빌딩 리더십에 있어서는 남성관리자 3.611, 여성관리자 3.525로 나타나고 있다.

〈표 3-2〉 관리자의 리더십 스타일에 대한 성별 차이(5점 척도)

| 항 목 | 구분(사례수) | 평균점수 | 표준편차 | t-value | 유의확률(p) |
|---|---|---|---|---|---|
| ① 과제지향 | 남성관리자(419) | 3.503 | .588 | .383 | .702 |
| | 여성관리자 (50) | 3.470 | .465 | | |
| ② 관계지향 | 남성관리자(419) | 3.677 | .694 | .470 | .639 |
| | 여성관리자 (49) | 3.628 | .664 | | |
| ③ 변혁주도 | 남성관리자(419) | 3.550 | .720 | 1.495 | .136 |
| | 여성관리자 (51) | 3.392 | .621 | | |
| ④ 팀 빌딩 | 남성관리자(422) | 3.611 | .706 | .842 | .400 |
| | 여성관리자 (51) | 3.525 | .603 | | |

전체적으로 4가지 유형의 리더십 스타일에 있어서 남성관리자가 여성관리자에 비하여 다소 높은 점수를 보여주고 있으나, 이러한 성별차이는 통계적으로 유의미하지 않은 것으로 나타나고 있다(각각 t=.383, p=.702; t=.470, p=.639; t=1.495, p=.136; t=.842, p=.400).

## 2) 조직유형과 리더십 스타일

　2001년 5월 현재 행정부 중앙부처에 근무하는 공무원은 총 150,024명이며 여성공무원은 29,792명으로 약 19.8%를 차지하고 있다. 부처별 여성공무원의 비율을 살펴보면 여성의 비율이 10%미만이 부서가 2개(법무부 9.2%, 건설교통부 9.8%), 10-20%미만인 부서가 15개 부서, 20-30%미만이 부서가 10개 부서, 30%이상인 부서가 5개 부서로 나타나고 있다(행정자치부, 2002: 125-127). 본 연구에서는 앞서 언급한 것처럼 Kanter(1977)의 조직 내 성(性)의 수적 지배 비율을 일부 수정하여 조직을 유형화하였다. 즉 부서 내 여성공무원의 비율이 30%이상인 조직과 30%미만인 조직을 구분하여 전자를 여성지배조직, 후자를 남성지배조직으로 조직유형(I)을 구분하고, 이들 조직간에 관리자의 리더십 스타일을 비교·분석하였다.

〈표 3-3〉 분석대상 부처별 여성공무원 및 관리자의 비율

| 부 처 | 전체 공무원 | | | 관리직 공무원 | | |
|---|---|---|---|---|---|---|
| | 전 체 | 여 성 | 비율(%) | 전 체 | 여 성 | 비율(%) |
| 기획예산처 | 244 | 45 | 18.4 | 134 | 2 | 1.5 |
| 행정자치부 | 2,093 | 363 | 17.5 | 664 | 28 | 4.2 |
| 외교통상부 | 1,626 | 254 | 15.6 | 1,140 | 64 | 5.6 |
| 교육인적자원부 | 353 | 69 | 19.5 | 164 | 13 | 7.9 |
| 문화관광부 | 1,484 | 424 | 28.5 | 339 | 30 | 8.8 |
| 여성부 | 97 | 59 | 60.8 | 42 | 25 | 55.6 |
| 과학기술부 | 298 | 58 | 19.4 | 141 | 1 | 0.7 |
| 보건복지부 | 2,806 | 1,419 | 50.5 | 444 | 113 | 25.5 |
| 식품의약안전청 | 756 | 262 | 34.6 | 211 | 47 | 22.3 |
| 통계청 | 1,683 | 653 | 38.7 | 151 | 20 | 13.2 |
| 환경부 | 1,273 | 272 | 21.3 | 326 | 18 | 5.5 |
| 국가보훈처 | 1,130 | 436 | 38.5 | 180 | 4 | 2.2 |
| 정보통신부 | 30,128 | 9,630 | 31.8 | 848 | 15 | 1.8 |
| 노동부 | 2,632 | 726 | 27.5 | 472 | 32 | 6.8 |

자료 : 행정자치부(2002). 재작성.

본 연구의 분석대상이 되는 14개 부처의 여성공무원의 비율을 살펴보면 〈표 3-3〉과 같다. 여성의 비율이 30%이상이 되는 부서는 여성부(60.8%), 보건복지부(50.5%), 식품의약안전청(34.6%), 통계청(38.7%) 등 6개 부서이며, 나머지 8개 부서는 여성의 비율이 30%미만으로 나타나고 있다. 부처내 관리직 여성의 비율을 살펴보면, 여성부(55.6%), 보건복지부(25.5%), 식품의약안전청(22.3%), 통계청(13.2%)이며 나머지 부서는 관리직 여성의 비율이 10%미만으로 나타나고 있다(〈표 3-3〉 참조). 부처내 관리직 여성 비율의 경우, Kanter(1977)의 정의에 따라 설문대상 부처 중 관리직 여성의 비율이 15%이상인 부처를 여성지배조직으로 15%미만인 부처를 남성지배조직으로 조직유형(Ⅱ)을 구분하고, 이들 조직에 대한 관리자의 리더십 스타일의 차이를 분석하였다. 먼저 조직유형(Ⅰ)에 의한 관리자 리더십 스타일의 차이를 살펴보면 〈표 3-4〉와 같다. 여성의 비율이 30%가 넘는 여성지배조직과 여성의 비율이 30%미만인 남성지배조직간에 관리자의 과제지향성 점수는 남성지배조직(3.517)이 여성지배조직(3.479)에 비하여 높으나, 이러한 차이는 통계적으로 유의하지 않은 것으로 나타나고 있다(t=.706, p=.480). 관계지향성의 경우에도 남성지배조직(3.675)이 여성지배조직(3.670)에 비하여 다소 높게 나타나고 있으나, 이러한 차이는 통계적으로 유의하지 않은 것으로 나타나고 있다(t=.094, p=.925). 변혁주도(남성조직 3.537, 여성조직 3.529)와 팀 빌딩 리더십(남성조직 3.616, 여성조직 3.587)의 경우에도 남성지배조직이 여성지배조직보다 높게 나타나고 있지만 통계적으로 유의미한 차이가 없는 것으로 나타나고 있다(각각 t=.114 p=.909; t=.444, p=.657).

여성관리자의 비율이 15%이상인 조직을 여성지배조직, 15%미만인 조직을 남성지배조직으로 조직유형(Ⅱ)을 구분할 경우, 관리자의 과제지향성 리더십에 있어서는 남성지배조직(3.489)이 여성지배조직(3.549)보다 약간 낮게 나타나고 있으나, 이러한 차이는 통계적으로 유의하지 않은 것으로 나타나고 있다(t=-.899, p=.369). 관리자의 관계지향성, 변혁주도 및 팀 빌딩 리더십에 있어서는 남성지배조직이 여성지배조직보다 높게 나타나고 있으나, 통계적으로는 유의미한 차이가 없는 것으로 나타나고 있다(t=.628, p=.530; t=.789, p=.430; t=.753, p=.452)(〈표 3-5〉 참조).

〈표 3-4〉 조직유형(I)에 따른 관리자의 리더십 스타일(5점 척도)

| 항 목 | 구분(사례수) | 평균점수 | 표준편차 | t-value | 유의확률(p) |
|---|---|---|---|---|---|
| ① 과제지향 | 남성지배조직(271) | 3.517 | .523 | .706 | .480 |
| | 여성지배조직(199) | 3.479 | .641 | | |
| ② 관계지향 | 남성지배조직(271) | 3.675 | .665 | .094 | .925 |
| | 여성지배조직(198) | 3.670 | .726 | | |
| ③ 변혁주도 | 남성지배조직(273) | 3.537 | .674 | .114 | .909 |
| | 여성지배조직(198) | 3.529 | .759 | | |
| ④ 팀 빌딩 | 남성지배조직(275) | 3.616 | .640 | .444 | .657 |
| | 여성지배조직(199) | 3.587 | .767 | | |

〈표 3-5〉 조직유형(II)에 따른 관리자의 리더십 스타일(5점 척도)

| 항 목 | 구분(사례수) | 평균점수 | 표준편차 | t-value | 유의확률(p) |
|---|---|---|---|---|---|
| ① 과제지향 | 남성지배조직(378) | 3.489 | .558 | -.899 | .369 |
| | 여성지배조직 (92) | 3.549 | .642 | | |
| ② 관계지향 | 남성지배조직(378) | 3.683 | .660 | .628 | .530 |
| | 여성지배조직 (91) | 3.632 | .807 | | |
| ③ 변혁주도 | 남성지배조직(379) | 3.546 | .679 | .789 | .430 |
| | 여성지배조직 (92) | 3.481 | .831 | | |
| ④ 팀 빌딩 | 남성지배조직(382) | 3.615 | .646 | .753 | .452 |
| | 여성지배조직 (92) | 3.554 | .873 | | |

## 2. 관리자의 리더십 스타일과 직무행태 분석

관리자의 성별[6]과 리더십 스타일이 직무행태(직무만족, 조직몰입)에 미치는 영향력을 분석하기 위하여 먼저, 직무만족과 그 하위차원들을 각각 종속변수로 하고 관리자의 성별, 리더십 스타일 변수들(과제지향성, 관계지향성, 변혁주도, 팀 빌딩), 응답자 개인특성 변수(성별, 학력, 직급, 근무년수)를 독립변수로 하는 회귀분석을 실시하였다. 종속변수인 직무만족에 통

---

6) 관리자 성별의 경우, 여성관리자 "1", 남성관리자 "0"으로 코딩(coding)하였다.

계적으로 유의미하게 긍정적(+)인 영향을 미치는 변수로는 리더십 스타일 중 변혁주도성(β
=.200, p=.014)과 팀 빌딩(β=.271, p=.001)으로 나타나고 있다. 관리자의 성별변수와 과제
지향성과 관계지향성 변수, 개인특성 변수는 통계적으로 유의미하게 영향을 미치지 않은 것
으로 나타나고 있다(〈표 3-6〉 참조).

직무만족의 하위변수인 업무만족의 경우에는 관리자의 성별, 리더십 스타일 변수들이
통계적으로 유의미하게 영향을 미치지 않는 것을 나타나고 있다. 그러나 구성원의 만족의
경우에는 과제지향성(β=.105, p=.021), 변혁주도(β=.284, p=.000) 및 팀 빌딩(β=.197,
p=.008) 변수들이 통계적으로 유의미하게 영향을 미치는 것으로 나타나고 있다. 제도만
족의 경우에는 팀 빌딩(β=.328, p=.000)이 통계적으로 유의미하게 긍정적(+)인 영향을
미치는 변수로 나타나고 있다. 보수만족의 경우에는 팀 빌딩(β=.209, p=.022)과 근무년
수(β=.146, p=.003)가 통계적으로 유의미하게 긍정적(+)인 영향을 미치는 변수로 나타
나고 있다. 팀 빌딩 리더십 스타일이 직무만족, 구성원 만족, 제도만족 및 보수만족 변수
에 통계적으로 유의미한 긍정적(+)인 영향을 미치는 것으로 나타나고 있다.

〈표 3-6〉 직무만족에 대한 리더십 스타일의 영향력

| 종속변수<br>독립변수 | 직무만족 | | 업무만족 | | 구성원 만족 | | 제도만족 | | 보수만족 | |
|---|---|---|---|---|---|---|---|---|---|---|
| | β | p | β | p | β | p | β | p | β | p |
| 관리자 성별 | -.013 | .769 | -.071 | .135 | -.023 | .573 | .024 | .579 | .042 | .396 |
| 과제지향성 | .093 | .052 | .069 | .192 | .105 | .021 | .082 | .095 | .014 | .806 |
| 관계지향성 | .062 | .399 | .073 | .365 | .114 | .098 | .031 | .677 | -.069 | .416 |
| 변혁주도 | .200 | .014 | .151 | .093 | .284 | .000 | .121 | .145 | .074 | .439 |
| 팀 빌딩 | .271 | .001 | .143 | .099 | .197 | .008 | .328 | .000 | .209 | .022 |
| 성 별 | -.013 | .763 | .024 | .624 | -.054 | .196 | -.040 | .379 | .074 | .147 |
| 학 력 | .038 | .384 | .072 | .136 | .038 | .357 | .041 | .355 | -.084 | .097 |
| 직 급 | -.064 | .153 | -.063 | .206 | .000 | .999 | -.085 | .061 | -.031 | .548 |
| 근무년수 | .013 | .768 | -.014 | .768 | -.063 | .118 | .029 | .505 | .146 | .003 |
| $R^2$(adjusted $R^2$) | .343(.329) | | .178(.160) | | .400(.387) | | .299(.284) | | .091(.072) | |
| F (df) | 24.293(9, 419) | | 10.321(9, 430) | | 31.674(9, 428) | | 20.423(9, 431) | | 4.797(9, 431) | |
| p | .000 | | .000 | | .000 | | .000 | | .000 | |

〈표 3-7〉 조직몰입에 대한 리더십 스타일의 영향력

| 종속변수<br>독립변수 | 조직몰입 | | 정서몰입 | | 근속몰입 | |
|---|---|---|---|---|---|---|
| | β | p | β | p | β | p |
| 관리자의 성별 | -.038 | .442 | -.065 | .161 | .013 | .799 |
| 과제지향성 | -.014 | .801 | .053 | .305 | -.080 | .170 |
| 관계지향성 | .143 | .090 | .111 | .160 | .093 | .296 |
| 변혁주도 | .157 | .093 | .153 | .080 | .073 | .460 |
| 팀 빌딩 | .020 | .821 | .139 | .098 | -.118 | .214 |
| 성 별 | -.059 | .243 | -.013 | .779 | -.070 | .187 |
| 학 력 | .027 | .583 | .079 | .090 | -.047 | .373 |
| 직 급 | .014 | .782 | .001 | .983 | .023 | .674 |
| 근무년수 | .075 | .126 | .093 | .042 | .010 | .851 |
| $R^2$(adjusted $R^2$) | .114(.095) | | .215(.198) | | .015(-.005) | |
| F (df) | 6.130(9, 430) | | 13.174(9, 434) | | .735(9, 431) | |
| p | .000 | | .000 | | .677 | |

〈표 3-7〉은 조직몰입과 그 하위차원들을 각각 종속변수로 하는 회귀분석의 결과를 보여주고 있다. 조직몰입에 대하여 관리자의 성별, 리더십 스타일 변수들은 통계적으로 유의미하게 영향을 미치지 않는 것으로 나타났다. 다만, 관계지향성(β=.143, p=.090)과 변혁주도 리더십(β=.157, p=.093)이 p〈0.1 수준에서 조직몰입에 긍정적(+)인 영향을 미치는 것으로 나타나고 있다. 조직몰입의 하위차원인 정서몰입에 대하여도 관리자의 성별과 리더십 스타일 변수들이 통계적으로 유의미하게 영향을 미치지 못하는 것으로 나타났다. 그러나 변혁주도(β=.153, p=.080), 팀 빌딩 리더십(β=.139, p=.098) 및 학력(β=.079, p=.090)이 p〈0.1 수준에서 정서몰입에 긍정적(+)인 영향을 미치는 것으로 나타나고 있다. 근무년수는 정서몰입에 통계적으로 유의미하게 영향을 미치는 것으로 나타났다(β=.093, p=.042). 근속몰입에 대하여도 관리자의 성별, 리더십 스타일 변수들, 개인특성 변수들이 통계적으로 유의미하게 영향을 미치지 못하는 것으로 나타나고 있다.

## 3. 관리자의 리더십 스타일과 조직성과 분석

〈표 3-8〉은 조직성과에 대한 관리자의 성별과 리더십 스타일의 영향력을 보여주고 있다. 먼저 조직성과에 대하여는 관리자의 성별이 통계적으로 유의미한 영향을 미치지 못하는 것으로 나타났다. 그러나 리더십 스타일 변수 중 과제지향성(β=.146, p=.003)과 팀빌딩(β=.214, p=.007) 변수가 조직성과에 통계적으로 유의미한 긍정적(+)인 영향을 미치는 것으로 나타났다. 조직성과의 하위차원인 능률성에 대하여는 관리자의 성별(β=-.094, p=.032)은 통계적으로 유의미한 부정적(-)인 영향을 미치는 것으로 나타나고, 과제지향성(β=.178, p=.000), 변혁주도(β=.171, p=.039), 팀 빌딩(β=.202, p=.011) 등은 통계적으로 유의미한 긍정적(+)인 영향을 미치는 것으로 나타났다. 근무년수도 조직의 능률성에 통계적으로 유의미한 긍정적(+)인 영향을 미치는 것으로 나타나고 있다(β=.100, p=.021).

〈표 3-8〉 조직성과에 대한 리더십 스타일의 영향력

| 종속변수<br>독립변수 | 조직성과 | | 능률성 | | 효과성 | | 공정성 | |
|---|---|---|---|---|---|---|---|---|
| | β | p | β | p | β | p | β | p |
| 관리자의 성별 | -.078 | .073 | -.094 | .032 | -.089 | .047 | -.015 | .748 |
| 과제지향성 | .146 | .003 | .178 | .000 | .099 | .047 | .138 | .007 |
| 관계지향성 | .088 | .228 | .019 | .793 | .181 | .017 | .009 | .905 |
| 변혁주도 | .155 | .060 | .171 | .039 | .156 | .065 | .104 | .233 |
| 팀 빌딩 | .214 | .007 | .202 | .011 | .109 | .178 | .276 | .001 |
| 성 별 | -.056 | .217 | .004 | .924 | -.066 | .153 | -.083 | .079 |
| 학 력 | .008 | .856 | .025 | .577 | .075 | .098 | -.078 | .092 |
| 직 급 | -.018 | .696 | -.048 | .292 | -.014 | .768 | -.017 | .730 |
| 근무년수 | .044 | .308 | .100 | .021 | -.007 | .994 | .018 | .698 |
| $R^2$(adjusted $R^2$) | .314(.300) | | .302(.287) | | .275(.259) | | .234(.218) | |
| F (df) | 21.630(9, 425) | | 20.771(9, 433) | | 18.091(9, 430) | | 14.536(9, 429) | |
| p | .000 | | .000 | | .000 | | .000 | |

조직의 효과성에 대하여는 관리자의 성별($\beta$=-.089, p=.047)이 통계적으로 유의미한 부정적(-)인 영향을 미치고, 과제지향성($\beta$=.099, p=.047), 관계지향성($\beta$=.181, p=.017) 등의 변수는 통계적으로 유의미한 긍정적(+)인 영향을 미치는 것으로 나타나고 있다. 조직의 공정성에 대하여는 과제지향성($\beta$=.138, p=.007)과 팀 빌딩($\beta$=.276, p=.001)이 통계적으로 유의미한 긍정적(+)인 영향을 미치는 것으로 나타나고 있다.

관리자의 성별은 조직의 능률성과 효과성에 부정적(-)인 영향을 미치는 것으로 나타나고 있다. 즉 여성관리자의 부하직원일수록 조직의 능률성과 효과성을 낮게 인식하고 있다. 반면에 과제지향형 리더십 스타일은 조직성과, 능률성, 효과성, 공정성 등에 긍정적(+)인 영향을 미치는 것으로 나타나고 있다. 팀 빌딩 리더십 스타일도 조직성과, 능률성 및 공정성에 긍정적(+)인 영향을 미치는 것으로 나타나고 있다.

## 4. 분석결과의 해석

14개 중앙부처 공무원을 대상으로 한 설문조사를 토대로 분석한 결과 성별에 따른 관리자의 리더십 스타일 차이(과제지향적, 관계지향적, 변혁주도, 팀 빌딩 등)는 통계적으로 유의미하지 않은 것으로 나타나고 있다. 이와 같은 연구결과는 남성관리자는 과제지향적인 리더십 행태를 보이고, 반면에 여성관리자는 관계지향적인 리더십 행태를 보인다는 Valentine & Godkin(2000), Eagly & Johnson (1990)의 연구결과와 차이를 보이고 있다. 또한 여성관리자의 리더십이 남성관리자보다 더 과제지향적(여성: 3.72점, 남성: 3.48점/5점 척도기준)이며, 관계지향적(여성: 4.12점, 남성: 3.91점)이고, 남성관리자와 여성관리자 간에 변혁주도와 팀 빌딩 지향성에 있어서는 통계적으로 유의미한 차이가 없다는 장재윤·김혜숙(2002)의 연구결과와 다소 차이가 있다.[7]

장재윤·김혜숙의 연구(2002)는 5급 이상 관리자를 대상으로 자기평가방식으로 조사를 실시하였으나, 본 연구에서는 각 부처의 구성원이 5급이상(대부분 4급이상) 관리자의 리더십 스타일을 평가하였기 때문에 두 연구결과간의 차이는 분석방법(관리자 리더십의 평가방식)의 차이에서 초래된 것일 수도 있다. 그러나 중앙행정부처 조직구성원(부하직원)

---

7) 장재윤·김혜숙(2002)의 연구결과도 여성관리자는 보다 관계지향적 리더십 행태를 보이고 남성 관리자는 과업지향적 리더십 행태를 보인다는 외국의 선행연구와도 차이가 있다(Valentine & Godkin, 2000; Eagly & Johnson, 1990).

의 입장에서 볼 때, 여성관리자와 남성관리자간에는 리더십 스타일의 차이가 없는 것으로 나타나고 있다. 본 연구에서 분석한 4개 유형의 리더십 스타일에 있어서 여성관리자와 남성관리자 모두 5점 척도를 기준으로 3.4점 이상의 높은 점수를 보여주고 있는 것을 고려할 때, King(1993)이 주장한 바와 같이 남성위주의 조직문화가 정착된 우리나라 행정조직에서 조직환경에 적응하기 위하여 여성관리자의 경우에도 남성관리자와 차이가 없는 리더십 스타일을 발휘하고 있는 것으로 유추할 수 있다.[8]

조직유형에 따른 관리자의 리더십 스타일의 차이분석에서도 전체 부서에 여성공무원의 비율이 30%를 넘는 경우(여성지배조직) 또는 여성관리자의 비율이 15%를 넘는 경우(여성지배조직)와 그렇지 않은 경우(남성지배조직)에도 관리자의 리더십 스타일에는 통계적으로 유의미한 차이가 없는 것으로 나타나고 있다. 이는 Gardiner & Tiggemann(1999)의 연구결과와 달리 관리자의 리더십 스타일이 조직의 유형, 즉 조직 내 성(性)의 수적 지배의 영향을 적게 받고 있음을 보여주고 있다. 실제로 여성지배조직과 남성지배조직 모두에 있어서 4개 유형의 관리자 리더십 스타일의 점수가 5점 척도를 기준으로 3.5점 이상의 높은 점수를 보여주고 있다. 통계적으로 유의미하지는 않지만 여성관리자의 비율(15%)이 높은 부서(여성부, 보건복지부, 식품의약안전청)의 관리자가 보다 과제지향적인 리더십 스타일을 보여주고 있다. 이러한 분석결과는 여성문제 또는 정책을 주로 다루는 부처와 여성의 비율이 상대적으로 높은 부처에 근무하는 여성관리자의 경우 타 부처에 근무하는 여성관리자와는 상이한 리더십 스타일을 보여줄 수 있다는 가능성을 보여주고 있다.

관리자의 성별은 직무행태(직무만족과 조직몰입)와 조직성과에는 통계적으로 유의미한 영향을 미치지 않는 것으로 나타나고 있다. 이와 같은 연구결과는 성별이 직무만족(특히 업무의 만족, 제도의 만족)과 조직몰입, 조직성과에 통계적으로 유의미한 영향을 미치지 않는다는 박천오 외(2001)의 연구와 비교할 때 성별이라는 관점에서 시사하는 바가 크다. 그러나 관리자의 성별은 조직성과의 하위차원 변수인 조직의 능률성과 조직의 효과성에는 통계적으로 유의미한 부정적(-)인 영향을 미치는 것으로 나타나고 있다. 즉 여성관리자의 부하직원들은 소속 부서(조직)의 능률성과 효과성을 낮게 인식하고 있다. 이러한 연구결과는 남성위주의 행정문화의 풍토 속에서 여성공무원조차도 상사로서 여성관리자를

---

8) 물론 개인적 특성에 의하여 여성관리자의 경우에도 과제지향성을 강조하는 관리자(전 종암경찰서장 김강자, 전 광명시장 전재희 등)가 있는 반면에 관계지향성을 강조하는 관리자(전 노동부 차관 김송자)의 유형이 상존할 수 있다(백선정, 2003; 한상일 외, 2003; 이현주·박통희, 2003; 김둘순·박통희, 2003).

기피하는 현상, 남성의 차별적 여성관, 여성공무원의 능력과 노력부족 등에 기인하는 것
으로 볼 수 있다.[9].

　리더십 스타일의 경우에는 과제지향성, 변혁주도 및 팀 빌딩 스타일이 직무만족에 통계
적으로 유의미한 긍정적(+)인 영향을 미치는 것으로 나타나고 있으나, 조직몰입에는 통
계적으로 유의미한 영향을 미치지 못하고 있는 것으로 나타나고 있다. 그리고 과제지향성
과 팀 빌딩 리더십 스타일은 조직성과에 통계적으로 유의미한 긍정적(+)인 영향을 미치
는 것으로 나타나고 있다. 특히 과제지향성과 변혁주도성은 직무만족 중 구성원의 만족에
긍정적(+)인 영향을 미치며, 팀 빌딩이 구성원의 만족, 제도만족 및 보수만족에 긍정적
(+)인 영향을 미치고 있다. 조직구성원의 직무만족을 제고하기 위해서는 관리자의 팀 빌
딩 리더십 스타일이 유효한 것으로 나타나고 있다. 조직성과의 하위차원의 경우에는 과제
지향성이 조직의 능률성, 효과성, 공정성에 긍정적(+)인 영향을 미치는 것으로 나타나고
있다. 그리고 팀 빌딩이 능률성과 공정성, 관계지향성이 효과성, 변혁주도가 능률성에 각
각 긍정적(+)인 영향을 미치는 것으로 나타났다. 전반적으로 조직성과의 제고를 위해서
는 관리자의 과제지향적 리더십 스타일이 유효한 것으로 나타나고 있다.


# V. 결론 및 시사점


　한국의 공직사회는 여전히 남성중심적인 인사관행과 여성의 역할과 능력에 대한 편견
이 지배하고 있다. 공직에서 여성인력을 적극 활용하려는 노력이 외국 정부나 민간부문에
비하여 아직도 크게 부족한 실정이다. 여성의 공직임용확대와 더불어 최근 여성 공무원에
대한 연구가 많이 진행되고 있으나, 조직유형(여성지배적 조직 vs. 남성지배적 조직)에
따른 남녀 관리자의 리더십 스타일이 조직구성원의 직무행태와 조직성과에 미치는 영향
에 대한 실증적인 연구는 거의 전무한 형편이다.

---

9) 여성부가 2002년 9월-10월 사이에 중앙부처 및 지방자치단체 공무원(530명: 남성 267명, 여성
　263명)을 대상으로 실시한 〈공직사회 양성평등의식 및 여성공무원 근무만족도 조사〉에서 여성관
　리자 임용목표제에 대하여 응답자의 33.5%가 관리자는 '능력에 따라 임용되어야 한다'고 응답하
　였으며, 32.4%는 '임용목표제 자체가 성차별'이라고 인식(응답)하고 있다(행정자치부, 2002).

이러한 점에서 본 연구는 조직유형에 따른 남녀 관리자의 리더십 스타일을 분석하였으며, 관리자의 성별과 리더십 스타일이 직무행태(직무만족, 조직몰입) 및 조직성과에 미치는 영향에 대한 실증적 분석을 시도하였다. 본 연구의 결과가 함축하고 있는 의미를 살펴보면 다음과 같다.

첫째, 여성관리자의 비율이 점차 높아지고 있는 상황에서 조직유형에 따른 남녀 관리자의 리더십 스타일을 파악함으로써 조직 및 인사이론의 발전에 기여하고, 나아가 여성인력의 효율적 활용방안을 모색하는 데 기여할 수 있을 것이다.

둘째, 여성관리자의 리더십 스타일이 조직구성원의 직무행태와 조직성과에 어떠한 영향을 미치는지의 여부를 규명함으로써 현재 정부가 추진 중인 여성관리자 확보 및 육성 정책을 포함한 여성우대 정책의 도입·운영의 확대에 실증적 근거를 제공할 수 있을 것이다.

셋째, 본 연구결과는 여성공무원의 대표성 제고, 공직내 인적자원관리의 양성(兩性)평등 구현, 여성인력 활용의 극대화를 위한 사회적 인식의 제고에도 기여할 수 있을 것으로 기대된다.

위와 같은 연구의 의의에도 불구하고 본 연구는 다음과 같은 한계와 후속연구에 대한 시사점을 제시하고 있다.

첫째, 무엇보다도 조직유형(여성지배적 조직 vs. 남성지배적 조직)의 분류에 있어서 Kanter(1977)의 조직 내 성(性)의 수적 지배 비율을 일부 수정하여 사용함으로써 다소 자의적이라는 비판을 면할 수 없다는 점이다. Kanter(1977)가 성(性)의 수적 지배 비율을 주장할 당시에는 여성의 고용률이 그다지 높지 않았다. 이후 각국에서는 적극적 조치(여성할당제) 등을 통하여 여성의 사회진출을 크게 확대하였으며, 한국의 경우에도 공직내 여성의 비율이 크게 높아져 현재는 공직임용에 있어서 양성평등채용목표제를 실시하고 있다(남녀 모두 채용에 있어서 각 성(性)이 최소 30% 수준 유지). 이와 같은 현실을 고려하여 본 연구에서는 전체 여성공무원 비율의 경우, 성(性)의 수적 지배에 의한 비율을 30%로 상향 조정하였다. 다만 공직내 관리직 여성 비율의 경우에는 아직도 관리직에서 차지하는 여성의 비율이 높지 않고, 한국의 경우에는 관리직 여성임용목표제를 실시하고 있는 실정이어서 Kanter(1977)의 기준을 그대로 준용하였다. 이러한 시도는 현실적으로 시대의 변화를 반영한 것이며, 향후 본 주제에 대한 연구의 활성화를 위하여 Kanter(1977)가 성별지배 조직유형의 분류기준으로 제시한 조직구성원의 성별 구성비율에 대한 합의가 요청된다. 둘째, 조직구성원의 인식(제3자의 인식)이라는 관점에서 분석한 남녀 관리자간의 리더십 스타일에 있어서는 통계적으로 유의미한 차이가 없는 것으로 나타나고 있다. 이러한 연구결과는 자기평가방식에 의한 남녀관리자의 리더십 스타일의 분석결과와는 일부 다른 결과를 보여주고 있다(장재윤·김혜숙, 2000). 이러한 연구결과의 차이가 연구방법(제3자의 인식 vs. 자기평가방식)의 차이에 의한 것인지에 대한 후속연구의 필요성이 제기되고 있다. 또한 본 연구에서는 조직유형(여성지배조직 vs. 남성지배조직)에 따라 관리자의 리더십 스타일이 통계적으로 유의미한 차이가 없는 것으로 나타나고 있다. 이는 조직문화(조직환경)가 여성관리자의 리더십 스타일을 바꾸게 한다는 Gardiner & Tiggemann (1999)의 연구결과와 관련하여 많은 시사점을 제공하여 주고 있다. 따라서 향후 조직유형에 따른 관리자의 리더십 스타일의 차이에 대한 후속적인 연구와 더불어 여성문제 또는 여성정책을 주로 다루는 부처와 그렇지 않은 부처간에 관리자의 리더십 스타일에 차이가 있는지에 대한 후속연구의 필요성이 제기되고 있다.

# 참고문헌

강혜련.(1995). 기업 인력정책의 새로운 패러다임 : 여성인력의 전략적 활용. 「한국심리학회 : 산업 및 조직」, 8(1) : 1-14.

_____.(1998). 리더십과 조직적응: 남녀관리자의 비교연구. 「인사조직연구」, 6(2) : 81-123.

권경득. (2003). 여성친화적 정책과 조직성과에 관한 연구: 지방정부를 중심으로. 「한독사회과학논총」, 13(1): 143-163.

_____.(2000). 공직 인사상의 여성차별 실태와 개선방안. 박재창(편).「정부와 여성참여」. 서울 : 법문사. 141-172.

권경득·강제상.(2001). 업무스트레스와 심리적 탈진에 대한 공무원의 성별차이 분석. 「2001년도 한국정책학회 춘계학술대회 발표논문집」. 1-19.

김둘순·박통희.(2003). 양성평등적 직장문화를 조성한 여성주의적 리더십: 전 여성부 장관 한명숙에 대한 인물연구. 2003년도 한국행정학회 추계학술대회 발표논문집.

김복규·강세영.(1999). 지방여성공무원의 고용실태와 평등고용 촉진에 관한 연구: 대구시 사례. 「한국행정학보」, 33(2) : 183-198.

김원홍·김은경·김혜영.(1999). 「여성공무원 보직실태와 개선방안」. 한국여성개발원 연구보고서 210-7.

김판석·배득종·김영미.(1999).「관리직 여성공무원 육성방안 연구」. 행정자치부 연구 용역보고서.

김혜숙.(2002). 여성공무원 리더의 효율성.「인사행정」, 12 : 34-49.

김혜숙·장재윤.(2002). 여성 공무원 리더의 효율성, 성 정체성, 삶의 만족도아 조직의 성차별 문화.「한국심리학회지」, 8(2) : 191-208.

박숙자.(1999). 행정관리직 여성공무원의 일과 삶의 질.「여성의 일과 삶의 질」. 서울: 미래인력 연구센터.

박영미.(2000). 고위직 여성공무원의 보직실태와 정책결정. 박재창(편).「정부와 여성참여」. 서울 : 법문사 : 191-206.

박천오·강제상·권경득·김상묵.(2001). 한국 여성공무원의 잠재적 생산성에 관한 실증적 연구 : 공무원의 인식을 중심으로.「한국정책학회보」, 10(3) : 119-224.

박천오·김상묵·강제상.(2000). 공무원의 성별 직무관련 태도 차이에 관한 연구 : 지방공무원 을 중심으로.「2000년도 한국행정학회 기획세미나·국제포럼 발표논문집」. 175-190.

백선정.(2002). 남성편향적 직장문화를 적극 활용한 관계지향적 변혁적 리더십: 전 노동부 차관 김송자에 대한 인물연구. 2003년도 한국행정학회 추계학술대회 발표논문집.

이현주·박통희.(2003). 성차별에 합법적으로 대응한 과제지향형 리더십: 전 종암경찰서장 김강 자에 대한 인물연구. 2003년도 한국행정학회 추계학술대회 발표논문집.

중앙인사위원회.(2002).「여성공무원의 리더십과 관리능력 향상」.

조경호·이선우.(2000). 중앙정부의 가정친화적 인사정책에 관한 실태분석.「한국행정학회 2000 년도 하계학술대회 발표논문」. 103-116.

제갈돈·송건섭.(2000). 지방여성공무원의 차별적 인사관리. 박재창(편).「정부와 여성참여」. 서 울 : 법문사. 265-294.

한상일·최정아·권효진.(2003). 소신에 입각한 완벽주의적 과업형 리더십: 전 광명시장 전재희 에 대한 인물연구. 2003년도 한국행정학회 추계학술대회 발표논문집.

행정자치부.(2002).「여성과 공직」. 서울: 행정자치부.

_____.(2002).「공직사회 양성평등의식 및 여성공무원 근무만족도 조사 결과보고서」.

_____.(1999).「여성발전기본계획」.

_____.(1998).「공직사회의 여성정책 및 남녀평등의식 조사 결과보고서」.

Arthur, Jeffery B. (1994). Effects of Human Resources systems on Manufacturing Performance and Turnover. *Academy of Management Journal*. 37(3) : 670-687.

Brewer, Gene A., and Sally Coleman Selden. (2000). Why Elephants Gallop : Assessing and

Predicting Organizational Performance in Federal Agencies. *Journal of Public Administration Research and Theory*, 10(4) : 685-711.

Chiu, Warren C. (1998). Do professional women have lower job satisfaction than professional men? Lawers as a case study. *Sex Roles : A Journal of Research*, 38(7-8) : 521-537.

Chiu, Warren C. and Ng, Catherine W. (1999). Women-friendly HRM and Organizational Committment: A Study among Women and Men of Organizations in Hong Kong. *Journal of Occupational and Organizational Psychology*, 72 : 485-502.

Clifford, Mottaz. (1986). Gender differences in work satisfaction, work-related rewards and values, and the determinants of work satisfaction. *Human Relations*, 39(4) : 359-377.

Dolan, Julie. (2000). The Senior Executive Service : Gender, Attitude, and Representative Bureaucracy. *Journal of Public Administration Research and Theory*, 10(3) : 513-529.

Eagly, A. H. and Johnson, B. T.(1990). Gender and leadership style : A meta-analysis. *Psychological Bulletin*, 108(2) : 233-256.

Gardiner, Marie and Tiggemann, Marika(1999). Gender differences in leadership style, job stress and mental health in male and female dominated industry. Journal of Occupational & Organizational Psychology, 72(3) : 301-315.

Gerson, K. (1985). *Hard Choices : How women decide about work, career, and motherhood*. Berkeley : University of California Press.

Greenhaus, J. H., Parasuraman, S. and Wormley, W. M. (1990). Effects of race on organizational experiences, job performance evaluations, and career outcomes. *Academy of Management Journal*, 33 : 64-86.

Grusky, O. (1996). Career mobility and organizational commitment. *Administrative Science Quarterly*, 10 : 488-503.

Guy, Mary Ellen. (1993). Workplace Productivity and Gender Issues. *Public Administration Review*. 53: 279-282.

Hague, M. Shamsul. (2000). Women representation in public governance in Asia with special reference to Singapore. paper presented at International Forum on Women's Participation and Governance, 7 March, Seoul, Korea. 263-299.

Hultin, Mia. (1998). Gender differences in workplace authority : discrimination and the role of organizational leaders. *Acta Sociologica*, 41(2) : 99-113.

Kanter, R. M. (1977). Some effect of proportion on group life : Skewed sex ratios and responses to token women. *American Journal of Sociology*. 82 : 965-990.

King, Cheryl Simrell(1993). Gender and Administrative Leadership in Colorado. Paper for the 1993 Annual Meeting of the Western Political Science Association.

Lunneborg, Patricia W. (1990). *Women changing work*. New York : Greenwood Press.

Nyhan, Ronald C. (1999). Increasing Affective Organizational Committment in Public Organization : The Key Role of Interpersonal Trust. *Review of Public Personnel Administration*. 19(3) : 58-70.

Mason, E. Sharon. (1995). Gender differences in job satisfaction. *The Journal of Social Psychology*, 135(2) : 143-151.

Mathieu, J. E. and Zajac, D. M. (1990). A review and meta-analysis of the antecedents, correlates, and consequences of organizational commitment. *Journal of Applied Psychology*, 108 : 171-194.

McCormick, E. J. and Tiffin, J. (1974). *Industrial Psychology*, 6th ed. Englewood Cliffs, NJ : Prentice-Hall.

Meyer, J. P., N. J. Allen and C. A. Smith. (1993). Commitment to organizations and occupations : Extension and test of a three component conceptualization. *Journal of Applied Psychology*, 78 : 538-551.

Rainey, Hal G. (1991). *Understanding and Managing Public Organization*. San Francisco : Jossey-Bass.

Robbins, Stephen P. (1998). *Organizational Behavior*. Upper Saddle River : Prentice-Hall.

Rosner, Judy. (1995). *America's Competitive Secret*. New York : Oxford University Press.

Scandura, Terri A. and Lankau, Melenie J. (1997). Relations of Gender, Family Responsibility and Flexible Work Hours to Organizational Committment and Job Satisfaction. *Journal of Organizational Behavior*. 18: 377-391.

Schwartz, F. (1989). Management women and the new facts of life. *Harvard Business Review*, 67(1) : 65-76.

Shafritz, Jay M. (1998). *International Encyclopedia of Public Policy and Administration*. Boulder : Westview Press.

Valentine, Sean and Godkin, Lynn(2000). Supervisor gender, leadership style, and perceived job design. *Women in Management Review*, 15(3) : 117-129.

http://www.csc.go.kr/digital/dgt0101.sap?bbs_id=3

# 제2편 지방정부의 발전과 정책

# 제4장 참여정부의 지방정부 발전방안

## - 자치단체 발전계획 작성을 중심으로-

김 주 환*

# I. 서 론

1990년대에 들어서면서 전 세계가 세계화, 지방화, 정보화 등의 세계적 트렌드를 맞이하여 혼란 속에 빠져들어 소위 "포스트모더니즘"이라는 사조가 확산되었다. 그러므로 과거의 합리적, 효율적인 것을 추구하던 흐름이 점차 사라졌으나 2000년대에 들어서면서 점차적으로 이러한 현상은 현실로 다가와 전 세계가 혼란과 혼돈 속에서 방향을 찾지 못하거나 예견치 않은 변화로 인하여 미래의 결정내용을 미리 정해 놓은 많은 계획들이 의미가 없게 되어버리는 경우가 속출하였다. 특히 과거 우리 정부가 추진하여 왔던 "경제개발 5개년 계획"등 많은 관주도적인 계획들이 제4차부터는 수정계획을 항상 마련하여야 하는 경우가 발생하여 김대중 정권부터는 5개년 계획 같은 광범위한 계획을 포기하게 되었다.

그러나 최근에 지방자치제의 본격 실시와 급격한 환경변화를 맞이하여 많은 지방자치단체들은 그들 나름대로의 지역에 대한 자치경영의 방향감을 찾는 동시에, 지역주민들의 민의를 파악하여 자치단체의 정책으로 삼고자 하는 목적으로 점차적으로 자치단체들이 주관하는 발전계획을 작성하기에 이르렀다. 이러한 발전계획은 자치단체운영의 방향을 제시하고 지역주민들에게는 발전에 대한 기대감을 주며, 자치단체장들은 그들의 정책에 대한 반응성을 부여하고 자치단체들은 나름대로의 존립에 대한 정당성을 갖게 하는 기능을 가지고 있다. 그러나 이러한 발전계획이 지니는 본뜻을 살리지 못하고, 오히려 합리적인 근거와 재정능력의 범위를 넘는 발전계획을 작성하기도 하고, 활용하기 어려운 많은 계획을 세우기도 하며, 심지어는 지역발전에 대한 혼란만을 가중하게 하는 경우도 적지 않다.

* 강남대학교 행정학과 교수

그러므로 현재 지방자치단체들이 작성한 발전계획서의 내용과 과정을 분석하여 이에 대한 경향과 문제점을 파악하여 보다 긍정적이며 바람직한 발전계획서를 수립할 수 있는 방안을 모색하고자 하는 동시에 각 자치단체들이 발전계획서를 작성할 시에 보다 활용적이며, 대응적이며 주민중심의 발전계획서를 작성하는 데 도움이 되는 요인을 발전계획이 추구하는 이념에서 찾아내어 궁극적으로는 발전계획서의 반응성을 높이고자 한다. 따라서 여기에서는 참여와 분권을 특징으로 하고 있는 참여정부하에서, 자치단체들이 자체적으로 지역의 발전계획서를 작성하는 과정에서 발전계획의 이념인 민주성, 효율성을 실현하는 방안을 제시하고, 발전계획서에 대한 활용정도를 높이는 방법을 연구하여 발전계획서를 통한 지역발전이 민주적이며, 효율적으로 이루어지는 데 기여하고자 하는 것이 본 연구의 목적으로 삼고자 한다. 본 연구에서는 발전계획의 기능과 과정에 대한 이론적 고찰을 문헌연구를 통해 수행하고, 2000년 이후에 발간된 12개의 자치단체 발전계획서의 작성과정과 내용을 분석대상으로 삼아, 이론적 고찰에서 살펴본 발전계획의 이념과 기능을 토대로 문제점을 도출하고 이에 대한 발전방안을 모색하고자 한다. 그러므로 12개의 자치단체 발전계획서를 분석한 결과가 우리나라의 약 234개 자치단체의 발전계획서를 분석한 것으로 일반화할 수 있는가 하는 등의 연구의 한계가 있다.

# Ⅱ. 발전계획의 의미와 과정

## 1. 발전계획의 의미와 성격

### 1) 의 미

기획을 "특정한 목표를 달성하기 위하여 최선의 가능한 대안을 선정하는 하나의 조직적이며 지적인 시도"라고 파악하고 발전의 개념을 "국가사회의 제 체제가 성장과 변화를 이루기 위한 것"으로 생각할 때 발전기획은 "국가사회를 형성하는 하위체제의 바람직한 성장, 변화를 가져오게 하기 위하여 최선의 가능한 대안을 모색, 선정하여 나아가는 조직적인 시도로서 국가에 의하여 수락, 수권 되어야 하는 것"(윤정길, 1976:40)이다[1]. 이처럼 기획을 단순히 문제해결과정으로 보는 견해, 관리기능의 한 단계로 보는 견해, 사회변화 및 국가발전의 도구로서 보는 견해로 나누어 볼 때, 발전기획은 기획을 국가발전의 도구로 파악하는 입장을 견지하고 있다고 볼 수 있다(김신복, 1999: 4-5).

이러한 발전기획의 목표인 국가발전이란 무엇인가? ① 효과적인 정치주권을 향유하고 군사력을 증강시켜 국가의 존엄성을 인식하여 국가사회의 자율성을 증대, ② 인구성장률보다 높은 생산의 증대와 화폐를 안정 유지시켜 인구의 빈곤선을 개선시키기 위한 소득의 재배분 내지는 국민의 기본적 권리를 위한 주민생활수준의 향상, ③ 모든 성년으로 하여금 그 사회의 결정과정에 보다 광범위하고 효과적으로 참여시킴으로써 사회적 통합을 증대, ④ 지속적인 변화를 유발하고 조정하는 제도적 장치를 마련하고 이들 활동을 촉진함으로써 근대화를 추구, ⑤ 도시의 내부적인 균형체제를 통하여 전국공간에 대한 개발과정을 조작함으로써 공간통합을 증대하는 것이다(John Friedman, 1969: 13). 그러므로 국가발전이라는 것은 정치발전, 경제발전, 사회발전이라는 하위 변수를 가지고 있는데, 각각의 의미를 살펴보도록 한다.

첫째, 정치발전은 정치체제의 역량이 신장되고 구조적인 변화를 가져오는 과정이라고 할 수 있다. 정치체제의 역량이란 대외적으로 국가의 안전을 보장하고 외교적인 지원을 획득하며 대내적으로는 질서를 유지하고 국민의 정치적 수요를 충족시키면서 정책을 효과적으로 추진하는 제반 능력을 말한다. 구조적인 변화는 정치체제가 분화되고 전문화되는 현상을 가리키며 정당, 이익단체, 행정조직 등에 있어서의 변화가 주요 대상이 된다. 둘째, 경제발전은 양적 확대를 의미하는 경제성장과 아울러 질적 변화가 수반되는 포괄적인 과정으로 보아야 할 것이다. 예를 들면 1차 산업에서 2차 산업 그리고 3차 산업으로 비중이 높아지는 이른바 산업구조의 고도화 과정은 경제발전에 수반하는 가장 전형적인 현상이다. 또 소비재 산업보다는 생산재 산업의 비중이 높아지고, 노동집약적 산업보다는 자본집약적 혹은 기술집약적 산업의 비중이 높아지는 현상도 경제발전의 한 측면이라 할 수 있다. 셋째, 사회발전은 사회적 측면에서의 구조적 변화와 복지수준의 향상이라고 할 수 있다. 구조적 측면에서는 역할구조의 분화와 전문화, 사회적 이동성의 증대, 가치체계의 근대화 등을 바람직한 변화로 지적할 수 있다. 복지의 증진이란 혜택의 보다 균등한 배분과 생활의 질 향상으로 집약될 수 있다. 경제적 혜택, 즉 소득이나 부의 균등한 배분

---

1) 일반적으로 기획은 Planning을, 계획은 Plan을 번역한 것으로, 기획은 계획을 작성하는 과정으로 파악하고 있다. 그러나 여기에서는 기획과 계획을 명확하게 구분하지 않고 혼용하고자 한다.

과 각종 서비스 및 혜택을 제공받을 수 있는 기회를 균등하게 보장하는 것 등을 사회발전의 요건으로 보는 입장이다(김신복, 1999: 25-28).

## 2) 성 격

이러한 발전계획의 성격은 첫째, 발전기획은 거시적 차원에서 수행되는 기획을 대상으로 한다. 따라서 개인, 회사에서의 기획이 아니라 경제적 합리성, 정치적, 사회문화적 측면까지도 감안하는 것이다. 둘째, 발전기획은 반드시 발전목표의 성취를 지향하는 활동이라는 점이다. 따라서 관례적인 행정기획이나 단편적인 계획과 다르다. 셋째, 발전기획은 경제개발뿐만 아니라 광범위한 영역에 걸쳐 이루어진다. 예를 들면 사회복지에 대한 관심이 대두될 때에는 사회기획이, 사회, 경제개발을 균형 있게 하기 위한 통일기획(unified planning) 등을 들 수 있다(김신복, 1999:29-30).

## 2. 높은 성과를 내기 위한 계획

일반적으로 계획이 높은 성과를 내기 위해서는 첫째, 모든 조직의 미션을 분명히 하는 것 둘째, 성과를 측정하고 결과를 창출하는 것 셋째, 고객의 의견에 귀를 기울이는 것 넷째, 일선직원들에게 권한을 위임하고 계층제를 완화하는 것 다섯째, 지역사회중심의 민생개념을 적용하는 것 여섯째, 정부기관과 민간기업간의 경쟁을 도입하는 것이다(박수영·임보영·우병렬, 2000: 9). 먼저 발전계획이 높은 성과를 내기 위해서는 변화하기 위한 준비가 필요한데, 여기에는 다음과 같은 네 가지가 포함된다.

### 1) 변화하기 위한 준비

조직은 계획이 없이도 변화할 수 있다. 자연 세계에서 대부분의 유기체는 계획 없이 변화한다. 그러나 공공부문에서는 우리가 목적을 분명히 하고 목적을 달성하기 위한 전략을 개발한다면 더 잘 변화할 수 있을 것이다. 조직의 어느 단계에서 시작하든지 다음 네 가지 전제가 중요하다.

(1) 목표를 분명히 하기

목표를 분명히 하는 것은 모든 높은 성과를 내는 조직에서 유일한 상수임이 분명하다. 조직의 지도층이나 일선 근로자들까지 조직의 모든 사람들은 조직이 무엇을 성취하기 위해 존재하며, 변화과정도 명백한 목적을 가져야 한다. 분명한 목표는 조직구성원들에게 비전과 자긍심을 부여하고 조직업무의 집행과 평가의 기준을 설정하게도 한다.

(2) 환경 이해하기

계획과정에서 거쳐야 할 다음 단계는 조직이 운영되는 정치적·경제적·문화적 환경을 이해하는 것이다. 이것은 조직성과를 높이기 위해 할 수 있는 또는 제약할 수 있는 요소들을 이해하게 해 준다. 이 단계를 환경검토(environment scan)라고 부른다. 환경검토는 조직이 운영되는 방식에 영향을 미치는, 조직을 둘러싼 환경의 주요 요소에 대한 평가이다. 여기에는 경제·인구·사회·정치·문화·역사·기술적인 것들이 포함된다.

(3) 이해관계자 확인하기

변화는 조직의 모든 고용인과 서비스에 의존하는 고객에게 영향을 미친다. 특히 공공조직에서는 행정부의 안팎을 포함하여 정부 내 타 기관들의 지지를 정당화시킬 필요가 있다. 이해관계자의 이해관계를 모두 파악하여야 한다.

(4) 변화에 대한 일체감 만들어 가기

카리스마를 가진 지도자라도 혼자서는 정부 조직을 변화시키지 못할 것이다. 그러므로 변화에 대한 일체감을 만들기 위해서는 전략적 변화과정을 이용해야 한다. 이것은 변화를 위한 계획이 개발될 때 이해관계자들을 포함시킬 모든 기회를 이용하면서 폭 넓게 인지되어야 하는 것을 의미한다. 그러므로 변화에 대한 일체감을 형성하기 위해서는 ① 핵심지지세력을 형성하고, ② 소문을 퍼뜨리고, ③ 주요한 참여자들의 충고가 가치 있다는 것을 알 수 있도록 하는 것이다. 이러한 발전계획이 높은 성과를 내기 위한 준비과정에서, 현재 지방자치단체에서 가장 소홀히 취급하는 것은 마지막 부분인 변화에 대한 일체감 만들기로 생각된다. 이는 해당지역주민들과 자치단체들이 지역발전에 대한 공동체적 인식을 가지고 일체감을 지니도록 하여야 하는데, 이러한 일체감을 형성하는 것이 시간상, 전략상 용이하지 않다.

## 2) 비전·미션·가치를 정교하게 만들기

공공부문에서 분명한 비전과 주의 깊게 만든 미션, 그리고 일련의 가치들은 높은 성과를 내는 조직을 만드는 데 결정적으로 중요하다. 조직이 수행하는 비전, 미션, 가치들을 형성하는 주요 열쇠는 이해관계자들을 능동적으로 참여시키는 것이다.

### (1) 비전·미션·가치라는 용어를 명확히 하기

비전 진술(vision statement)은 조직이 업무를 수행하기 위해서 무엇을 해야 할 지에 관한 분명하고 간결한 묘사이다. 미션은 조직이 무엇인지에 관해 모든 이해관계자들, 특히 고용인, 이해관계자, 고객들과의 의사소통을 하는 방법이다.

### (2) 비전·미션 그리고 가치 개발하기

여기서는 첫째, 폭넓은 공공부문의 비전을 만들어야 하는데, 특히 선거로 인해 당선된 지도자들은 정치적 비전을 가지고 있는 경우가 대부분이기 때문에 공공부문의 비전 만들기가 용이하며, 타운미팅, 여론조사 등으로 정치적 신뢰성을 증가시키는 동시에 조직의 새로운 목적을 창조하는 데 대중을 참여시킬 수 있다. 둘째, 비전·미션 그리고 가치진술을 내부적으로 개발하여야 하는데, 내부적으로 비전, 미션, 가지 진술들을 개발하는 방법은 ① 조직 내부의 각 집단이 스스로 비전, 미션, 가치진술을 나름대로 하고 이를 더 큰 집단과 공유하여 폭 넓은 지지를 얻도록 수정하는 노력을 하는 것이며 ② 미래 탐색회의라고 불리는 기법을 사용하여 이해 관계자들이 하루나 이틀 동안 합숙하면서 각 조직 내부의 비전, 미션, 가치를 개발하는 것이다. 이러한 비전, 미션, 그리고 가치는 조직밖의 환경이 미치는 영향 때문에 지속적인 개선 과정이 이루어져야 한다(박수영·임보영·우병렬, 2000:93-202).

## 3) 조직에 대한 유용한 평가활용

평가는 조직이 비전과 미션을 얼마나 잘 달성하고 있는지, 그리고 조직의 가치에 기초해서 이루어지고 있는지에 관하여 양적이고 질적인 판단을 하는 것이다. 그러면 평가를 하는 이유는 무엇인가? 첫째, 변화에 대한 동기를 부여한다. 둘째, 기회의 대상을 선별할 수 있도록 해준다. 셋째, 과정을 점검할 수 있기 때문이다. 그리고 높은 성과를 올리는 조직을 만드는 데 특별히 유용한 유형의 평가는 어떤 것인가? 첫째, 현 조직의 문화와 구조에 대한 평가 둘째, 고객의 만족도 평가 셋째, 직원의 만족도 평가 넷째, 변화의 필요성 평가이다.

## 4) 변화를 위한 계획 설계

변화를 위한 계획을 형성하는 첫 번째 단계들은 ① 구체적이고 측정 가능한 그리고 성취 가능한 결과로 전환함으로써 비전을 구체화하기 ② 그것들을 달성할지 아닐지를 결정하기 위한 능력을 개발하기. 두 번째 단계는 ① 의도된 결과를 쉽게 성취하게 하기 위해 정책, 프로그램, 작업과정, 문화 제휴를 포함하며, ② 어떤 곳에서도 행해질 수 있는 일련의 조직변화 전략을 구사한다. 최종 단계는 결과에 대한 학습과 책임감을 강화시키는 것으로 ① 변화를 집행하는 능력을 형성하고 ② 노력을 계속적으로 개선하고 의사소통하고 평가한다(박수영·임보영·우병렬, 2000:154-155).

# 3. 발전계획작성의 과정

## 1) 기획과정의 의미

기획과정은 세 가지 측면에서 생각해 볼 수 있다. 첫째는 정치과정과 관련시켜 합리성의 제고를 실현시키려는 측면이다. 즉, 공공행정의 입장에서 정치과정과 관련시키는 것이다. 둘째는 정책과정과 관련시켜 기획의 수단을 접근시켜 정책의 목표에 접근되는 것이다. 셋째는 조직단위의 POSDCoRB 입장에서 기획과정이 설정되는 것이다. 조직의 목표를 설정하고, 설정된 목표를 효과적으로 접근하기 위한 측면에서의 접근을 의미한다. 국민의 의사가 종합화되고 형성되는 과정이 정치과정이고, 형성된 의사가 구체화되고 집행되는 과정이 행정과정이라면, 정치와 행정은 연속과정이요 통합과정이라고 볼 수 있다(백완기, 1988: 68). 여하튼 정치과정의 국민적 합의를 구하는 과정에서 합리적인 대안을 얻기 위한 수단으로 기획이 활용된다. 그러므로 정치과정에서는 기획을 국민의사를 통합한 후 결정해야 하는 단계에서 활용하며, 정책과정에서는 정책목표를 달성하는 수단적인 측면에서 기획이 이용되고, 마지막으로 조직의 관리과정에서는 기획이 설정된 목표를 효과적으로 통제하면서 목표를 달성하기 위한 것으로 활용된다(권영찬·이성복, 1998: 254).

<표 4-1> 기획단계에 대한 학자들의 견해

| 학 자 | 내 용 |
|---|---|
| David & Reiner | ①가치형성 ②수단규명 ③실현화 |
| Herold F. Gortner | ① 기획의 필요성 인식 ② 목표의 설정 ③ 미래의 예측 ④ 목표간 우선 순위의 결정 ⑤ 행동계획의 작성 ⑥ 행동계획의 집행 ⑦ 행동계획의 평가 ⑧ 행동계획의 수정단계 |
| R. L. Ackoff et al. | ① 문제상황의 인식과 형성 ② 목표설정 ③ 수단모색 ④ 자원에 대한 고려 ⑤ 집행과 통제의 설계 |
| Robert B. Denhardt | ① 임무에 대한 진술 ② 환경분석 ③ 강점과 약점 ④ 조직운영자의 가치 ⑤ 대안적 전략의 개발 |
| Olsen & Eadie | ① 전반적인 임무와 목적의 진술 ② 환경검토와 분석 ③ 자원검색 ④ 전략의 형성·평가·선택 ⑤ 전략계획의 집행과 통제 |
| E.R. Alexander | ① 기획수립단계: 문제의 진단, 목표의 설정, 대안의 설계·탐색 및 비교·분석, 최종안의 선택 ② 기획의 집행 ③ 기획평가 |
| 권영찬 및 이성복 | ① 목표의 설정 ② 상황의 분석 ③ 대안의 모색 ④ 대안의 비교 및 평가 ⑤ 계획의 집행과 평가 |
| 정용환 | ① 계획문제와 목표설정 ② 계획조사와 미래예측 ③ 대안작성과 선택 ④ 계획집행과 평가 |
| 김신복 | ① 목표의 설정 ② 상황의 분석 ③ 기획전제의 설정 ④ 대안의 탐색 및 평가 ⑤ 최종안의 선택 ⑦ 계획의 집행과 평가 |
| 서정민 | ① 계획의 목적 ② 현황파악 ③ 사실분석 ④ 대안탐색과 계획작성 ⑤ 계획결정 |

<표 4-1>에서 보듯이, 기획단계에 대한 학자들의 견해는 매우 다양하다. 단계분류목적과 강조점에 따라 차이가 있으나 관련 단계를 포괄하여 단순화하거나, 특정단계를 구체화하기 위해 세분화하는 경우를 발견할 수 있다. 예를 들면 상호관련성이 높은 문제 확인,

목표설정, 조사 분석, 미래예측 등은 하나의 단계가 다른 단계에 포함되거나, 활동의 순서에 차이를 두기도 한다. 여기서는 학자들의 견해 중 중복되는 것만을 선택하는 방식보다는 기획단계를 문제해결과정별로 구성해 볼 때 해결에 필요한 순서에 따라 열거되는 단계를 구분하여 그 의미를 살피고자 한다.

## 2) 기획단계에 대한 내용

### (1) 목표의 설정(계획문제 및 목표설정)

여기서 목표의 설정이란 달성하려는 궁극적인 목적이 무엇인지 규정하고 구체화하는 일이다. 그러기 위해서는 첫째, 계획에 대한 필요성(문제인식 및 문제 확인)을 인식하여야 하는데, 여기에는 주변 환경이 변해서 계획의 필요성을 인식하는 소극적인 인식이 있을 수 있으며, 환경변화에 자발적으로 대처하는 적극적인 인식이 있을 수 있다. 물론 소극적인 인식보다는 적극적인 인식이 발전계획을 작성하는 데 바람직한 태도이며 보다 전략적인 대안을 마련할 가능성과 구성원들의 적극성으로 인해 발전계획의 효과성도 높을 가능성이 있다. 둘째, 목표는 발전계획차원에 따라 주어질 수도 혹은 자기 스스로 목표를 설정할 수 있다. 여기서 스스로 목표를 설정할 경우에는 목표를 찾아내는 작업을 해야 한다. 그러므로 지역주민들을 대상으로 행정서비스에 대한 수요조사, 지역주민대표들 간의 간담회, 지역에 대한 전문가 집단과의 회의, 지역발전계획에 대한 공청회 등을 통해 발전계획의 목표를 설정한다. 발전계획목표를 설정하는 절차는 ① 문제에 대한 올바른 파악이 먼저 있어야 하며, ② 무엇이 문제의 핵심인지를 규정하는 활동, 즉 문제정의가 있어야 한다. ③ 다음으로는 정의된 문제를 해결하여 얻게 될 효과와 이를 해결하기 위해서 희생될 비용 및 문제의 해결가능성을 검토하여 발전계획목표의 우선순위와 달성수준을 결정한다(정정길, 1997: 202). 따라서 문제정의는 목표설정의 전제조건이며, 문제해결책을 내포하고 있고, 갈등 또는 경쟁관계에 있는 목표와 수단의 우선순위를 판단할 수 있게 하여 문제에 따라 발생될 수 있는 집단 간의 갈등과 대립을 타협, 협정하는 근거가 될 수 있다. 이러한 목표설정은 목표확인, 명료화, 순위화의 3단계로 구분되어 진행된다. 목표확인은 개인과 지역사회의 가치와 잠재력을 면밀히 검토하는 단계로서 주민과 기관들이 갖고 있는 욕구와 기대를 도출하는 단계이며, 목표의 명확화는 목표를 구체적으로 표면화시키는 노력이며, 목표의 우선 순위화는 일정 기준에 의해 목표를 조정하고 질서를 부여하는 과정이다(정환용, 2001: 319).

(2) 현황분석 (계획조사 및 미래예측: 계획조사→미래예측→자료분석)

현황분석 및 기획 전제란 목표가 설정되면 현재 및 장래의 상황을 파악하여 목표를 달성하는 데 예상되는 장애요인과 문제점을 조망해보는 것이다. 즉, 계획은 계획대상 환경이 현재의 상황에 대한 조사로부터 시작된다. 계획가는 계획대상이 '어떤 모습이 되어야 할 것인가?'를 모색하기에 앞서 '현재의 모습이 어떤 것인가?'를 먼저 알아야 한다. 환언하면 자료의 수집·처리·조작과 정보 산출의 목적은 복합적인 계획이 이루어지는 환경을 이해하는 데 있다(정환용, 2001: 331). 여기에는 각 지역이 처해 있는 일반적인 환경, 즉 인구, 면적, 산업, 환경, 문화 등에 대한 여건을 분석하는 것과 주어진 특정한 해당문제가 처해 있는 분야별 여건을 분석하는 것이 포함된다. 따라서 이를 여건 또는 환경 분석이라고도 한다. 그러므로 일반적인 환경 분석에서는 일반적인 내용에 대한 현황파악정도를 제시하는 정도이나 특정한 문제에 대한 상황분석에는 SWOT에 따른 분석을 시도하고 있다. 현황분석의 방법으로는 관련정보 및 자료의 모집, 제반지식, field Survey, interview, Delphi, 회귀분석 등 통계적 기법 등을 사용한다.

(3) 기획전제의 설정(미래예측)

가. 의미

기획 전제라 함은 계획을 수립하는 과정에서 토대로 삼아야 할 기본적인 예측 또는 가정을 말한다(Koontz & O'Donnell, 1964:15-30). 그러므로 기획전제는 미래에 일어날 일에 대한 예견 또는 예측이라고 할 수 있다. 예측의 목적은 계획의 장래변화와 이의 결과에 대한 정보를 제공하는 데 있다. 계획 활동은 장래의 행동을 준비하는 것이기 때문에 미래의 상태를 예측하는 것이고, 최적상태를 만든다고 생각되는 계획체계의 장래 상태를 선택하게 되는 것이다. 따라서 기획이 미래를 예견하는 데 그치지 않고 미래에 달성하고자 하는 목표를 설계하는 것이라고 할 때, 기획전제는 기획을 하기 위한 기본적인 토대를 이루는 전제로서, 예측 또는 전망의 한 형태라고 할 수 있다. 그러므로 현황분석이 주로 현실적인 여건을 대상으로 삼는데 기획전제는 미래에 관한 예측, 전망이라는 점이 다르다.[2]

## 나. 기획전제의 설정과정

첫째, 정지작업의 개시로서, 넓은 의미로 보면 기획전제의 설정을 위한 정지작업으로서는 전술한 바 있는 상황분석도 여기에 포함될 수 있으나 여기서 말하는 정지작업이란 상황분석의 성격진단의 결과를 바탕으로 해당문제에 관련된 여러 문제영역이 어떤 경로는 거쳐 발전되어 왔으며, 또 이들 상호간에 어떤 인과관계를 갖고 있는가를 살펴봄으로써 미래를 예측하는 데 직접적인 도움을 주는 작업만을 한정해서 나타내는 것으로 이해해야 한다. 둘째, 미래상황의 예측으로서, 후술하는 예측방법에 따라 미래에 전개될 상황을 실제로 예측하는 것이다. 셋째, 현재의 상황과 예측된 상황의 대비로서, 해당문제에 대한 상황분석 결과로 나타난 사실과 예측된 결과를 서로 대비함으로써 양자간의 중요한 차이점 및 그러한 차이점을 가져오게 한 원인을 규명한다. 이러한 대비에서 발견된 사실은 예측하지 못했던 득과 실을 측정하는 기준으로 되기도 한다. 넷째, 예측과정의 세련으로서, 보다 정확한 미래예측을 가능하게 함으로써 그 과정이나 수단은 계속 다듬어져야 한다(김봉식, 1982: 112).

## 다. 기획전제의 종류

첫째, 행정조직을 중심으로 하는 구분으로서, 먼저 조직외부적인 기획전제로는 ① 인구증가추세, ② 장소변동, ③ 사회공학의 변동, ④ 기계공학의 발전추세, ⑤ 모든 종류의 재난, ⑥ 국민의 소원과 소망, ⑦ 지도문제에 관한 전제 등이며(J. Gaus, 1947: 15-30), 조직 내부적인 기획전제로는 ① 조세수입, ② 인력의 수요 및 공급, ③ 장비 및 시설에 관한 추세, ④ 현존정책, 주요 사업계획에 대한 추세, ⑤ 기타 분야에 관한 추세 등이다(Koontz & O'Donnell, 1964:108; 김봉식, 1982: 110-111에서 재인용).

## 라. 예측의 방법

던은 기획전제에 활용되는 방법을 다음의 〈표 4-2〉와 같이 제시하고 있다.

---

2) 예측을 나타내는 용어는 여러 가지가 있다. 예측(forcast)은 확률론적 기술이며, 투영(projection)은 주어진 지식범위 내 에서 체계의 장래상태를 추세에 의해 파악하는 투사기법에 의한 방법이다. 예측(prediction)은 비개연적 기술로 명료한 이론적 가정에 바탕을 두고 있다. 추정(conjecture)은 정통한 사람 또는 전문가의 판단에 바탕을 둔 것이며, 예상(anticipation)은 일정한 신뢰수준에서 가능한 미래에 대해 논리적으로 구축된 모형이다(정환용, 2000:348-349).

<표 4-2> 미래예측 시의 활용 기법

| 접근방법 | 기 초 | 적합한 기법 | 산출물 |
|---|---|---|---|
| 연장적 예측 | 추세연장 | 시계열분석, 선형경향추정, 지수가중, 자료변환 | 투 사 |
| 이론적 예측 | 이 론 | 이론 지도, 인과모형, 구간(점)추정, 상관분석 | 예 견 |
| 판단적 예측 | 식견 있는 판단 | 델파이, 교차영향분석, 실현가능성 평가 | 추 측 |

자료 : William N. Dunn, Public Policy Analysis : An Introduction 2nd. ed. 1994; 나기산 외(역), 정책분석론, 서울:법문사, 1994, p. 246.

(4) 대안의 탐색과 평가 (대안작성과 선택 : 대안작성→대안평가→대안선택)

목표에 대한 합의가 이루어지고 계획대상에 대한 환경분석 및 미래의 예측이 끝나면 목표실현을 위한 행동노선인 대안을 마련하는 단계로 진입하게 된다. 목표에서 제시되고 있는 미래상(What should be)과 현재의 추세가 지속되면 나타날 것으로 예상되는 미래성 사이의 격차를 밝혀내어 그 격차를 해소하기 위한 수단을 강구해야 한다. 이러한 대안은 처음부터 완벽하게 작성되어 최초 안이 최종안으로 선택되는 경우는 드물고, 최초에는 포괄적인 안이 구상되었다가 점진적으로 대안의 내용이 수정, 변경 또는 새로운 내용이 첨가되어 구체화되는 경우가 대부분이다(정환용, 1999:184). 대안개발에는 ① 계획문제의 개념구조의 구축, ② 문제해결을 위한 대안적 행동의 도출, ③ 적합성의 관점에서 대안들의 선별, ④ 적합한 대안의 서술화의 과정을 거친다. 계획문제의 개념구조는 계획가에게 바람직하지 못한 여건을 형성하고 있는 요인들 또는 바람직한 상황의 발생을 저해하는 요인들을 체계적으로 표현하게 하여 현재의 여건을 명료화할 뿐만 아니라 교정이 요구되는 적정한 행동을 확인할 수 있게 한다. 문제해결을 위한 대안적 행동의 도출에서는 창의성을 극대화하기 위해 비교적 자유롭게 의견을 개진하도록 한다. 적합성의 관점에서 대안의 선별은 대안선별을 위한 기준을 마련하여 유망한 대안들을 선별하는 과정이다. 적합한 대안의 서술화는 집행단계와 연결되는 단계로서, 예상되는 비용과 편익을 적절히 추정할 있도록 충분히 자세해야 한다(정환용, 2001:372-373).

(5) 최종안의 선택

계획안의 선택과정은 보고서 작성, 외부검토, 내부검토, 계획안 수정, 그리고 주민에 환류라는 5 단계로 구성되어 있다(Mayer, 1985: 176-180). 첫째, 계획안 선택의 출발은 의사결정자에게 어떻게 계획안을 요약 정리하여 제출할 것인가 하는 보고서 준비단계이다. 둘째, 의사결정자는 대안에 대해 의사결정체계에 있는 주민으로부터 공적 검토나 논평을 위하여 외부검토를 받기를 원하는데, 가장 일반적으로 사용되는 것이 공청회나 주민참여위원회 등이다. 셋째, 내부검토는 계획안의 모든 분석내용을 종합 검토하는 것으로 해당 조직의 모든 부서에서 자체적으로 검토하는 것을 의미한다. 넷째, 수정의 확인단계로서, 목표로 변환되지 못한 가치, 목표의 우선순위가 주어지지 못한 조건, 평가되지 못한 수요, 고려되지 못한 대안들을 중점적으로 검토하여 수정한다. 마지막 단계로서 외부검토에 의해 개진된 의견들이 수용되어 어떻게 반영되었는지를 참여자들에게 제시하는 단계이다(정환용, 2001: 388).

(6) 선택의 검증

첫째, 분석 및 근거의 재검토로서, 기획전제의 타당성 여부이다. 전제가 잘못되면 분석 및 선택과정전체가 달라져야 하므로 그 근거와 관점을 재확인할 필요가 있다. 둘째, 선택된 대안의 실현가능성의 검사이다. 셋째, 동의 확보로서, 선택된 최종대안을 직접 이해관계가 있는 사람이나 집단 또는 그 분야의 전문가들에게 제시하여 의견과 논평을 구함으로써 선택의 타당성을 검증할 수 있다. 넷째, 시험적 시행으로서, 선택된 대안, 즉 계획을 부분적으로 적용해 봄으로써 실제 효과와 문제점을 파악하여 전면적인 실시 여부를 결정 짓는 방법으로서 정책개발과정에서 실시하는 이른바 정책실험과 본질적으로 대동소이하다(김신복, 1999: 143-144).

(7) 계획의 집행과 평가 (계획집행과 관리: 계획집행→계획관리→영향평가)

보통 좁은 의미의 기획과정은 최종안의 선택과정에서 일단락된다. 그러나 넓은 의미의 기획과정 속에는 수립된 계획을 집행하고 그 결과를 평가하여 환류 시키는 일련의 순환과정이 모두 포함되는 것이다. 계획의 집행은 일반적이고 추상적인 계획안을 점차적으로 위계에 따라 연역화하여 구체화시켜 행동에 옮기는 과정이라고 할 수 있다. 그런데 계획 집행단계는 학자에 따라 구분하는 것이 다르나 리플리와 프랭크린은 자원확보, 해석과 기획, 조직, 편익과 서비스의 제공, 감시와 환류의 단계로 구분하고 있다(김병진, 1989:

315-323). 그런데, 여기에서는 집행단계는 계획집행단계, 계획집행과정의 점검단계, 계획평가단계로 구분할 수 있다. 집행과정의 점검으로서, 계획에 제시된 목표와 구체적인 사항들이 차질 없이 수행되고 있는지를 점검하는 활동은 계획의 효율적인 집행을 위하여 중요한 의의를 갖는다. 이러한 중간평가를 토대로 필요한 지원 혹은 시정조치를 취하거나 필요에 따라서는 계획 자체를 수정하게 된다. 계획이 효율적으로 집행되려면 언제, 누가, 어디서, 무엇을, 어떻게 수행해야 하는지에 관한 상세한 실천계획과 부수적인 행정조치가 마련되어 있어야 한다. 실천계획은 구체적인 일정을 포함한 세부목표와 주관 부서가 명시되어야 하며, 행정조치 속에는 관계법령의 정비, 인원의 배정, 재정지원 및 예산조치 등이 포함된다(김신복, 1999: 145). 계획평가단계는 목표의 식별(관계인의 확인, 예비화합의 정리, 사업계획의 평가가능성 평가), 평가방법의 결정(문헌검토, 평가모형의 설정, 평가설계), 자료수집과 분석 및 해석(자료수집, 자료분석, 분석결과의 해석), 의사소통과 보고서 제출(의사소통, 보고서 작성과 제출)로 구분된다(정환용, 2001: 427-432). 이러한 많은 학자들의 기획과정단계에 대한 설명을 토대로 하여 여기서는 연속적인 기획과정단계로, 목표설정, 현황분석, 기획전제의 설정, 대안의 탐색과 평가, 최종안의 선택, 계획의 집행과 평가로 구분하였으며, 각 단계마다 여러 가지의 세부단계로 구성된다(〈표 4-3〉 참조).

〈표 4-3〉 발전계획작성과정의 단계

| 계획수립 단계 | 계획수립의 세부단계 |
| --- | --- |
| 목표의 설정 | ①문제인지 ②문제정의 ③비용과 효과검토를 통한 해결가능성 점검 ④목표확인 ⑤목표의 명확화 ⑥목표의 우선순위화 |
| 현황분석 | ①현황파악 ② 여건분석(SWOT) |
| 기획전제의 설정 | ①정지작업의 개시 ② 미래상황의 예측 ③ 현재상황과 예측된 상황의 대비 ④ 예측과정의 세련화 |
| 대안의 탐색과 평가 | 대안의 개발 및 추출(①계획문제의 개념구조의 구축 ②문제해결을 위한 대안적 행동의 도출 ③적합성의 관점에서 대안들의 선별 ④적합한 대안의 서술화), 대안 간 비교평가 |
| 최종안의 선택 | 최종안의 작성(①보고서 작성 ②외부검토 ③내부검토 ④계획의 수정 ⑤주민의 환류), 선택의 검증(①분석 및 근거의 재검토 ② 선택된 대안의 실현가능성 검토 ③ 동의의 확보 ④시험적 시행) |
| 계획의 집행과 평가 | 계획의 집행(①자원확보 ② 해석과 기획 ③ 조직 ④ 편익과 서비스 제공 ⑤ 감시와 환류), 계획의 집행점검 계획평가(①목표의 식별 ② 평가방법의 결정 ③ 자료수집과 분석 및 해석 ④ 의사소통과 보고서 제출) |

# Ⅲ. 발전계획서에 대한 분석 및 평가

일반적으로 발전계획서에 대한 분석은 1999년부터 2003년까지 발표된 12개의 지방자치단체(5개의 광역자치단체와 7개의 기초자치단체)의 발전계획서를 분석한 결과 대체로 네 부분으로 구분되어 있다. 첫째는 계획에 대한 총론 둘째, 지역의 발전구상 셋째, 부문별 발전계획 넷째, 집행계획부분으로 나누어진다. 특히 세 부분으로 구분되는 발전계획서에는 지역발전의 기본구상부분이 계획에 대한 총론의 마지막 부에 포함되는데, 대체로 기초자치단체의 발전계획서에서는 세 부분으로 구분하고, 광역자치단체의 경우는 네 부분으로 구분되는데, 여기서 네 가지 부분에 대한 구체적인 내용은 다음과 같다. 12개의 광역 및 기초자치단체에서 발표한 장기발전계획의 목차를 분석한 것이다.

## 1. 계획에 대한 총론

### 1) 계획의 개요

> 계획의 추진배경, 계획수립의 목적, 계획의 내용과 범위, 계획의 성격, 계획의 구성과 수립과정, 연구추진과정, 계획의 기본전제(계획의 추진방향, 비전제시, 계획지표의 설정, 장기적 목표와 과제의 설정, 실행계획수립), 계획수립의 수행방법 및 체계 등

이 부분은 발전계획에 대한 총론적인 부분으로, 먼저 발전계획을 작성하게 된 배경과 동기, 필요성 등을 기술하고 있으며(그런데 대부분 발전계획의 경우에 해당지역의 문제를 거론하기보다는 국내외적 환경변화에 대응하기 위한 필요성을 제시하는 것이 대부분이다). 둘째, 이를 토대로 하여 계획수립의 목적, 내용, 범위, 성격 등을 제시하여 발전계획에 대한 전반적인 특성을 제시하고 있다. 셋째, 총론적인 부분으로서 마지막 부분에는 계획수립추진방법 및 체계를 제시하고 있다. 그런데 특기할 사항은 광역자치단체의 발전계획서에서는 지역발전에 대한 장기적 비전이나 목표를 "계획의 기본구상"이라는 개별적인 부분에서 따로 다루지만, 기초의 경우에는 발전계획전제에 대한 예측, 비전제시, 계획지표

의 설정 등이 제시되는 경우가 있다.

## 2) 지역현황, 환경변화와 지역여건 분석

---
대내외적 환경변화, 지역여건과 특성(자연 및 지리적 특성, 인문 및 사회적 특성, 경제적 특성, 지역공간적 특성) 및 분석(SWOT), 발전잠재력(전망)분석, 제약요인 등
---

이 부분에서는 크게 현재의 여건을 분석하는 부분과 해당 지역특성의 미래를 분석하는 부분으로 크게 구분된다. 먼저 해당지역에 대한 일반적인 환경현황 및 지역여건을 제시하고 있는 부분에서는 일반적인 지역여건이나 현황은 발전계획을 수립 및 이해하는 데 있어 기초적인 부분으로 이해된다. 그런데 여기서 특기할 사항은 해당지역에 대한 일반적인 사항에 대한 여건분석을 하는 것이며, 다른 하나는 해당 지역에 대한 발전잠재력과 제약요인을 분석하고 기획전제에 대한 내용을 제시하는 것이다. 환경변화에 따른 발전잠재력과 제약요인을 분석하고 있다. 발전잠재력과 제약요인은 해당지역 발전계획의 방향을 암시하는 역할을 수행한다. 이러한 분석으로는 여러 가지 분석방법이 동원되는데, 가장 빈번히 사용되는 것은 SWOT(내부-외부분석 또는 강점약점기회위협분석)이다. 둘째, 기획전제는 해당지역의 발전과 관련이 있는 사항에 대해 미래를 투사한 것으로, 발전계획을 수립하는 데 있어 기본적인 전제가 되는 것이다.

## 3) 상위 및 선행계획 검토

---
제4차 국토계획, 제2차 수도권정비계획, 경기2020수정계획, 제2차 경기발전 5개년 계획, 다양한 해당 자치단체의 선행계획, 기초인 경우에는 광역자치단체의 발전계획 등
---

여기서는 발전계획을 수립하는 데 있어 가장 관련이 있는 중앙이나 광역(기초인 경우)의 상위계획, 그리고 해당 자치단체의 선행 계획들에 대한 검토가 이루어지는 부분이다. 이 부분은 상위계획과의 조화와 현행 해당지역의 기존계획과의 연계성을 확보하여 자치단체의 발전계획에 대한 타당성, 효율성, 실현가능성을 높여야 할 것이다. 그러므로 주로 중앙정부의 국토종합계획, 수도권인 경우에는 수도권 정비계획, 경기도 소재인 경우에는

경기도의 발전계획 등이 여기에 해당된다. 그리고 많은 중앙정부의 부처들의 해당 업무에 대한 발전계획은 분야별 발전계획 수립 시 반영한다.

### 4) 지역주민의식 및 수요조사

> 시민·전문가·공무원·기업체에 대한 의견조사, 분야별 시민욕구분석, 총괄발전지표, 심포지엄, 발전계획 추진체계의 형태 및 운영방안 등

여기에서는 지역의 발전목표와 행정수요를 파악하기 위하여 시민, 전문가, 기업체, 의원, 공무원 등을 대상으로 지역의 전반적인 발전방향과 목표, 그리고 분야별 행정수요를 파악하기 위하여 지역주민의식조사나 행정수요조사를 시행하는 것을 내용으로 하고 있다. 그리고 발전계획수립과정에는 연구자문위원회나 실무위원회를 설치하여 발전계획작성에 도움을 주어야 한다. 그리고 해당분야별 발전계획을 작성할 시에는 언제라도 도움을 청하면 도움을 줄 수 있는 체제를 마련하여야 한다(전문가회의를 통한 소규모 심포지엄의 활성화). 수립이후나 이전이라도 항상 해당지역의 발전에 관한 사항을 관련 위원회를 통해 발전계획작성에 포함하고자 하는 것을 내용으로 하고 있다.

### 2. 계획의 기본구상 : 지역의 발전구상

> 해당지역의 장기발전 기본방향: 발전에 대한 기본이념·목표·역할, 해당지역의 미래 모습: 미래상, 비전과 기본전략, 계획의 기본목표와 발전과제, 추진원칙, 분야별 목표와 과제, 분야별 발전지표(예: 10대 프로젝트 구상), 총량지표의 전망: 인구추이, 경제구조, 기타 지표 등, 공간개편구상 등

이 부분은 해당 지역의 미래의 발전모습을 보여주는 부분으로서, 장기발전에 대한 기본적인 이념, 목표, 역할 등을 제시하고 있으며, 해당지역의 미래모습을 비전과 기본전략, 계획의 기본목표와 발전과제(공간개편구상도 포함)등을 보여준다. 그러므로 계획목표의 계층제를 확연히 보여주어 발전계획에 대한 전반적인 내용을 제시하며, 상위목표와 하위목표간의 연계성을 나타낸다. 특히 민선단체장의 임기에 따른 해당지역의 분야별 특정사

업를 제시하는 동시에 기존사업과의 차별성을 유도하고 해당지역의 미래의 장기발전모습을 제시한다. 또한 이에 대한 사항을 지표화하여 미래에 대한 모습을 구체화하는 작업도 포함된다.

## 3. 부분별 발전계획

현황분석과 과제: 분야별 현황, SWOT, 발전과제, 시민의 욕구분석, 분야별 비전제시, 발전방향(비전과 목표), 단계별 추진전략(실행계획), 생활권역별 계획, 분야별 계획: 균형적 지역발전(도시공간구상), 지역산업 육성계획, 교통·통신망·물류 확충, 문화 및 관광 육성계획, 사회개발 및 복지계획, 환경보전계획, 해양수산개발, 국제교류, 지역공동체, 지역정보화계획, 지역자원관리, 토지이용관리, 자치행정, 교육, 주거환경, 생활환경, 생명농업기반, 해운항만, 농어촌, 방재 및 소방계획, 남북교류계획, 소속기초자치단체의 미래상 등

여기서는 해당분야별 발전계획을 작성하게 되는데, 이를 위해 시민들의 욕구분석, SWOT분석, 분야별 발전방향을 제시하고, 이를 추진할 전략과 실행계획 등을 구체적으로 제시한다. 또한 분야별 발전계획뿐만 아니라 해당지역을 생활권역으로 구분하여 각 지역의 발전모습을 제시하기도 한다. 계획의 분야는 균형적 지역발전(도시공간구상), 지역산업 육성계획, 교통·통신망·물류 확충, 문화 및 관광 육성계획, 사회개발 및 복지계획, 환경보전계획, 해양수산개발, 국제교류, 지역공동체, 지역정보화계획, 지역자원관리, 토지이용관리, 자치행정, 교육, 주거환경, 생활환경, 생명농업기반, 해운항만, 농어촌, 방재 및 소방계획, 남북교류계획, 소속기초자치단체의 미래상 등으로 구분되어 각 자치단체의 공통적인 부분도 있는 반면에 자치단체의 주변환경여건을 대변하여 다른 분야도 있다. 분야별 목표 중에서 일본 자치단체 발전계획의 분야별 목표와 다른 것은 일본의 경우에는 거의 예외 없이 "안전한 사회구축"이 첫 번째의 주제인데, 우리는 이것이 없거나 있어도 방재차원에서 소규모의 목표로 설정되어 있다.

## 4. 계획집행과 관리계획(행정개혁 · 투자 · 재정확보계획)

> 효율적 운영을 위한 행정계획: 행정체계, 기구 및 인력조정, 제도, 합리적 집행을 위한 재정계획: 예산현황, 재정예측, 중기재정계획, 투자수요 전망과 투자계획: 재원조달계획, 투자수요전망, 교류협력 및 집행관리계획 등

이 부분에서는 대략 투자계획과 재정확보계획이 주류를 이루고 있고 해당 자치단체에 따라 행정체계, 행정기구, 인력조정에 관한 행정개혁계획 등이 포함되어 있다. 그러므로 이론적으로 계획의 집행과 관리는 계획의 집행은 일반적이고 추성적인 계획안을 점차적으로 위계에 따라 연역화하여 구체화시켜 행동에 옮기는 과정이라고 할 수 있고, 관리는 계획에 제시된 목표와 구체적인 사항들이 차질 없이 수행되고 있는지를 점검하는 활동은 계획의 효율적인 집행을 위하여 중요한 의의를 갖는다. 그러나 실제로 많은 발전계획서에서 계획의 집행과 관리는 대략 계획을 집행하는 데 필요한 재원조달계획 및 투자계획 등이 제시되어 있고, 정작 계획을 어떻게 집행해야 하는지 혹은 어떻게 관리해야 하는지에 대한 내용을 다루는 계획서는 거의 없다.


# Ⅳ. 발전계획서 작성과정의 문제점과 발전방안


## 1. 우리나라 자치단체들의 발전계획서의 문제점

### 1) 발전계획 작성의 필요성 및 배경의 유사성

우리나라의 발전계획 작성의 필요성은 대략 다음과 같은 다섯 가지로 요약된다. 첫째, 세계적 트렌드인 세계화 · 지방화 · 정보화추세에 따른 환경변화에 대처하기 위함 둘째, 제4차 국토종합개발계획(2000-2020)과 같은 상위계획수립에 따른 지역차원의 종합발전 계획서 필요 셋째, 동북아중심국가정책 등 새로운 정권들의 새로운 정책에 따른 지역수용체

제마련 넷째, 지역 내 가용자원을 최대한 활용하는 실천전략 및 정책수단 모색 다섯째, 장기적 지역발전 비전과 전략제시로 지역발전의지를 표현하기 위함 등이다. 그러므로 일반적으로 계획은 어떤 문제점을 인지하는 문제의식에서 출발하여 심오한 분석과정과 연구를 통해 문제를 해결하기 위한 대책을 마련하여 이를 발전계획으로 연계시키는 것이 발전계획의 성과를 명확히 할 수 있는 토대가 마련되는 것인데, 위에서 살펴본 다섯 가지 배경들은 자치단체들이 수동적이거나 문제의 심각성을 간과한 것과 같은 배경들이라는 인식을 가질 수 있어 발전계획의 실효성까지도 의심하게 하는 부분이다. 즉, 발전계획은 명실상부하게 해당지역의 미래모습을 형성하는 것인데, 발전계획수립의 배경자체가 해당지역의 문제에 대한 깊은 성찰에서 출발된 것이 아니기 때문에 발전계획도 역시 대외홍보나 장식용의 역할만을 수행하는 것이 아닌가 하는 의구심이 들 수 있다.

## 2) 발전계획내용의 체제, 성격, 내용의 유사성

우리나라의 발전계획서는 체제와 성격에 있어 어느 정도 정형화되어 있어 거의 천편일률적인 형태를 보이고 있다. 예를 들면 앞에서도 지적한 바와 같이 분석대상이 되었던 우리나라의 자치단체들의 발전계획서의 체제가 거의 모두 총론, 기본구상, 분야별 계획, 계획의 집행과 관리의 네 부분으로 구분되어 있고, 발전계획의 성격도 종합계획, 미래지향적 장기계획(약 5년에서 20년까지), 지방정부주도의 내발적 계획(bottom-up plan), 비전 위주의 계획, 상위계획의 구체화계획, 하위계획의 지침계획, 분야별 하위계획의 수정 및 보완계획의 성격을 지니고 있다.

분야별 계획도 거의 유사하나 지역의 특성에 따라 다소 차이가 있다. 예를 들면 분야별 계획은 해당 자치단체의 조직구성이나 업무구성에 따라 형성되어 있기 때문에 자치단체별로 전반적인 업무나 조직구성은 거의 유사하지만 각 지역의 특성상 다른 업무를 수행하기 위한 조직구성이 되어 있어 이를 감안한 분야별 발전계획이 작성되기 때문에 지역특성상 차이가 약간 있다. 공통적인 분야는 도시공간발전, 지역산업 육성계획, 교통, 문화 및 관광, 사회개발 및 복지, 환경보전, 지역정보화, 토지이용관리, 자치행정, 교육, 주거환경, 생활환경, 방재 및 소방 등이며 다른 분야는 해양수산개발, 국제교류, 생명농업기반, 해운항만, 농어촌, 남북교류계획, 소속기초자치단체의 미래상 등이다.

## 3) 부적절한 발전계획의 집행과 관리내용

일반적으로 발전계획의 집행과 관리부분에서는 해당발전계획을 행동으로 연결하는 것으로 파악되며, 관리 및 평가는 계획이 수정 및 보완되는 과정에서 탈선되지 않도록 계속적인 점검을 하는 과정과 계획이 의도된 대로 관리되고 사용되고 있는가와 의도된 산출이 나타났는가를 사정하는 것을 내용으로 하고 있다. 특히 모니터링과 평가는 현행 계획의 효율성과 장래 계획의 선택과 설계를 개선하기 위해 돕는 필수적인 관리도구이다. 그런데 우리나라 자치단체의 발전계획에 포함되어 있는 계획의 집행과 관리에서는 주로 계획을 집행하는 데 소요되는 예산의 재원확보방안과 연도별, 분야별 투자계획이 제시되고 있다. 그러므로 발전계획에 대한 이론적 주장과 실제적 활용에 차이가 있다. 따라서 우리나라 발전계획의 계획의 집행과 관리부분에서는 계획의 집행에 대해서는 현재 내용으로 담고 있는 재원확보계획과 투자계획은 집행을 위한 전제조건이며, 집행에 포함되어야 하는 것은 간트표, PERT/CPM기법을 활용하여 연도별, 분야별 집행을 제시하여야 한다. 이처럼 발전계획의 집행과 관리에 대한 부적절성은 발전계획이 작성시에는 연구단과 지원단, 자문단 등 발전계획 작성체계상의 많은 조직들이 잦은 화합이나 의사소통을 하여 협의와 협상을 통해 정보도 공유하고 합의를 도출하여 발전계획작성에 기여를 한다. 그러나 일단 발전계획이 작성되고 나면 계획에 대한 집행과정의 점검과 평가가 이루어지지 않아 어느 정도 집행되었는지, 혹은 잘 집행되어 실현하고자 하는 발전목표를 달성하고 있는지에 대해 별로 관심이 없는 것으로 파악된다.

## 4) 목표설정의 주체문제

우리나라 자치단체 발전계획에 포함되어 있는 발전계획목표의 설정은 전문가위주의 목표설정인가? 주민위주의 목표설정인가? 일반적으로 발전계획의 목표는 발전계획을 작성하는 연구진이 해당 자치단체의 지역주민, 공무원, 전문가들을 대상으로 행정수요조사를 통해 이를 통계분석으로 처리하여 행정수요에 대한 기초조사결과를 얻는다. 이를 토대로 하여 연구진이 최종적으로 발전목표를 설정하고 이를 실현시키는 하위목표를 제시하고 이를 실현시키는 분야별 목표를 구체적으로 설정하여 자문단, 지원단 등이 참석하는 회의에 부쳐 검토와 수정을 받는다. 결과적으로 지역주민들의 행정수요를 바탕으로 하지만 결국은 발전계획에 직접적으로 참여하는 세력들의 이해관계에 의해 발전계획의 목표들이 설정된다고 할 수 있다.

## 5) 관주도적인 발전계획 작성 추진

우리나라 자치단체에서 작성하는 발전계획은 아직도 민주적인 형태로 이루어지고 있지 않다. 발전계획은 주로 자치단체가 발전계획의 작성에 주도적인 입장을 유지하여 민간주도보다는 관주도적인 인식을 가지게 하며, 실제로 발전계획의 연구진도 관과는 관계가 없는 주민의 입장을 가지고 있는 전문가들로 구성되기보다는 대개의 경우 자치단체의 소속으로 되어 있는 연구기관들이 주로 작성하는 연구진을 이루고 있다. 그러므로 자치단체로부터 재원 및 인력 등 완전히 자유로울 수 없는 연구기관들이 발전계획을 작성할 시 발전계획 작성과정상의 민주성을 확보하기는 하지만 내용상의 민주성도 확보될지는 의문이다. 과정적 측면에서의 민주성은 계획수립과정에서 광범위한 참여를 통하여 대표성을 높이는 것이며, 내용적 측면에서의 민주성은 개인의 자아실현, 기회균등, 사회정의와 형평등의 가치를 계획목표 속에 충분히 반영하는 것이다.

## 6) 효율성 검토를 위한 제도적 장치의 부재

효율성은 효과성과 능률성을 결합한 개념으로서, 효과성은 목표달성도를 의미하며, 능률성은 설정된 목표를 가정 적은 비용으로 성취하고자 하는 경제성을 의미하며 투입 대 산출의 비율로 나타낼 수 있다. 기획의 핵심이 되는 본질은 목표달성을 위한 효율적인 대안을 탐색하여 가장 바람직한 방안을 선택하는 일이다. 장기적이며 종합적인 자원배분에 관한 결정은 주로 발전기획을 통해서 이루어진다고 할 수 있다. 한 국가나 사회가 보유하고 있는 자원을 합리적으로 배분하여 효용을 극대화하는 기능은 발전기획이 수행해야 할 가장 중요한 역할이다. 그러나 발전계획이 추진되는 과정이나 추진 후에 발전계획에 대한 평가를 해보거나 그 결과를 발표하는 등의 절차가 거의 없다. 특히 어떤 특정분야에 대한 발전계획을 작성할 때와 추진후의 결과를 상대적으로 비교하거나 특정분야나 특정서비스에 대한 주민들의 만족도 등을 분석하여 그 결과를 공표하는 경우가 없다. 그러므로 발전계획이 효율성을 가지고 있는지 혹은 상위계획에 대한 수용태세를 갖추고 있는지 혹은 하위계획에 대한 지침적 성격을 가지고 있는지에 대한 평가와 발전계획 자체의 집행평가가 이루어지지 않아 발전계획의 순환적 수정 및 보완이 이루어지기 어렵다. 따라서 발전계획이 효율적으로 이루어지는지 혹은 비효율적으로 이루어지는지를 알기가 어렵다.

## 7) 활용계획의 전무

많은 역사가나 철학자들은 문명의 발전이 지식의 발전과 지식의 사회에 대한 적용에 의해 이루어졌다고 주장한다. 이러한 주장은 공공부문에도 적용되어서 발전계획에 대한 활용문제로 연결된다. 여기서 발전계획에 대한 활용이란 특정한 자치단체가 수행하는 정책결정이나 사업활동들이 작성한 발전계획에 의해 직접적으로 구체적인 영향을 받는 것으로 정의하고자 한다. 실제로 각 자치단체가 발전계획을 작성하면, 장기발전계획을 실행하기 위한 연차별 실행계획을 작성하여야 하고 이를 토대로 하여 예산안을 작성하여야 하도록 해야 발전계획에 대한 활용을 한다고 볼 수 있다. 그런데 현재 발전계획에 대한 활용이 발전계획에 따라 구체적인 행동으로 적용되는 수단적인 활용보다는 발전계획이 어떤 목적에 직접적으로 관련시키지 않으면서도 어떤 문제에 관한 사고에 영향을 미치는 개념적 활용 내지는 자치단체가 자기의 정치적 입장이나 상대방의 견해를 비판하기 위한 노력의 일환으로 활용하는 설득적 활용으로 이용되는 경우가 많다고 볼 수 있다.

## 2. 발전방안

### 1) 발전계획 작성의 필요성·배경·체제·성격 등의 다양성

일반적으로 각 자치단체들이 발전계획을 작성하는 배경과 필요성은 유사할 수도 있지만 서로 다를 수 있어야 한다. 각 자치단체들이 처한 환경변화뿐만 아니라 발전전략도 다르기 때문이다. 특히 각 자치단체의 주민들은 생업들이 다를 수 있어 그들이 원하는 행정서비스도 다를 수 있기 때문이다. 특히 최근에는 지방화의 강조에 따라 각 지역의 특성화를 추구하기 때문에 내용 또한 달라야 한다. 그리고 발전계획서의 체제와 성격이 거의 유사한데, 이 문제도 발전계획서의 특성에 따라 각 자치단체들이 제시하는 체제와 성격이 차이가 있어야 한다. 그러므로 각 자치단체들이 발간하는 발전계획서는 다양한 성격과 체제를 가지고 다양한 내용들을 수록하여야 하며, 일반적인 발전계획서 작성의 필요성이나 배경보다는 각 자치단체들이 발전계획서를 작성해야 하는 특유한 필요성이나 배경을 제시하여야 한다.

## 2) 발전계획서 작성상의 추구이념

### (1) 민주성(참여성)

참여정부하에서의 발전계획 작성에서 필요한 사항은 참여와 분권이라고 할 수 있다. 참여란 의사결정에 의해 영향을 받는 집단에게 의사결정에 영향을 줄 기회를 제공하는 과정이다. 따라서 주민참여는 주민에게 영향을 줄 수 있는 결정이나 계획이 주민이 개입할 수 있는 기회를 제공하여 결정에 영향을 미치도록 하는 과정이라고 정의할 수 있다. 그런데 참여의 개념도 시대에 따라 변하게 되는데, 최근에 제기되는 참여의 개념은 첫째, 과거에는 지역주민의 적절한 역할이 계획결정에 국한시켰지만 새로운 견해는 채택된 계획이 어떻게 운영되는가 하는 계획집행에 초점을 두고 있다. 둘째, 엘리트중심의 주민참여에서 저소득층의 범주를 포함하는 주민의 범위를 확대했다(Thomas, 1995:3-4). 과정적 측면에서 계획수립과정에의 광범위한 참여를 통하여 대표성을 높이고 개인의 지적 성장을 촉진하는 것이 곧 민주성을 실현하는 길이다(김신복, 1999:39). 참여의 목적은 행정과 정책기관의 대표성과 반응성을 증대시키고, 주민의 정치적 효과성을 높이며 행정적 판단력의 남용을 억제하는 행동이기 때문에 바람직하다. 또한 주민 스스로 행정적인 의사결정에 관여할 능력을 본래 가진 존재로 스스로 생각한다면 주민과 행정가들은 공익을 위해 함께 일할 수 있고 결과적으로 조직을 변화시킬 수 있다고 생각하여 참여는 개인들에게 인간으로서의 잠재력을 인식시키는 데 필수적이라고 판단된다(정환용, 2001: 226).

발전계획에 민간이 참여하여야 하는 이유로는 첫째, 지역발전의 주역이 지방자치단체와 지역주민이기 때문이다. 사회경제정세의 급격한 변화가 이루어지는 가운데 당면한 과제에 적절히 대응하고 지역주민 모두가 만족해하는 지역사회를 형성하기 위하여 지역주민들이 자기에 걸맞게 역할을 인식하고 대화하고 행동하는 것이 중요하다. 둘째, 그러므로 자치단체의 운영에 지역주민들이 참가할 수 있는 기회를 확충하고, 지역주민들의 의견을 각종의 시책에 반영되도록 하고 자치단체의 정책에 대한 이해와 협력을 얻어야 한다. 특히 홍보활동과 적절한 정보공개제도를 운영하고 각 지역들 간의 정보 네트워크를 정비하는 등, 지역주민에게 열린 지방자치단체 운영을 추진하도록 하여 지역주민과 일체감 있는 자치단체를 만들어야 한다. 셋째, 개성이 풍부한 지역을 만들기 위해서는 주민들의 창의성 있는 연구와 적극적인 행동에 의해 가능하다. 이를 위해 지역활동 등 지역주민들의 자주적 활동에 의한 지역문화의 창조 등을 지원하고 자치단체나 지역주민 공히 매력 있는 지역

만들기 노력을 기울여야 한다. 넷째, 민간의 활동은 근래에 들어서 산업경제의 분야만이 아니고, 문화활동과 지역만들기 등 다양한 분야에서 활발하게 전개되고 있다. 자치단체나 민간간의 연대와 역할분담을 추진해 나가면서 우수한 발상과 경영력, 자금력 등의 민간활력을 적극적으로 유치하여 지역의 활성화를 도모해야 한다. 다섯째, 수도권 중심의 발전방향에서 벗어나 지방의 활성화를 논의되고 있는 와중에 지방분권과 국가균형발전의 경향이 분명해지고 있다. 그러므로 새로운 지방의 시대가 전개됨에 따라 자치단체가 지역의 실정에 대응하여 자기 스스로의 창의에 따라 행정운영을 시행하여 지방분권의 추진에 적극적으로 참여해야 한다.(茨城縣長期總合計劃, 1995: 229)

이러한 참여의 중요성은 1960년대 후반 이래로 전문가 중심의 합리적 종합적 계획접근에서 참여계획의 중요성을 강조하는 주장들이 나타나기 시작했다. 그 이유는 ① 정부가 환경문제, 빈곤문제, 교육문제 등 사회문제에 효과적으로 대처하지 못했기 때문에 주민참여를 통해 해결방안을 강구할 필요성이 있기 때문이며, ② 주민참여는 포스트모더니즘적인 특성인 중산층붕괴, 가치분화, 전문성에 대한 환상에 의한 상대적인 반발로 나타났으며, ③ 사람들의 교육수준이 높아짐에 따라 그들의 생활에 영향을 미치는 결정에 보다 많은 관여를 요구하게 되었다. ④ 정보통신기술의 발달에 따라 정보에 대한 접근이 용이해지고 집권적 의사결정의 바탕인 정보의 중앙통제가 약화되게 되었기 때문이다. ⑤ 강한 민주주의를 달성하기 위해서는 정책결정과정에 보다 광범위하고 효과적인 주민참여가 되도록 요구하기 때문이다(정환용, 2001: 221). 이러한 발전계획서를 작성 할 때에는 민주성이나 참여성을 확보하기 위해서 다음과 같은 방안이 필수적이다.

### 가. 민주적인 발전계획 작성체제 마련

이를 위해 발전계획 작성체계는 발전계획연구단, 발전계획 작성 실무지원단, 발전계획 작성 자문단을 구성하여야 한다. 연구단은 실제적으로 자치단체의 발전계획서를 작성하는 사람들로 해당분야의 권위자들로 구성된다. 이들은 발전계획연구에 총괄적인 책임을 지는 연구책임자와 분야별 발전계획을 작성하는 연구위원들로 구성되며, 연구를 직접 수행하는 사람들을 지원하는 인력으로서 연구지원인력과 연락 및 회계처리업무를 담당하는 행정지원을 맡는 인력으로 구성된다. 이들은 적게는 20명 정도에서 많게는 30명 정도로 구성된다. 실무지원단은 해당분야에서 실무를 직접 관장하고 있는 자치단체의 5-7급 정도의 공무원들로 구성되는데, 이들은 총괄 및 분야별 지원인력으로 형성된다. 이들은 현재까지

각 분야에서 추진해 온 과정과 앞으로의 목표들을 상세히 보고하거나 이와 관련된 자료들을 연구단에 제공하는 역할을 하며, 연구단에서 발전계획을 작성할 시 실제적인 조언과 실현가능성을 언급하는 기능을 지닌다. 자문단은 자치단체의 국장급이상, 지방의회의원들 중 상임위원회 위원장들, 해당 분야별 전문가들과 해당 지역의 NGO 단체들의 수장급들로 이루어진다. 이들은 발전계획 작성기간 중 분기별로 발전계획시안이나 해당 문제에 대한 자문을 하는 기능을 지닌다. 민주적인 발전계획 작성과정을 이루려면, 이들 세 집단 간의 원활한 의사소통과 정보의 공유가 필수적이며 빈번히 대화의 장을 마련하여 심도 있는 토론이 이루어져야 한다. 그리고 이러한 발전계획 작성에 필요한 체제들을 조례나 규칙으로 마련하여 활동의 근거를 마련하여야 한다. 그리고 일반시민·공무원·전문가들을 대상으로 하는 설문조사, 분야별 발전계획 작성을 위한 분야별 전문가(정책공동체)들 간의 심포지엄, 발전계획내용에 대한 공청회 등을 개최하여 각계각층의 여론을 수렴하여야 한다.

### 나. 행정수요조사 실시

발전계획에 대한 목표설정 및 대안적 전략을 마련하기 위하여 일반지역주민, 공무원, 전문가를 대상으로 행정수요조사를 실시한다. 조사에는 지역에 대한 전반적인 현황과 문제점, 당면과제의 심각성 파악, 지역의 이미지 및 미래상, 도시개발·산업경제 및 국제화·생활환경·관광·문화·체육·보건복지 등 다양한 분야에 대한 시급한 문제점과 해결방안 등을 포함하고 있다.

### 다. 분야별 정책공동체의 심포지엄 실시

심포지엄은 첫째, 학계, 재계, 관계, NGO, 시민 대표 등 다양한 계층의 인사들을 토론자로 참여시킴으로써 다양한 의견을 수렴하고 편향된 대안의 제시를 방지할 수 있고 둘째, 해당 분야의 전문가로서 학계 혹은 연구계에 종사하는 인사를 주제 발표자로 선정함으로써 현상분석과 대안의 제시에 있어서 전문성을 확보할 수 있다. 셋째, 방청객으로 참가한 시민들에게 발언의 기회를 주고 그들의 반응을 살핌으로써 시민욕구를 파악할 수 있고, 자칫 이해집단의 대립으로 끝날 수 있는 공청회의 약점을 보완할 수 있다.

라. 공청회 및 구, 군청 의견 수렴

본 계획의 최종보고서 제 1차 원고가 완성되면 지역주민을 대상으로 분야별 공청회를 개최하여 시민, 시민운동가, 언론인, 기초 및 하부행정조직의 직원 등 다양한 계층의 인사가 방청하고 여러 가지 의견이 제시된다. 공청회 외에도 관내 여러 개의 기초나 하부행정조직에 최종보고서 제1차 원고를 송부하여 종합검토 및 의견제시를 요청한다. 그리고 공청회 및 기초 및 하부행정조직에서 제시된 의견은 엄정히 분석하여 최종계획에 부분적으로 반영한다.

(2) 효율성 추구

효율성은 효과성과 능률성을 결합한 개념으로서, 효과성은 목표달성도를 의미하며, 능률성은 설정된 목표를 가정 적은 비용으로 성취하고자 하는 경제성을 의미하며 투입 대 산출의 비율로 나타낼 수 있다. 그러므로 첫째, 발전계획이 효율적이기 위해서는 먼저 조직의 최고위층이 발전계획에 대한 관심을 기울이고 이를 조직의 발전에 근본으로 삼아야 한다는 마인드가 있어야 한다. 둘째, 발전계획목표를 가장 효율적으로 실현시킬 수 있는 대안을 마련하여야 하고 목표의 우선순위와 상위목표와 하위목표간의 적절성이 유지되어야 하며 각 대안에 대한 재원투자계획이 이루어져야 한다. 그러기 위해서는 해당문제에 대한 전문성을 가지고 있는 인력이 투입되어야 하며, 해결방안이 적절하지 않을 경우에는 창의력을 발휘할 수 있는 사람이 필요하다. 셋째, 발전계획에 대한 평가체제를 도입하여 발전계획의 집행과정을 점검하고, 일정시점기간을 중심으로 집행결과를 평가하여 발전계획의 수정 및 보완이 이루어지도록 하는 과정이 있어야 한다. 따라서 발전계획의 집행에 따른 평가인력, 평가시기, 평가체계, 평가예산, 평가지표마련, 평가결과의 활용방안 마련, 평가결과의 수정 및 보완 절차 마련 등이 하나의 제도로서 이루어져야 한다.

3) 활용정도의 제고

발전계획에 대한 활용이란 특정한 자치단체가 수행하는 정책결정이나 사업 활동이 작성한 발전계획에 의해 직접적으로 구체적인 영향을 받는 것으로 정의하고자 한다. 실제로 각 자치단체가 발전계획을 작성하면, 장기발전계획을 실행하기 위한 연차별 실행계획을 작성하여야 하고 이를 토대로 하여 예산안을 작성하여야 하도록 해야 발전계획에 대한 활용을 한다고 볼 수 있다. 그러기 위해서는 관료들이 주요업무계획 작성 시, 예산안 작성 시, 정책대안마련 시 발전계획과의 연계를 충분히 고려하여야 한다. 그러므로 활용정도를 높이기 위해서는 발전계획을 작성할 때에 연구단과 공무원들 간의 합동회의나 공무원들의 의견을 충분히 반영하여 발전계획을 작성하여야 한다.

### 4) 바람직한 평가제도의 마련 및 운용

특히 현재 우리나라 발전계획서에는 제외되어 있는 평가부분은 발전계획이 평가부분에서는 발전계획에 대한 주기적 평가계획을 확립하여야 한다. 평가체제, 평가시기, 평가지표, 평가예산, 평가인력에 대한 계획을 제시하여야 하고 이의 평가결과를 활용할 방안도 마련하여야 한다. 특히 평가를 위한 제도 마련뿐만 아니라 항시 자치단체의 발전계획, 행정현상, 단체장에 대한 신속하고도 객관적인 평가를 하기 위하여 상당한 수의 지역주민을 중심으로 하는 행정모니터제를 고려하는 것도 바람직하고 자치단체의 기획부서 및 예산부서에서는 주요업무계획을 작성하거나 예산액을 작성할 때에 발전계획과의 연계성이나 적절성을 참고로 하여야 하며, 각종 평가제도에서도 발전계획내용의 실현정도를 평가지표로 활용하도록 하는 시스템을 구축하여야 한다.

# V. 결 론

본 논문에서는 현재 12개의 지방자치단체들이 작성한 발전계획서의 내용과 과정을 분석하여 이에 대한 경향과 문제점을 파악하여 보다 긍정적이며 바람직한 발전계획서를 수립할 수 있는 방안을 모색하고자 하였다. 특히 참여와 분권을 특징으로 하고 있는 참여정부하에서, 자치단체들이 자체적으로 지역의 발전계획서를 작성하는 과정에서 발전계획의 이념인 민주성, 효율성을 실현하는 방안을 제시하고, 발전계획서에 대한 활용정도를 높이는 방법을 연구하여 발전계획서를 통한 지역발전이 민주적이며, 효율적으로 이루어지는 데 기여하고자 하는 것이 본 연구의 목적으로 삼았다. 발전계획에 대한 이론적 고찰을 통해 정밀한 발전계획수립과정과 단계를 제시하였으며, 이를 토대로 하여 발전계획서들을 분석하였다. 분석결과 문제점으로는 발전계획내용의 체제·성격·내용의 유사성, 발전계획의 필요성·배경의 유사성, 발전계획의 집행과 관리내용의 부적절성, 애매한 목표설정의 주체세력, 과정적 민주성은 어느 정도 이루어지나 내용적 민주성에 대한 의구심, 발전계획에 대한 평가제도의 전무로 인한 효율성 저하, 발전계획서의 낮은 활용정도 등이 제기되었다. 이러한 문제점에 대한 해결방안으로, 민주성이나 참여의 정도를 제고하려는 발전계획 작성체계를 연구단, 지원단, 자문단으로 구성하고 이의 법적 근거를 마련하고, 이들 간의 원활한 의사소통, 정보공유, 심도 있는 토론을 할 수 있는 체계를 마련하여야 한다. 또한 일반시민·공무원·전문가 등을 대상으로 하는 행정수요조사를 실시하고 분야별 발전계획을 작성할 시에는 분야별 여론조사, 정책공동체간의 심포지엄 등을 활성화하여야 하고, 일반시민들이나 전문가들의 의견수렴을 제도적으로 보장하는 행정모니터링제를 실시하여야 한다. 또한 발전계획의 효율성과 활용정도를 제고하기 위해서는 첫째, 조직의 최고위층들이 발전계획에 대한 관심을 제고하도록 하고 둘째, 합리적인 목표 간의 우선순위를 정해야 하고 셋째, 발전계획의 점검계획과 평가계획을 작성하여 이의 결과를 토대로 하여 발전계획의 수정과 보완을 체계적으로 할 수 있는 시스템을 마련하여야 한다.

# 참고문헌

권영찬 및 이성복.(1989). 기획론, 서울:법문사.

김봉식.(1982). 기획론, 서울:박영사.

김신복.(1999). 발전기획론. 서울: 박영사.

나기산 외(역).(1994), 정책분석론, 서울:법문사.

박수영·임보영·우병렬(역).(2000). 높은 성과를 내는 정부 만들기. 서울:삼성경제연구소.

박우서·박경원(역).(1995). 현대기획이론, 서울:나남출판.

서정민.(2000). 사업계획서, 서울: 한국세정신문사.

이영조.(2000). 행정학의 이해, 서울: 도서출판 학우.

이종수・윤영진 외.(2001). 새 행정학, 서울 :대영문화사.

윤정길.(1976). 발전기획능력론, 서울:을지출판사.

정환용.(2001). 계획이론. 서울:박영사

정환용.(1999). 도시계획학원론. 서울:박영사.

최신융 외.(2003). 행정기획론. 서울: 박영사.

경상남도.(2001). 제3차 경상남도 종합계획(2001-2020).

속초시.(2002). 속초시중장기비전.

충청북도.(2001). 제3차 충청북도 종합계획.

제천시.(2002). 제천시 장기종합개발계획(2001-2020).

울산광역시 동구.(2002). 21c 동구발전 기본계획.

함평군.(2000). 함평군 종합발전계획: 미래를 선도하는 생태전원도시.

전라남도.(2001). 제3차 전라남도 종합계획(2001-2020).

대구광역시.(2003). 대구장기발전계획: 대구비전 2020.

영주시.(2002). 영주시 장기발전계획(2002-2020).

울산광역시.(2002). 울산 중장기 발전계획(2002-2021).

의왕시.(2003). 의왕비전21.

수원시.(2003). 수원 2006: 비전과 드림.

日本国 茨城県(1995). 茨城県長期総合計劃.

日本国 水戸市(1994). 水戸市第4次総合計劃.

Ackoff R. L., et al.(1981), *A prologue to National Development*, Philadelpia: univ. of Pennsylvania Social System Sciences Department.

Davidoff Paul & Reiner Thomas A.(1962), "A Chioce of Planning," *Journal of the American Institute of Planner*, Vol. 28(May/1962).

Denhardt Robert B.(1999), *Public Administration: An Action Orientation*, 3rd ed. TX. Fort Worth: Harcourt Brace & Company.

Gortner Herold F.(1981), *Administration in the Public Sector*, 2nd ed.

Friedman. J.(1969), "The Role of Cities in National Develpment", *American Behavioral Scientist*, Vol. 12, No. 5.

Koontz H. & O'Donnell C.(1964), *Principle of Management*, McGraw-Hill.

Olsen John B. & Eadie Douglas C. (1982), *The Game Plan: Governance with Foresight*, Washington. DC: Council of State Planning Agencies.

# 제5장 지방정부의 지방행정혁신전략

김 필 두*

# I. 서 론

21세기에 들어서면서 각국은 지방화, 정보화, 세계화 등의 시대적인 흐름에 적응하기 위하여 국정운영의 기본 틀을 중앙정부 중심체제에서 지방정부 중심체제로 전환 해나가고 있다. 이는 교통통신의 발달에 따른 정보화와 세계화의 큰 변화 속에서 중앙정부의 역할을 점차 축소되고 지방의 역할과 비중이 점차적으로 커져가는 추세를 반영한 것이다. 더욱이 다국적 기업이 지역지향성을 가지면서 이제 지방은 중앙정부를 통하지 않고 세계경제의 주역으로 자리 잡고 국제적인 경쟁에 직접적으로 맞서야 하는 과제를 안게 되었다(Furnkawa, 2001).

중앙정부의 역할이 축소된 지방화시대에 있어서의 지역의 역량은 국가발전의 중요한 원동력이 된다. 따라서 효율적으로 국가발전의 기반을 구축하기 위해서는 지역에 산재해 있는 유형·무형의 잠재적인 자원을 하나로 묶어서 극대화시키는 작업이 필요하다. 이러한 일련의 작업들을 효과적으로 추진하기 위해서는 새로운 변화에 대응할 수 있는 사회 각 영역에 있어서의 기본 틀을 바꾸는 혁신활동의 전개가 필요하다.

OECD 등 주요 선진국들은 1970년대 후반부터 신공공관리론(New Public Management)적 시각에서 정부개혁과 정부혁신을 추진하면서 정부운영의 효율성 향상을 도모하여 왔다. 미국의 정부 재창조 프로그램(The National Partnership for Reinventing Government), 영국의 넥스트 스텝(Next Steps)과 최고가치제도(Best Value), 독일의 정부역할 축소 및 능률적 정부구축을 위한 프로그램(Aufgaben- politik und Schlanker Staat) 등은 공공부문의

---

* 한국지방행정연구원 수석연구원

효율성 제고와 경쟁력 강화를 위한 대표적인 정부 프로그램들이다.

우리나라도 외환위기의 극복을 위하여 공공부문의 구조조정과 경쟁원리의 강조 및 새로운 경영 및 관리기법의 도입 등을 통하여 행정을 근본적으로 개혁하기 위한 노력들을 기울여 왔다.

참여정부는 지방행정의 혁신 없이는 정부혁신의 성공을 달성할 수 없다는 인식하에 지방행정혁신을 적극적으로 추진해 나가고 있다. 지방행정혁신은 민간기업의 경영혁신 추진전략과 차별화되어야 할 필요가 있다. 기업의 경영혁신을 위한 추진전략들은 효율성을 중심으로 기업현실에 맞게 개발되었기 때문에 이를 지방자치단체에 그대로 적용하기에는 한계가 있다. 따라서 정부혁신이 지방자치단체에 삼투압 되기 위해서는 지방의 여건과 특성을 고려한 지방자치단체 고유의 행정혁신 추진전략이 필요하다.

지방자치단체가 본격적인 지방행정혁신을 추진하기 시작한 지 1년이 지난 시점에서 지방행정혁신을 성공적으로 추진하기 위하여 앞으로 선택하여야 할 전략을 제안하는 것을 연구의 목적으로 하고 있다.


# Ⅱ. 지방행정혁신에 대한 이론적 검토


## 1. 혁신의 의의

### 1) 혁신의 정의

혁신에 대한 정의는 학자들이 혁신을 바라보는 관점과 시각에 따라서 다양하게 제시되고 있다. 예를 들면, 혁신은 새로운 생각이나 행태의 채택(Becker & Whisler, 1967), 혁신은 새로운 사상, 방법, 도구의 도입(Merritt & Merritt, 1985), 혁신은 새로운 행태, 새로운 행위, 새로운 연쇄적 기대를 포함하는 개념(Deutch, 1985), 혁신은 업무과정, 산출, 행태, 프로그램, 기술 등에서 새로운 것을 도입하는 과정 및 결과를 지칭하며 새로움, 현실적 적용, 효과의 세 가지 요소를 가지는 개념(Harris & Kinney, 2003), 혁신은 묵은 제도나 방식을 새롭게 고치는 것(정부혁신지방분권위원회, 2004) 등이다.

이들의 논의를 종합해 보면, 다음과 같다.

첫 번째, 혁신을 새로운(new) 것으로 보는 입장이다. 개인이나 집단에게 새롭게 느껴지는 아이디어, 실천, 목표 등을 혁신으로 보는 관점(Roger & Shoemaker, 1971)과 "새로움"이라는 개념을 중심으로 혁신을 새롭게 또는 최초로 시도되는 모든 것을 혁신으로 보는 객관적 혁신(Objective Innovation)과 새롭게 혹은 최초로 시도되었다는 사실보다는 그것을 받아들이는 주체가 새롭게 인식을 하면 그것이 혁신이이라는 주관적 혁신(Subjective Innovation)으로 설명하는 관점(Kimberly, 1981) 등이다.

두 번째, 혁신을 과정(process)으로 보는 관점이다. 혁신이란 새로운 생산물이나 서비스를 창출하기 위해 필요한 새로운 아이디어를 만들어내고 이를 실행하는 과정으로 보는 관점이다(Urabe, 1988). 즉, 혁신이란 일회적인 현상이 아니라, 새로운 아이디어를 창출해내고 이를 실제에 집행하기까지 모든 과정에 걸친 일련의 의사결정과정을 모두 포함하는 장기적인 현상이며 축적적인(cumulative process)과정으로 보는 관점이다.

셋째, 혁신을 환경과의 상호작용과정(interaction process)으로 보는 관점이다. 여기서는 혁신은 현재의 조직과 환경간의 내적, 외적인 관계에 변화를 유발하는 새로운 아이디어를 소개하거나 채택하는 것을 말한다.

혁신(innovation)을 변화(change) 및 개혁(Reform)과 비교해 보는 것은 혁신의 의미를 이해하는 데 도움이 된다. 변화는 광범위한 영역과 대상에 걸쳐 일어나는 자연적인 흐름(생성, 소멸, 진화, 변화, 변형 등)을 모두 포함하는 가장 광의의 개념이며, 그 자체가 바람직하거나 혹은 바람직하지 않은가를 구분하지 않는 개념이다(Clayton, 1997; Slappendal, 1996). 반면에 혁신은 사람들이 새로운 것이라고 인식하는 바람직한 변화를 의미한다(Clayton, 1997; Slappendal, 1996). 따라서 모든 혁신은 변화를 의미하지만 조직에 채택된 모든 것이 새로운 것으로 인식되지 않는 변화는 혁신에 포함하지 않는다.

개혁과 혁신의 공통점으로는 개혁과 혁신 모두 새로운 것이라는 점, 둘 다 의도적이며 목적지향적인 활동이라는 점, 그리고 둘 다 개방체계의 관점에서 동태적인 과정으로 인식한다는 점 등이 제시되고 있다. 개혁과 혁신의 차이점으로는 개혁은 일반적으로 행정관리나 과학적 관리계통의 사람들이 사용하던 개념으로 주로 제도의 변화(the change of institution)를 대상으로 할 때 사용되는 반면에 혁신은 주로 행태학이 학문의 주류를 형성한 이후에 행태학 분야에서 사용되는 용어로 주로 행태의 변화(the change of behavior)를 대상으로 하고 있다는 점에서 차이가 있다. 또한, 개혁은 사회체제까지 분석

단위나 연구대상에 포함시키지만, 혁신은 체제 속의 하위체제나 하나의 조직단위, 또는 기법이나 프로그램 등에 한정한다는 점에서 차이가 있다.

## 2) 혁신의 단계와 과정

혁신은 일련의 연속적인 과정을 통하여 확산된다. 혁신의 단계 및 과정을 설명하는 주요 이론으로는 Rogers & Shoemaker(1971) 등이 제시하는 2단계 흐름이론(The Two-Step Flow Theory), Lewin (1947)의 장(場)이론(Lewinian Field Theory), 혁신과정이론(Pelz, 1985; Klepper, 1977) 등이 있다.

2단계 흐름이론은 공동체(community), 혹은 집단 내의 혁신이 발생하는 과정을 설명하는 이론으로 공동체 내에 새로운 기술이나 지식을 먼저 접한 소수의 사람들(pioneer, laggard, early adopter)이 혁신을 유도하는 역할을 한다는 것을 강조하고 있다. 특히 2단계 흐름이론은 이러한 혁신의 주도자들이 공동체 내의 구성원들에게 혁신을 전파하는 과정에 초점을 두고 있다.

레윈의 장이론은 개인(individual)을 분석단위로 하여 성공적인 변화과정을 해빙단계(Unfreezing), 변화단계(Moving), 재결빙단계(Refreezing)의 세 단계 모델로 설명하고 있다. 레윈은 혁신을 성공시키기 위해 가장 중요한 단계를 첫 번째 단계인 과거의 것들과의 의도적인 단절단계로 보고 있으며, 따라서 혁신에 성공하기 위해서는 조직구성원들의 저항(resistance)을 최소화해야 하며, 가능한 한 많은 구성원들이 의사결정과정에 참여(participation)할 수 있도록 해야 한다고 주장하고 있다.

혁신과정이론(Innovation-Process Theory)은 혁신의 과정에서 과연 조직의 구성원들이 무엇을 하는지에 대해 초점을 두고 혁신의 과정을 분석하고 있다.

## 3) 혁신의 유형

혁신의 유형은 학자들에 따라 다양하게 분류되고 있지만, 정부혁신과 관련된 혁신 유형론의 논의를 종합해 보면 혁신은 관리혁신, 기술혁신, 서비스 및 상품혁신, 과정혁신 등 네 가지로 분류할 수 있다(Whipp & Clark, 1986; Kimberly & Evanisko, 1981; 이성진, 2001).

관리혁신(Administrative Innovation)은 구조혁신 및 인적혁신, 즉 조직구조와 관련된

통제 및 권위체계, 사회적 관계, 의사소통, 규율, 역할, 절차, 구조 등과 관련된 구조혁신
과 조직구성원의 변경이나 능력향상 등과 관련된 인적혁신을 의미한다.

기술혁신(Technical Innovation)은 기존의 기술체계를 활용하거나 응용하는 것으로 대
개 정보화 또는 전산화와 관련되는 것으로 전자결제제도, 전자사서함, 정보시스템구축, 대
민원업무전산화, 지적전산화, 과세전산화 등을 들 수 있다.

서비스 및 상품혁신(Service and Product Innovation)은 생산혁신 혹은 산출혁신이라고
도 하며, 산출에 영향을 주는 혁신으로 정부가 제공하는 대민원서비스 및 구체적인 생산
물의 질적 향상을 위한 혁신이다. 예를 들어, 휴일민원처리제, 일일민원처리제, 원스톱
(one-stop) 민원처리제, 단일창구서비스, 온라인서비스 등이 있다.

과정혁신(Process Innovation)은 생산물이 만들어지거나 전달되는 방법의 변화, 조직에
혁신을 채택하기 위한 새로운 운영기술 등을 의미한다. 과정혁신은 주로 서비스의 제공이
나 산출에서의 시간단축을 위하여 이루어진다.


## 2. 지방행정혁신의 의의

### 1) 지방행정혁신의 의미 및 방향

지방행정혁신은 지방자치단체가 행정서비스를 창출하는 데 있어서 효율적인 방법을 모
색하고 주민들의 요구에 효과적으로 반응할 수 있는 전략을 모색하는 과정이라고 할 수
있다. 또한 지방행정 혁신은 국민과의 접점에서 혁신성과를 국민이 직접 체감케 하여 정
부에 대한 신뢰로 이어질 수 있다는 점에서 정부혁신의 가시적 성과의 최종 귀착점으로,
구체적으로 조직구조, 업무프로세스, 행정문화, 관리기법 등 지방자치 전반에 걸쳐 관리개
선을 통해 지역의 경쟁력 강화 및 행정서비스에 대한 주민의 만족과 행정신뢰를 높이기
위한 총체적 활동으로 정의할 수 있다.

지방행정혁신은 지역사회 내의 공공기관, 특히 집행기관의 혁신을 의미한다는 측면에서
지방자치단체 구역 내의 경제발전과 지역개발을 총칭하는 지역혁신(Regional Innovation)
과는 개념적 구분이 필요가 있다. 지방행정혁신은 지방분권과 지역혁신의 성공적 추진을
위한 기반이자 전제조건으로 궁극적으로 지역혁신을 능동적, 주도적, 자생적으로 추진할
수 있는 지방자치단체의 역량강화가 목표라고 할 수 있다.

## 2) 지방행정혁신의 유형 및 내용

지방자치치제가 본격적으로 실시 이후 지방자치단체의 조직구조 및 관리기술상의 비효율성 등의 문제점이 지적되면서 지방행정에 새로운 기술과 지식을 도입하려는 노력들이 지속적으로 나타나고 있다. 지역사회의 발전을 도모하고 내부역량을 강화하기 위해 지방자치단체는 지속적으로 혁신을 추구해야 한다(Niosi, 2002; Johnson & Walzer, 2000). 지방자치단체의 궁극적인 목표는 지역사회의 발전이지만 지역사회의 발전을 위해서는 먼저 지방자치단체의 역량을 강화해야 한다.

각 지방자치단체는 상이한 환경, 상이한 수요 상이한 리더십 등에 의해 상이한 혁신의 방향을 채택하게 된다. 그러나 상이하게 나타나는 혁신의 방향을 몇 가지로 유형화시켜 볼 수 있다. 이러한 유형화는 지방자치단체의 혁신실태에 대한 이해의 편리를 도모하고, 혁신의 총체적 흐름을 파악하는 데 도움을 준다(이종수, 2004).

지방자치단체의 혁신유형에 대해 Lowndes(1999)는 능률지향형, 시장지향형, 공동체지향으로 분류하고 있다. 능률지향형은 조직관리의 개선을 통해 성과를 제고하고자 하는 유형이며, 시장지향형은 계약, 민간위탁, 민영화 등 시장기제의 활용을 확대하는 유형이며, 공동체지향형은 주민참여를 통해 시민주권의 극대화 및 형평화를 추구하는 유형이다. 능률지향형 및 시장지향형은 효율성의 제고와 관련이 있으며, 공동제지향형은 민주성과 형평성의 제고와 관련이 있다. 이와 아울러 환경적 요소를 지방정부 차원으로 내면화시키는 유연성이라는 요소가 지방정부혁신의 요소로 추가될 수 있다(Cainelli and zoboli, 2004).

결국 지방자치단체가 추구하는 혁신의 방향과 내용은 민주성 증진, 효율성 제고, 유연성 확대, 형평성 증대로 분류할 수 있다(Naschold, 1996; 이승종, 2004). 민주성은 정책 및 행정과정에 주민의 참여를 확대하는 것이고, 효율성은 비용절감을 위하여 행정관리를 개선하는 활동을 의미한다. 유연성은 외부의 환경에 신축적으로 대응할 수 있도록 대응능력을 높이는 것으로 팀제, 성과급제 등의 정책수단이 활용된다. 형평성은 지역간 계층간에 존재하는 사회경제적인 격차를 감소시키는 정부의 활동을 의미한다.

# Ⅲ. 지방행정혁신 추진실태

## 1. 지방행정혁신의 목표

참여정부는 정부 내의 각종 비능률적 요소와 투명성의 부족, 아직 남아 있는 권위주의적인 정부의 모습, 국민의 참여보다는 정부중심으로 이루어진 국가 운영방식, 국가·단체장·시민사회간의 효과적인 협력관계 형성의 미흡, 국민의 삶의 질을 높이는 데 필수적인 공공서비스 정신의 결여 등과 같은 낡은 것들을 21세기 대한민국의 번영을 위협하는 요소로 인식하고, 이러한 것들이 함께 존재하고 있는 현재의 상황을 심각한 위기상황으로 인식하였다.

이러한 국가위기상황을 적극적으로 극복하기 위하여 행정혁신을 최우선 과제로 선정한 참여정부는 2003년도에 정부혁신 로드맵을 작성한 이후, 2004년부터는 공무원 스스로가 참여하고 주도하는 정부혁신활동을 적극적으로 추진하기에 이르렀다.

지방행정혁신은 중앙행정부처의 혁신의 연장으로 낡고 비효율적인 행정관행과 행정문화 등을 과감하게 개혁하여 새로운 행정관행과 행정문화를 지방행정조직 내에 성공적으로 정착시키는 것을 말한다. 이를 위해서는 조직문화, 조직구조, 업무추진절차와 방법 등을 새롭게 변화시키는 것이다.

참여정부는 국민을 단순히 국정의 수혜자나 고객의 지위에 머물게 하지 않고 국정의 주인으로 인식하고, 국민의 삶의 질을 높이고 정부업무의 효율을 기하는 것을 정부혁신의 목표로 삼고 있다. 따라서 지방행정혁신의 목표는 주민의 만족 수준은 극대화시키고, 주민의 부담은 최소화시키는 것이라고 할 수 있다. 그리하여 참여정부의 정부혁신 목표인 '일 잘하는 정부, 대화 잘하는 정부'를 만들어 국민으로부터 '신뢰 받는 정부'를 지방자치단체 차원에서 추진하기 위하여 지방공무원에게 혁신마인드를 확산시키고, 혁신기법 등을 학습시켜서 지방공무원의 혁신역량을 강화시키고, 지방행정조직체계를 주민의 만족을 극대화시키는 최고·최대의 서비스기관으로 개편하는 것이 지방행정혁신의 최종 목표라고 할 수 있다(행정자치부, 2005: 16).

## 2. 지방행정혁신의 추진방향

참여정부의 지방행정혁신은 효율적이고 긍정적인 요소는 두 배로 늘리고, 비효율적이고 부정적인 요소는 반으로 줄이는 방향으로 추진한다고 하였다(행정자치부, 2005: 17). 이를 구체적으로 설명하면, 혁신의지와 혁신 비전에 대한 공감대 확산 정책, 주민에 대한 서비스의 질적·양적 강화 시책, 조직구성의 적극적이고 자발적인 참여시책, 국내·외 혁신 성공사례의 보급 및 확산시책, 주민에 대한 정보공개 및 여론 수렴 등 쌍방향 커뮤니케이션 통로의 개발 정책 등은 두 배로 확대·장려하고, 과거의 권위주의·관료주의적 사고, 지역이기주의, 사회적·경제적 비용의 낭비요인, 불필요하거나 중복적인 업무, 불필요하고 형식적인 관행, 개인 간 혹은 조직간 갈등 요인 등 효율적이고 조직발전과 주민서비스 개선에 장애가 되는 요인은 반으로 줄이는 방향으로 지방행정의 개혁이 추진되어야 한다는 것이다.

## 3. 국민의 정부와 참여정부의 지방행정혁신 비교

### 1) 국민의 정부 지방행정혁신의 특징

국민의 정부 행정개혁의 배경은 IMF관리체제를 가져 온 외환위기로 인한 국가의 경제위기 극복이라는 외적 요인과 정경유착과 관치금융, 부정부패 등 정부실패로 인한 총체적인 위기상황 극복이라고 할 수 있다. 경제위기의 극복, 행정에 대한 전반적인 쇄신 등의 요구에 대하여 국민의 정부는 고통분담의 차원에서 가시적인 개혁효과의 창출을 위하여 정부규모를 축소시키는 "작은 정부"를 행정개혁의 목표로 내세웠다(박수경, 2005: 47).

권위주의적 국정운영과 정체된 관료문화를 쇄신하고 정부실패에 대한 대안으로 국민의 정부가 제시한 행정개혁전략은 신자유주의와 신공공관리론에 이론적 근거를 두고 행정의 민주성과 효율성을 달성하기 위한 "기업형 정부운영"이다. 이것은 공공부문의 서비스 창출과 공급은 시장경제원리에 의하여 정부의 독점적 체제에서 민간기업과의 경쟁체제로 전환시키는 것을 말한다. 즉 자율적이고 성공적인 시장부문에 과부하한 정부의 일부기능을 이관시키거나 운영메커니즘을 경영논리로 전환시킨다는 전략이 기업형정부이다. 또한, 성과관리체제를 도입하여 공무원의 성과에 대한 공정한 평가시스템을 도입하고 이에 따른 인센티브 보상체제를 도입하는 한편, 민간활력을 정부부문에 도입하기 위하여 민간 전문가를 공무원으로 영입하는 개방형 공무원제 등의 정책이 채택되었다(기획예산위원회, 1999).

"작지만 강한 정부"라는 행정개혁목표를 달성하기 위하여 국민의 정부가 채택한 또 다른 전략은 조직기구의 축소와 인력의 감축을 중심으로 한 구조조정이다. 이를 통하여 읍면동의 구조조정이 단행되고 정부출연기관의 통폐합이 추진되었다.

## 2) 참여정부 지방행정혁신의 특징

참여정부는 국민의 정부와 같이 외환위기 극복을 위하여 국민에게 고통분담을 요구할 상황은 아니지만, 북핵문제 등을 중심으로 한 한-미간의 갈등관계가 조성됨에 따른 한국의 국제적 지위가 불안해지고, 지속적인 대외 수지적자로 인한 국가경쟁력의 약화 등 대외적인 위기상황과 더불어 국민들의 개혁피로감 가중, 공직사회의 부패, 빈부격차의 심화, 재보궐선거에서의 여당 참패로 인한 정치적 기반의 취약 등 내적인 위기상황에 직면하게 되어 국면전환을 위한 새로운 조직가 필요하게 되었다는 것이 행정혁신 추진의 배경이라고 할 수 있다. 때마침 불어 온 세계 각국의 개혁열풍도 참여정부의 행정혁신의 또 다른 배경이 되었다.

참여정부는 이념적으로는 국민의 정부와 같은 신공공관리론에 의존하고 있지만, 시장지향형 개혁모형이 우리나라의 행정문화나 환경에 적합하지 못할 뿐만 아니라 현재의 정치·사회·경제 전반에 걸친 광범위하고 총체적인 한국의 위기상황을 극복하기에는 역부족이라는 판단하에, 시장성과 공공성을 조화시키는 "작은 정부"가 아닌 "효율적이고 일잘하는 정부"를 혁신의 목표로 설정하였다.

지금까지의 행정개혁에서는 공무원이 개혁의 주된 대상이었지만, 참여정부에서는 공무원을 개혁의 주체로 삼아서 적극적으로 개혁에 참여할 수 있도록 유도하는 전략을 선택하였다. 이는 과거 정권에서 공무원을 개혁의 대상으로 간주한 결과 개혁에 대한 냉소적인 분위기가 확산되어 개혁의 효과가 반감되었다는 경험에서 비롯된 것이다. 이에 따라 참여정부는 공무원을 혁신의 주체로 하고 혁신의 지원세력화하기 위하여 혁신의 추진체계를 수립부서 - 주관부처 - 실천부서 - 실천책임자 등으로 구체적으로 세분하고 계층화하였다. 아울러서 공식적인 개혁추진체계 이외에 4급-5급을 주축으로 한 비공식 학습동아리를 만들어서 행정혁신 방 등 온라인을 활용하여 대통령을 비롯한 각 부처의 혁신팀들과 활발한 의견을 교환할 수 있는 쌍방향 대화채널을 개설하여 "대화 잘 하는 정부"의 전략을 실천하고 있다. 이는 과거의 일방통행식 개혁과는 구분된다고 할 수 있다.

참여정부는 국민의 정부와는 달리 기구축소와 인력감축 등을 중심으로 한 구조조정에는 큰 비중을 두지 않고 있다. 국민의 정부는 제1차 조직개편과정에서 국가일반직 공무원 정원의 10.9%를 감축하였으며, 국가공무원 총정원령을 의결하여 국가공무원의 전체정원을 273,982명으로 제한하는 조치를 취하였다(조선일보 1998. 12. 29).

반면에 참여정부는 90년대 중반이후 증가율이 둔화되거나 감소추세에 있던 공무원 수를 증원하고 있다. 즉 참여정부는 국민의 정부와는 달리 작은 정부가 행정개혁의 목표가 아님을 분명히 하였다(박수경: 424).

지금까지 분석한 국민의 정부와 참여정부와의 행정개혁을 이론적 기반, 개혁의 목표, 개혁의 방향, 공무원의 역할, 개혁의 전략, 중심 과제, 추진체계 등을 비교하여 정리하면 다음의 〈표 5-1〉과 같다.

〈표 5-1〉 국민의 정부와 참여정부의 행정개혁 비교

| 구 분 | 국민의 정부 | 참여정부 |
|---|---|---|
| 이론적 기반 | 신자유주의, 신공공관리론 | 신공공관리론 |
| 개혁의 목표 | 작지만 강한 정부 | 효율적이고 일 잘하는 정부 |
| 개혁의 방향 | 위로부터의 일방통행적 개혁 | 쌍방향적 개혁 |
| 공무원의 역할 | 개혁의 대상 | 개혁의 주체 |
| 개혁전략 | 시장경제논리, 자유경쟁논리 | 국민의 눈높이 개혁 |
| 중점과제 | 기구개편, 인력감축 성과관리체계구축 | 일하는 방식개선 성과관리체계구축 |
| 추진체계 | 단일계층 | 다계층화 |

## 4. 지방행정혁신의 추진실태

### 1) 지방행정혁신 표준 매뉴얼의 제작 · 배포

참여정부의 종합적인 정부혁신로드맵에 따라서 지방행정혁신도 단계적으로 추진되었다. 우선, 지방자치단체의 자율적인 혁신활동을 지원하기 위한 표준화된 정보를 제공하고 혁신지향점을 명확하게 제시하기 위하여 2005년 5월에 [지방행정혁신 표준 매뉴얼]을 행정자치부에서 제작하여 지방자치단체에 배포하였다.

## 2) 선도혁신 자치단체의 지정

정부혁신에 비해 늦게 시작된 지방행정혁신의 전국적 확산을 촉진하기 위해 전략적으로 접근할 필요가 있었다. 이에 따라 혁신의지 및 역량이 있는 자치단체를 혁신선도 자치단체로 지정하여 자발적인 노력과 정부지원으로 혁신성공모델을 창출하고 이들 선도혁신 자치단체를 거점으로 하여 일반 자치단체에 행정혁신을 전파·확산시키려는 계획을 수립하고 추진하였다(행정자치부, 2005, 혁신선도 자치단체 추진경과와 향후 운영계획). 선도혁신 자치단체의 선정기준은 단체장 혁신의지, 자체 혁신계획의 적정성, 혁신 추진실적 등으로 2005년 8월에 실시한 [정부혁신지수진단] 결과를 참고로 하였다.

〈표 5-2〉 권역별 혁신선도 자치단체 현황

| 권역별 협의회 | 혁신선도 자치단체 | 중점혁신과제 |
|---|---|---|
| 수도권협의회 8개 | 광역(의장): 인천 기초: 강남, 영등포, 인천 남구, 수원, 부천, 김포, 양평, | 일하는 방식개선, 기록관리, 주민참여, 정보공개 활성화, 정책품질관리, 행정서비스 전달체계 개선, 정책홍보, 민간위탁, 혁신관리시스템 |
| 중부권협의회 6개 | 광역(의장): 충북기초: 대덕구, 제천, 서산, 인제, 당진 | 지식관리, 민원제도 개선, 조직의 유연성 제고, 능력과 성과중심의 인사혁신, 뉴프런티어 공무원 평생학습 |
| 영남권협의회 5개 | 광역(의장): 경북 기초: 부산서구, 대구동구, 구미, 양산 | 자원봉사 인프라 확충, 갈등관리, 성과관리시스템 도입, 공기업·산하단체 혁신 |
| 호남권협의회 7개 | 광역(의장): 광주기초: 제주, 광주북구, 남원, 완주, 담양 | 지방재정운영의 책임성·투명성 제고, 주민참여, 행정서비스 전달체계 개선, 지역인재 양성, 고객만족행정 |

자료 : 행정자치부(2005), 내부자료.

# Ⅳ. 지방행정혁신 추진의 문제점

현재 지방행정혁신이 빠른 속도로 확산되고 있으나, 여전히 절반 이상(53.6%)이 혁신 초기단계인 1·2단계이고 특히 혁신미진입자치단체(1단계)가 10.8%(27개)에 이르고 있어, 이에 대한 대책수립이 필요하다.

## 1. 기관장의 혁신활동참여

먼저 기관의 혁신단계가 높은 기관일수록, 기관장이 혁신관련 회의를 주관하거나 혁신 활동에 직접 참여하는 횟수가 증가하고 있다. 따라서 기관의 혁신활동을 활성화하는 데 있어서의 기관장 역할이 매우 중요하다는 것을 알 수 있다. 특히 지방자치단체의 경우는 단체장의 의지가 정책이나 시책의 성공 여부를 좌우하기 때문에 단체장이 관심을 보이지 않을 경우, 정책이나 시책은 성공을 거두기가 어렵다.

[그림 5-1] 기관장의 혁신회의 주관 횟수(6개월간)

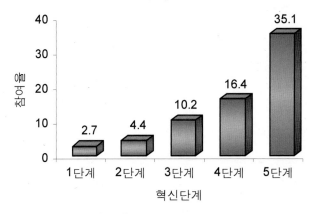

자료: 행정자치부(2005), 내부자료.

[그림 5-2] 기관장의 혁신활동 직접 참여
횟수(6개월간)

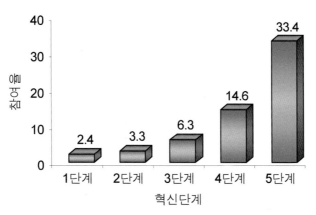

자료: 행정자치부(2005), 내부자료.

## 2. 구성원의 혁신활동 참여

단체장의 혁신활동 참여에 못지않게 중요한 것은 구성원의 혁신에 대한 관심과 참여이다. 전체적 추세는 물론 혁신단계가 높을수록 구성원 혁신활동 참여율이 높은 것으로 나타나고 있다.

[그림 5-3] 혁신의 필요성에 대한 구성원의 인식

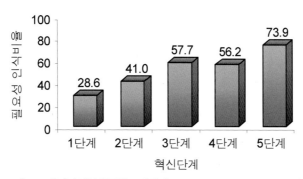

자료: 행정자치부(2005), 내부자료.

이상의 그림에서 보면, 혁신 미착수 단계인 1단계에서는 구성원의 28.6%만이 혁신 필요하다고 인식하고 나머지 71.6%는 혁신의 필요성을 인식하지 못하고 있다. 이와 같이 구성원이 혁신의 필요성을 인식하지 못하면, 혁신활동에 대한 참여가 소극적이고 부정적일 수밖에 없어서 혁신활동이 활발하게 전개될 수 없게 된다.

[그림 5-4] 구성원의 혁신참여 의지

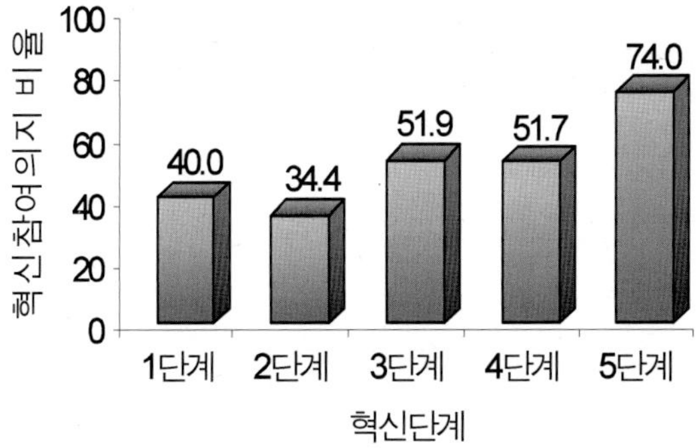

자료: 행정자치부(2005), 내부자료.

혁신의 필요성에 대하여 인식하지 못하면, 자연히 혁신활동에 대한 참여도가 떨어질 수밖에 없다. 위의 표에서 보는 바와 같이 혁신 미착수 단계인 1단계의 경우, 혁신활동에 적극적으로 참여하겠다는 의지를 밝힌 구성원이 40%에 불과하고 나머지 60%는 혁신활동에 동참하지 않겠다고 하고 있으니 혁신이 올바르게 추진될 리 없다.

## 3. 혁신역량강화 프로그램

조직원들이 혁신의 필요성을 인식하고 혁신활동에 적극적으로 참여하고자 하는 자세가 되어 있다 하더라도 개개인의 혁신역량이 부족하면 혁신을 추진하기가 곤란하다. 따라서 조직원 개개인의 혁신역량을 강화시켜 주는 것이 혁신활동 추진의 선결 과제이다.

[그림 5-5] 혁신활동지원 위한 역량강화 프로그램 수

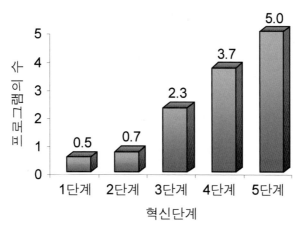

자료: 행정자치부(2005), 내부자료.

　이상의 그림에 의하면, 혁신단계가 높을수록 혁신활동을 지원하기 위한 역량강화 프로그램의 개수가 증가하고 있음을 볼 수 있다. 혁신의 추기단계인 1단계와 2단계에 해당되는 지방자치단체에는 혁신을 위한 역량을 강화시켜 주는 프로그램이 1개 이하로 나타나고 있다.


## 4. 혁신활동 지원을 위한 제안제도

　조직원들이 혁신활동에 적극적으로 참여하여 혁신이 성공할 수 있다. 이러한 혁신활동에의 참여방법 중 하나가 제안제도이다. 이상의 그림에 나타난 바와 같이, 혁신 미착수단계인 1단계에서는 구성원을 대상으로 하는 제안제도를 거의 운영하고 있지 않아서 구성원의 혁신활동 참여기회를 박탈하고 있다.

[그림 5-6] 혁신활동지원을 위한 제안제도 수

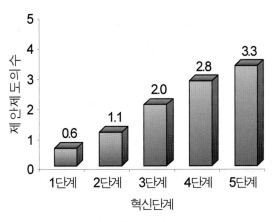

자료: 행정자치부(2005), 내부자료.

혁신관련 제안제도가 없으니 자연스럽게 혁신에 관한 제안건수도 적을 수밖에 없다. 혁신의 초기 단계인 1단계와 2단계에 해당하는 자치단체에서는 1인당 제안건수가 1건을 넘지 못하고 있으며, 제안의 채택건수도 1건을 넘지 못하고 있다. 이상의 그림에서 살펴보면, 제안제도의 경우, 단계 상승에 따라 건수가 지속적으로 증가한다는 것을 알 수 있다.

[그림 5-7] 혁신활동지원을 위한 1인당 제안건수

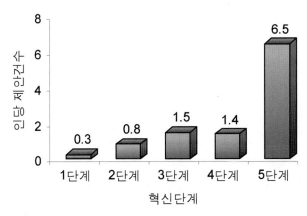

자료: 행정자치부(2005), 내부자료.

[그림 5-8] 혁신활동지원을 위한 1인당 제안 채택건수(6개월간)

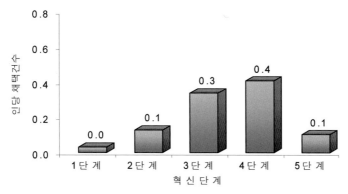

자료: 행정자치부(2005), 내부자료.

# V. 지방행정혁신의 추진전략

## 1. 지방행정혁신 기반구축

### 1) 단체장 리더십 제고

지방행정혁신과 관련하여 중요한 변수는 정책결정자의 리더십이다. 특히 지방행정 혁신이 소기의 성과를 거두기 위해서는 무엇보다도 단체장의 리더십이 확보되어야 한다. 기존의 혁신관련 연구결과에 의하면 기관장을 비롯한 조직리더들의 상황인식과 위기의식이 부족하고 위기 전도사로서의 역할수행이 충분하지 못하면 혁신의 실패 확률이 매우 높은 것으로 나타나고 있다. 따라서 단체장 등 리더들의 상황인식이 부족하여 아랫사람이 나서서 행하는 혁신은 성공할 확률이 매우 낮다고 보아야 할 것이다(행정자치부, 2005: 33). 따라서 지방행정혁신이 성공적으로 추진되기 위해서는 혁신리더십이 매우 중요하다.

## 2) 혁신추진체계의 구축

혁신추진체계는 혁신활동과 문화조성을 위한 제반 활동(기획, 지원, 관리)을 주체적으로 추진하고 혁신의 장애요인을 개선 및 제거하여 조직 내에 혁신문화가 정착될 수 있도록 관리하고 안내하는 것이 주요임무로 규정된 조직체계를 말한다. 즉, 이들은 단체장의 혁신의지, 혁신방향과 비전을 공유하면서 혁신을 위한 전략과 방법론을 제공하는 기능을 수행해야 한다.

혁신추진체계는 혁신전략기획 및 관리주도그룹과 혁신활동지휘 및 실행주도그룹으로 구분할 수 있는데 전자는 지방행정혁신의 기획과 전략을 주로 담당하고 후자는 지방행정혁신의 실천과 집행을 주로 담당하면서 일선에서 혁신수용성을 전파하는 기능을 수행한다.

## 3) 혁신비전 수립

현재(AS-IS)의 위기를 타파하기 위해서는 위기를 극복하고 도달하여야 할 미래의 바람직한 상태(TO-BE), 즉 비전과 목표를 달성하여야 한다. 그러나 조직은 다수의 개인들이 모여 만든 하나의 집합체로, 구성원들은 모두 각기 다른 가치관을 가지고 있기 때문에 혁신을 통해 시너지 효과를 발휘하기 위해서는 이러한 개인의 가치관을 조직의 비전 및 목표와 연계시키기 위한 작업이 있어야 한다. 이를 위해서는 새로운 혁신비전의 설정작업이 필요하다. 혁신비전은 각 개인의 가치관을 일체화된 방향으로 이끌어 조직 구성원의 역량과 가치를 효율적으로 결집하고 극대화함으로써 지금의 위기를 해결할 수 있도록 하는 것이다.

## 4) 구성원의 역량 확보

모든 제도나 시책이 성공하기 위해서는 성공요인들이 있다. 선행연구들을 종합할 때 바람직한 제도, 최고관리자의 관심, 적절한 자원투입, 집행주체의 수행의지, 집행주체의 역량 등을 들 수 있을 것이다. 보다 구체적으로 보면 명확한 목표, 법·제도적 수단 확보, 현실적 실현가능성 등의 요건을 충족한 바람직한 제도가 존재하여야 한다. 그 다음에는 최고관리자가 수시로 추진의지를 표명하는 등 관심도가 높아야 한다. 그리고 전담기구, 전담인력, 예산확보, 정보화 자원 구축 등과 같은 적절한 자원이 투입되어야 한다. 다음으로는 제도를 전담하여 추진하는 전담인력의 추진의지가 높아야 하며, 동시에 전담인력의 역량이 뛰어나야 한다. 이와 같은 5가지의 요소들이 결합될 때 정책, 제도 그리고 시책은 성공적으로 정착되고 운영될 것이다.

구성원 역량과 관련해서는 가장 큰 문제로 지적할 수 있는 것이 변화에 대한 저항으로 인하여 자발적인 참여가 부족하다는 것이다. 자발적인 참여를 유도할 수 있어야만 혁신이 성공할 수 있다. 구성원의 참여는 타율적인 참여와 자발적인 참여로 구분할 수 있는바, 보다 바람직한 방향은 자발적인 참여이다. 자발적인 참여를 위해서는 구성원의 내면에 혁신이 중요하다는 것이 위치하여야 한다. 이를 위해서는 다양한 교육을 통하여 마인드전환을 할 필요가 있을 것이다. 교육은 일방향적으로 진행되기보다는 쌍방향적으로 진행할 수 있도록 하여야 할 것이다. 즉, 조직구성원이 직접 참여할 수 있는 기회를 보장하여야 한다는 것이다. 역할연기, 연극, 선진지 견학 등과 같은 방법이 활용될 수 있을 것이다.

이와 같은 방법에 의하여 자발적인 참여를 유도하되 부수적으로 타율적 참여제도도 병행되어야 할 것이다. 타율적 참여로는 경진대회, 성과관리시스템의 도입 등의 방법을 활용할 수 있을 것이다.


## 2. 지방행정혁신과 지역혁신의 연계강화

### 1) 연계의 필요성

지역혁신은 중앙-지방, 지방-지방 등 정부 간의 행·재정적 측면은 물론 사회 전반에 걸친 불균형의 심화를 해소하기 위한 활동이라고 할 수 있다. 이러한 지역혁신은 지방분권의 바탕 위에서만 가능해 진다. 즉 강력한 지방분권이 이루어지지 않으면 진정한 의미의 지방자치와 지역균형발전은 기대하기 힘들다. 중앙에 과도한 권력이 집중되면 지방의 인력과 재원이 중앙으로 집중되는 현상은 지속되고 결과적으로 수도권-비수도권, 도시-농촌, 성장지역-낙후지역 등의 격차는 더욱 심화되고 지방자치는 실효성을 잃게 될 것이다 (남창우외, 2005).

지방분권의 싹을 키우고 열매를 맺게 하는 전략을 구상하고 실천할 수 있는 역량을 키우는 것이 지역혁신이다. 그런데, 지역혁신은 지역사회에서의 개인 혹은 집단의 행위를 전제로 한다. 더욱이 지역혁신은 새로운 지식을 학습하고 지식을 사회적으로 교환하는 상호작용적 집단학습의 과정 속에서 창출된다. 이러한 집단학습이 효율적으로 이루어지도록 지원하는 것이 지방행정조직이다. 따라서 지방행정조직이 지방분권과 지역혁신을 체계적으로 지원할 수 있도록 구성원의 역량을 강화하고 조직체계를 혁신하는 것은 지방행정혁신은 아주 중요한 과제이다.

이와 같이 지역사회를 지역주민이 스스로 나서서 구상하고 활성화시키는 노력은 지방분권을 통하여 이루어지고, 지방분권은 지방행정혁신과 지역혁신의 토대위에서 성공적으로 수행될 수 있다. 따라서 지방행정혁신과 지역혁신은 지역발전을 달성하기 위하여 서로 맞물려 돌아가는 톱니바퀴라고 할 수 있다.

## 2) 지방행정혁신과 지역혁신의 연계강화방안

### (1) 개념의 재정립 및 관련법령의 정비

지방행정혁신과 지역혁신의 개념을 모두 포괄하는 [지방혁신]이라는 개념을 도입하는 것이 필요하다. 지방혁신은 지역 내 산-학-연-관 등 모든 주체들의 혁신역량을 배양하고 협력을 증진하여 고품질의 행정을 창출하고 지역발전과 지방분권 기반을 강화하기 위한 활동을 모두 포괄한다.

또한, 현재 지방혁신을 위한 근거 법령은 마련되어 있으나, 지방행정혁신을 위한 근거 법령이 미비한 실정이다. 따라서 양자를 통합하여 연계시킬 수 있는 새로운 지방혁신추진법의 제정이 필요하다.

### (2) 지방자치단체의 지방혁신 지원을 위한 역할 강화

대부분의 지방은 인력양성과정이나 교육훈련에서 유연성이 부족하고 획일화되어 있어서 기업의 인력수요를 지원하지 못하고 있다. 지방자치단체는 인적자원의 육성과 확보를 위하여 지역대학과 연계하여 전문적인 교육연수제도를 마련하고 이들을 중심으로 산-학-연-관 네트워크를 촉진하는 정책을 마련하여야 한다.

대부분의 지방은 지역발전산업 및 투자유치 확대사업을 주도적으로 추진해 나갈 전문화된 전담 조직이 없다. 따라서 지방자치단체는 투자유치, 인프라설비 지원, 전문화된 교육 등의 업무를 체계적이고 효율적으로 관리운영하기 위한 조직기구를 마련하야 한다.

　지역에 입지하고 있는 기업이 기업 내에서 지속적으로 투자하고 혁신활동을 실행하기 위해서는 지역 내에 기업의 투자여건을 마련하여야 한다. 지방자치단체는 이러한 기업의 투자여건을 마련하기 위하여 지역 내 기업에 대한 금융지원 세제지원, 기술지원, 경영지원, 산-학-연 협력지원, 인프라 개선 등과 같은 지원정책을 수립하고 다른 지역과 차별화하여야 한다.

　⑶ 지방혁신지원협의회의 구성·운영

　지역혁신의 주관기관인 국가균형발전위원회와 산업자원부, 지방행정혁신의 주관기관인 정부혁신·지방분권위원회와 행정자치부 등 관련기관이 모두 참여하는 지방혁신 협의기구인 [지방혁신지원협의회]를 중앙차원에서 구성하여 운영하는 것이 바람직할 것이다. [지방혁신지원협의회]에서는 지방혁신을 위한 공통된 현안과제를 논의하고 혁신박람회, 혁신워크숍 등을 공동으로 개최하고 지방자치단체를 위한 혁신교육 프로그램을 공동으로 개발하고 운영하는 등의 공동사업을 추진한다.

　⑷ 지역혁신네트워크의 구성 및 활성화

　지역발전을 위한 지방혁신활동을 강화하기 위해서는 지역 내 혁신주체들이 서로 신뢰와 협력관계를 유지하면서 지역발전에 이바지 할 수 있도록 지역혁신 네트워크를 결성하고 이를 활성화시켜야 한다. 지역혁신을 위한 협력 네트워크는 로컬거버넌스를 의미하며, 이는 지역의 산·학·관·연·민(NGO) 등을 대표할 수 있는 위원으로 구성되는 지방혁신협의회로 발전되어야 한다.

　지역 내 대학이나 연구소가 없는 경우 출향인 외부전문가를 활용해야 한다. 출향인사들은 고향에 대한 애정을 갖고 있고 고향발전에 기여하고 싶은 마음을 갖고 있기 때문에 인적자원 활용측면에서 그 효과가 크다고 볼 수 있다.

　자치단체장이 지방혁신협의회를 최대한 활용할 수 있도록 지방혁신협의회의 기능을 강화하고 특히 단체장들과 지방공무원들을 위한 혁신교육프로그램을 마련하여 체계적으로 혁신교육을 받도록 하여 이들의 혁신역량을 제고하도록 해야 한다. 아울러서 혁신주체 간 네트워크를 구축해야 한다. 이를 위해서 먼저 지방혁신협의회 위원 간 다양한 혁신워크숍을 통해 혁신의 역량을 강화하고 중앙, 시도, 타 기초협의회간의 교류를 확대해 나간다.

또한, 지역주민들과의 네트워크를 통해 혁신분위기를 확산시키고 지역혁신에 대한 시민 대토론회를 지역대학과 공동개최하여 지역가치혁신에 동참하도록 한다.

지방의회와 연계를 강화하고 지방혁신에 필요한 정보자료를 공유하면서 지역시민을 대상으로 정기적인 혁신토론회를 개최하고 혁신사업을 입법화하는 데 협력한다.

# 참고문헌

기획예산위원회.(1998). 대통령업무보고, 기획예산처.

남창우외.(2005). 지방분권과 지역혁신을 위한 지방정부의 역할과 과제, 한국정책과학학회

박수경.(2005). 김대중 정부와 노무현 정부의 행정개혁 비교, 2005년도 하계공동학술대회 발표논문집, 한국행정학회.

이성진.(2001). 지방정부 혁신의 영향요인: 경상남도를 중심으로, 「한국지방자치학회보」, 13(1): 25-44.

이승종.(2004). 정부혁신의 저항과 전략,「행정논총」, 41(3): 25-49.

이종수.(2004). 한국 지방정부의 혁신에 관한 실증연구: 혁신패턴, 정책행위자 및 영향요인을 중심으로, 「한국행정학보」, 38(5): 241-258.

정부혁신지방분권위원회.(2004).「정부혁신관리 매뉴얼」. 행정자치부.

행정자치부.(2005). 지방행정혁신 표준 매뉴얼, 행정자치부.

행정자치부.(2001, 2002, 2003, 2004, 2005). 내부자료.

Becker, S. W. and T. L. Whisler.(1967). The Innovative Organization: A Selective View of Current Theory and Research. *Journal of Business*. 40: 456-471.

Clayton.(1997). *Implementation of Organizational Innovation. Studies of Academic and Research Libraries*. SanDiego, London and Boston: Academic Press.

Deutsch, Karl W.(1985). On Theory and Research in Innovation. in Merritt, Richard L. and Anna J. Merritt. (eds.) *Innovation in the Public Sector*. Sage Publications., Inc.

Harris, Michael and Rhonda Kinney.(2003). *Innovation and Entrepreneurship in State and Local Governments*. New York: Lexington Books.

Kimberly, John R.(1981). Hospital Adoption of Innovation: The Role of Integration into External Informational Environment. *Journal of Health and Social Behavior*, 19:361-373.

Lewin, Kurt.(1947). Frontiers in Group Dynamics. *Human Relations*, 1. No. 1:5-42.

Merritt, Richard L. and Merritt, Anna J.(1985). *Innovation in the Public Sector*. Sage Publications., Inc.

Niosi, j., Saviotti, P., Bellon, B., & Crow, M.(1993). National Systems of Innovation: In Search of a Workable Concept. *Technology in Society*. 15: 207-227.

Rogers, E. M., and F. Floyd Shoemaker.(1971). *Communication of Innovation*. New York: The Free Press.

Slappendal, Carol.(1996). Perspectives on Innovation in Organizations. *Organization Studies*. 14: 102-116.

# 제6장 지방정부의 정책능력 향상

우 무 정*

# I. 서 론

지난 10여 년간의 지방화·세계화·정보화라는 국내외의 시대적인 흐름에 발맞추어 지방분권의 구현을 위한 다각적인 노력이 경주됨에 따라 지방정부 역할의 중요성이 급증하였으며, 이와 함께 지방정부 및 지방공무원의 능력향상에 대한 관심이 집중되고 있다(권경득, 2003; 이성복, 2003; 강형기, 2003; 우무정, 2000; 김병국, 1992).

과거와는 달리 지방공무원은 이제 창조적·능동적 행위자로서 고객중심의 지방행정 서비스를 제공해야 하고, 더 나아가 지역발전과 대내·외적 관계형성을 위한 중추적 역할을 수행해야 하는 것이다. 또한 정부 간 관계의 변화에 따라 지방정부 공무원들은 기획, 프로그램, 정책 등의 관리능력(management capacity)을 발휘하여야 한다.[1] 또한 지방정부 내에서 점증하는 주민들의 행정수요에 적극적으로 대응해 나가는 과정에서 탁월한 능력 내지 역량을 발휘하여야 한다.

협력적·동반자적 정부 간 관계를 형성하기 위해 요구되는 지방공무원의 능력은 계획, 정책, 프로그램(사업) 등의 관리능력으로 한정시킬 수 있다(Turner, 1990: 81- 84).[2] 그

---

* 한국미래정책연구원 연구위원

1) 이러한 관점에서 미국의 경우에 지방분권에 관한 논의가 점증하던 1975년경에 미국행정학회가 '지방정부능력향상'에 관한 특집호를 발간할 정도로 관심이 고조되었다(ASPA, *Public Administration Review*, special issue, vol. 35, Dec, 1975. 참조).

2) 이와 관련한 예로 정부 간 관계에서 나타나는 갈등의 요인을 기본적으로 연방정부 및 주정부가 설정하여 제시하는 정책의 집행·관리 혹은 세부집행계획의 수립·집행 등 관련 정부 간 협력을 창출할 수 있는 지방정부의 정책 및 기획능력의 부재로 보는 동시에 그러한 갈등의 방지 및 해

러나 행정수요에 대한 대응성 차원에서 집행중심의 관리능력은 물론 정책과정 전반과 관련된 능력이 필요하게 될 것이다. 즉 주민들이 제기하는 여러 가지 요구에 대한 검토 및 분석을 토대로 '정책의제'로서 설정하는 능력이 요구되며(정책의제설정능력), 그러한 문제 또는 의제를 해결하기 위한 복수의 대안들을 비교·분석하는 능력(정책분석능력), 그리고 그들 대안 중 최선의 대안을 선택·결정하는 능력(정책결정능력) 등이 요구된다. 또한 결정된 정책의 내용을 정책의도 또는 정책목표와 일관성을 유지하면서 실행할 수 있는 능력(정책집행능력)과 궁극적으로 집행된 정책이 목표를 달성하였는지의 여부를 검토·분석하는 정책평가와 관련되는 능력(정책평가능력)을 형성하고 발휘할 것이 요구된다. 이와 같은 정책과정 전반에 관련된 지방정부 공무원의 능력을 정책능력[3]이라고 보고, 지방공무원의 정책능력을 실질적으로 형성·강화하기 위한 방안을 모색할 필요가 있다.

지방공무원의 정책능력 형성 및 증진의 중요성에도 불구하고 여전히 지방정부의 정책 및 기획관련 부서 공무원의 전문성은 그다지 높지 않은 것으로 나타나고 있으며(이성복, 2003), 교육훈련을 통해 이들 부서 공무원들의 능력을 향상시키기 위한 여건도 미흡한 실정이다. 광역시·도의 경우에는 그나마 정책 마인드를 갖춘 고학력 공무원에 의한 업무수행이 이루어지고 있으나, 「제1의 정부」라는 기초정부의 경우에는 주민들의 행정수요에 실질적으로 대응하기 위해 공무원들의 정책능력 향상에 더욱 더 많은 관심을 기울여야 한다. 실제로 국토계획과 같이 전국적인 차원의 계획에 있어서도 종전과는 다른 '상향식 계획수립 방식'을 채택함으로써 기초정부의 경우에도 정책능력을 갖추지 않으면 안 되는 상황에 직면한 것이다(윤정길·우무정, 2003: 75).[4]

---

결을 위해서는 지방정부의 정책 및 기획능력을 향상시키려는 노력이 중요하다는 것이다. 이러한 관점에서 오리건, 버몬트, 로드아일랜드, 조지아, 메인, 뉴저지, 그리고 플로리다 등 미국의 여러 주 정부는 실질적으로 지방정부의 정책 및 기획능력 향상을 장려하기 위한 시책을 추진한 바 있다. 뉴저지 주는 종합적인 성장관리 절차인 뉴저지 주 기획법(Planning Act, 1973)을 제정하였으며, 플로리다는 주정부 및 산하 카운티 정부의 적절한 성장관리(Growth Management)를 위해 지방정부에 대해 기획능력을 향상시킬 수 있도록 장려하면서 이에 대한 제도적 보장을 위해 모든 지방정부가 종합기획을 작성하도록 요구하는 종합기획법(Local Government Comprehensive Planning Act: LGCPA, 1975) 및 성장관리법(Growth Management Act: GMA, 1985)을 제정한 바 있다.

3) 佐々木信夫(1999: 16)는 정책능력을 지방정부의 정책과정 중에서 의제설정, 정책입안, 정책결정의 과정에 특히 관련되는 능력으로 한정하여 파악하고 있다. 그러나 그의 개념을 좀더 확장하면, 정책의 각 과정별로 필요한 능력의 총체를 정책능력이라고 정의할 수 있을 것이며, 각 과정별로 세부적인 능력요소를 포함하고 있는 것으로 설명하는 것이 가능하다.

4) 제4차 국토계획은 종전과는 달리 국가의 국토관리 철학을 제시하고 기간교통망 등 필수적인

이와 같은 논리적 맥락에서 본 논문은 지방정부 공무원들이 정책능력을 제고할 수 있는 방안을 살펴보려는 것이다. 이를 위해 지방정부의 정책과정과 정책능력에 대한 이론적 논의를 전개할 것이다. 특히 지방정부의 정책과정별로 요구되는 지방공무원의 정책능력에 대한 심도 있는 논의를 통해 지방공무원의 정책능력을 실질적으로 제고하기 위한 방안을 모색할 것이다.

# II. 지방정부의 정책과정 및 능력에 관한 이론적 논의

## 1. 지방분권과 지방정부의 정책기능 증대

오늘날 지방분권의 핵심은 종래와는 달리 지방이 스스로 여러 가지 정책을 계획·집행할 뿐만 아니라 그에 대해 책임까지도 지는 행정시스템으로 전환하는 것이라고 할 수 있다. 이와 같은 지방분권을 실현하기 위해서는 지방정부가 종래 중앙정부의 사업이나 정책을 수행하는 기능을 주로 담당해 왔던 「사업관청」으로서의 면모를 실신하여 스스로 정책을 입안하고 실시하며, 결과데 대해 자기책임을 명확히 하는 이른바 「정책관청」으로서의 위상을 정립하여야 할 것이다(佐々木信夫, 1999: 88-89).

중앙정부에 의한 정책은 각양각색의 지방의 문제에 대해 주민생활의 입장을 고려하는 정책형성으로서는 한계가 있다(田村 明, 1995: 262-263). 첫째는 일반적으로 중앙부처의 기구는 원래 부처별로 종적인 국·과체제로 세분화되어, 그 세분된 조직단위가 정책을 수립하고 법령을 제정하는 것이 핵심이므로 주민생활과 관련된 지역문제처럼 각 부처나 국·과가 모두 관련되어 있는 종합적인 문제에는 대처하기 어렵다는 점이 다. 둘째, 중앙부처는 일반적으로 긍정적인(positive) 측면의 문제에 대해서는 추진력이 강하지만, 공해 등과 같이 곳곳에서 일어나고 있는 부정적인(negative) 측면의 문제에는 대응성이 미약하

---

국가시설사업계획의 방침을 발표하는 포괄적 수준에 국한되고 있다(건설교통부, 2000: 8). 도계획의 경우에도 '도의 미래상을 제시하고 이를 구현시킬 도정전략을 종합적으로 구상'하는 데 초점을 맞추어 작성되어야 하며, 시·군에 있어서도 마찬가지로 아무리 작은 지역단위라 하더라도 독자적인 미래상과 이를 위한 실천체계를 구축하여야 한다(강원도, 2000: 3-5).

다. 이러한 맥락에서 주민생활에 영향을 미치고 있는 도시문제나 지역문제의 대부분이 중앙부처로부터 경시되어 온 원인을 설명할 수 있다. 셋째, 중앙부처는 원칙적으로 국부적으로 한정된 문제에 대해서 정책화하기가 어렵다. 어느 정도 전국화 내지 보편화된 경우에 비로소 문제로 인식하게 되는 것이다. 따라서 대처 시기가 아무래도 뒤지게 되고 현실적인 필요성에서도 뒤늦게 된다. 넷째, 지역문제는 지역에 따라 표출방법이나 양상이 다르기 때문에 지역별로 대응방법이 다른 것이다. 그런데 중앙정부가 제정하는 법률이나 정책은 원칙적으로 전국적이고 공평하고, 일률적이어야 하는 것이다. 심지어 보조금의 경우에도 공평성의 유지라는 점에서 전국적으로 획일적인 기준을 전제로 하고 있는데, 그 결과 개별적이고 구체적인 성격을 지니고 있는 지역문제에는 적절하게 대처하는 것이 어려운 것이다. 다섯째, 문제의 해결에는 지역주민을 참여시키는 구체적·실천적인 방법이 필요하다. 그렇기 때문에 중앙정부처럼 직접 당사자인 주민과 동떨어진 입장에서 수립된 정책은 추상적·일반적인 것이 되어 문제가 해결될지 확실하지 않으며, 때로는 비현실적인 시책이 되거나 주민의 협력을 얻을 수 없게 되는 경우가 많은 것이다.

중앙정부와 마찬가지로 광역정부인 시·도의 경우에도 지방주민의 입장에서 직접적인 만족도를 체감할 수 있는 정책을 형성하는 데에는 한계가 있다. 즉 지방자치법상의 규정(제10조 제1항)에서 볼 수 있는 바와 같이 광역성, 통일성, 공통성 등의 성격을 지니는 사무[5]를 주로 처리하기 때문에 지역의 지방주민을 만족시키는 정책을 형성·집행하는 데에는 어려움이 따를 수 있다. 그렇다고 하더라도 광역시·도의 경우는 중앙정부의 정책한계를 어느 정도 초월하여 시·도 차원의 특성을 살린 정책을 형성·집행할 수 있으며, 관할 기초정부들의 다양한 정책과정을 지원해 줄 수 있다는 점에서 그 기능을 긍정적으로 평가할 수 있을 것이다.

결국 정책과 관련하여 지방주민이 체감하는 만족도를 증대시킬 수 있는 정책주체는 기초정부라고 할 수 있을 것이다. 그러므로 기능상 차이는 존재하지만 광역시·도의 경우는 물론 시·군·자치구 등의 기초정부의 경우에도 정책능력은 필요한 것이라고 할 것이다.

---

5) 지방자치법 제10조 제1항의 시·도의 사무기능과 관련된 내용은 다음과 같다. 즉 시·도가 처리할 수 있는 사무는 ① 사무처리 결과가 여러 시·군 및 자치구에 미치는 광역적 사무, ② 시·도 단위로 동일한 기준에 따라 처리되어야 할 성질의 사무, ③ 지역적 특색을 살리면서 시·도 단위로 통일성을 유지하여야 할 사무, ④ 국가와 시·군 및 자치구 사이의 연락·조정 등의 사무, ⑤ 시·군 및 자치구가 독자적으로 처리하기에 부적당한 사무, ⑥ 여러 시·군 및 자치구가 공동으로 설치하는 것이 적당하다고 인정되는 규모의 시설의 설치 및 관리에 관한 사무 등이다.

## 2. 능력개념의 다양성과 정책능력

지방정부의 정책능력에 대한 논의는 지방정부의 정책과정의 활성화를 통해 지방의 실질적인 발전과 지방주민의 행정수요에 대한 대응성을 증진시킬 수 있을 것이라는 관점에서 지방정부의 능력형성과 직결된다.

지방정부의 능력의 개념에 대해서도 여러 학자들의 관점 및 개념적 구성요소에 따라 다양하게 전개되고 있다. 버게스(Philip M. Burgess)와 같은 정부 간 관계론적 시각에서 지방정부의 능력을 설명하려는 일단의 학자들은 중앙정부가 계획하여 지방정부에 시달하는 프로그램, 정책, 자원 등의 효과적인 관리에 대한 능력, 즉 관리능력(managerial capacity)을 지방정부 능력형성의 주요한 원천으로 보고 있다(1975: 707-708). 즉 분권형 사회체제에서 지방정부의 능력이 갖추어지지 않으면 중앙과 지방간의 조화로운 협력적 관계가 구축되지 못할 것이라는 논리이다. 보우만과 키어니(Ann O'M. Bowman and Richard C. Kearney)는 지방정부의 능력을 지방정부가 다양성, 경쟁력, 그리고 탄력성 혹은 회복력을 확보하기 위해 노력하는 과정에서 증대되는 것이라고 하고 있다(1987: 18). 주 및 지방정부가 연방주의에서 번성할 수 있는 관건은 지방정부가 현안문제를 해결할 수 있는 능력에 달려 있다는 것이다. 가겐(John J. Gargen)은 지방정부의 관리능력(governing capacity)을 지방정부 '내외의 요구와 기대에 부응하기 위한 지방정부의 역동적인 노력'으로 간주하면서 자원(Resources), 기대치(Expectations), 현안문제(Problems) 등의 요소들을 고려하여 지방정부의 대응성과 실천성을 증대시키는 방향으로 나아가는 것이 곧 지방정부의 능력을 형성하는 결과가 된다고 하였다(1997: 518-525).

대응성과 관련한 가겐의 관점은 다카하세 쇼죠(高寄昇三)의 행정수요에 관한 주장과 일맥상통한 부분이 있다. 다카하세 쇼죠에 의하면, 지방정부의 능력은 행정수요에 대응해 나가는 과정에서 형성됨을 알 수 있다. 즉, 행정수요와 주민수요라는 개념을 결합시켜 지방정부의 행·재정능력이라는 개념을 설명하고 있는데, 행정수요는 주민수요와 지방정부의 행·재정적 능력이 교차하여 상호작용을 일으키는 부분으로 이 부분이 클수록 지방정부는 주민수요에 민감하게 반응하는 유능한 정부라는 것이다(高寄昇三, 1988: 82; 최창호, 1997: 300). 또한 가겐이 언급한 실천성 측면과 관련해서는 지방정부의 능력에 공무원제도와 정치문화가 적지 않은 영향을 미친다는 데에 적지 않은 의견이 모아지고 있다(Gargen, 1997: 524; Erikson et. al., 1993: 150; Elazar, 1984: 112; Osborne and Gaebler, 1992).

한편, 정책과정이나 기획과정에 대한 관심을 바탕으로 구체적인 방법이나 수단으로서 지방정부의 정책능력 내지 기획능력의 중요성을 강조하는 학자들이 있다. 사사키 노부오(佐々木信夫)는 지방정부의 정책과정별로 정책능력, 평가능력, 경영능력으로 구분하여 설명하면서 지방정부의 능력형성의 중요성을 역설하고 있다(1999: 65-71). 그런가 하면 이성복(2003)은 '지방공무원의 정책관리능력'에 대한 연구에서 정책분석과 관련한 평가지표를 다수 활용함으로써 정책능력을 정책분석과정과 밀접하게 연계시키고 있음을 알 수 있다. 또 강성철 등(1999)의 연구는 단체장의 리더십, 주민요구의 파악능력, 주민요구의 수용능력, 지방공무원의 능력, 정책우선순위 결정능력, 갈등관리 능력, 사무수행 능력, 주민참여의 유도능력 등 8개의 변수를 활용하여 지방정부의 관리능력을 분석하고 있다. 권경득·우무정(2001: 104)은 지방정부의 능력요소를 정책·기획능력, 평가능력, 관리능력으로 유형화하고, 특히 정책·기획능력에 대한 결정요인에 대한 분석을 수행한 바 있다.

이에 비해 다무라 아키타(田村 明)는 기획조정부서의 역할과 기능, 기획부서 요원이 기본적·전문적 자질을 갖추는 것이 중요하다고 하여 지방정부의 기획기능을 좀더 부각시키면서, 전략성, 계획성, 실천성, 종합성 등을 지방정부 능력의 주요 요소로 제시하고 있다(1994: 147-165). 또한 전략기획(Strategic Planning) 기법[6]을 활용하여 지방정부의 능력을 증진시킬 수 있는 구체적인 방안을 제시하고자 노력하는 일단의 학자들도 있다(Bryson, 1996; Dyson, 1990; Smith, 1994).

지금까지 여러 학자들에 의해 수행된 선행연구에 대한 검토 결과 도출된 핵심적인 내용은 국내외적으로 지방행정환경의 변화에 따라 지방정부의 능력형성 및 증진이 주요한 관심사로 부각되었다는 점이다. 즉 행정환경의 변화에 능동적으로 대응하고, 주민의 삶의 질(quality of life)을 지속적으로 향상시킬 수 있는 여건을 조성하기 위해 지방정부의 능력형성 및 증진을 추구하는 추세는 계속 강화될 것이다(권경득·우무정, 2001: 6).

한편, 〈표 6-1〉에서 보는 바와 같이 지방정부의 능력을 구성하는 요소들도 다양하게 제시되고 있음을 알 수 있다. 하지만 이에 대한 여러 학자들의 다양한 견해에도 불구하고 몇 가지 공통점을 찾을 수 있는데, 첫째로 정책 및 기획과 관련된 능력형성의 필요성을 지적하는 의견이 많다는 점이며, 둘째로는 지방정부 능력형성을 위한 주도세력으로서 지방공무원의 역할을 중시하는 점이다.

---

6) 전략기획 접근법은 SWOT분석과 PEST분석을 통해 지방정부의 현황과 문제점을 파악하고, 이를 바탕으로 장래의 비전과 전략 혹은 목표를 수립하여 집행함으로써 지방정부의 능력형성에 실질적이고 직접적인 도움이 될 수 있는 것이다.

〈표 6-1〉 지방정부 능력요소에 대한 학자들의 견해

| 학 자 | 능력요소 |
|---|---|
| · Burgess(1975) | · 정책관리능력, 프로그램관리능력, 자원관리능력(전문성) |
| · Elazar(1984) | · 공무원제도, 정치문화 |
| · Bowman and Kearney(1987) | · 다양성, 경쟁력, 탄력성, 회복력 |
| · 高奇昇三(1988) | · (행정수요) 대응성 |
| · Bryson(1991) | · 환경분석능력, 전략수립능력, 전략집행능력, 비전제시능력 |
| · Erikson(1993) | · 공무원제도, 정치문화 |
| · Gargen(1997) | · 관리능력(적절한 구조조정, 첨단 관리관행, 정치적 리더십, 공무원의 전문성, 시민들의 협조적· 지원적 참여) |
| · 田村明(1994) | · 전략성, 계획성, 실천성, 종합성 |
| · 佐々木信夫(1999) | · 경영능력, 정책능력, 평가능력 |
| · 강성철(1999) | · 단체장의 리더십, 주민요구의 파악능력, 주민요구의 수용능력, 지방공무원의 능력, 정책우선순위 결정능력, 갈등관리 능력, 사무수행 능력, 주민참여의 유도능력 |
| · 권경득· 우무정(2001) | · 관리능력, 평가능력, 정책 · 기획능력 |
| · 이성복(2003) | · 정책분석기법의 이해 및 활용, 정보 및 정책관리, 행정전산화의 이해 및 활용 |

흔히 지방정부의 능력이라고 할 경우에 그 능력이 지방정부의 장의 능력인지, 지방공무원의 능력인지의 여부가 명확하지 않은 경우가 많다. 하지만, 지방정부의 능력은 궁극적으로 지방정부 공무원들, 특히 기획·정책부서 공무원들의 능력이라고 할 수 있을 것이다(윤정길, 1987: 101). 이들 지방공무원들은 지방정부의 정책과정 전반에 대해 관련을 맺게 될 것이므로 지방정부 공무원들의 정책에 관한 능력발휘 여하에 따라 지방정부의 능력형성 정도도 결정될 것이다. 그러므로 지방정부의 능력형성과 관련하여 지방정부의 수장인 단체장에 못지않게 지방공무원의 역할 역시 중요하다고 할 것이다.

결국 이와 같은 논의를 종합하여 지방정부의 능력을 "주민수요에 대한 대응성과 다양성을 바탕으로 지방의 발전을 위해 주민에 대한 행정수요의 폭을 확장시켜 나가는 지방정부의 역량"이라고 정의할 수 있다. 또한 본 연구와 관련된 정책능력은 "지방정부의 능력을 구현하기 위하여 요구되는 정책 및 기획활동과 관련하여 다양한 관리 및 집행활동을 전개할 수 있는 지방공무원의 정책과정과 관련된 능력"이라고 규정할 수 있을 것이다.

이러한 관점에서 이하에서는 지방공무원의 능력형성이 곧 지방정부의 능력형성의 첩경이라는 관점에서 지방공무원의 정책능력 향상과 관련한 내용을 중심으로 설명하고자 한다.

## 3. 지방정부의 정책과정과 정책능력

### 1) 지방정부의 정책과정

지방정부의 정책과정과 형태를 고찰하기 위해서 우선 지방정부의 지위에 대해 살펴볼 필요가 있다. 지방정부의 지위는 두 가지의 관점으로 나누어 볼 수 있는데, 첫 번째의 지위는 본질적으로 국가(중앙)의 편의에 의하여 창조된 하나의 하부기관에 불과하다는 관점이고, 둘째는 지방정부가 고유의 독자성을 가지는 실체로서 몇 개의 지역공동체가 합쳐져서 형성된 것으로 보는 관점이다. 두 번째의 관점에서 보면, 지방정부는 중앙에 예속된 것이 아니라 독자적인 자율성을 가진 실체로서 본질적으로 지역주민들에게 모든 권력이 유보되어 있고, 이에 따라 지방정부의 정책의 주체도 당연히 지역 주민들의 총체로서 인정되는 지방정부에 귀속되게 되어 있다(Allen, 1990: 22-23). 따라서 지방분권과 주민자치를 강조하는 관점에서 지방정부는 정책결정의 책임을 지고 각종의 서비스와 편익을 주민에게 제공하여야 하므로, 각각의 지역실정에 부합하는 다양성을 가지는 정책을 수립하여 주민의 요구에 부응할 수 있는 최선의 정책을 결정하는 데 노력을 다해야 할 것이다.

정책이 결정되어 의도하는 목적을 달성하기까지에는 일련의 연속적인 과정을 체계적으로 밟게 되는데 이를 정책과정이라고 한다(박응격, 1984: 87). 이와 같이 정책과정은 정책의 결정단계를 거쳐 종결되기까지의 연속적 과정을 유형화한 일종의 추상적 가정이며, 또한 정책현상을 연구하고 분석하기 위한 접근상의 편의에서 분석적으로 구분한 것이라고 할 수 있다. 이러한 정책과정의 단계 역시 학자들의 연구목적이나 관점에 따라 파악되는 국면이 다양한데, 이들 학자들의 정책과정에 대한 견해를 표로 정리하면 〈표 6-2〉와 같다. 본 연구에서는 정책과정을 ① 정책의제설정, ② 정책결정, ③ 정책집행, ④ 정책평가의 네 단계로 파악하고자 한다.

〈표 6-2〉 정책과정의 분류에 대한 학자들의 견해

| | |
|---|---|
| 존스(1977) | 확인단계, 형성단계, 합법화단계, 집행단계, 평가단계 |
| 라스웰(1956) | 정보단계, 건의단계, 처방단계, 발동단계, 적용단계, 평가단계, 종결단계 |
| 앤더슨(1984) | 정책의제설정, 정책형성, 정책채택, 정책집행, 정책평가 |
| 정정길(1993) | 정책의제설정, 정책결정, 정책집행, 정책평가 |
| 윤정길(1991) | 정책의제설정, 정책결정, 정책집행, 정책평가, 정책종결 |
| 안해균(1990) | 정책형성, 정책결정, 정책집행, 정책평가 |
| 백완기(1989) | 정책결정, 정책집행, 정책평가 |
| 佐々木信夫(1992) | 과제설정, 정책입안, 협의의 정책결정, 정책집행, 정책평가 |

　한편 이와 같은 지방정부의 정책과정은 중앙정부 차원의 그것에 못지않게 대단히 역동적인 과정으로 나타난다. 지방정부 정책과정의 역동성은 지역주민들이 직접적으로 영향을 받을 가능성이 크다는 점과 중앙정부의 관련 국회의원이나 정당의 개입도 수반하기 때문에 오히려 중앙의 그것보다도 더 활발한 것일 수도 있다. 사사키 노부오는 지방정부의 정책과정을 과제설정, 정책입안, 협의의 정책결정, 정책집행, 정책평가의 다섯 단계로 설명하고 있다(佐々木信夫, 1992: 13). 이와 같은 지방정부의 정책과정은 다양한 참여자와 절차, 기준 등에 따라 상당히 역동적인 과정을 거치면서 전개되는데, 그 과정을 담당주체, 주요한 내용, 재정조치 등을 중심으로 하여 정리하면 〈표 6-2〉과 같다. 여기서는 특히 지방정부(단체장과 보조기관 및 공무원 집단)와 지방의회의 역할에 주목할 필요가 있다. 기본적으로 지방정부의 정책과정은 집행기관과 지방의회의 공동노력에 의하여 이루어진다.

　본 연구에서는 〈표 6-2〉와 관련하여 언급한 바와 같이 정책의제설정, 정책결정, 정책집행, 정책평가의 네 단계로 파악하고자 하며, 따라서 사사키 노부오의 정책과정 중 정책입안에 관한 것은 협의의 정책결정에 포함하여 논의를 전개한다.

## 2) 지방정부 정책과정의 특성

　지방정부의 정책과정의 특징으로 다음과 같은 내용을 들 수 있다. 첫째, 주요한 고려사항으로서의 주민수요이다. 지방정부 정책과정의 가장 주된 고려요소가 주민의 요구사항이라는 것이다(佐々木信夫, 1992: 6). 이것은 지방자치의 본질과 관련시켜 볼 때 너무나도 당연한 것인데, 특기할 것은 주민의 수용성을 특히 강조한다는 점이다.

둘째, 정책과정에 대한 지방정부 간의 경쟁이다. 지방정부 상호간에 정책결정의 질을 향상시키려는 선의의 경쟁이 존재한다는 것이다(Allen, 1990: 14- 21; 佐々木信夫, 1997: 79-80). 권위주의적·중앙집권적·획일적인 정책결정구조에서는 선의의 경쟁이 존재하지 않는다. 그러나 분산적 구조와 다양한 정책결정 환경에서는 그들의 지방정부를 다른 지방정부보다 잘 살고 풍요로운 지역사회로 가꾸어 나가기 위한 선의의 경쟁이 나타난다는 것이다. 따라서 경계를 같이하고 있는 한 국가 내에서도 잘사는 지방정부와 그렇지 못한 지방정부 사이에 격차가 발생하게 된다.

셋째, 정책의제설정에 있어서 사업성(상업성)이 주요한 고려 요소가 된다. 이것은 중앙집권적·획일적 정책과정에서는 사업성이 별로 중요한 고려대상이 되지 않으며, 단지 법의 테두리 내에서만 별다른 문제없이 정책이 결정되면 된다는 생각이 지배적이다. 그러나 지방정부의 정책과정은 그러한 경향과는 사뭇 구별되는 것이다. 지방정부의 정책과정의 특성 중 사업성이라는 개념은 단순한 능률성의 개념을 초월한 것이며, 경우에 따라서는 상업과 같이 지방정부의 소득증가와 이윤을 가져다줄 수 있는 방안까지도 신중하게 고려된다(Leemans, 1970: 23-24).

넷째, 정책결정의 신속성이다. 유동적이고 급변하는 사회 속에서 지방정부의 정책과정은 신속히 이루어지지 않으면 안 된다. 정책과정의 신속성은 주민요구에 대한 감응성과 시간적 적절성 및 사업성 등과도 관련된다. 물론 이것은 정책결정을 서두르는 졸속성이나 조급성과는 분명히 구분되어야 한다. 정책과정의 신속성은 정책문제의 구체화 과정이 시간적 지체 없이 시의 적절히 진행됨을 의미한다.

### 3) 지방정부 정책과정별 정책능력

본격적인 지방화시대를 여는 계기가 된 지난 1995년의 6·27지방선거를 비롯하여 1998년(6·4)과 2002년(6·13) 지방선거 등 세 차례에 걸친 통합지방선거를 통한 정치·행정적 변화는 종전의 권위주의적 정책결정체제가 민주적인 정책결정체제로 전환되는 과정을 잘 보여 주고 있다. 지방정부의 정책능력에 대한 관심은 지난 5·13지방선거와 관련하여 바람직한 자치단체장과 지방의회의원에 대한 결정요인에 대한 조사에서도 잘 나타나 있다. 즉 행정전문가들을 대상으로 한 조사에서 단체장과 지방의회의원 모두 '인물/능력/경력(60.9%, 56.0%)' 다음으로 '공약 및 정책'에 각각 21.4%와 16.9%의 응답자들이 정책능력의 확보 여부를 투표의 결정요인으로 제시한 것이다(최호택, 2006: 38-39).

이러한 변화의 과정에서 지방분권과 주민자치를 강조하는 관점에서의 지방정부는 정책과정에 대하여 실제적으로 책임을 지는 정책주체로서의 역할이 더욱 강조되고 있다. 지방정부는 지역사회의 정책주체로서 정책과정의 책임을 지고 각 지역의 실정에 부합하는 다양성을 가지는 정책을 세워 각종의 서비스와 편익을 주민에게 제공하는 등의 주민들의 요구에 부응해 나가야 하는 것이다. 이와 같이 분권형 사회 및 주민자치형 사회에서는 주민수요에 대응하기 위한 정책결정 주체로서의 기능이 지방정부의 가장 중추적인 기능으로 부각되게 된다(박호숙, 1995: 75-76). 이를 위해서는 지방정부의 기획 및 정책수립, 자원동원 및 배분능력을 배양해야 한다.

사사키 노부오(1997: 79-80)는 시정촌(市町村)의 능력에 관한 논의에서 보다 양질의 서비스 제공경쟁 혹은 정책경쟁을 통해 각 지방정부의 능력을 더욱 증진할 수 있다고 하였다. 그러기 위해서는 기본적으로 시정촌 및 그 공무원들이 정책의제설정에서부터 정책입안→정책결정→정책집행→정책평가라는 일련의 정책과정과 관련한 경영능력, 정책능력, 평가능력 등을 갖추어야 한다고 설명하고 있다(佐々木信夫, 1999: 65). 즉, 경영능력은 정책과정의 모든 단계를 잘 조직화하고 운영하여 좋은 결과를 산출하기 위해 정책과정 전반에 걸쳐 영향을 미치는 능력으로서 지방정부 최고관리층의 경영마인드 및 경영책임과 직접적으로 관련된다.[7] 정책능력은 의제설정에서 정책결정의 단계까지 요구되는 능력으로 지방공무원들이 실질적으로 정책을 형성하거나 계획을 수립하는 능력에 관한 것이다.[8] 평가능력은 지방행정의 분권화에 따라 중시되는 지방정부의 정책평가 기능과 관련하여 중요한 의미를 가진다.

정책과정과 지방정부의 능력요소를 결합시켜 설명하는 논리는 지방정부가 '작지만 독자적인 정부'로서 지방정부 공무원들이 스스로 정책을 입안하여 집행하고 결과에 책임을 지는 정책관청으로서 거듭나도록 독자적 관리주체로서 자기결정·자기책임의 원칙, 즉 지방정부의 독자성을 확보해야 된다는 것이다(佐々木信夫, 1997: 78).[9] 이와 같은 지방정부 공

7) 이 점에서 가겐(J. J. Gargen)이 주장한 관리능력과 개념상 유사하다. 다만 그 구성요소 혹은 대상을 사사키 노부오는 정책과정으로 보고 있는 데 반해, 가겐은 정책·자원·프로그램 관리로 보고 있다는 점에서 차이가 있다.

8) 정책형성능력의 구체적인 내용으로는 정책목표의 명시, 정책수단의 구상, 정책자원의 조달, 집행체제의 명시, 이해관계자에 대한 대응 등으로 이루어진다.

9) 사사키 노부오는 이와 같이 중앙정부의 지시에 따라 집행만 하는 지방정부를 '사업지자체(事業地自体)' 또는 '사업관청(事業官廳)'이라고 하고, 독자적으로 지역주민과 환경의 요구에 능동적으로 대처하면서 스스로 정책능력을 발휘할 수 있는 지방정부를 '정책자치체(政策自治体)' 혹은 '정책관청(政策官廳)'이라는 특징적인 용어로 표현하고 있다.

무원의 정책능력은 지방정부의 정책과정과 불가분의 관계에 있으며, 그러한 점에서 사사키 노부오의 주장한 상당한 설득력을 갖는다고 할 수 있다. 다만, 본 연구에서는 정책능력에 대한 논의의 범위를 확대하여 '정책과정과 관련되어 요구되는 일련의 능력'이라고 정의함으로써 정책능력에 관한 논의를 모든 정책과정과 관련되는 것으로 확대하여 해석하고자 한다. 또한 논의의 범주에 속하는 정책과정을 학자들의 논의를 바탕으로 정책의제설정, 정책결정, 정책집행, 정책평가 등의 네 단계로 구분하고, 각 과정별로 요구되는 지방공무원의 정책능력에 관해 논의한다.

일반적으로 정책의제설정과정에서는 정책개발 및 기획과 관련된 능력이 요구되며, 구체적인 내용으로는 행정수요에 대한 대응능력, 문제해결능력, 비전제시능력 등이 요구된다. 정책결정과정에서는 정책결정능력이 필요한데, 이와 관련한 세부내용으로는 각종 분석기법의 활용능력을 포함한 정책분석능력, 대외협상 및 조정능력 등이 요구되며, 그 밖의 각종 의사결정능력 등이 이 단계에서 발휘되어야 한다. 정책의 집행과정에서는 실질적인 정책집행능력이 요구되는데, 세부적인 내용으로는 조직관리능력, 업무파악능력, 실무 및 관리능력 등이 요구된다. 이 단계에서는 해당 공무원의 조직계층상 위치에 따라 정책집행에 필요한 인적·물적자원의 동원 및 정치적 지원을 확보하는 것도 중요한 능력요소가 될 것이다. 정책평가의 과정에서 요구되는 능력은 정책의 효과성 여부 등을 검토하기 위한 평가능력이 요구되는바, 평가 및 분석기법의 활용능력과 평가결과의 활용능력 등이 주요한 능력요소가 될 것이다. 이와 같은 내용을 정리하면 아래 그림과 같다.

[그림 6-1] 지방정부의 정책과정과 정책능력

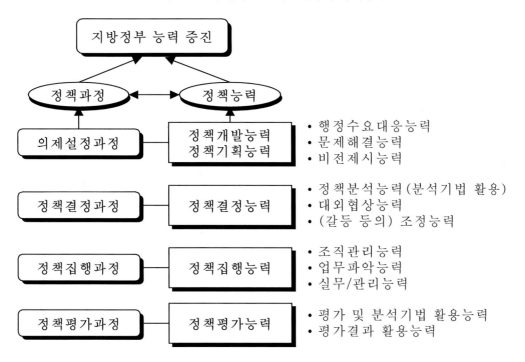

## Ⅲ. 지방정부 정책과정과 지방공무원의 정책능력

### 1. 조직계층과 정책능력

정책학 분야는 행정관리 영역에서 1950년대 이후 시작되었으나, 비교적 짧은 기간 동안에 중요한 학문적 영역과 위상을 확립한 것이다. 특히 행정관리조직에서 수행하여야 할 업무의 성격 및 수준으로 볼 때 일반행정 분야의 직무는 하위 공무원이나 일선관리자에 의해 수행되는 데 비해 정책의 분야는 비교적 관리층에 속하는 공무원에 의해 수행되는 직무로서의 특징을 지니고 있다. 그러므로 어떤 관점에서 보면 정책에 관한 직무를 수행하는 데 필요한 능력은 일반행정분야의 직무수행에 필요한 능력보다 차원이 높은 것임을 알 수 있다. 그것은 아마도 정책의 특성 중 하나로 정책이 미래지향적인 지적활동의 산출이라는 점, 즉 비정형적 · 전략적 성격을 지니고 있기 때문일 것이라고 생각해 볼 수도 있겠다.

이와 같이 정책에 관한 사항들이 조직에서 관리층 직무와의 관련성이 크다고 해서 하위직 공무원이나 일선관리자들이 전혀 정책에 대해 관심을 기울이지 않아도 된다는 의미는 아니며, 주민과 가장 가까운 정부에서 주민을 위한 전문적이고 종합적인 성격의 행정서비스를 지방공무원이 제공한다는 점에서 조직계층과 상관없이 정책과정에 관한 지식을 기본으로 하여 정책과정 전반에 관한 능력을 제고할 것이 요구된다. 오늘날 정부와 민간 부문에서 행정관리나 정책 및 사업의 현황분석과 미래예측, 정책의 개발과 집행 및 평가 업무 등을 효율적 · 합리적으로 수행할 수 있는 기획 · 분석 · 평가분야의 전문인력을 양성하기 위해 행정관리사나 정책분석평가사 등의 자격검증제도를 도입 · 시행하는 추세는 이와 같은 행정 및 정책관련 능력의 중요성을 반증하는 것으로 판단된다.

## 2. 정책의제설정과정과 정책능력

정책의제의 설정과정은 실질적으로 정책과정이 시작되는 단계이다. 이 단계는 사회체제에 존재하는 다양한 문제(problems)가 제기 · 확산되는 과정을 통해 구체화됨으로써 궁극적으로 문제해결에 대한 정부의지의 표현과 함께 정부의 정책체제 내부로 진입하게 되는 단계로 주민들이 제기하는 문제가 무엇이며, 그러한 문제들에 대하여 (지방)정부가 관여할 필요가 있는가, 만일 관여할 필요가 있다면 어떠한 방식으로 관여할 것인가 등의 사항을 점검하는 활동과 관련된다. 그러므로 이러한 활동은 결국 정책을 개발하고 기획하는 활동과 관련된 능력이 요구된다고 할 것이다. 그러므로 이 단계에서 필요한 정책과 관련된 능력의 구체적인 내용으로는 행정수요에 대한 대응능력, 문제해결능력, 비전제시능력 등을 들 수 있을 것이다.

행정수요에 관해서는 다카하세 쇼죠의 견해를 참고할 만하다. 다카하세 쇼죠는 행정수요라는 개념을 주민수요와 구분하여 설명하면서 지방정부의 능력에 관해 설명하고 있다. 주민수요는 지방정부에 대해 주민이 공적 · 사적으로 요구하는 작위 또는 부작위, 즉 행정서비스에 대한 요구인데 반해, 행정수요는 지방정부가 행 · 재정적 능력을 감안하여 이와 같은 주민수요를 행정서비스로 전환하여 제공할 필요가 있다고 인정하는 것에 한해 비로소 주민수요가 행정수요로 된다는 것이다(高寄昇三, 1988: 82-85). 그러므로 행정수요는 주민수요와 지방정부의 행정적·재정적 능력이 교차하여 상호작용을 일으키는 부분으로서 이 부분이 클수록 지방정부는 주민수요에 민감한 정부이며, 곧 유능한 정부라고 할 수 있는 것이다. 즉 이상적으로는 '주민수요≒행정수요≒행정능력'이라는 관계가 바람직하겠지만, 지방정부의 행·재정적 능력과 주민수요 자체의 문제[10]로 인해 '행정능력≒행정수요<주민수요'의 관계에 그칠 수밖에 없다(高寄昇三, 1988: 82: 최창호, 1997: 300).

결국 지방정부가 '인정'하지 않는 한, 주민의 생사에 관계된 절실한 주민수요일지라도 행정수요로는 되지 않는다. 반대로 주민이 전혀 바라지 않는 행정서비스일지라도, 즉 주민수요와 전혀 관계없는 행정수요도 있을 수 있다. 따라서 행정수요대응능력이란 타당한 주민수요에 대해서 적정한 절차에 따라 내려진 적절한 판단을 바탕으로 적당한 행정서비스를 제공하는 순환과정과 관련된 능력을 의미한다고 할 것이다. 그러므로 주민수요를 객관적으로 명쾌하게 분석할 수 있는 능력이 필요하며, 지방정부의 행·재정적 여건이나 능력 등의 환경적 요소에 비추어 보아 불합리하거나 부당한 주민의 요구를 차단하는 동시에 그 부당성을 설득할 수 있는 능력이 요구된다. 또한 적절하고도 필요한 주민수요에 대해서는 적극적으로 검토·분석하여 지방정부 정책체제로 투입시켜 정책의제화하는 적극성이 요구된다. 이렇게 보면, 행정수요대응능력은 주민수요를 행정수요로 변환시키는 과정에서 지방정부 내외의 여러 가지 환경적 요소들을 검토하기 때문에 어떤 면에서는 환경분석능력과 연계될 수도 있다.

다음으로 행정수요대응능력과 어느 정도의 관련성을 갖는 것으로서 문제해결능력을 지방공무원들이 갖추어야 한다. 문제해결능력이란 사회변화에 따라 주민의 행정요구를 명확히 파악하여 문제를 설정하는 능력으로 그 과제를 해결하는 정책안을 입안하는 정책형성능력을 말한다. 분권시대의 지방정부 공무원에게라면 누구라도 없어서는 안될 능력이다. 젊은 중견 공무원에게는 문제발견과 해결책의 제시와 실무능력이, 과장이나 국장 등 조직 상위층 공무원에게는 정책판단이나 조정·관리능력이 필요하다(佐々木信夫, 1999: 105).

정책의제설정과정과 관련하여 지방공무원에게 필요한 능력으로 비전제시능력을 들 수 있다. 임수복(2001: 91)은 단체장이 정책가형의 역할을 수행하기 위해 비전제시능력을 발

---

10) '주민수요 자체의 문제'란 주민수요를 님비(NIMBY) 등과 같은 지역·집단이기주의와 혼동함으로써 주민수요 자체가 행·재정능력을 발휘할 대상으로서의 행정수요로 전환되는 데 있어서 이미 한계를 내포하고 있는 경우를 말한다. 대표적인 예가 일본의 경우 신간센(新幹線)이나 고속도로, 공항의 건설과 관련하여 인접 주민의 반대 및 보상요구 등에 관한 것이다(우무정 외 (역), 1999: 36. 참조).

휘하여야 한다고 설명하고 있으나, 직위 고하를 막론하고 지방공무원들에게도 나름대로 지방 또는 지방정부의 발전과 미래상에 대한 비전을 제시할 수 있는 능력이 요구된다. 사실 단체장을 통해 지방정부의 비전을 모든 주민들에게 제시할 수 있는 기회는 한정되어 있기 때문에 공무원 자신의 독특한 비전이 아니더라도, 즉 단체장에 의해 제시된 비전이라도 주민들에게 명쾌하게 설명할 수 있는 능력을 갖추는 것이 중요하다. 그러한 경우 주민들은 해당 공무원 개인에 대해서는 물론 지방정부 공직사회에 대한 신뢰와 희망을 바탕으로 지역발전 시책에 적극 협조할 것이므로 정책집행과정에서의 순응을 확보하는 데 상당한 도움이 될 수 있다.

## 3. 정책결정과정과 정책능력

정책결정과정에서는 여러 가지 정책대안 중 일부를 선택하는 행위와 관련된 능력이 요구된다. 즉, 정책을 결정하기 위한 능력이 필요한데, 이와 관련한 세부내용으로는 의사결정방법과 관련된 여러 가지 지식이 요구되며, 비용편익 분석이나 비용효과분석, 델파이기법이나 회귀분석 등 각종 분석기법의 활용능력을 포함한 정책분석능력과 대외협상 및 조정능력 등이 요구된다. 통상적으로 정책결정은 중간관리층이나 최고관리층의 역할범위에 속하는 기능으로 생각하는 경향이 있지만, 실제적인 정책결정과정에 앞서 정책목표를 정의하고, 다양한 목표간의 횡적·종적 일관성을 유지하면서 여러 가지 목표수준을 구체화하는 작업은 지방공무원의 능력형성의 측면에서 하위 공무원이나 일선관리자의 참여도 보장하는 것이 바람직할 것이다.

먼저 정책분석기법의 활용능력과 관련하여 1989년과 2003년의 공무원의 정책관리능력을 비교분석한 연구(이성복, 2003: 266-267)에서 '행정업무의 처리과정에서 정책분석기법의 이용에 대한 필요성이 높음'(1989년 56.9%, 2003년 47.3%)에도 불구하고 '비용효과 분석'이나 '델파이기법' 이외의 정책분석기법에 대한 이해정도가 낮았을 뿐만 아니라 실제로 '행정업무처리과정에서 정책분석기법을 사용한 경험이 낮은 것'(1989년 88.6%, 2003년 94.4%)으로 나타나 정책과 관련한 공무원들의 관심이 전반적으로 낮은 것으로 판단된다. 이와 같이 정책분석기법에 대한 관심과 활용경험이 낮은 것은 해당 공무원들의 업무성격과도 관계가 있겠지만, 정책분석기법에 대한 활용능력을 제고하는 데 있어서의 동기부여가 부족한 데서 기인하는 것으로 판단된다. 즉 기술사, (산업)기사 등의 경우에는 자격증 수당제도를 활용하고 있는 데 비해 정책분석평가사나 행정관리사 등에 대해서는 이와 유사한 제도가 적용되지 않을 뿐만 아니라 실제 업무도 정책분석기법을 적용하지 않아도 되는 정형적인 업무의 비중이 크다면 지방공무원의 정책분석능력을 제고하기는 쉽지 않을 것이다.

둘째, 대외협상 및 조정능력 등의 형성 및 발휘가 요구된다. 지방정부 차원에서 지방정부를 대외적으로 대표하는 지위에서 대외교섭을 주도하고 대내적으로는 주민의 대표이자 최고의 기관으로서 주민의 다양한 이해관계를 조정하여 주민을 통합시키는 권한은 어쩌면 오로지 자치단체장만이 발휘할 수 있는 고유한 특권이라고 할 수도 있을 것이다. 그러나 그와 같은 대외협상 및 조정에 관해 단체장에게 의존하는 경우 단체장의 직무수행과 관련된 일정으로 비효율적인 결과를 초래할 가능성이 없지 않다. 어떤 점에서는 현실적으로 공무의 집행기능을 담당하고 있는 공무원들이 집행과정에서 주민의 이해관계를 조정한다거나 중앙정부 및 중앙정치권 등과 대외적인 교섭활동까지 수행하면서 직무를 수행한다면 행정상의 엄청난 비효율을 초래할 가능성이 없지 않다. 그러나 단체장을 보좌하여 필요한 직무를 수행하는 역할이 바로 지방공무원의 책임이므로 단체장의 대외교섭능력과 주민통합능력이 충분히 발휘될 수 있도록 대외협상이나 조정업무와 관련하여 적극적으로 단체장을 보좌하는 능력을 발휘하여야 한다. 즉 최종적인 결정은 단체장에 의해 이루어지게 하더라도 대외협상이나 조정업무와 관련된 '보도지침'이나 '업무수행 지침' 등을 통해 해당 업무를 일관되게 수행함으로써 해당 업무와 관련한 신뢰성과 합리성을 확보하는 것이 궁극적으로 바람직한 결실을 도출하는 데 도움이 될 것이다.

보다 직접적으로 지방공무원들에게 부하의 파악·육성 능력, 리더십, 대외절충능력 등과 관련되는 대인능력이 요구된다. 일반직원이나 주임집단은 물론이고 계장, 과장보좌, 과장, 국장 등으로 직급이 올라감에 따라 이른바 관리(직)능력이라고 불리는 부하의 파악, 지도, 육성이 중요한 직무가 되어 이에 걸맞은 능력이 필요하다. 최근에 주민은 창구를 넘어 과장이나 부장과 직접 교섭을 원하는 경향이 있다. 과장급, 국장급과 직무계급이 상위에 오름에 따라 주민과의 조정, 업계와의 절충, 그리고 의원 등 정치가나 지방의 유력자 등과의 대화 등 대외절충능력의 무게가 더욱 무거워지게 될 것이다(佐々木信夫, 1999: 104-105).

## 4. 정책집행과정과 정책능력

지방행정은 법령 집행행정이고 빈약한 재정력으로 운영해야 하는 실정이므로, 지방정부의 집행주체로서의 지방공무원들에게는 행정에 대한 고도의 전문성, 기술성, 정보관리 등과 관련된 행정실무능력이 요구된다(박승주 외, 1999: 269). 이와 같은 행정실무능력은 정책집행과정에서 요구되는 정책집행능력으로 조직관리능력, 업무파악능력, 실무 및 관리능력 등이 포함될 수 있을 것이다. 또한 이 단계에서는 해당 공무원의 조직계층상 위치에 따라 정책집행에 필요한 인적·물적자원의 동원 및 정치적 지원을 확보하는 것도 중요한 능력요소가 될 것이다.

조직관리능력은 집행과정에서의 다른 유형의 능력과는 구분되는 특징이 있는데, 그것은 조직관리능력은 비교적 조직 상층부 공무원과 관련을 맺게 될 것이라는 점이다. 즉 관리자로서의 지위와 권한을 지닌 공무원에 의해서 발휘될 수 있는 것으로 자가 자신을 현재의 조직과 동일시하면서, 구성원의 역할과 책임을 규정하고 평가함과 동시에 목표를 명확히 설정하도록 하는 의사소통의 망을 확립하여 집단의 업무와 역할을 조정하는 능력이라고 정의할 수 있다(박기관, 1999: 26). 그리고 업무파악능력은 업무전반을 소상하게 파악하는 능력으로서 업무수행상 효과성 제고를 위한 기본적인 요건이 되는 것이다. 실무능력이란 문자 그대로 담당사무에 필요한 전문적 지식과 기술이다. 세무담당이라면 그것이 지방세라도 내용은 세분화되어 있어 상당히 자세하고 정확한 세 가지 지식이 필요하다. 단, 그 실무능력도 다른 부나 과에 할당된 타 분야와의 관련성을 인식할 필요가 있어 종적 지식뿐만 아니라 횡적 지식이 필요하다(佐々木信夫, 1999: 105). 이러한 점에서 실무능력은 조직 상층부는 물론 중간 및 하위층 공무원의 경우에도 나름대로의 실무능력을 갖출 것이 요구된다. 이와 같은 실무능력과 관련하여 실무자에게 요구되는 업무수행능력의 요소로는 공무원의 전문성과 헌신적 자세, 의사전달능력, 정보화능력, 창의력, 친화력 등이 요구된다(김명식, 2001: 296-297). 실무능력이라는 개념과 유사한 관리능력은 흔히 리더십으로 표현되며, 그 요소는 대체로 조직의 목표와 방향을 제시할 수 있어야 하고, 그가 관리하고 있는 인적·물적 자원과 조직을 관리하며, 부하직원을 지도·육성하는 능력을 말한다(김명식, 2001: 295).

## 5. 정책평가과정과 정책능력

정책평가과정에서 요구되는 정책능력은 정책의 효과성 여부 등을 검토하기 위한 평가능력이 요구되는바, 평가 및 분석기법의 활용능력과 평가결과의 활용능력 등이 포함될 것이다. 정책능력은 평가능력을 통해 보완될 때에 더욱 더 진가를 발휘할 수 있는 것이며, 평가능력은 일반적으로 정책평가과정 또는 활동에 관한 것으로 그 논의의 대상은 더욱 확대될 수 있다(佐々木信夫, 1999: 69).[11] 정책평가의 과정과 관련된 정책과정의 변화는 지방정부 정책과정의 가장 현저한 변화추세라고 할 수 있다. 종전의 자기책임의 관행이 정책되어 있지 않았던 상황을 탈피하여 정책과정에 평가를 통한 환류과정을 도입함으로써 자율적인 정책형성과 효율적인 정책집행, 그리고 환경변화에 민감한 정책평가과정을 구현하게 된 것이다.

일본의 경우 종래의 집권적인 환경에서는 시정촌(市町村)뿐만 아니라 일본의 지방행정은 정책평가 기능을 등한시했으며, 그에 따라 대다수 지방정부의 평가능력은 거의 발휘되지 못하였다.[12] 그러나 지방행정의 환경변화와 함께 실질적 분권형 사회에서는 평가능력의 증진을 통해 지방정부의 정책과정에 대한 보다 주도면밀한 평가기능이 수행되어야 한다. 미에현(三重縣) 기타가와(北川正恭) 지사는 정책평가체제의 하나인 '사무사업평가체제(事務事業評價體制)' 도입의 의의(意義)를 행정의 질적 전환, 성과지향적 업무수행, 결과에 대한 검증이라는 세 가지 차원으로 설명하고 있다(佐々木信夫, 1999: 69-70).

우리나라의 경우에도 지방자치의 실시 이후에 경쟁과 효율성, 그리고 대응성을 동시에 추구하면서 서비스의 공급자체를 민간 등 외부공급자를 통해 공급하는 방식을 택하는 경

---

11) 이 같이 평가능력의 대상을 폭넓게 정의하는 이유는, 일단 결정된 공공사업의 경우에 시대배경이 바뀐 상황에도 지속되는 것은 결코 바람직하지 않다고 생각하기 때문에 홋카이도(北海道)의 "시간평가(Time Assessment)"와 같이 시간적인 변화요인이 보태져 계획된 사업, 실시중인 사업내용을 다시 평가하는 활동과 그러한 활동을 수행할 능력이 요구된다는 것이다.

12) 지방정부의 평가능력이 부족한 경우에는 정책 및 정책과정의 효과성을 제대로 측정하지 못할 뿐만 아니라 예산과 연계되어 있는 정책의 경우에는 낭비요인을 심화시키는 경우도 발생할 수 있다. 실제로 대부분의 지방정부의 경우에 예산과정에 대한 평가의 중요성에 대한 인식보다는 오히려 예산소화주의(豫算消化主義)라는 말이 자연스러울 정도로 예산은 '다 써버리는 것이 좋다'는 발상이 일반적이었다. '예산소화주의'란 일본이나 한국의 경우 모두 주민의 비판에는 아랑곳하지 않은 채, (지방)정부의 남은 예산을 다음 회계연도로 이월시키지 않고 가능한 한 모두 지출하는 행정행위를 빗대어 표현한 것이다. 보다 구체적으로는 회계연도의 4/4분기에 공공사업을 집중적으로 추진하여 가능한 한 배정된 예산을 모두 지출하려는 행정행태 및 현상을 의미한다.

향이 증가할 뿐만 아니라 전자정부(Electronic Government)로의 이행과정에서 나타나는 빠른 변화로 말미암아 과정평가(monitoring)에 대한 중요성이 증대되고 있다(이계식·고영선, 1997: 144-150).[13]

평가능력의 증진을 위해서는 정책평가체제의 개발 및 활용, 평가담당자의 육성, 감사제도나 의회와의 관계 등의 여러 가지 측면에서 대안을 모색해야 한다. 정책수준에 대한 평가능력을 향상시키는 것이 쉬운 일은 아니지만 기초자치단체는 광역자치단체의 행정과는 달리, 규모도 작고 정책주기(policy cycle)도 짧기 때문에 사무사업뿐만 아니라, 시책 혹은 정책수준에서의 평가가 가능할 것이다.

# Ⅳ. 지방공무원의 정책능력 제고 방안

## 1. 조직문화의 개선과 학습조직화

지방공무원의 정책능력을 제고하기 위한 첫 번째 방안으로서 조직문화의 개선과 학습조직화를 위한 노력이 필요할 것으로 판단된다.

지방정부가 정책지향의 「정책관청」으로 나아가는 데 중요한 역할을 수행할 지방공무원은 정책인으로서 몇 가지의 조건 또는 자질은 갖추어야 할 것이다. 즉, 정보와 인터넷, 멀티미디어 시대에 대응할 수 있도록 최첨단 정보기술을 구사할 수 있는 능력을 지닐 것, 스스로 문제를 발견하여 해결방책을 입안할 수 있을 것, 21세기의 지역사회에 대한 비전을 그릴 것, 그리고 그러한 것들을 실현하기 위해 리더십과 실행력을 갖출 것 등이다(佐々木信夫, 1999: 104-105). 이러한 것은 당연히 지방정부 전문가만이 아니라 사회일반의 전문가로서의 인재에 관한 내용과 통한다고 할 수 있을 것이다. 그러나 공공정책과 관

---

13) 미국의 경우에 많은 지방정부에 대해 1970년대 중반에서 1980년대 중반까지 각종 민간경영기법의 도입비중이 증가하였으나, 최근(1993)의 조사에서는 정책평가기법 내지 제도의 도입비중이 크게 증가하고 있는 것으로 나타났다. 이것은 미국에 관한 한 꾸준히 도입해 온 민간경영기법이 어느 정도 정책되었으며, 이러한 기법의 운영과 관련하여 정책 및 기획평가기능이 중시되고 있음을 보여 주는 것이다.

련된 지방정부 전문가에게 더 필요한 요건이라고 할 수 있을 것이다. 지방정부 전문가로 서의 지방공무원이 주민과 직접 접촉하면서 주민의 요망과 행정요구를 수렴하여, 그것을 정책화할 수 있는 능력을 발휘하여야 하는 것이다.

그리고 지방공무원들은 이와 같은 능력을 바탕으로 정책과정에 대한 실질적인 참여 등의 활동을 전개할 필요가 있다. 대개 지방정부의 정책에 대한 연구나 프로젝트의 경우 핵심적인 역할은 외부전문가(교수, 연구원 등)가 수행하는 경우가 많다. 그러므로 지방정부 공무원은 자연히 과제 참여자간의 연락 및 잔업정리 등의 역할에 그치는 경우가 많다. 바로 이러한 관행에 대해 시정하려는 노력이 필요할 것으로 판단된다. 최근에는 고학력의 내부전문가인 공무원들도 많기 때문에 이들을 적극적으로 활용하여 내부전문가에 의한 정책연구 및 정책형성 활동을 장려함으로써 지방정부 내에 정책 및 정책에 대한 관심을 촉진시킬 필요가 있다.

이와 같은 지방공무원의 정책과 관련한 능력제고 및 발휘를 위해서는 실질적으로 조직문화의 개선이 요구된다. 무엇보다도 정책 및 정책능력의 중요성에 대한 공감대가 형성되어야 하며, 이를 위한 조직차원의 노력이 공유되어 하나의 문화로써 자리 잡을 때 정책능력은 지방정부라는 조직에 체질화되어 지역 및 지방정부의 발전에 커다란 기여를 하게 될 것이다. 이렇게 정책 및 정책능력과 관련한 사항이 조직문화의 개선에 버금가는 수준으로 발전되기 위해서는 '생각하는 공무원상의 정립', '법규만능에서 지역특성으로의 관심의 이동', 그리고 '현장중심적인 연구활동의 일반화' 등이 필요하다고 할 수 있다(한국행정연구원, 1990: 186-187).

이처럼 지방정부 공무원들이 정책과정에서 발휘할 정책능력을 배양하도록 하기 위해서는 몇 가지의 실질적인 조치가 요구된다. 무엇보다도 지방정부 공무원들 자신이 지방정부의 정책지향성에 대한 높은 관심과 함께 자기 자신의 역할에 대해 되새겨 볼 수 있는 기회를 가져야 한다. 이와 관련하여 우선 조직 내 학습풍토를 고양시키는 것이다. 부서업무와 관련된 정책사례는 물론 다양한 분야의 정책관련사례에 대해 동료 또는 뜻을 같이하는 직원들과의 깊은 유대를 통해 논의하고 발전방안을 도모하는 등의 노력을 자발적으로 경주하도록 유도하여야 한다. 또한 다양한 이름의 연구회를 자발적으로 조직하여 정책분석기법이나 평가기법 등에 대한 지식을 공유하도록 하는 것도 바람직하다.

지방정부의 정책과 관련한 정책연수기회를 적극적으로 활용하여야 한다. 이러한 정책연수의 경우에도 무의미한 형식적 참여가 아니라 실질적으로 나름대로의 역할을 수행할 수 있도록 적절한 규모의 여유 있는 시간대에 작성된 프로그램에 따른 연수를 택하는 것이 바람직하다. 뿐만 아니라 지방정부 정책과 관련되는 연찬회, 세미나, 심포지엄 등 관련 학술활동에 정책 및 기획부서 공무원들의 적극적인 참여를 조장하는 단체장 및 고위 관리자들의 배려가 필요하다.

## 2. 정보 및 자료관리 시스템의 개선

오늘날의 여러 가지 변화 중의 하나는 지방공무원이 행정업무를 수행하면서도 기술을 이해해야 하는 중요한 시대가 되었다는 점이다. 즉, 지역사회개발 수단으로서 기술이 중요한 위치를 차지하게 되어 시설의 정비·관리에 관한 지식이 불가피해졌다. 또 행정내부의 업무와 창구서비스 등 정보시스템에 의존하는 업무가 확대되고 있으며, 정보시스템의 확충은 지방정부가 힘들여 검토하지 않으면 안 되는 주요 과제 중의 하나이다. 그리고 공해방지 등의 환경정책이나 시민생활을 지키기 위한 소비자보호정책 등의 경우에도 관련 기술에 대한 지식이 필요하다.

이러한 기술 및 정보의 영향력이 증대됨에도 불구하고 기술과 관련된 관리 및 정책능력과 관련한 몇 가지의 문제가 있다(米村洋一, 1995: 212-213). 행정담당자 가운데에 고도의 기술을 이해할 수 있는 전문가가 적다는 점과, 전례가 없을 뿐만 아니라 법이나 제도상의 문제로 인해 유연한 대응을 할 수 없다는 점이다. 특히 정보기기 등의 경우 특정 기업에 특혜를 주지 않도록 배려한 결과가 오히려 전체적인 시스템의 통일성을 손상시키는 경우도 있다. 그리고 새로운 기술에 대해서는 국가의 지침이 불완전하기 때문에 지방정부가 선택해야 하는 기술평가를 위한 제도나 구조가 충실하지 못한 점 등의 문제점이 나타나고 있다.

이와 같은 문제점에 대해 생각할 수 있는 대응방안으로 기술정보의 수집 및 활용과 민간활력의 적극적 활용, 시민 전문가의 활용, 사회실험의 도입, 그리고 평가시스템 기술의 검토 등을 들 수 있다(米村洋一, 1995: 212-213). 즉 기술과 관련한 정책능력을 제고하기 위하여 지방공무원은 기술 및 기술에 관한 정보를 충분히 이해하고 정보를 다방면에 걸쳐 수집하여 정책에 활용할 수 있는 능력을 몸에 익힐 필요가 있다. 자금력 위주의 민간활력은 물론 H/W, S/W, 노하우 등의 기술력, 네트워크, 기획력 및 구상력 등 다양한 민간의 활력을 유도하여 적재적소에 이용하는 것이 바람직하다. 시민과 정부 간 우호·협력적 관계를 바탕으로 시민전문가를 적극적 조언자로서 활용하는 것도 유용하며, 박람회나 발표회 등을 통해 신기술을 이용한 제품이나 시설에 대한 사회실험을 실시하거나 기술과 관련된 위험관리차원의 평가체제의 제도화가 요구된다. 특히 위험기술에 대한 영향평가제도를 실시함에 있어서 참여·협력하는 전문가의 전문성에 대한 충분한 배려와 검토를 함과 동시에 시민참여를 도모하면서 당해 기술이 사회에서 사용되고 난후 폐기되는 과정에서 일어날 가능성이 있는 갖가지 문제를 다각적으로 검토하여야 한다.

기술과 관련한 이와 같은 지방정부의 정책적 대응과 함께 일반적으로 정책능력의 증진을 위해서는 정책과 관련된 다양한 정보 및 자료관리 체제를 개선하는 것이 필요하다. 정책의 분석과정이나 평가과정은 물론 정책의 전 과정과 관련되는 정보는 무수히 많으며, 그러한 정보나 자료를 특정정책과의 관련성을 바탕으로 체계적으로 배열하는 것 자체가 주요한 정책기능이 될 수도 있다. 그러므로 정책과 관련한 정보를 체계적으로 수집·정리하여 관리하는 것과 함께 필요시에 용이하게 정보를 검색·활용할 수 있도록 함으로써 정책능력을 실질적으로 증진시켜 줄 것이다.

또한 지방공무원이 수행하는 업무의 성격을 분석·검토하여 정형적인 성격이 있는 업무에 대해서는 매뉴얼화 작업을 통해 업무수행상 효율성을 도모할 수 있도록 함으로써 정책 및 정책능력에 대한 관심을 기울일 수 있는 기회를 제공할 수 있을 것이다.

## 3. 인적자원관리 시스템의 개선

지방공무원의 정책능력의 제고는 인적자원관리 시스템의 개선을 통해서도 달성될 수 있을 것이다. 즉, 유능한 인력의 채용에서부터 보직관리, 교육훈련, 그리고 인사교류 등의 인적자원관리 시스템의 효율적 활용을 통해 지방공무원의 능력을 증진시킬 수 있는 것이다.

첫째, 채용단계에서 정책능력을 가진 자를 임용하는 것이 필요하다. 이는 단체장이나 지방의회의원에서부터 지방공무원에 이르기까지 지방정부의 집행기관과 의결기관을 구성하는 모든 구성원들에 해당된다고 할 수 있을 것이다. 즉, 지방정부의 능력을 증진하기 위해서는 단체장을 비롯한 주요 직무를 담당할 고위관리층의 선출방법을 바꿀 필요가 있으며, 지방의회의 질을 향상시키는 조치도 필요하다. 지방정부의 좋은 경영은 단체장이나 의원은 물론 지방공무원이란 자리에 훌륭한 인재를 받아들이는 데서부터 시작된다고 할 수 있다. 그러한 의미에서 정책능력을 증진시키기 위해 지방정부 공무원들이 정책목표 자체를 직접 설정하고 강력한 의지로 실천할 수 있는 여건을 조성하여 건축가, 설계자, 디자이너 등과 같은 창의적 감각을 가진 정책인으로 거듭나도록 하기 위한 인사전략을 고려하여야 한다. 우선적으로는 지방정부의 자체인력육성전략을 채택하고 보완적으로 외부초빙전략을 채용하는 것이 바람직하다고 본다.[14] 그리고 직무수행에 대한 업적평가도 보수와 연계시켜 충실히 이행해야 하며, 연중 지급되는 보너스에는 업적평가결과가 반영되어야 한다. 조직적 차원에서 지방정부의 정책능력을 향상시키기 위해서는 규모에 구애받지 않고 어떤 식으로든 싱크탱크 조직을 갖추어야 하며,[15] 민간기업과 마찬가지로 정책개발·인재육성에 소요되는 재원에 대해서는 과감한 투자를 아끼지 말아야 한다(佐々木信夫, 1999: 67-68).

둘째, 전문보직관리제도의 활용을 통한 정책능력 제고를 유도하여야 한다. 지방공무원의 보직관리제도에 대해서도 공무원 개개인의 전문적 능력, 특히 정책능력과 경험을 축적·활용할 수 있도록 전문분야별 보직관리제를 적극 활용할 필요가 있다. 또 직위공모제나 직위상호교환제 등의 보다 탄력적이고 유연한 보직관리제도를 운영함으로써 공무원 개인의 전공, 적성 및 희망에 따라 원하는 업무를 담당할 수 있는 기회를 보장하여 줌으로써 조직 분위기를 쇄신하고 생산성 향상에도 기여할 수 있다(권경득, 2003: 48-50).

셋째, 자격증 수당제도의 신설 및 시행 등의 정책능력 제고를 위한 동기부여가 필요하다. 정책분석기법의 활용능력과 관련한 연구(이성복, 2003: 266-267)에서 정책분석기법 활용에 대한 필요성이 높음에도 불구하고 정책분석기법에 대한 이해정도나 사용 경험이 낮은 것으로 나타났다. 이와 같이 정책분석기법에 대한 관심과 활용경험이 낮은 것은 해당 공무원들의 업무성격과도 관계가 있겠지만, 정책분석기법에 대한 활용능력을 제고하는 데 있어서의 동기부여가 부족한 데서 기인하는 것으로 판단된다. 즉 기술사, (산업)기사 등의 경우에는 자격증 수당제도(기술사 50,000원, 기사 30,000원, 산업기사 20,000원 등)를 활용하고 있는데 비해 정책분석평가사나 행정관리사 등에 대해서는 이와 유사한 제도가 적용되지 않을 뿐만 아니라 실제 업무도 정책분석기법을 적용하지 않아도 되는 정형적인 업무의 비중이 크다면 지방공무원의 정책분석능력을 제고하기 위한 동기부여는 쉽지 않을 것이다.

---

14) 오늘날 지방정부에도 대학졸업의 고학력자의 수가 증가한 만큼 정책능력을 향상시키는 데 토대가 되는 기초능력은 높은 셈이기 때문에, 이들 인력을 정책인으로서 육성할 수 있는 독자적인 인재육성 프로그램을 갖춘다면 그만큼 기대한 효과를 달성할 가능성은 높아진다.

15) 현재 우리나라의 경우에는 서울특별시와 광역시·도, 그리고 서울시의 일부 자치구에서는 다양한 명칭으로 정책형성 및 지원을 담당하는 연구기관이 지방정부 산하기관의 성격으로 조직되어 있다. 서울시정개발연구원, 경기개발연구원, 강원개발연구원 등이 그것이다. 또한 충청남도의 경우와 마찬가지로 산하기관 성격의 연구원, 행정조직으로서의 정책전담부서, 그리고 지역 내 대학교수들로 구성된 정책자문교수단 등 싱크탱크의 유형은 다양하다.

넷째, 교육훈련제도의 개선을 통한 정책능력의 제고방안을 강구하여야 한다. 지방공무원교육원(서울시, 경기도), 한국행정관리협회, 사)정책분석평가사협회, 한국정책능력진흥원, 국가전문행정연구원 등의 교육훈련기관의 홈페이지를 방문하여 정책능력 제고와 관련된 교육훈련의 과정 및 내용을 검토한 결과 사)정책분석평가사협회와 한국정책능력진흥원의 교육과정 이외에는 정책능력을 제고할 수 있는 정책과정 관련 강좌의 개설비중이 낮은 것으로 나타났다. 즉, 각 기관들이 정책능력의 중요성에 대해 인식하지 못하고 있는 것이 아닌가 하는 추론이 가능할 정도로 정책능력 을 제고하기 위한 방향으로 교육훈련 과정에 계획되지 않았음을 발견하였다. 또한 국가전문행정연구원의 경우에는 교과과정과 관련한 메뉴나 배너를 찾을 수 없어 인터넷을 통한 교과과정 검색이 불가능한 것으로 나타났다. 이와 같은 점을 고려할 때 교육훈련을 통한 정책능력의 제고방안으로는 정책관련 강좌의 비중을 높이는 것과, 교육바우처의 활용이나 인터넷을 통한 교과과정 검색 및 교육훈련 신청 등 수요자 중심의 교육훈련시스템으로의 전환이 요구된다. 또 (사)정책분석평가사협회나 한국정책능력진흥원 등의 정책관련 전문기관을 통한 교육훈련이 가능하도록 조직적인 차원에서 아낌없는 배려가 필요할 것으로 판단된다.[16]

다섯째, 지방정부 인사교류의 활성화를 통한 지방공무원원 정책능력 제고를 도모할 수 있다. 지방정부의 인사교류는 행정인력의 전문성과 관련된 것으로 공무원의 능력개발 및 향상과 적재적소 배치를 통한 조직의 생산성 증진을 가능하게 하는 요인이 된다(권경득 외, 2003: 3-4). 이와 같은 지방정부 인사교류의 활성화를 통하여 지방공무원의 정책능력을 제고할 수 있을 것이다. 인사교류 활성화에 대한 구체적인 방안으로는 인사교류의 목적 및 원칙의 정립, 인사교류 경로의 합리적 운영, 인센티브 부여 및 교류대상 공무원의 철저한 사후관리, 정기교류의 제도화와 파견제도의 활성화, 민간기관 및 국제기구 등과 같은 인사교류 대상기관의 다양화 등으로 요약할 수 있을 것이다(권경득, 2003: 50-51).

---

16) 한국정책능력진흥원은 전문직무교육과정으로 분석기획능력 향상, 업무성과 향상, 인사조직혁신 부문, 기타(리더십, 지식경영, 재난관리 등)의 4개 부문에 27개 과정을 설강하고 있으며, 추천 직무교육과정으로 분석기획능력 향상, 업무성과 향상, 전문정책 향상, 정책분석평가사교육, 기타의 5개 부문에 22개 과정을 설강하고 있다.

# V. 결 론

최근 지방분권의 추진 등 지방행정환경의 변화에 따라 지방정부 또는 지방공무원의 능력에 관한 연구가 점증하고 있다. 이러한 연구경향이 종전과 구별되는 특징적인 점은 지방자치제도나 그 구성요소에 관한 개선책이나 발전방안에 관한 것보다는 정부 간 관계 혹은 지방의 실질적 발전의 추구라는 맥락에서 지방정부의 능력형성(capacity building)을 위한 논의에 초점이 모아지고 있다는 점이다.

본 연구 역시 지방정부의 능력형성과 상당한 관련이 있다. 다만, 본 연구는 그 논의의 범위를 지방정부 공무원의 정책능력으로 한정하였다. 즉, 지방정부의 실질적·핵심적 주체세력이라고 할 공무원의 정책능력을 향상시킴으로써 지방정부 능력 향상의 결과가 나타날 것이라는 논리로 접근하였다.

1991년 이후 여러 차례 지방선거를 통해 우리나라의 지방자치가 자리를 잡아감에 따라 지방공무원의 정책능력 향상을 통한 지방주민에 대한 대응성 확보와 정부 간 대등·협력적 관계의 창출 등은 실질적으로 지방정부의 능력증진으로 귀결될 것이다. 또한 이를 통해 기초정부의 경우에도 중앙정부나 광역정부가 개략적은 틀을 마련하여 제시하는 각종의 프로그램, 정책, 계획 등에 대한 효율적 관리 및 집행활동을 무난히 전개할 수 있게 됨에 따라 실질적으로 지방분권 및 균형발전을 추구할 수 있는 여건이 조성될 것이다.

이 같은 관점에서 지방정부 정책과정에서 요구되는 지방공무원의 정책능력을 살펴보고, 정책능력을 제고하기 위한 방안을 조직문화의 개선과 학습조직화, 정보 및 자료관리 시스템의 개선, 인적자원관리 시스템의 개선 등으로 나누어 살펴보았다. 이와 같은 다양한 개선방안이 효과적으로 정착되기 위해서는 해당 지방정부 차원의 적극적인 노력이 경주되어야 한다. 즉, 단체장 차원의 적극적인 지원은 말할 것도 없거니와 지방공무원들 스스로가 지방정부의 능력향상의 토대가 되는 지방공무원의 능력증진을 위해 부단한 관심과 노력을 경주하여야 할 것이다.

# 참고문헌

강성철·김상구·홍미영.(1999). "지방자치단체 집행기관의 관리능력에 관한 연구." 사회과학논총 제18권(통권 26호). 부산: 부산대학교 사회과학대학.

강형기.(2003). "지방공무원의 전문화 및 능력 개발 : 분권화 시대의 바람직한 공무원상." 지방행정 8월호. 서울: 대한지방행정공제회.

권경득.(2003). "지방공무원의 전문화 및 능력 개발 : 지방공무원의 승진, 전보, 교류제도 혁신." 지방행정 8월호. 서울: 대한지방행정공제회.

권경득·우무정.(2001). "지방정부 정책·기획능력의 결정요인에 관한 연구 : 정책 , 기획 담당 부서 공무원의 인식을 중심으로." 한국지방자치학회보 제13권 제4호. 서울: 한국지방자치학회.

권경득·김판석·오성호·박경원.(2003). "지방자치단체 간 인사교류 활성화 방안 : 충청남도의 사례를 중심으로." 한국정책학회보 제12권 제4호. 서울: 한국정책학회.

김명식.(2001). "21 세기 행정환경에서 요구되는 공무원의 업무수행능력." 21 세기 한국행정 및 행정학회 비전. 서울: 한국행정학회.

김병국.(1992). "지방공무원의 능력발전과 교육훈련제도 개선." 지방행정연구 제7권 제3호. 서울: 한국지방행정연구원.

박기관.(1999). "자치단체장의 리더십과 공무원의 직무만족 및 행정성과에 관한 연구". 건국대학교 대학원 박사학위청구논문.

박승주·박양호·심익섭·이남영.(1999), 「마지막 남은 개혁 2001」. 서울 : (주)교보문고.

박응격.(1984). 행정학강의. 서울 : 박영사.

박호숙.(1995). "지방자치단체의 정책결정과정", 지방행정. 서울 : 지방행정공제회.

백완기.(1989). "한국행정과정". 김운태 외. 한국정치론. 서울 : 박영사.

안해균.(1990). 정책학원론. 서울 : 다산출판사.

우무정 외 (역), 일본지방자치의 이해(서울 : 건국대학교출판부, 1999), p. 36. 참조).

우무정.(2000). "지방정부 기획·정책능력의 결정요인에 관한 연구." 박사학위논문. 서울: 건국대학교 대학원.

윤정길.(1987). 발전기획능력론, 서울: 범론사.

_____.(1991). 정책과정론. 서울 : 범론사.

윤정길·우무정.(2003). "전략기획을 통한 지방정부 발전전략 수립에 관한 연구." 한국행정연구 제12권 제3호. 서울: 한국행정연구원.

이계식·고영선.(1997). 아래로부터의 정부개혁. 서울 : 박영사.

이성복.(2003). "지방공무원의 정책관리능력의 향상에 관한 연구: 1989년과 2003년의 비교." 2003년도 추계학술대회 발표논문집-정부정책의 신뢰와 책임성. 서울: 한국행정학회.

임수복.(2001). "지방자치단체장의 역할 확인 및 정립 방안에 관한 연구- 주민 및 공무원의 의식 조사를 바탕으로." 한국지방자치학회. 2001년도 동계학술세미나 자료집.

정정길.(1993). 정책결정론. 서울 : 대명출판사.

최창호.(1997). 지방자치학. 서울: 삼영사.

최호택.(2006). "5·31지방선거의 의미와 방향", 공공행정연구 제7권 제2호. 서울 : 한국공공행정학회.

강원도.(2000).「제3차 강원도종합개발계획」.

건설교통부 (2000).「제4차 국토종합개발계획」.

내무부지방행정연수원.(1995). 지방자치단체의 정책형성방법: 일본의 사례와 실태를 중심으로. 서울: 내무부지방행정연수원.

총무처직무분석기획단.(1997). 신정부혁신론. 서울: 동명사.

충청남도연구단.(1998).「지역경쟁력 강화를 위한 정책수행체제 구축방안 연구」. 제35회 지방행정연수대회.

한국지방행정연구원.(1990). 지방자치단체의 정책개발: 시책사례연구.

Allen, Hubert J. B.(1990). *Cultivating the Grass Roots: Why Local Government Matters.* Hague : International Union of Local Authorities.

Anderson, J. E.(1984). *Public Policy Making*, 2nd Ed. New York: Holt, Reinhardt and Winston.

Bowman, A. O'M. and Kearney, R. C.(1987). "New Directions for State and Local Gove-rnment", *State and Local Government.* Boston: Houghton Mifflin Co.

Bryson, John M. et. al.(1996). *Creating and Implementing your Strategic Planning : A Workbook for Public and Nonprofit Organization.* San Francisco: Jossey-Bass Publishers.

Burgess, Philip M.(1975). "Capacity Building and the Elements of Public Management." *Public Administration Review* Vol. 35.

Dyson, Robert G.(1990). *Strategic Planning : Models and Analytical Techniques.* N. Y.: John

Wiley & Sons.

Erikson, R. S., Wright, G. C., McIver, J. P.(1993). *Statehouse Democracy : Public Opinion and Policy in the American States*. New York : Cambridge University Press.

Elazar, D. J.(1984). *American Federalism : A View from the States* 3rd ed. New York : Haper and Row.

Gargen, John J.(1997). "Local Government Governing Capacity : Challenges for the New Century", *Handbook of Local Government Administration*. N. Y.: Marcel Dekker.

Jones, C. O.(1977). *An Introduction to the Study of Public Policy*, 2nd Eds. North Scituate, Mass : Duxbery Press.

Lasswell, H. D.(1956). *The Decision Process : Seven Categories of Functional Analysis*. College Park : Univ. of Maryland.

Leemans, A. F.(1970). *Changing Patterns of Local Government*. Hague : International Union of Local Authorities.

Osborne, D. and Gaebler, T.(1992). *Reinventing Government*, Addison- Wesley, MA : Reading.

Smith, Robert J.(1994). *Strategic Management and Planning in the Public Sector*. London: Longman.

Turner, Robyne S.(1990). Intergovernmental Growth Management: A Partnership Framework for State-Local Relations. *The Journal of Federalism* 20(Summer). 79-95.

高寄昇三.(1988). 地方自治の経営―企業性の導入と市民性の確立. 東京: 学陽書房.

米村洋一.(1995). "지방자치단체의 피지컬 테크놀러지." 지방자치단체의 정책형성방법. 내무부지방행정연수원.

田村 明.(1994). 自治体の政策形成. 東京: 学陽書房.

_____.(1995). "정책주체로서의 지방자치단체," 지방자치단체의 정책형성방법, 내무부지방행정연수원.

佐々木信夫.(1992). 自治体プ°ロの條件. 東京: ぎょうせい.

佐々木信夫.(1997). 自治体政策學入門. 東京: ぎょうせい.

佐々木信夫.(1999). 地方分権と地方自治. 東京: 勁草書房.

# 제7장 지방자치단체조합 활용 요건

금 창 호*

## Ⅰ. 문제의 제기

지방자치제도가 실시된 이후 지방자치단체들이 현실적으로 직면하고 있는 문제의 하나가 광역행정수요의 처리에 관한 것이다. 원론적인 시각에서 본다면, 지방자치의 실시는 특정의 행정구역을 중심으로 배타적 권한을 행사하는 통상의 보통지방자치단체가 설치되고, 동 기관을 통해서 모든 지역적 사무가 처리된다. 그러나 현실적으로는 특정의 행정구역을 벗어나는 행정수요가 발생되고, 이와 같은 행정수요의 처리를 위해서는 보통지방자치단체가 아닌 또 다른 행정기구의 필요성이 제기된다. 흔히 광역행정수요의 처리를 위하여 활용되고 있는 제도의 하나가 지방자치단체조합이다.

지방자치단체조합은 두 개 이상의 지방자치단체가 하나 이상의 사무를 공통으로 처리할 필요성이 있을 때 설치 및 운영하는 광역행정제도이다. 특히, 지방자치단체조합은 협의기구와 달리 독자적인 집행기구를 설치할 수 있어 특정의 광역행정수요를 처리하는데 매우 효과적이다. 이에 따라 지방자치단체조합은 광역행정수요를 처리하기 위한 제도로서 다수의 국가에서 광범위하게 활용되고 있다. 우리나라에서도 지방자치제도가 실시된 이래 현실적으로 지방자치제도가 노정하는 행정구역과 서비스구역 간의 불일치를 해소하고, 보다 효과적인 광역행정수요를 처리하기 위한 목적에서 지방자치단체조합의 효용성을 인정하여 왔다. 그리고 정책적으로도 참여정부가 출범된 이후「정부혁신지방분권위원회」를 중심으로 특별지방자치단체의 도입에 관한 연구 및 법제화를 추진하고 있다.[1] 그리고 그러

---

* 한국지방행정연구원 수석연구원

1)「정부혁신지방분권위원회」에서는 2003년 7월부터 12월까지 한국지방행정연구원에 의뢰하여 특

한 특별지방자치단체의 핵심적 제도의 하나가 바로 지방자치단체조합인 것이다.

그럼에도 불구하고, 현실적으로 지방자치단체조합이 활성화되어 있는 실정은 아니다. 예를 들면, 1991년 지방자치제도가 부활한 이래 1991년 「수도권매립지운영관리조합」이 설치되었다가 2000년 지방공사로 전환되었고, 이후 2003년 「자치정보화조합」과 2004년 부산·진해와 광양만의 「경제자유구역청」이 지방자치단체조합으로 설립되어 현재까지 운영되고 있는 정도에 그치고 있다. 그리고 현재 설치되어 운영되고 있는 지방자치단체조합들도 운영상의 여러 가지 문제점을 노정하고 있는 실정이며, 그에 대한 대책의 일환으로 대안적 기구들이 다각도로 모색되고 있다.[2]

이처럼 광역행정수요에 대한 효과적 대응을 위해서 그 효용성이 충분히 인정되고, 나아가 정책적인 차원에서 도입에 대한 강한 의지를 갖고 있음에도 불구하고, 현실적으로 지방자치단체조합의 설치 및 활용이 저조한 원인은 무엇인가? 그리고 그러한 원인은 어디에서 비롯되며, 우리나라의 제반여건에 비추어 치유가 어려운 것인가? 이와 같은 질문들은 지방분권이 본격화되고 있는 현재적 시점에서 학문적 차원에서도 그리고 정책적 차원에서도 매우 유의미한 것이라 할 수 있다. 따라서 여기에서는 우리나라 지방자치의 제반여건들에 근거하여 지방자치단체조합의 활용요건을 분석해보고자 한다. 이를 통해 광역행정수요의 효과적 처리를 위하여 지방자치단체조합을 활용하고자 할 경우 정책적 차원에서 대비가 필요한 조치들을 보다 용이하게 조망할 수 있을 것이다. 그리고 앞에서와 같은 연구목적을 효과적으로 달성하기 위하여 현재까지 우리나라에서 폐지되었거나 또는 존속하고 있는 지방자치단체조합들을 대상으로 몇 가지 기준에 의거한 비교분석 방법을 활용하고자 한다. 비교분석에 필요한 자료들은 해당 지방자치단체조합의 공식적 문서와 행정자치부를 비롯한 관련기관에서 발표한 제반문헌들을 이용하고자 한다.

---

별지방자치단체의 도입에 관한 연구를 추진하였다. 연구결과에 따르면, 광역행정수요에 대한 효과적 대응을 위해서는 특별지방자치단체의 도입이 필요하고, 그 대표적인 제도적 장치로는 지방자치단체조합이라는 방안이 제시되고 있다.

2) 부산·진해 경제자유구역청이 노정하고 있는 운영상의 문제점들을 해결하기 위한 근본적 대안의 하나로 제시되고 있는 것이 현행의 지방자치단체조합 형태의 기구를 전환하는 것이다. 즉, 전국경제인연합회의 동북아팀에서 연구한 결과에 따르면 대통령 직속의 경제자유구역청으로의 전환을 제시하고 있으며, 또한 재정경제부의 용역발주로 서울대학교 행정대학원에서 연구한 결과에 따르면 지방자치단체의 책임운영기관으로의 전환이 타당한 것으로 제시되고 있다. 앞의 두 가지 연구결과 모두에서 경제자유구역청의 문제점을 해소하고, 보다 효과적인 업무수행을 위해서는 현행의 지방자치단체조합이 다른 형태의 기구로 전환될 필요성이 있다는 것을 제시하고 있다.

# Ⅱ. 지방자치단체조합의 의의와 활용요건

## 1. 지방자치단체조합의 개념

지방자치단체조합의 개념은 이를 채택·실시하고 있는 해당 국가의 지방자치법을 비롯하여 관련법으로 규정하고 있는바, 나라에 따라 다소의 차이가 존재함에도 불구하고,[3] 대체적으로 다음과 같이 규정할 수 있다. 즉, 지방자치단체조합은 두 개 이상의 지방자치단체 간에 일부사무의 공동처리를 위하여 설립하는 특별지방자치단체 또는 공법인으로 간주할 수 있다(금창호, 1997: 4).

이와 같은 지방자치단체조합의 개념에는 두 가지의 중요한 구성요소가 포함되어 있는바, 지방자치단체조합이 처리하는 사무의 내용과 지방자치단체 간의 협력방식이 그것이다(금창호, 1997: 4). 우선, 지방자치단체조합을 설치하여 수행할 사무로는 일반적으로 관련법에 "일부사무"로 규정하고 있는바, 여기에서의 일부사무는 광역적 사무를 의미한다. 보통지방자치단체는 지역을 중심으로 종합행정을 수행하는 단위이나, 최근 증가하고 있는 광역행정의 효율적 처리에는 한계를 노정하고 있다. 이와 같이 보통지방자치단체가 처리하기에는 한계가 있는 광역적 사무가 지방자치단체조합의 주된 사무이다. 다음으로 지방자치단체조합은 지방자치단체 간 협력방식의 하나이다.[4] 최근에 교통통신의 발달과 인구의 유동성 증가는 광역행정수요의 급증으로 나타나고 있는바, 광역행정수요의 증가는 다양한 대안적인 행정서비스 공급방식의 활용을 요청하고 있고, 지방자치단체가 광역행정수요에 대응하여 양질의 행정서비스 공급 및 효율적 사무처리를 위하여 도입하는 대안적인 행정처리수단의 하나가 지방자치단체조합이다.

---

3) 지방자치단체조합을 채택·실시하고 있는 주요 국가로는 일본, 독일 및 프랑스를 들 수 있다. 일본의 경우 지방공공단체 간 일부사무, 전부사무 및 역장사무의 공동처리를 위하여 지방공공단체조합을 설치할 수 있도록 규정함으로써(일본지방자치법 제 284조), 사무처리범위에 근거하여 조합을 세분하고 있다. 독일의 목적조합은 주가 새로운 법률을 제정하여 대체하지 않는 한 1939년의 제국목적조합법(Reichszweckverbandsgesetz)에 근거하는바(하인리히 숄러 저, 김해룡 역, 1994: 80 참조), 한 가지 특정한 사무의 공동처리를 위하여 설치한다고 규정함으로써 사무의 범위를 최협의로 하고 있다(장지호, 1987: 110-111 참조).

4) 우리나라의 경우 지방자치단체조합을 「지방자치법」제8장 지방자치단체 상호간 관계에 포함시킴으로써 지방자치단체조합이 지방자치단체 간 협력수단의 하나임을 명백히 하고 있다.

현행의 우리나라 「지방자치법」제149조에도 두 개 이상의 지방자치단체가 하나 또는 둘 이상의 사무를 공동으로 처리할 필요가 있을 때에 지방자치단체조합을 설립할 수 있도록 규정하고 있다. 동법에 의하면, 지방자치단체조합이 특별지방자치단체로서의 법적 지위를 갖는가에 관해서는 명백하지 않지만, 지방자치단체조합의 일반적 개념을 구성하는 요소로 일부사무 및 지방자치단체 간 협력방식의 의미는 분명하게 포함되어 있다.

따라서 지방자치단체조합이 특별지방자치단체로서의 법적 지위를 갖는가를 논외로 한다면, 지방자치단체조합을 상기한 일반적 의미의 개념규정인 두 개 이상의 지방자치단체 간에 일부사무의 공동처리를 위하여 설치하는 공법인으로 간주할 수 있다.

## 2. 지방자치단체조합의 특성

전술한 개념에서 살펴본 바와 같이 지방자치단체조합은 광역행정수요를 처리하기 위한 제도의 일종이다. 그럼에도 불구하고, 여타의 광역행정제도들과는 다른 특성을 내포하고 있다. 이와 같은 지방자치단체조합의 특성은 크게 두 가지 측면에서 살펴볼 수 있다. 하나는 처리유형적 측면이이고, 다른 하나는 처리사무적 측면이다(금창호, 1997: 25-26).

### 1) 처리유형적 측면

광역행정제도들은 기존 지방자치단체의 정치・행정체제를 개편하는 정도에 따라 크게 세 가지의 유형으로 구분된다(이수장, 1993: 137-138).[5) 우선, 통합적 방법으로 다수의 지방자치단체를 단일의 정부로 통폐합하여 광역사무를 처리하는 방식으로 통합(consolidation), 합병(annexation), 분리(separation), 시・군통합(city-county consolidation) 등이 있다. 다음은 부분적 방법으로 기존의 정치・행정체제와 그에 따른 관할구역은 그대로 유지하면서 지방자치단체 간 협의나 기능이양을 통해 광역사무를 처리하는 방식으로 합

---

5) 광역행정제도를 분류하는 방식은 이 외에도 여러 가지 기준들이 적용되고 있다. Bollens & Schmandt(1982: 302-376)은 지방자치단체의 개편정도를 기준으로 통합적 접근방법과 부분적 접근방법으로 분류하고 있으며, Walsh(1969: 58-86)는 광역행정체제의 구성형태를 기준으로 협력체제방식, 특별기구설치방식 및 광역권 정부방식으로 구분하고 있으며, 川西 誠(1972: 224-231)은 광역행정처리사무를 기준으로 특정사업주의적 방식과 종합사업주의적 방식으로 대분하고 있다.

의 및 협정(interlocal agreement), 기능이양(transfer of functional responsibilities), 협의회 (council of governments), 기관의 공동설치 등이 있다. 마지막으로 이원적 방법으로 기존 지방자치단체의 관할권은 인정하면서 광역사무를 처리하기 위한 새로운 지방자치단체를 설치하는 방식으로 연합체(federation), 지방자치단체조합(syndicate), 광역특별구(metropolitan district), 지방개발사업단, 공사(corporation) 등이 있다.

앞에서와 같은 광역행정제도들 중에서 지방자치단체조합은 이원적 방법에 해당된다. 이원적 방법의 핵심은 기존의 행정구역별 관할권을 그대로 인정한다는 점이다(대구광역시, 1993: 46). 즉, 보통지방자치단체가 갖고 있는 기존의 정치·행정체제가 그대로 유지되면서 광역행정을 담당할 새로운 지방자치단체가 설립되는 것이다. 이러한 이원적 방법은 기존의 지방자치단체를 해체하는 통합적 방법에 비하여 권한의 집중을 피할 수 있으며, 또한 부분적 방법에 비해서는 업무수행의 효율성을 확보할 수 있는 장점이 있다. 특히, 지방자치단체조합이 보통지방자치단체와 마찬가지로 자치권을 보유한다는 점에서 동일지역을 두 개의 지방자치단체가 관할하는 결과를 초래하나, 양자가 각각 기능과 구역을 중심으로 한다는 점에서 오히려 상호 보완의 관계를 형성할 수 있다.

## 2) 사무처리적 측면

지방자치단체조합의 또 다른 특성은 사무처리와 관련되어 있다. 즉, 지방자치단체조합은 공동처리에 적합한 사무이면, 어떠한 사무에 대해서도 설립할 수 있을 정도로 처리사무의 범위가 포괄적이라는 것이다(米川謹一郎, 1989: 15).

일반적으로 지방자치단체조합은 보통지방자치단체에 의하여 설립됨으로써 지방자치단체조합이 처리할 수 있는 사무의 범위는 당해 보통지방자치단체의 소관사무 중 일부사무로 국한되는 것이 원칙이라고 할 수 있으나, 실제적으로는 자치사무 또는 위임사무의 구분을 불문한다. 이처럼 사무의 종류뿐만 아니라 사무의 성격에 있어서도 쓰레기수거 및 처리에서 학교, 공원에 이르기까지 지방자치단체 간 공동처리의 필요성이 요구되는 사무는 모두 지방자치단체조합의 처리사무가 될 수 있을 정도로 광범위하다(금창호, 1997: 26).[6] 특히, 지방자치단체조합이 담당하는 사무는 두 개 이상의 지방자치단체에 걸쳐서

---

6) 일본의 경우 지방자치단체조합의 일종인 광역연합에서 처리하는 사무는 매우 다양하다. 예를 들면, 오이타현(大分懸) 히가시구니사키(東國東) 광역연합에서 관장하는 사무는 다음과 같다. 광역시정촌권계획의 수립, 쓰레기처리시설 및 분뇨처리시설의 설치·관리운영, 일반폐기물의 수집·운반업 허가, 정화조청소업 허가, 화장장 설치관리, 광역관광계획의 추진 및 광역종합문

처리될 필요가 있는 사무뿐만 아니라 보통지방자치단체가 처리하기 어려운 전문적이고 특수한 사무들도 포함된다.


## 3. 지방자치단체조합의 활용 목적


전술한 바와 같이 지방자치단체조합은 원칙적으로 광역행정에 대한 지방자치단체 간 수평적 대응수단의 일종이다(이재원, 1995: 87).[7] 즉, 둘 이상의 지방자치단체에 걸쳐서 발생하는 광역행정의 처리에 있어 국가의 개입을 통한 수직적 조정을 배제하고,[8] 지방자치단체 간 협의 등을 통한 수평적인 대응을 확보하기 위한 수단이다. 따라서 지방자치단체조합의 활용은 반드시 특정 공간에 대한 배타적 권한을 행사할 수 있는 지방자치의 실시를 전제로 하고 있다. 다시 말하여 지방자치의 실시라는 전제조건이 지방자치단체조합의 활용을 등장케 하는 요인이 되고 있다. 다만, 지방자치의 실시는 지방자치단체조합의 활용을 필요케 하는 근원적 원인을 제공할 뿐 직접적인 원인은 아니다. 이는 지방자치의 실시가 보통지방자치단체의 대응만으로 불가능하거나 또는 비효율적인 다수의 문제를 유발한다는 것일 뿐 그에 대한 대응수단으로 지방자치단체조합이 유일한 것은 아니기 때문이다.

실제적으로 지방자치단체조합의 활용을 요청하는 원인들은 지방자치단체조합이 함축하고 있는 기구적 특성에 기인하고 있다. 즉, 지방자치가 실시됨으로써 특정 행정서비스에 대한 지방자치단체 간 갈등해소 또는 협력의 필요성이 증가하고, 또한 지역주민의 행정서비스 생산 및 공급에 대한 효율성의 요구가 점증하는 경향을 갖게 된다. 이러한 요청에 대응하기 위한 수단들은 다수가 존재하나, 구조적 및 운영적 측면에서의 효과를 확보하기

---

화시설의 설치관리, 종합병원의 설치·관리 및 운영, 소방 및 구급업무, 전염병 격리병사의 설치 관리, 고령자 간호보험 심사위원회 운영 등이다(행정자치부, 2004: 11).

7) 광역행정수요에 대한 지방자치단체 간 수평적 대응은 주로 현재의 행정구역을 그대로 유지한 채 지방자치단체 간 협력을 통하여 대응하는 방식을 말한다. 여기에는 주로 개별 지방행정서비스를 대상으로 이루어지는 연합체, 협의회, 지방자치단체조합, 공사 등의 방식들이 존재한다.

8) 광역행정수요에 대한 수직적 조정의 대표적 수단으로는 각 중앙부처가 지역적 차원의 행정수요를 처리하기 위하여 설치 및 운영하고 있는 특별지방행정기관을 들 수 있다. 특별지방행정기관은 지역적 차원의 광역적 또는 전문적 사무를 처리하기 위하여 각 중앙부처가 직접 설치하는 기관으로 우리나라의 경우에는 2003년 현재 6,539개 기관이 있다(행정자치부, 2003: 70). 다만, 참여정부가 출범하면서 특별지방행정기관에 대한 대대적인 정비가 추진되고 있어 향후 광역행정수요에 대한 수직적 조정은 현재보다 감소될 가능성이 많다.

위해서는 지방자치단체조합이 보다 유리하다는 점에서 그 활용성이 요청되는 것이다(금창호, 2004: 525).

[그림 7-1] 지방자치단체조합 활용의 논리적 구조

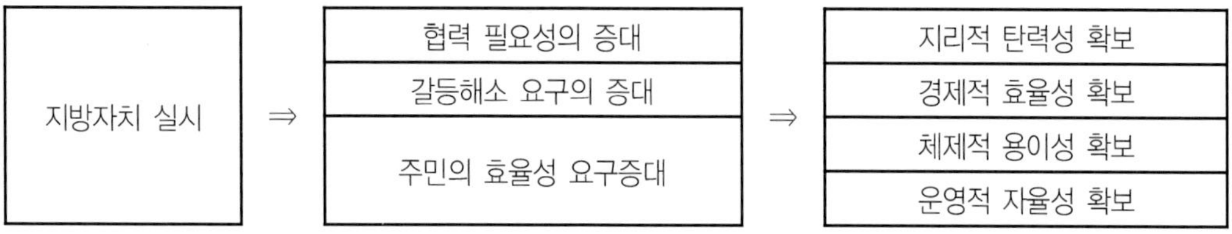

| 지방자치 실시 | ⇒ | 협력 필요성의 증대 | ⇒ | 지리적 탄력성 확보 |
| | | 갈등해소 요구의 증대 | | 경제적 효율성 확보 |
| | | 주민의 효율성 요구증대 | | 체제적 용이성 확보 |
| | | | | 운영적 자율성 확보 |

## 1) 구조적 측면

지방자치단체조합의 활용이 요청되는 목적을 구조적 측면에서 살펴보면, 다음과 같다. 즉, 보통지방자치단체가 갖게 되는 공간적 한계를 기능을 중심으로 보완해 주는 특성을 지방자치단체조합이 함축하고 있다는 점이다(금창호, 2004: 525). 특정의 행정서비스들은 보통지방차지단체가 갖고 있는 공간적 영역을 초과하여 처리될 필요성이 있는바, 보통지방자치단체 차원에서 이러한 수요들에 효과적으로 대응하기 위해서는 행정구역의 확대를 도모할 수밖에 없다.

그러나 지방자치단체조합은 기존 보통지방자치단체의 행정구역을 변경함이 없이 특정의 행정서비스에 대한 대처를 가능하게 함으로써 결과적으로 행정구역과 서비스구역의 불일치를 해소할 수 있는 구조적 특성을 내포하고 있다. 이러한 지방자치단체의 구조적 특성에 근거하여 특정의 행정서비스에 대한 효과적 대처를 도모할 경우에 지방자치단체조합의 활용이 요청되는 것이다.

## 2) 운영적 측면

지방자치단체조합의 활용 목적을 운영적 측면에서 살펴보면, 다음과 같다. 우선은 특정한 행정서비스의 경우 즉, 대규모의 투자재원과 전문적 기술이 동원될 필요가 있는 경우에는 규모의 경제[9]가 확보될 필요가 있다는 것이다(이재원, 1995: 39). 이처럼 규모의 경

---

9) 규모의 경제는 흔히 생산규모를 증가시킴에 따라 서비스 단위의 생산비용이 감소하는 현상을 말한다. 이와 같은 규모의 경제는 광역행정을 요청하는 핵심적인 요건의 하나로 지적되고 있다.

제가 확보되면, 보다 저렴한 가격으로 많은 지역의 주민들에게 동일한 혜택을 제공할 수 있기 때문에 이를 가능하게 하는 지방자치단체조합의 활용이 요청된다는 것이다. 다음은 비교적 용이한 광역행정의 대응방식이라는 점에서 지방자치단체조합의 활용성이 요청된다. 동 요건은 전술한 구조적 활용목적과도 다소간 연계된 것으로 지방자치단체조합은 합병이나 통합 등에 비하여 기존의 전통이나 체제에 대한 위협이 비교적 적으면서도 광역행정수요에 효과적으로 대처할 수 있기 때문이다. 다시 말하여 지역주민들의 저항이나 대대적인 법률의 수정 없이도 가능한 광역행정 방법의 하나라는 것이다(김익식, 1992: 19). 마지막으로 보다 효율적 운영을 확보하기 위한 필요성에서 그 활용이 요청된다. 지방자치단체조합은 그 조직구조상 비교적 자율적인 운영체제를 확보할 수 있다. 즉, 보통지방자치단체에 비하여 상대적으로 자율적인 사무, 인사, 재원 등의 운영을 통하여 신속한 서비스 공급을 도모할 수 있는 특성을 내포하고 있다(김익식, 1992: 18).

이 외에도 지방자치단체조합의 활용목적은 정치적 측면이나 법률적 측면 등 다양한 측면에서 제시할 수 있으나, 전술한 내용들이 보다 핵심적이고도 현실적인 근거들에 해당된다.


## 4. 지방자치단체조합의 활용요건

전술한 바와 같이 지방자치단체조합은 구조적 및 운영적 측면에서의 다양한 장점 또는 효과로 인해 광역행정수요를 처리하기 위한 대안적 기구로 유용하게 활용이 된다. 그러나 실제 지방자치단체조합을 다수 활용하는 외국의 사례에 비추어 보면, 현실적인 활용요건들이 보다 분명하게 나타나고 있다. 지방자치단체조합을 빈번하게 활용하는 국가로는 일본, 독일 및 프랑스를 들 수 있다. 이들 국가들은 다음과 같은 두 가지 현실적인 요건들 때문에 지방자치단체조합의 활용도가 비교적 높게 나타나고 있다.


### 1) 보통지방자치단체의 행/재정력의 취약

지방자치단체조합을 빈번하게 활용하는 국가들인 일본, 독일 및 프랑스 등이 공통적으로 지적할 수 있는 요건으로 보통지방자치단체 특히, 기초자치단체의 행/재정력의 취약이다. 이와 같은 행/재정력의 취약은 주로 기초자치단체의 규모과소에 기인하고 있다. 예를 들면, 프랑스의 기초자치단체인 꼬뮨의 평균인구는 1,584명 그리고 평균면적 역시 14.9㎢

에 불과한 데 비하여 우리나라의 경우에는 평균인구가 199,260명이고 평균면적은 428.8㎢에 이르고 있다. 이처럼 일본, 독일 및 프랑스의 경우 기초자치단체의 규모가 영세하여 독자적인 행정서비스의 생산 및 공급능력을 충분히 갖추고 있다고 판단하기 어렵다. 이에 따라 두 개 이상의 지방자치단체가 공동으로 행정서비스의 생산 및 공급을 도모하기 위한 대안적 기구로서 지방자치단체조합의 활용을 모색하고 있는 것이다.

〈표 7-1〉 각국의 기초자치단체규모 비교

| 국 명 | 기초자치 단체명 | 기초자치단체 수(개) | 평균인구(명) | 평균면적(㎢) |
|---|---|---|---|---|
| 일 본 | 시/정/촌 | 3,217 | 38,000 | 117.4 |
| 프랑스 | 꼬 뮨 | 36,560 | 1,584 | 14.9 |
| 독 일 | 게마인데 | 8,514 | 9,513 | 41.9 |
| 한 국 | 시/군/자치구 | 234 | 199,260 | 428.8 |

자료 : 금창호, 2004: 529.

## 2) 기초자치단체통합의 경직성

각국에서 지방자치단체조합의 활용빈도가 높은 두 번째의 요건으로는 기초자치단체통합의 경직성을 지적할 수 있다. 전술한 바와 같이 일본이나 독일 및 프랑스의 경우 기초자치단체의 규모가 영세하여 독자적인 행정서비스를 생산 및 공급하기에 충분한 행/재정능력을 갖추고 있지 못할 경우 근본적이고도 우선적으로 모색할 수 있는 대안이 기초자치단체의 통합이다. 이와 같은 기초자치단체의 통합을 통해 행/재정력을 강화하면 독자적인 행정서비스의 생산 및 공급이 담보될 수 있다. 그러나 현실적으로 기초자치단체의 통합은 여러 가지 장애요인이 내포되어 있어 그 실행이 용이하지 않다는 점이다. 예를 들면, 일본의 경우 기초자치단체의 영세성을 극복하기 위한 근본적인 방법으로 1988년부터 시/정/촌 통합을 추진하여 왔다(岩崎美紀子, 2000: 71-78). 그러나 이러한 방법은 주민합의 등의 지연으로 오랜 시간이 소요된다는 단점이 있다(금창호, 2003). 따라서 최근에는 지역 중핵시 등 도시자치단체의 행정기반 강화, 도·도·부·현의 구역을 초월하는 광역적 행정체제의 형성을 위한 제도정비, 시·정·촌행정의 광역화를 위한 제도정비 및 동경 등 대도시권 행정체제정비 등을 제시함으로써 종래의 합병방식에서 연합방식으로 전환하고 있다(임승빈·김필두, 1997: 208).

# Ⅲ. 지방자치단체조합의 활용요건 비교분석

## 1. 비교분석의 개요

### 1) 비교분석의 목적

활용요건의 비교분석은 우리나라 지방자치단체조합의 성공적 정착을 위해 요청되는 기본적 조건이 무엇인지를 규명하는 데 그 목적이 있다. 기실 앞에서 논의한 바와 같이 일본이나 독일 및 프랑스에 비해 우리나라의 경우에는 광역행정수요에 대한 대응방식으로서 지방자치단체조합의 활용이 상대적으로 저조하다. 이는 기초자치단체의 규모가 상대적으로 과대하다는 본질적 요건에 기인하고 있음은 전술한 바와 같다. 그러나 실제 지방자치단체조합이 설치된 이후에도 기구의 지속성이 확보되지 못하고, "수도권매립지운영관리조합"과 같이 다른 기구로 전환되거나 또는 "부산/진해 경제자유구역청"과 같이 전환을 위한 대안들이 모색되고 있는 실정이다. 그럼에도 불구하고 "자치정보화조합"처럼 일부의 지방자치단체조합은 비교적 기구의 존속성이 확보되고 있다. 따라서 우리나라 지방자치단체조합의 기구존속 여부에 영향을 미치는 요건들이 무엇인지를 파악하고자 하는 것이 비교분석의 목적이다.

### 2) 비교분석의 대상

활용요건의 비교분석 대상은 지금까지 우리나라에서 설치되었던 지방자치단체조합 전체[10]를 그 대상으로 한다. 앞에서도 언급한 바와 같이 본 연구의 목적은 우리나라에서 지방자치단체조합의 활용이 저조한 원인과 동시에 특정의 지방자치단체조합은 유지되는 반면에 특정의 지방자치단체조합은 대안이 모색되거나 또는 폐지되는 경험적 사례들이 존재하는바, 이의 원인이 무엇인가를 규명하는 데 있다. 전술한 바의 모든 지방자치단체조합들은 「지방자치법」제49조부터 제154조의 관련규정에 의하여 설립되었으나, 실제의 조

---

10) 다만, 광양만권 경제자유구역청은 비교분석의 대상에서 제외하고자 한다. 이는 광양만권 경제자유구역청은 부산/진해 경제자유구역청과 동일한 설립방법 및 조직형태를 보이고 있기 때문이다.

직의 구성 및 운영에서 서로 다른 특성에 기인하는 것이 아닌가 하는 점 때문이다. 만일 실제의 조직의 구성 및 운영에서의 차이점들이 지방자치단체조합의 유지와 폐지를 결정하는 요건이라면, 향후 지방자치단체조합을 설치할 경우에는 이에 대한 고려가 반드시 수반되어야 하기 때문이다. 따라서 여기에서는 비교분석의 대상으로 "수도권매립지운영관리조합", "자치정보화조합" 및 "부산/진해 경제자유구역청" 등 세 개 기관을 그 대상으로 하고자 한다.

### 3) 비교분석의 방법

활용요건의 비교분석을 위한 방법으로는 원칙적으로 상호간의 차이점을 규명하는 접근방법을 활용한다. 전술한 바와 같이 여기에서의 비교분석은 특정의 지방자치단체조합에 대한 영속성의 여부에 영향을 미치는 요인이 무엇인가를 규명하기 위한 것이기 때문이다. 그리고 상호간 차이점을 판단할 기준은 지방자치단체조합의 영속성에 영향을 미칠 것으로 간주되는 요건으로 하고, 그러한 요건의 선정은 연구자의 임의적 판단에 의한다. 다만, 상호간 차이점을 규명할 요건을 연구자의 임의적 판단에 의하되, 가급적 지방자치단체조합의 설립 및 운영에 중대한 영향을 미치는 요인들을 그 대상으로 한다. 따라서 설립요건의 설립방법, 운영요건의 인력 및 재원 관리, 그리고 관계요건의 관련기관 관계 등을 판단기준으로 선정한다.

〈표 7-2〉 비교분석의 판단기준

| 구 분 | 판단기준 | |
|---|---|---|
| 설립요건 | – 설립방법 | |
| 운영요건 | – 인력관리 | – 재원관리 |
| 관계요건 | – 관련기관 관계 | |

## 2. 사례 지방자치단체조합의 실태

### 1) 수도권매립지운영관리조합

"수도권매립지운영관리조합"은 수도권매립지의 효율적 운영 및 관리를 도모하기 위하여 서울특별시, 인천광역시 및 경기도[11]가 1991년 공동으로 설립한 지방자치단체조합이다. 동 조합의 기구는 의결기관인 조합회의[12]와 집행기관인 조합장[13]으로 구성되고, 조합장의 사무를 보조하기 위한 사무국을 설치하였다. 그리고 사무국의 직원은 관계 지방자치단체장이 파견하는 공무원 중에서 조합장이 임명함으로써 전원 구성 지방자치단체로부터의 파견인력에 의존하였다. 또한 재원은 수도권매립지운영관리조합의 규약 제14조에 의거 폐기물반입료, 지방자치단체의 부담금[14] 및 기타의 수입으로 충당하는바, 1994부터는 각 자치단체별 폐기물 반입량의 비율에 따라서 매립지설치와 운영관리비용을 분담[15]하도록 규정하였다. 또한 관련 기관 간 관계에서는 구성 지방자치단체에 대한 인력 및 재원의 의존성이 비교적 커서 독자성이 취약한 동시에 조합운영 및 폐기물처리와 관련하여 각각 행정자치부와 환경부의 지도/감독을 받는 구조를 갖고 있었다.

상기와 같은 기구설립 및 운영방식을 채택하였던 "수도권매립지운영관리조합"은 여러 가지 운영상의 문제점을 노정하다, 2000년 결국 지방공사로 전환되어 오늘에 이르고 있다.

---

11) 경기도의 경우 모든 시·군이 구성 지방자치단체로 참여한 것이 아니라 다음과 같은 기초자치단체들이다. 즉, 수원시, 성남시, 의정부시, 안양시, 부천시, 광명시, 평택시, 안산시, 고양시, 과천시, 구리시, 남양주시, 오산시, 시흥시, 군포시, 의왕시, 하남시, 파주시, 김포시, 광주군, 포천군 등이 그들이다(수도권매립지운영관리조합, 1999).

12) 조합회의의 위원정수는 11명으로 서울특별시가 5명, 인천광역시와 경기도가 각각 3인씩 배정되어 있다. 이 가운데 당연직 위원은 3명이며, 나머지 8명은 선출직이다. 당연직 위원 3명은 서울특별시 청소기획관, 인천광역시 환경녹지국장 및 경기도 보사환경국장이 겸직하고, 선출직 위원 8명은 서울특별시에서 4명, 인천광역시 및 경기도에서 각 2명씩을 선출하는 것으로 규정하고 있다(수도권매립지운영관리조합, 1999).

13) 조합장은 서울특별시, 인천광역시 및 경기도의 순으로 관계 지방자치단체의 부단체장이 겸임하여 왔으나, 1995년 10월 25일 조합규약을 개정하여 상근 조합장을 두는 것으로 하였다.

14) 부담금은 수도권매립지운영관리조합의 기반시설조성 사업비로 사용되며, 1998년 현재 서울특별시가 59.47%, 인천광역시가 27.63%, 경기도가 13.00%를 부담하는 것으로 되어 있다.

15) 1993년까지는 인구비율로 이를 결정하였다.

〈표 7-3〉 수도권매립지운영관리조합의 실태

| 구 분 | 내 용 |
|---|---|
| 설립목적 | ■ 수도권 쓰레기의 공동매립 |
| 설립방법 | ■ 임의설립 |
| 설립년도 | ■ 1991년<br>– 2000년 지방공사로 전환 |
| 구성단체 | ■ 서울특별시, 인천광역시, 경기도 |
| 법적 지위 | ■ 공법인<br>– 특별지방자치단체의 법적 지위 미부여 |
| 관장기능 | ■ 수도권 쓰레기 반입 및 매립 |
| 기구구성 | ■ 조합회의 : 심의·의결기관<br>■ 조합장 : 집행기관<br>– 사무국 설치 |
| 인력운영 | ■ 구성 지방자치단체로부터 파견 |
| 재원운영 | ■ 설립비용<br>– 분담금<br>■ 운영비용<br>– 쓰레기반입량에 따른 차등적 분담금 |
| 기관관계 | ■ 구성자치단체에 종속<br>– 운영계획과 인력 및 예산상 모단체의 의존성 심화 |

## 2) 자치정보화조합

"자치정보화조합"은 전자지방정부의 효율적 구현을 지원하기 위하여 「전자정부법」 제50조[16]와 「지방자치법」제149조에 의거 2003년에 설립되었다(금창호 외, 2002: 1). "자치정보화조합"의 설립에 참여한 지방자치단체는 서울특별시를 비롯한 16개 광역자치단체이다. 동 조합의 전술한 "수도권매립지운영관리조합"과 마찬가지로 의결기관인 조합회의[17]와 집행기관인 조합장[18]으로 구성되고, 조합장의 사무를 보조하기 위한 사무국을 설치하

---

16) 「전자정부법」제50조에 따르면, 두 개 이상의 지방자치단체는 소관 정보화사업을 공동으로 추진하기 위하여 「지방자치법」 제149조의 규정에 의한 지방자치단체조합을 설립할 수 있다고 규정하고 있다.

17) 조합회의의 위원은 구성 지방자치단체의 정보화를 담당하는 실·국장 또는 정보화 책임관으로 하고 있다.

였다. 그리고 사무국의 직원은 조합장이 임용하는 고유직원[19]과 관계기관에서 파견하는 공무원으로 구성하고 있다(자치정보화조합, 2004: 3). 또한 재원은 구성 지방자치단체의 분담금, 정부의 지원금 및 기타 수입금으로 충당하고 있다. 관련 기관 간 관계에서는 구성 지방자치단체보다는 행정자치부와 보다 긴밀한 관계를 형성하고 있다. 특히, 조합장을 행정자치부장관의 추천을 통해 선임토록 함으로써 실질적으로 행정자치부에 대한 의존성을 심화시키고 있다.

그럼에도 불구하고, "자치정보화조합"은 현재까지 관장기능의 수행에 특별한 문제점을 보이지 않고 있으며, 지방자치단체조합으로서의 법적 지위의 모호성을 제외하면 기구유지에 별다른 어려움이 없는 것으로 평가되고 있다[20]

---

18) "자치정보화조합"의 조합장은 "수도권매립지운영관리조합"과 달리 "행정 또는 정보화 분야의 학식과 덕망을 갖춘 자 중에서" 행정자치부장관의 추천과 조합회의의 의결을 거쳐 선임토록 하고 있다.

19) "자치정보화조합"은 "수도권매립지운영관리조합"의 운영에서 노정된 인력관리의 문제점을 해소하기 위하여 조합장이 임용하는 고유직원을 선발하는 새로운 시도를 하고 있다.

20) "자치정보화조합"의 관계자에 따르면, 행정자치부의 「지방자치법」개정에 따라 지방자치단체조합이 특별지방자치단체로서의 법적 지위만 부여받게 되면, 보다 기구운영의 기반을 구축할 수 있을 것이라고 한다.

〈표 7-4〉 자치정보화조합의 실태

| 구 분 | 내 용 |
|---|---|
| 설립목적 | ■ 전자지방정부의 효율적 구현을 지원 |
| 설립방법 | ■ 권고설립(강제설립) |
| 설립년도 | ■ 2003년 설치<br>– 자치정보화지원재단의 기구전환 |
| 구성단체 | ■ 16개 광역자치단체 |
| 법적 지위 | ■ 공법인<br>– 특별지방자치단체의 법적 지위 미부여 |
| 관장기능 | ■ 지역정보화 관련업무<br>– 소프트웨어 개발, 유지 및 보수<br>– 지역정보화 공무원 교육 및 연찬 |
| 기구구성 | ■ 조합회의 : 심의·의결기관<br>■ 조합장 : 집행기관<br>– 사무국 설치 |
| 인력운영 | ■ 파견 및 직접 채용<br>– 구성자치단체로부터 공무원 파견 : 행정자치부 및 지방자치단체<br>– 전문직 직원 직접 채용 : 개발인력 및 연구인력 |
| 재원운영 | ■ 설립비용<br>– 분담금 및 국고보조금 지원<br>■ 운영비용<br>– 분담금, 정부 지원금 및 유지·보수·연찬 비용 |
| 기관관계 | ■ 구성 지방자치단체/행정자치부에 종속<br>– 운영계획과 인력 및 예산상 행정자치부 의존성 심화 |

## 3) 부산/진해 경제자유구역청

 "부산/진해 경제자유구역청"은 경제자유구역[21]과 관련된 제반사무의 효율적 처리를 위하여 「경제자유구역의 지정 및 운영에 관한 법률」제27조에 의거하여 부산광역시 및 경상남도가 설립한 지방자치단체조합이다(금창호, 2004: 10). 동 경제자유구역청 역시 지방자

---

[21] 경제자유구역은 일정한 구역을 지정하여 타 법률에 의해 규제되는 각종 경제활동의 예외조치를 허용하고, 생활여건 및 경제활동에 다양한 혜택을 부여함으로써 국내외 기업을 유치하여 기술혁신과 지역개발을 도모하는 경제개발전략을 말한다.

치단체조합의 일반적인 기구편성방법에 따라 조합회의 및 집행기관인 조합장을 두고 있다. 다만, 조합장의 명칭은 경제자유구역청의 장을 나타내는 "청장[22]"으로 명명함으로써 전술한 지방자치단체조합의 조합장과는 달리하고 있다. 그리고 조합장인 청장의 사무를 보좌하기 위하여 2본부, 3부, 3팀, 9과, 9담당의 비교적 대규모의 사무기구를 설치하고 있다. 사무기구의 직원은 전원 구성 지방자치단체인 부산광역시와 경상남도로부터 파견된 공무원으로 구성되어 있다.[23] 또한 경제자유구역청의 재원은 구성 지방자치단체인 부산광역시와 경상남도가 각각 50%씩 분담을 하고 있다. 한편, 관련기관 간 관계는 매우 복잡한 양상을 보이고 있다. 우선, 기구의 형태가 지방자치단체조합인 까닭에 행정자치부장관의 지휘/감독을 받게 되며(김병섭 외, 2004: 30), 실질적인 운영에 관한 사항은 구성 지방자치단체의 의회에 보고하여야 하며(손경숙, 2004: 14), 그 밖에 경제자유구역위원회,[24] 동북아시대위원회,[25] Invest Korea[26] 등과 다각적인 업무협조 관계를 구축하고 있다.

그러나 "부산/진해 경제자유구역청"은 출범과 동시에 여러 가지 문제점들이 지적되어 왔으며, 이에 따라 대안적 기구를 모색하기 위한 여러 차례의 논의가 있어 왔다.[27] 그리고 현재도 재정경제부를 중심으로 현재의 지방자치단체조합 형태의 기구를 보다 효율적 운영이 가능한 기구형태로 전환하기 위한 노력이 진행되고 있다.

---

22) 경제자유구역청장은 1급 지방전임계약직공무원으로 공모를 통해 채용되며, 임기는 3년간이며, 최장 5년의 범위 내에서 연장이 가능하다.

23) 전체 정원은 154명이며, 부산광역시와 경상남도가 각각 50%씩 분담하여 파견하며, 계약직 직원 역시 동일한 방법으로 충원하고 있다(김병섭 외, 2004: 31)

24) 경제자유구역위원회는 경제자유구역사업의 최고 정책결정기구로 지방자치단체의 경제자유구역의 지정신청 및 개발사업자의 실시계획에 대한 심의 및 의결기관이다.

25) 동북아시대위원회는 대통령자문위원회로서 경제자유구역사업 등 동북아 경제중심사업에 대한 총괄계획수립 및 부처간 의견조정, 민간부문의 의견수렴 등의 기능을 수행하고 있다.

26) Invest Korea는 외국인 투자자 발굴 및 유치와 PM(Project Manager)의 기능을 수행하고 있다.

27) "진해/부산 경제자유구역청"의 기구형태를 전환하기 위한 공식적인 학술연구는 재정경제부를 비롯해 4차례가 있었는바, 다음과 같다. 즉, 박민규(2004), 손경숙(2004), 김병섭 외(2004) 및 금창호 외(2004) 등이 그것이다.

〈표 7-5〉 부산/진해 경제자유구역청의 실태

| 구 분 | 내 용 |
|---|---|
| 설립목적 | ■ 경제자유구역과 관련된 사무의 효율적 추진 |
| 설립방법 | ■ 임의설립 |
| 설립년도 | ■ 2004년 설치 |
| 구성단체 | ■ 부산광역시 및 경상남도<br>– 기초자치단체인 진해시 참여<br>– 인천광역시의 경우 소속행정기관으로 설치 |
| 법적 지위 | ■ 공법인<br>– 특별지방자치단체의 법적 지위 미부여 |
| 관장기능 | ■ 경제자유구역제도 관련업무<br>– 경제자유구역 내 개발사업<br>– 외자유치<br>– 원스톱 민원처리 |
| 기구구성 | ■ 조합회의 : 심의·의결기관<br>■ 조합장 : 집행기관<br>– 사무국 설치 |
| 인력운영 | ■ 파견 및 신규 채용<br>– 구성자치단체로부터 공무원 파견<br>– 신규채용실적 미미 |
| 재원운영 | ■ 설립 및 운영비용<br>– 분담금 및 국고보조금 지원<br>– 현재까지 국고보조금 미지원 |
| 기관관계 | ■ 구성 지방자치단체/중앙정부에 종속<br>– 운영계획과 인력 및 예산상 지방자치단체와 재정경제부 의존성 심화 |

## 3. 사례 지방자치단체조합 간 비교분석

### 1) 비교분석

전술한 바와 같이 현재 우리나라에는 설치되었다가 폐지되거나 지금까지 운영 중에 있는 대표적인 지방자치단체조합이 "수도권매립지운영관리조합"과 "자치정보화조합" 및

"부산/진해 경제자유구역청" 등이다. 그러나 앞의 실태부분에서 살펴본 바와 같이 그 운영성과에 대한 평가는 각기 다르다. "수도권매립지운영관리조합"은 이미 폐지되었고, "부산/진해 경제자유구역청"은 출범과 동시에 대안적 기구가 모색되고 있다. 다만, "자치정보화조합"만이 유일하게 지방자치단체조합 형태의 기구로서 잔존될 전망이 높다.

여기에서는 동일한 「지방자치법」에 근거하여 설치된 전술한 지방자치단체조합들이 각기 다른 평가를 받는 원인을 몇 가지의 기준들에 의하여 비교·분석하고자 한다. 비교·분석의 기준으로는 앞에서 언급한 바와 같이 사례 지방자치단체조합 간에 동일한 것은 제외하고, 차이점을 나타낼 수 있는 것으로 선정하고 있다. 그와 같은 기준들로는 앞에서 언급한 바와 같이 설립방법, 인력관리, 재원관리 및 관련기관 관계 등이다.

이와 같은 기준들에 의한 사례 지방자치단체조합 간 실태의 비교·분석의 결과는 다음과 같다. 우선, 설립방법을 기준으로 보면, "수도권매립지운영관리조합"과 "부산/진해 경제자유구역청"은 임의설립 방법에 의하고 있으며, "자치정보화조합"은 권고설립 방법에 의하고 있다. 또한 인력관리를 기준으로 보면, "수도권매립지운영관리조합"과 "부산/진해 경제자유구역청"은 구성 지방자치단체로부터의 파견공무원으로 직원을 구성한 데 비하여 "자치정보화조합"은 파견공무원과 더불어 조합장이 선임하는 고유직원을 보유하고 있다. 그리고 재원관리를 기준으로 보면, "수도권매립지운영관리조합"과 "부산/진해 경제자유구역청"은 다소의 차이는 있으나 대체적으로 구성 지방자치단체의 분담금에 의존하고 있음에 비하여 "자치정보화조합"은 구성 지방자치단체의 분담금에 더하여 국가의 지원금이 상당한 비중을 차지하고 있다. 마지막으로 관련기관 관계를 기준으로 보면, "수도권매립지운영관리조합"은 구성 지방자치단체, "자치정보화조합"은 중앙/지방 모두에 그리고 "부산/진해 경제자유구역청" 역시 중앙/지방 모두에 대한 의존성을 보이고 있다.

〈표 7-6〉 사례 지방자치단체조합 간 비교분석

| 비교기준 | 수도권매립지운영관리조합 | 자치정보화조합 | 부산/진해경제자유구역청 |
|---|---|---|---|
| 설립방법 | 임의설립 | 권고설립 | 임의설립 |
| 인력관리 | 파견공무원 | 파견공무원/고유직원 | 파견공무원 |
| 재원관리 | 지방자치단체부담(분담금, 반입료) | 중앙/지방 공동부담(분담금, 중앙지원금, 기타) | 지방자치단체부담(분담금) |
| 관련기관 관계 | 구성단체 의존 | 중앙/지방 의존 | 중앙/지방 의존 |

## 2) 비교분석결과의 판단

전술한 4개 기준에 의한 사례 지방자치단체조합 간 비교분석의 결과를 기구의 폐지 또는 유지에 대한 영향정도와 연계하여 판단하면, 다음과 같다.

우선, 설립방법에 따른 분석결과이다. 원칙적으로 보면, 임의설립은 지방자치단체 간 자율적 의사결정에 의해 지방자치단체조합을 설립하는 방법이기 때문에 설립의 필요성을 지방자치단체 차원에서 보다 많이 갖고 있다고 간주할 수 있다. 이에 비하여 권고설립은 행정자치부장관이 공익적 차원에서 설립 필요성이 있다고 인정되는 경우에 지방자치단체에 설립을 권고하는 방법이기 때문에 지방자치단체 차원에서는 임의설립에 비하여 설립 필요성이 크다고 볼 수 없다. 따라서 지방자치단체 차원에서 지방자치단체조합의 설립 및 운영의 필요성이 클수록 기구유지에 도움이 된다고 간주할 경우에는 "수도권매립지운영관리조합"과 "부산/진해 경제자유구역청"이 기구유지의 결과를 나타내야 한다. 그런데 현실적으로는 "수도권매립지운영관리조합"은 폐지되어 지방공사로 전환되었고, "부산/진해 경제자유구역청"은 재정경제부를 비롯한 여러 기관에서 대안적 기구가 모색되고 있는 실정이다. 오히려 권고설립에 따른 "자치정보화조합"은 기구유지의 경향을 보이고 있다. 이와 같은 점들을 고려하면, 논리구조상 설립방법이 지방자치단체조합의 폐지 또는 유지에 커다란 영향요인으로 작용하지 않고 있는 것으로 판단된다.

다음은 인력관리에 따른 분석결과이다. 인력관리는 두 가지 방법이 활용되고 있다. "수도권매립지운영관리조합"과 "부산/진해 경제자유구역청"은 구성 지방자치단체로부터의 파견공무원을 그리고 "자치정보화조합"은 파견공무원과 고유직원을 병행하여 활용하고 있다. 파견공무원의 경우에는 파견기간이 경과하면 다시 해당 지방자치단체로 복귀하는 반면, 고유직원은 해당 지방자치단체조합의 전담직원이다. 따라서 직원을 지휘·통솔하는 조합장의 입장에서는 파견공무원에 비하여 고유직원의 보유가 보다 유리하다. 그런데 파견공무원만을 보유한 "수도권매립지운영관리조합"과 "부산/진해 경제자유구역청"은 기구유지에 어려움을 겪고 있음에 비하여 고유직원을 보유한 "자치정보화조합"은 그렇지 않다는 점이다. 이와 같은 결과에 비추어 보면, 인력관리 방법은 지방자치단체조합의 기구유지 여부에 영향요인으로 작용한 것으로 판단된다.

그리고 재원관리에 따른 분석결과이다. 재원관리 역시 앞의 인력관리와 마찬가지로 두 가지 방법이 병행 활용되고 있다. "수도권매립지운영관리조합"과 "부산/진해 경제자유구역청"은 구성 지방자치단체의 분담금을, "자치정보화조합"은 구성 지방자치단체의 분담금과 동시에 국가의 지원금을 그 재원으로 하고 있다. 지방자치단체조합은 지방자치단체 간 수평적 조정장치이기 때문에 원칙적으로 구성 지방자치단체 간 분담금에 의하여 운영되는 것이 바람직하다. 그러나 현실적으로는 구성 지방자치단체에 대한 재원 의존성이 클 경우에 오히려 안정적 확보가 어려운 것으로 지적되고 있다. 즉, 구성 지방자치단체의 정책 우선순위에 따라 분담금의 규모가 조정될 가능성이 매우 높다는 것이다(김병섭, 2004: 10). 그런데, 지방자치단체의 분담금만으로 운영되는 "수도권매립지운영관리조합"과 "부산/진해 경제자유구역청"은 기구유지에 어려움을 겪은 반면, 분담금과 동시에 국가의 지원금을 재원으로 하는 "자치정보화조합"은 그렇지 않다는 점에서 재원관리도 지방자치단체조합의 기구유지에 영향을 미치는 것으로 판단된다.

마지막으로 관련기관 관계에 따른 분석결과이다. 이 역시 전술한 인력 및 재원관리와 마찬가지로 두 가지 방법이 활용되고 있다. "수도권매립지운영관리조합"은 구성 지방자치단체에 대한 의존성을 보이고 있음에 비하여 "자치정보화조합"과 "부산/진해 경제자유구역청"은 중앙/지방 모두에 대한 의존성을 나타내고 있다. 그러나 중앙/지방 모두에 대한 의존성을 보이는 "자치정보화조합"과 "부산/진해 경제자유구역청"이 기구유지에 관해서는 각기 다른 방향성을 보이고 있다는 점에서 관련기관 관계가 명확하게 지방자치단체조합의 기구유지에 영향관계를 갖는 것으로 판단하기는 어렵다.

상기와 같은 분석결과의 판단에 따르면, 지방자치단체조합의 기구유지에 영향관계를 갖는 명백한 요건으로는 인력관리와 재원관리를 지적할 수 있다. 그리고 관련기관 관계는 뚜렷한 영향관계를 판단하기 어려우며, 지방자치단체조합의 설립방법은 영향관계를 갖는 것으로 판단할 수 없다.

# Ⅳ. 결 론

지방분권이 가속화되는 최근의 추세에 비추어 본다면, 광역행정수요에 효과적으로 대처할 수 있는 수평적 조정장치의 마련은 간과할 수 없는 과제이다. 이러한 측면에서 여기에서는 지방자치단체조합의 활용요건을 기존 지방자치단체조합들을 대상으로 비교분석을 통해 살펴보았다. 즉, 지방자치단체조합이라는 기구가 폐지 또는 유지되는 요건들이 존재하는가 또는 존재한다면 무엇인가를 비교분석을 통해 도출하여 보았다.

전술한 바와 같이 일부 국가들에 비하여 우리나라에서 지방자치단체조합의 설립이 활성화되지 않는 것은 두 가지 요건에 근거하고 있다. 하나는 기본적으로 기초자치단체의 규모가 과대하여 광역행정수요의 발생이 여타 국가들에 비하여 많지 않다는 점이다. 그리고 다른 하나는 기초자치단체의 통합이라는 수단을 매우 효과적으로 활용하였다는 점이다. 일본의 경우와 같이 기초자치단체의 통합에 장시간이 소요되고 따라서 경직성을 띠게 될 경우에는 대안적인 방법들에 대한 필요성이 커질 것이다. 이에 비하여 우리나라의 경우에는 1995년 민선 단체장이 등장하기 이전에 단기간에 걸쳐 대대적인 기초자치단체 통합을 추진하였고, 그 이후에도 비교적 기초자치단체의 통합이 비교적 용이하게 추진된 경험을 갖고 있다. 따라서 원천적으로 지방자치단체조합을 비롯한 여타의 방법들에 대한 의존성이 낮은 것이 지방자치단체조합의 도입을 저조하게 하는 원인이라 볼 수 있다.

그러나 설립된 지방자치단체조합을 보다 적극적으로 활용하는 것은 또다른 문제라 할 수 있다. 그런데, 본 논문에서의 비교분석을 통한 분석결과에 따르면, 지방자치단체조합의 활용을 저조하게 하거나, 나아가 기구폐지에 이르게 하는 요건들로는 인력관리와 재원관리의 문제점들에 기인하는 것으로 나타나고 있다. 따라서 현행의 지방자치단체조합에 대한 활용 최적화를 모색하거나 또는 향후 지방자치단체조합을 설립하고자 한다면, 반드시 인력관리와 재원관리에 관한 해결책이 사전에 제시될 필요가 있다.

우선, 인력관리에서는 조합장이 직접 지휘/통솔할 수 있는 여지가 확보되어야 한다는 점이다. 앞의 사례분석에 따르면, 지방자치단체조합의 기구폐지 또는 대안적 기구모색을 초래한 인력관리 방법은 구성 지방자치단체로부터의 파견인력에 전적으로 의존하는 경우이다. 파견공무원들이 파견 이후를 고려하여 적극적이고 도전적인 업무수행을 기피하거나 조합장의 지시에 순응하지 않을 경우 조합장이 그들을 적절히 통제할 수단이 없다. 따라서 인력관리에서는 무엇보다 일정비율 고유직원을 충원할 수 있는 시스템과 권한을 조합장에게 부여하는 방안이 고려되어야 한다. 고유직원의 선임이 가능할 때 지방자치단체조합의 생산성을 제고할 수 있는 계기를 마련할 수 있을 것이다.

다음으로는 재원관리에서 안정성이 고려되어야 한다. 사례분석에 따르면, 구성 지방자치단체의 분담금만 의존할 경우 재원의 안정적 확보가 곤란하고, 따라서 지방자치단체조합의 운영에서 비효율성을 노정하게 된다는 점이다. 재원의 안정성을 도모하기 위해서는 일정비율 국가의 지원금이 필요하다는 것이 "자치정보화조합"에서 얻을 수 있는 시사점이다. 다만, 국가의 지원금이 지방자치단체 간 수평적 조정원칙에 어긋난다면, 구성 지방자치단체의 분담금에 의존하되 이를 일반회계에서 갹출토록 하는 것이 아니라 특별회계로 운영함으로써 정책 우선순위에 따른 가변성을 최소화하는 노력이 필요하다.

# 참고문헌

금창호 외.(2004). 「경제자유구역청 운영체계의 개선방안」, 동북아시대위원회.

금창호.(2003). 일본의 광역행정 운용실태. 「자치공론」.

금창호 외.(2002). 「자치정보화조합의 설립·운용방안」, 행정자치부.

금창호.(1997). 「지방자치단체조합의 활성화 방안」, 한국지방행정연구원, 연구보고서 제246권.

금창호 외.(2004). 특별지방자치단체의 도입방안. 「이제는 지방분권시대: 참여정부 지방분권과제 2003자료집」.

김병섭 외.(2004). 「경제자유구역관리체계의 효율화 방안에 관한 연구」, 재정경제부·서울대학교 행정대학원.

김익식.(1992). 「특별지방자치단체 설치·운영의 활성화 방안」, 한국지방행정연구원, 연구보고서 제151권.

대구직할시.(1993). 「지방행정체제의 발전적 개편방안 연구」.

박민규.(2004). 「경제자유구역청의 효율적 운용방안」, 재정경제부.

손경숙.(2004). 「경제자유구역청 운영의 개선과제」, 전국경제인연합회.

수도권매립지운영관리조합. (1999). 내부자료.

이수장.(1993). 지방자치단체조합의 설립방안. 「지방행정연구」, 제8권 제1호.

이재원.(1995). 지방공공서비스 공급의 광역화에 관한 연구: 청주권 광역서비스에 대한 재정분석을 중심으로. 「서울대학교 박사학위논문」.

임승빈·김필두.(1997). 「현지에서 본 일본의 지방자치실제: 시·정·촌을 주심으로」, 연구자료집 97-6, 한국지방행정연구원.

자치정보화조합.(2004). 「조합규정집」.

장지호.(1987). 「서독지방자치론」, 서울: 대왕사.

하인리히 숄러 저, 김해룡 역.(1994). 「독일지방자치법 연구」, 서울: 한울 아카데미.

행정자치부.(2004). 「특별지방자치단체 도입검토자료」.

행정자치부.(2003). 「행정자치통계연보」.

Bollens, J.C. & H.J. Schmandt.(1982). *The Metropolis: Its People, Politics, and Economic Life*, (4th ed.), Harper & Row, Publishers.

Walsh, A.H.(1969). *The Urban Challenge to Government*, New York: Praeger.

米川謹一郎.(1989). 「特別地方公共團體の 財務」, 東京: ぎょうせい.

川西 誠.(1972). 「廣域行政の 研究」, 評論社.

岩崎美紀子.(2000). 「市町村の規模と能力」, ぎょうけい.

# 제3편 부동산경제와 정책

# 제8장 부동산중개제도의 쟁점과 정책과제

성 연 동*

## I. 들어가는 말

부동산 중개업이 근대적 제도의 기반 위에 전문직으로서 발전할 수 있는 계기를 마련한 지 20여 년이 지나고 있다. 그 동안 한국은 경제개발5개년 계획을 중심으로 관주도형 경제성장 모델을 채택하여 고도성장을 하여왔다.[1] 경제의 고도성장과정에는 많은 도로와 항만 건설, 산업용지의 개발, 도시지역에서의 주택용지의 개발, 기타 다양한 형태의 토지개발이 수반되어야만 했다. 급격한 토지수요의 팽창에 따른 토지공급의 부족은 토지가격의 급격한 상승을 발생시켰고, 이에 따른 각종 사회 경제적인 문제가 발생되어왔다. 특히 토지가격의 상승에 따른 부동산투기수요의 가중은 부동산투기현상을 가속화시켜 심각한 사회 경제적인 문제를 야기해 왔다. 정부는 이에 대한 정책적인 해결책을 모색하여 왔고, 부동산정책적 관심의 중요한 한 축은 부동산투기를 억제하는 것이었다. 따라서 정부는 부동산 투기를 억제하고자 각종 규제정책들을 시행하여 왔고, 그 중에 부동산거래를 규제하는 부동산중개제도의 도입도 이루어지게 된 것이다.[2] 따라서 부동산 중개제도의 도입의 정책적인 배경은 국민의 재산권보호 보다는 부동산투기억제를 위한 수단적인 의미가 더 컸던 것이다.[3]

---

* 국립목포대학교 지적학과 교수

1) 해방이후 한국의 경제발전모델은 관주도형 불균형성장전략으로 평가되고 있다. 이에 관한 것은 다음을 참조: 윤정길(1984), 발전기획능력론, 범론사.

2) 부동산중개제도의 도입과정에 사회 경제적인 논리 외에 정치적인 논리가 개입되어 많은 시간과 노력이 소요되었다. 이에 대한 것은 다음을 참조. 성연동, 부동산중개업법제정의 정책의제설정에 관한 연구(1987), 건국대학교, 석사학위논문.

현재에는 부동산정책에서 투기개념이 많이 약화되어가고 있고, 투자개념이 부각되고 있다. 즉, 투기억제를 위한 종합적인 부동산정책의 지속적인 시행과 시장개방 등 정책환경의 변화로 부동산 투기의 개념에 대한 문제의식이 많이 약화되어 왔고, 또한 지엽적이고 간헐적인 문제로 인식되는 경향이 있다. 특히 IMF 이후 시장개방적인 체제로의 변화가 급격히 이루어지면서 부동산투자개념이 새롭게 부상하고 있다. 이에 따라 부동산투자 개념의 인식과 관련한 제도가 도입되고 있으며, 이와 관련하여 자산(부동산) 유동화 (ABS：Asset Backed Securities)제도가 도입되었다. 이 제도의 성공적인 집행을 위해 요구되는 권원보험제도 등은 최근에 중요한 관심영역으로 떠오르고 있다. 특히 뮤추얼펀드 (mutual fund) 개념의 REITs(부동산 투자신탁) 의 도입은 부동산 관리, 부동산 임대, 부동산 개발 등 부동산 업계에 새로운 기운을 자극하고 있다. 이러한 사회 경제적인 변화에 부동산중개업이 능동적으로 대처해 나가기 위하여 무엇을 어떻게 할 것인가 하는 새로운 과제가 대두되고 있는 것이다.

한편, 80년대 말에 도입된 토지초과이득세,택지소유상한제,개발이익환수제 등은 토지공개념의 도입의 대표적인 입법 예이다. 그 후로 10여 년이 지난 현재 토지공개념의 대표적 세 개 법안은 폐지되거나 그 기능이 약화되었다. 이는 특히 IMF 이후 부동산 가치의 하락으로 부동산투기억제에 중점을 두어왔던 부동산정책이 이제는 부동산 투자로 정책적인 관점을 전환하고 있음을 의미하는 것이라고 하겠다. 그렇다고 부동산 투기억제정책이 중요하지 않다는 것은 아니다. 최근에 서울 강남구 등 특정지역에서 재건축시장을 중심으로 한 투기행태가 나타나고 있으며, 아파트 분양의 자율화와 고급화로 평당 분양가가 급상승하는 현상도 부동산 투기적 행태를 자극하고 있는 부분이다.[4] 행정수도 이전 후보지의 땅값상승과 대전지역의 아파트 값 상승 또한 부동산 투기의 조짐이 나타날 수 있는 여지가 충분히 있는 지역이다.

부동산 투자의 개념이 정착되고 활성화되는 정책환경 속에서 부동산 중개업이 나가야 할 방향은 무엇인가? 그것은 기본적으로 수요자들의 욕구를 보다 충실히 충족시킬 수 있

---

3) 부동산투기억제정책의 종합적인 접근의 첫 번째 시도는 1989년 토지공개념제도의 도입이었다. 부동산중개제도의 도입은 이러한 종합적인 접근의 초석이 되었다. 이에 관한 것은 다음을 참조: 국토개발연구원(1989), 토지공개념제도.

4) 정부가 최근 강남구를 투기지역으로 지정하기로 한 것은 특히 재건축 아파트를 중심으로 한 가격상승이 부동산투기세력의 개입에 따른 영향이 많다고 생각했기 때문이다. 투기지격의 지정은 실거래가격을 과세표준으로 하여 양도세를 부과함으로써 부동산투기 거래의 이익을 정부가 흡수하겠다는 정책이다. 이에 대한 것은 다음을 참조: 건교부 보도자료(2003.6.4). 투기과열지구 확대 및 분양권전매금지.hwp.

는 방향에서 그 방법을 모색하여야 할 것이다. 즉, 제공되는 서비스의 범위도 시장변화에 부응하여 넓히고, 서비스의 질도 제고할 수 있는 노력들을 하여야 할 것이다. 부동산중개 계약 형태의 선진적인 제도의 도입, 부동산권리분석과 권원보험제도의 도입, 부동산 입지 분석, 토지이용 및 개발에 대한 컨설팅, 부동산관련 세금에 대한 서비스제공, 부동산 경매 참여에 대한 제도적 보장의 확보, 기타 시대적 변화에 따른 수요자의 요구에 부응할 수 있는 서비스 제공 등 부동산중개업계가 고민해야 할 중요한 부분들은 많이 있다. 이러한 중개서비스가 가능하기 위해서는 중개업자들의 전문적인 능력을 높이고, 윤리성을 제고시 키는 등의 노력도 중요하지만 중개업의 제도적인 기반을 보완 발전시키는 노력이 선행되 어야 한다. 이런 제도적인 보완의 부분은 그 범주가 매우 넓고, 타 업계, 정책당국, 시민, 중개업 업계 간 이해관계를 달리하는 부문이 많기 때문에 그리 간단한 문제는 아니다.

상기한 바와 같이 광범위한 부동산 업계의 정책과제들이 많기 때문에 지면의 제약상 몇 가지 측면으로 연구의 범위를 축소하여 논하고자 한다. 첫째, 부동산 중개에 대한 정 책적 시각과 부동산정책의 환경적 변화에 대한 것을 분석하고자 한다. 둘째, 현재 중요한 이슈가 되고 있는 중개수수료 문제와 중개계약과 관련된 쟁점에 대하여 비판적인 논의를 하고자 한다. 셋째, 부동산중개업의 전문화에 크게 장애가 되고 있는 수익성제고에 대하 여 비판적인 시각으로 논하고자 한다. 넷째, 부동산중개업자의 서비스의 질을 높이고 새 로 변화하는 부동산 환경에 적응하기 위하여 필수적인 부동산권리분석에 대하여서도 비 판적인 분석을 하고자 한다.

본 연구는 기본적으로 비판적인 접근방법과 제도적인 접근방법에 기초하고 있다. 비판적 인 접근방법의 근저에는 다음 몇 가지들을 염두에 두고 있다. 첫째, 투자개념의 도입에 따른 부동산업계의 환경 변화를 염두에 두고 있다. 둘째, 이러한 환경에 적응하기 위하여 부동산 업계의 역할에 대한 발전적 변화와 전문화를 위한 업무영역의 확대를 의도하고 있다. 셋째, 부동산중개제도의 개선을 의도하고 있고 중개업자들의 행태변화를 의도하고 있다. 넷째, 정 책담당자들의 부동산 중개업계에 대한 이해를 높이고자 하는 의도를 담고 있다. 다섯째, 시 민들의 부동산 중개업계의 고민들에 대한 이해를 구하고 있다.

## Ⅱ. 부동산 중개제도의 도입배경

근대적인 의미의 부동산중개제도가 우리나라에 도입된 것은 일제시대부터이다. 근대적 의미의 중개제도는 사적 소유권제도를 근간으로 한다. 사적 소유권제도가 시행되기 위해서는 필지별 토지의 소재, 지번, 면적, 경계 등의 자료가 지적측량에 의해서 조사되어야 하며, 이를 근거로 소유자를 표시하여 공시하는 등기제도가 필요한 것이다. 우리나라에 이러한 기반이 충족되어지기 시작한 것이 일제시대이다. 일제는 식민통치를 위해서 근대적 민법체계를 우리나라에 도입하고, 필지별 경계측량을 하여 소유권확정을 위한 토지조사를 하였다. 토지조사를 통하여 지적공부의 작성이 이루어졌고, 이를 근거로 근대적 의미의 등기부를 작성하였다. 이것이 우리나라에 근대적 의미의 사유재산제를 제도적으로 도입하는 시발이 되었고, 부동산 거래 등을 통한 소유권 변동사항들이 공적장부인 지적공부와 등기부에 기록되어지게 되었다. 따라서 근대적 의미의 부동산등록 등기제도의 시행에 따라 부동산 거래가 보다 안전하고 용이하게 이루어질 수 있게 되었다. 그러나 부동산 거래만을 담당하는 전문직업이 일정한 자격을 가지고 부동산중개를 할 수 있게 된 것은 1983년 말 부동산중개제도를 입법하면서부터이다. 부동산중개업법이 제정되기 전에는 소개영업법에 근거하여 부동산 중개가 이루어졌다. 소개업법상 부동산중개는 직업소개, 결혼중매 등 다양한 형태의 소개를 업으로 하는 것 중의 하나로서의 의미를 가졌을 뿐이었다. 따라서 진정한 의미의 전문직업으로서의 부동산 중개업이 발달할 수가 없었다.

## Ⅲ. 부동산중개와 투기억제정책과의 관계

현실적으로 부동산중개업법의 제정과 부동산 투기와의 관계는 상호 밀접한 관계를 갖는다. 그 동안 부동산 거래의 중개를 하는 중개업자들이 가수요를 촉발시켜 토지가격의 상승을 부추기고, 미등기 전매 등 불법 탈법적인 거래를 조장시키는 등의 방법으로 부동산 투기를 촉발시켜왔다고 적어도 정책담당자들은 인식하여 왔던 것이다. 그러나 부동산

투기는 부동산 자체의 속성, 사회 경제적인 변화, 정책적인 대응의 문제 등 복합적인 문제로 인하여 발생한다. 따라서 부동산투기문제를 부동산 중개업자와 관련하여 생각할 때 부동산투기문제의 중요책임을 부동산 중개업자들에게로 돌리는 것은 부동산투기문제를 다루는 데 적절하지 않다고 생각한다.

우리는 해방이후 부동산투기억제정책들을 시행하는 과정에서 부동산 투기발생의 원인이 어느 곳에 있으며, 어떻게 부동산투기를 정책적으로 다루어나가야 할 것인가를 경험하였다. 1960년대부터 시작된 경제개발계획을 기초로 한 불균형적 국가발전전략(윤정길, 1984: 73 참조)은 도시화, 산업화를 위한 부동산개발의 수요를 촉발시켰다. 이러한 부동산 개발은 급격한 토지가격의 상승을 가져왔고 부동산 투기수요를 부추기는 원인으로 작용하였다. 특히 부동산 개발에 대한 정책의 사전정보의 입수는 토지투기를 위한 제일 중요한 요건 중의 하나였다. 도시화에 따른 주택공급의 부족도 부동산투기를 조장하는 중요한 원인을 제공하였다. 이러한 부동산 투기는 급격한 경제개발과정에서 겪어야만 하는 필연적인 과정인지도 모른다. 그러나 부동산투기는 국가경제 사회적인 측면에서 부정적인 영향을 많이 미치기 때문에 정책적인 대책을 마련해야만 하지만, 부동산투기억제를 위한 정책은 하나의 단편적인 정책으로는 그 효과를 이루기가 어려운 복합성을 갖는다. 따라서 각각의 부동산투기억제정책들은 부분적으로는 일정한 효과가 있었지만 정책적인 부작용도 매우 많았고, 그 효과성도 의문시되는 경우가 많았다. 부동산개발이익의 환수, 부동산투기적 소득의 환수, 부동산투기적 거래 및 소유의 제한 등 많은 제도들이 현재에는 폐지되었거나 그 기능을 상당히 상실한 경우가 많다는 것이 이를 증명하고 있다. 예를 들면, 토지초과이득세는 개발이익을 환수하기 위한 제도적인 장치이었다.

그러나 토지초과이득세를 면제받기 위하여 지나친 개발현상을 발생시켰을 뿐만 아니라 미실현소득에 대한 과세적인 성격을 지녔기 때문에 조세저항이 많았다. 그리고 지나친 재산권침해에 대한 위헌소송도 제기되었고, 현재에는 폐지된 상태이다. 그리고 그 외에도 각종 개발이익에 대한 환수제도가 많이 있지만, 이러한 제도도 부작용이 많고 본 제도의 집행효과도 의문시되어 현재에는 그 기능이 많이 상실된 경우가 많다. 또한 토지소유에 대한 규제를 함으로써 토지의 투기수요를 제어하고자 했는데, 농지 및 택지소유의 제한 제도가 그것이다. 그러나 이 정책도 시대적인 상황의 변화와 정책적인 부작용으로 사실상 그 기능을 상실해 가고 있다. 토지이용에 대한 제한은 실수요자들 간의 거래가 이루어지도록 하기 위하여 토지이용계획서 등으로 통제를 하고 있다. 뿐만 아니라 토지이용에 대한 용도를 지정하고 건축제한 등을 통하여 토지가치를 적절히 통제함으로써 투기적 수요를 억제하는 효과를 의도하고 있다. 그러나 이제도의 시행과정에서도 많은 문제점들이 도출되고 있다. 부동산거래에 대한 규제도 중요한 부동산 규제제도 중의 하나이다. 여전히 농지소유는 실질적으로 농업에 종사할 수 있는 자에게만 가능하도록 함이 원칙이다. 이러한 원칙을 지키기 위해 부동산 거래과정에서 실수요자 여부를 판단하게 하는 과정을 거치게 되는 것이다. 그러나 최근에는 도시민의 농지소유제한을 크게 완화하여가는 추세에 있어 본 제도의 기능변화도 요구되는 상황에 있다.

상기한바와 같이 부동산투기의 문제는 부동산소유, 이용 및 개발, 부동산 거래 등 부동산 활동의 전반적인 것들과 관련되어 있다. 따라서 부동산 투기문제는 종합적이고 복합적인 차원에서 정책적인 판단과 시대상황에 따른 제도적인 기반의 구축, 그리고 그 운영에 의하여 다루어져 나가야 하는 문제의 속성을 지닌다. 이러한 관점에서 볼 때 부동산투기와 부동산중개업과의 관계를 부정적인 관계에서만 다루는 것은 바람직한 정책방향은 아니라고 생각한다. 그러므로 부동산 중개업은 그 기능을 충실히 다할 수 있도록 정책적인 고민을 해야 할 것이며, 그 방향은 어떻게 하면 부동산중개업을 전문화시킬 것인가 하는 고민에서 진행시켜야 할 것이다.


# Ⅳ. 세계화와 중개정책의 변화


벌써 부동산 중개사제도가 도입된 지 약 20년이라는 시간이 지나고 있다. 그 동안 정치경제적인 환경도 많이 바뀌었다. IMF 사태이후 한국은 대외개방의 속도를 증대시키고 있다. 대외개방의 정책은 규제완화와 대외경쟁력 제고가 더욱 중요한 개념으로 등장했다. 이러한 시대적인 변화 속에서 부동산중개제도도 많은 변화를 겪고 있으며, 그 방향은 규제완화와 전문화이다. 1989년 말 제1차 법개정으로 검인계약서의 사용의무화, 중개업자의 손해배상책임의 강화, 공인중개사에 한하는 신규허가의 명문화 등의 제도변화가 있었다. 우루과이라운드(UR)로 인한 부동산서비스업의 대외개방에 따라 1993년 말 부동산 중개업법이 개정되었다. 법개정의 중점은 외국중개업자의 국내진출의 문호를 넓혀 국내중개업의 선진화를 도모하기 위함과 국내중개업의 전문화를 유도하기 위한 것이었다. 국내중개

업의 경쟁력 확보를 위한 전문화의 유도를 위해 전속중개계약제도와 부동산거래정보망
제도도 도입되었다. 이러한 정책적인 방향은 1999년 초와 2000년 초에 개정된 중개업법의
개정에서도 유지되었다. 부동산 중개업의 사무소개설등록을 신고제로 전환하였고, 사무소
이설을 보다 간소화했다. 그리고 IMF 사태이후 1998년 9월 '자산유동화에 관한 법률'이
제정되어 기업이 자신이 보유한 자산을 담보로 유동화증권을 발행하여 자금을 조달할 수
있는 자산유동화제도(Asset Backed Securitization)가 마련되었다. 또한 뮤추얼펀드
(mutual fund) 성격인 부동산투자신탁제도(Real Estate Investment Trusts: REITs)도
활성화시킬 수 있는 제도적인 기반이 마련되어가고 있다[5]. 이처럼 부동산 시장과 자본시
장의 연계성의 강화현상은 부동산업 발전에 새로운 전기를 마련할 것이다. 이는 곧 부동
산 중개업의 업무영역과 연계되어 발전시킬 수 있다는 측면에서 부동산 중개 업무영역의
확장을 의미하는 것이며, 새로운 발전을 할 수 있는 환경이 조성되어 가고 있다는 것을
의미하는 것이다. 이러한 환경변화에 부동산중개업이 어떻게 적응해갈 것인가 하는 것이
중대한 과제이다.

# V. 부동산수수료 및 중개계약과 관련된 쟁점과 정책과제

## 1. 부동산 중개수수료에 관련된 쟁점과 정책과제

부동산중개업제도의 기본목적은 국민들의 부동산 거래가 안전하고 신속하게 이루어지
게 하는 것이다. 부동산 거래가 안전하게 이루어지기 위하여서는 거래되는 부동산 물건에
권리적인 측면에서 문제가 없어야 하고, 취득한 부동산이 취득목적에 적절하게 활용될 수
있도록 해주는 것이다. 그리고 신속한 거래의 의미는 시간적인 단축만을 의미하는 것이
아니라 일의 난이도에 따른 합리적인 처리시간의 의미로도 해석되어야 할 것이다.

국민들이 부동산을 안전하고 신속하게 거래할 수 있도록 한다는 의미에는 많은 전제조

---

5) 자산유동화제도와 부동산 투자신탁에 대한 것은 다음을 참조: 이성근(2001), 부동산금융론, 부
　동산경제연구원: 김영곤 외(2002), 부동산 금융과 투자, 부연사.

건들을 함유하고 있다는 점이다. 서비스를 제공하는 자들과 이 서비스를 받는 자들 간의 관계를 어느 수준에서 설정할 것이냐 하는 문제는 이러한 논의에 중요한 출발점이 될 수 있다. 즉, 국민들은 안전하고 신속한 부동산거래를 하기 위하여 부동산중개업자들로부터 어느 정도의 서비스를 기대하고 있느냐, 그리고 그 서비스의 대가로 그들은 어느 정도 지불할 생각이 있느냐, 또한 부동산 중개업자들은 어느 정도 수준의 서비스를 제공하고 있으며, 그 대가로 얼마를 원하느냐, 하는 것 등은 중요하다. 부동산거래에 서비스를 제공하는 중개업자 입장에서는 수수료가 너무 적어 노력에 대한 대가로서 부족하다고 생각하고 있는 것이다. 경우에 따라서 중개업자들은 중개수수료 이외의 웃돈도 받고 있는 것이다. 반면에 부동산 거래의 서비스를 받는 소비자의 입장에서는 부동산 중개수수료가 많다고 생각하는 경향이 강하다. 이러한 소비자들의 생각에는 중개수수료에 비하여 서비스의 질이 낮다고도 생각하는 데 기인하는 바가 크다. 또한 법정수수료보다 더 많은 부동산중개 수수료를 내야 하는 경우도 많기 때문에 소비자들은 더욱 불만이다. 이러한 문제를 해결하는 방법으로 중개업계 측면에서는 꾸준히 수수료율 상승을 요구해 오고 있다. 반면에 소비자들 측면에서는 부동산수수료 인상에 대하여 반대하고 있을 뿐만 아니라 특히 법정 수수료 이상의 비용청구에 대하여 문제점을 계속 제기해 오고 있는 것이다. 어느 정도의 부동산 수수료가 적정한 수준이냐 하는 것을 결정한다는 것은 매우 어려운 문제이다. 왜냐하면 소비자, 중개업자, 정책당국 간 합의를 필요로 하는 문제이기 때문이다. 따라서 부동산수수료의 적정성 문제는 본 논문에서는 논외로 하기로 한다. 다만 부동산중개수수료를 인지하는 접근방법에 대하여 소비자, 중개업자, 정책결정자 등의 입장에서 몇 가지 생각해볼 필요는 있다고 생각한다.

우선 당연한 것이지만 소비자인 국민들은 부동산 거래에서 부동산중개업자들로부터 질 좋은 서비스를 제공받고 싶다면 그에 상응하는 대가를 지불할 준비가 되어 있어야 한다. 또한 서비스제공에 대한 수익성이 좋아지면 부동산 중개업이 전문분야로서의 발전이 이루어지고, 그 혜택을 국민들이 부동산 거래 등에서 받을 수 있다는 점도 생각해야 할 부분이다. 정책결정자 입장에서 볼 때는 부동산중개업의 수익성이 어느 정도 보장되어야 부동산 중개업이 전문화되고 서비스의 수준이 향상될 것이다. 부동산중개업의 수익성이 제고되도록 하기 위해서는 크게 두 가지 측면을 생각할 수 있다. 하나는 부동산중개업의 업무영역을 확대하여 부동산중개업의 수익구조를 다양화시켜 주는 것이다. 다른 하나는 부동산중개수수료를 상승시켜주는 것이다. 그런데 후자는 소비자들인 국민들의 저항이 많아 실현가능성이 높아 보이지는 않는다. 따라서 전자의 접근방법으로 문제해결을 의도해야 할 것으로 생각한다. 중개업자의 측면에서는 소비자의 욕구를 충족시켜야 그 존재이유를 찾을 수 있기 때문에 보다 다양하고 자기 발전적인 노력들이 이루어지도록 노력해야 할 것이다. 즉, 원론적인 것이지만 소비자들인 국민들이 부동산중개업자를 외면하면 부동산 중개업자는 존재해야 할 이유를 크게 상실하게 되는 것이다. 따라서 소비자들에게 어떻게 하면 높은 수준의 서비스를 제공할 수 있으면서 동시에 수익성을 개선할 수 있는 방법이 무엇인지 고민해야 할 것이다. 그런데 부동산중개업계의 일련의 고민들 중에는 보다 신중하게 생각해야 할 부분들이 있다고 생각한다. 첫째로 수수료인상에 대한 인식방법이다. 현재 부동산 거래계약은 사법적 영역 개인 간 계약자유의 원칙하에 이루어진다. 부동산 거래계약은 개인 간에 계약의 방식이나 내용에 구애되지 않고 자유롭게 이루어질 수 있다. 부동산업자를 매개로 부동산거래계약을 할 것이냐 하는 문제는 개인의 선택의 문제인 것이다. 따라서 중개업자들은 이러한 개인들 간의 자유거래계약의 개념과 경쟁관계에 있는 것이다. 각종 생활정보지들의 부동산 매매 임대차 등의 광고를 통하여 개인 간에 매매, 임대차 등의 부동산 거래계약이 많이 이루어지고 있다. 그리고 부동산중개업자들 자신도 이러한 생활정보지를 통하여 매물정보를 얻는 경우도 많다. 여기서 부동산중개업계가 고민할 것은 이러한 문제에 어떻게 대처해야 하는가에 대한 고민이다. 즉, 소비자들은 전문가인 중개업자를 찾지 아니하고 생활정보지 등을 활용하여 부동산 거래를 하고자 할까에 대한 원인분석과 대처방안에 대한 노력을 부동산중개업계는 해야 하는 것이다. 우선 아파트나 단독주택 등처럼 비교적 매매물건에 대한 지역분석이나 가격분석 등이 용이하고, 거래계약과 소유권이전절차가 비교적 용이한 매물에 대하여서는 중개업자들의 도움을 받지 아니하고도 소비자들 스스로 부동산거래를 할 수 있다고 생각하는 경우가 많은 것 같다. 즉, 부동산중개 대상물 중에서 아파트나 단독주택 등 분야는 스스로 거래하는 소비자들과 비교하여 중개업자의 전문지식이 월등히 비교우위에 있지 않다는 점을 의미한다. 부동산 거래의 상당부분을 차지하는 주택부문 거래에서 중개업자가 일반소비자와 상당히 경쟁관계에 있다는 것은 중개업자 측면에서 매우 심각하게 받아들여야 하는 부분이다. 따라서 중개업의 수익성 제고를 수수료율 상승에서만 찾는다는 것은 결코 유리하지 않다는 점을 인식할 필요가 있다. 보다 발전적인 문제해결의 접근방법은 개인 간 자유거래보다 부동산 중개업자를 통한 거래가 유리하다는 것을 일반소비자들에게 인식시켜 줄 수 있도록 서비스의 질을 향상시키는 노력들이 선행되어야 한다는 것이다. 예를 들면, 개인들이 하기 어려운 매물에 대한 물리적인 분석이나 권리분석을 세밀히 해준다든가, 부동산거래계약의 작성부터 세금계산 작성 및 대납, 계약서검인확인 및 소유권이전등기에 이르기까지 일련의 부동산 거래과정을 대행해주는 방법 등은 매우 좋은 방법 중 하나라고 생각한다. 부동산거래 전 과정에서 서비스를 제공한다는 것은 부동산거래과정에 소요되는 소비자들의 시간적인 비용을 고려할 때 중개업자가 상당히 비교우위에 설 수 있다고 생각한다.

## 2. 중개계약과 관련된 쟁점과 정책과제

부동산중개업자의 부동산중개는 중개업자와 중개의뢰인간에 중개계약을 맺는 것으로 시작된다. 그리고 부동산중개업자는 부동산 거래당사자들의 거래계약서를 작성해주고 거래대금이 지불되는 단계까지 업무로 생각하는 것이 현실이고 제도적 규정이다. 이 중개과정에서 중개업자가 전문적인 지식을 활용해야 할 부분이 매우 많다. 그렇지만 중개업자들이 자신들의 전문지식을 적극적으로 활용할 수 있는 기회를 갖기 위한 노력이 부족한 것이 중개업 발전적 차원에서 중요한 비판의 대상이 되어야 할 것이다.

우리나라에서 부동산중개계약은 보통 구두로 하는 일반중개의뢰계약의 형식이 대부분을 차지한다. 매매나 임대차가 용이한 아파트나 일반주택의 거래에서 소비자들은 특히 일반중개의뢰계약을 선호하고 있다. 중개의뢰인들은 중개계약을 구두로 여러 중개업자들에게 동시다발적으로 하는 일반중개계약이 보다 편리하고, 거래성사에 유리하다고 생각하고 있다. 반면에 중개업자들은 전속중개계약이나 독점중개계약 방식을 원하고 있다. 중개업자들은 전속중개계약이나 독점중개계약이 중개매물의 거래를 보다 신속하고 안전하게 성사시킬 수 있다고 생각한다. 또한 이 방식은 중개업자들의 독점적인 중개지위를 확보할 수 있는 장점이 있어서 중개업자들이 선호한다. 그렇다면 중개업자들은 왜 중개의뢰인들이 전속중개계약이나 독점중개계약을 원하지 아니할까? 중개업자들은 우선 이에 대한 원인 분석을 해야 할 것이다. 이와 관련하여 몇 가지 고려할 변수들을 생각할 수 있을 것이다. 우선 독점적 중개의뢰계약을 할 필요성이 어느 경우에 많이 나타날 것인가 하는 문제를 분석해야 할 것이다. 부동산중개에서 중개대상물을 거래하는 데 특별한 전문지식을 필요로 하지 아니한다면 중개의뢰인들은 특별하게 전문지식을 가진 중개업자를 찾아야 할 필요성을 크게 느끼지 아니할 것이다. 특히 다수의 소비자들이 아파트나 주택의 매매나 임대차의 거래는 부동산중개업자를 개입시키지 아니하고 소비자 간 직거래를 통하여 비교적 용이하게 거래할 수 있다고 인식하고 있다면 독점적 중개의뢰방식 등의 중개의뢰는 그 선호도가 극히 낮을 것이다. 반면에 합당한 매물의 발견, 목적부동산의 지역분석, 토지

이용목적의 타당성분석, 구매목적에 부합되는 토지활용가능성, 각종 권리분석 등 중개업자의 다양한 전문지식이 요구되는 경우에는 독점적 중개의뢰계약방식 등이 자연스럽게 활용될 것이다. 여기에서 우리가 주목해야 할 것은 일반소비자들이 쉽게 접근할 수 없는 부동산중개업자들의 전문지식을 얼마나 잘 활용할 수 있느냐에 따라 독점적 중개의뢰방식 등 중개업자들이 선호하는 중개의뢰형태가 많이 발생할 수 있다는 점을 생각할 필요가 있다. 이러한 논리적 근거에 의하면 일반아파트나 단독주택의 경우도 전속중개계약이나 독점중개계약이 발전할 수 있는 여지는 충분히 있다. 즉, 중개업자가 아파트나 단독주택 등 비교적 소비자 간 직거래가 용이한 매물이라고 하여도 중개대상 물건의 물리적인 상태를 정확하게 파악해주는 역할을 충실히 한다면 소비자들은 중개업자의 필요성을 더욱 느낄 것이다. 미국의 경우 매물에 대한 물리적 상태를 조사하기 위하여 체크리스트(check list)의 양식을 활용하고 있으며, 그 결과에 대하여 중개업자가 일정한 책임을 진다. 또한 주택구입에 필요한 자금을 은행으로부터 대부(貸付)받을 수 있도록 컨설팅을 해주는 것 또한 소비자에게 중개업자의 존재를 부각시키는 데 중요한 요소일 것이다. 그 외 소유권이전관계나 세금관련업무의 대행 등도 중개업자의 가치를 높이는 데 중요한 요소들일 것이다.

최근에 전속중개계약이나 독점중개계약의 활성화를 위하여 이런 방식의 중개계약을 강제화하자는 주장도 제기되고 있다. 그러나 이러한 주장은 계약자유원칙의 위배와 관련된 논쟁을 불러일으킬 소지가 있기 때문에 보다 신중하여야 하며, 이러한 제도의 변화가 소비자들이 중개업소를 기피하는 요인으로 작용할 수 있는지 여부도 보다 신중하게 생각하여야 할 것이다. 따라서 전속중개계약이나 독점중개계약 등을 중개계약 시 강제화하기 위해서는 중개업자의 서비스 수준을 제고시켜가는 노력이 병행되어야 바람직하다.

한국의 국민소득이 계속 상승되고 있고, 주5일 근무제의 도입을 일반화하는 입법화 노력들이 활발히 진행되고 있다. 신세대들의 사회적 욕구도 다양하게 표출되고 있다. 이러한 사회 경제적인 환경의 변화는 시간이 더욱 중요한 변수가 될 것이다. 사람들은 주말에 주택을 구입하기 위하여 많은 시간을 소비하고 싶지 않을 것이다. 또한 특별한 주택들을 갖고 싶어 하는 사람들이 점점 늘어날 것이다. 따라서 부동산중개업자의 조언이 더욱 필요로 하게 될 것이다.

# Ⅵ. 부동산중개업의 수익성과 관련된 쟁점과 정책과제

한 분야가 전문분야로서 성장하기 위하여서는 일정한 수익성이 보장되어야 한다. 이러한 측면에서 부동산 중개업은 여러 가지 문제점을 지니고 있다. 부동산중개업 대부분은 개인인 중개업자들의 형태로 운영된다. 이들이 수익을 올릴 수 있는 것은 부동산거래를 통한 중개 수수료가 거의 대부분이다. 따라서 개인인 부동산중개업소들은 그 수익구조가 매우 불안정적이다. 수익이 발생하는 시기도 일정하지 않으며, 그 변동성도 매우 크다. 이 것이 부동산중개업의 발전을 가로막는 가장 중요한 원인 중의 하나이다. 수익기반이 약한 개인인 중개업자들은 분양되는 아파트의 거래를 위하여 중개업소의 이동을 불법적으로 행하는 경우가 많다. 이러한 중개업자들의 행태는 투기조장 내지는 부동산 질서를 훼손시키는 원인으로 지적되는 등 부동산중개업자들을 전문가로서의 신용을 하락시키는 원인이 되고 있다. 이는 신뢰를 갖고 부동산 중개업소를 찾는 중개의뢰인들에게 불신을 심어줄 뿐만 아니라 중개제도의 발전을 위한 노력들에 어려움을 주는 요인으로 작용하고 있는 것이다. 이러한 문제를 해결하기 위해서는 안정적인 수익기반을 구축하는 노력을 기울여야 할 것이다.

한편, 법인인 중개업자들은 개인인 중개업자들보다 그 활동범위가 더 넓다. 즉, 부동산 중개업 이외의 업무를 할 수 있도록 규정하고 있기 때문이다. 법인인 중개업자들은 중개업 이외에 상업용 건축물 및 주택의 임대관리 등 부동산의 관리대행, 부동산의 이용 및 개발에 대한 상담, 중개업자를 대상으로 한 중개업의 경영기법 및 경영정보의 제공, 대통령령이 정하는 주택 및 상가의 분양대행, 경매 또는 공매대상 부동산에 대한 권리분석 및 취득의 알선 등 중개업이외의 업무를 할 수 있는 것이다. 이는 중개수수료의 개념을 벗어나 보수의 개념에서 서비스제공의 대가로 수익을 올릴 수 있는 근거가 마련된 것이다. 법인의 활동범위의 확대에는 안정적인 수익구조의 확립을 위한 기반조성가능성이 한층 높아진다. 특히 관심을 가져야 할 분야는 상업용 부동산의 관리업무이다. 미국의 경우 상업용부동산의 관리업 분야가 중요 관심영역으로 발전하여 오고 있다[6]. 그 이유 중 하나는 소규모 상업용 부동산으로부터 일정한 수익이 보장된 경우 이를 대신 관리해줄 사람을

---

6) 미국의 부동산관리업에 대한 것은 다음을 참조: The Institute of Real Estate Management of the National Association of Realtors(2001), *Principles of Real Estate Management*(14th edition)

찾는 경우가 많아지고 있기 때문이다. 그들은 부동산을 관리에 투여하는 시간을 여가나 기타의 활동 등에 보다 많이 보내고 싶어 하고 있다. 특히 노년층의 경우 그 필요성을 더욱 요구되고 있다. 전문가에게 부동산관리를 맡기게 되면 건물소유자들은 건물의 관리문제, 임차인들의 관리문제, 세금의 처리문제 등과 관련된 제반 문제들에 대한 자문을 이들로부터 구할 수 있거나, 이들을 통하여 대신 이러한 일들을 직접 처리해 주도록 하게 함으로써 다른 분야에서 자기의 삶을 영위할 수 있는 시간적인 여유가 생기는 것이다. 한국의 경우 중소규모 상업용 부동산의 경우 대부분 소유자가 관리하는 경우가 많다. 시설물관리관계, 임차인들의 임대차 계약, 각종세금과 관련된 문제들은 건물소유자들이 건물을 관리하는 데 어렵게 만드는 중요 요인들이다. 특히 임차인들의 임차료 지체에 대한 문제는 해결하기 어려운 난제 중의 하나이다. 임대차 재계약의 경우 권리금의 문제 또한 관리하기 어려운 부분이다. 이러한 문제들로부터 벗어나기 위하여 비교적 적은 비용으로 전문가의 활용은 또 하나의 대안이 될 수 있다. 중개법인인 중개업자들의 입장에서는 중소규모의 건물관리를 대행해줌으로써 안정적인 수익구조를 구축할 수 있을 것이다.

부동산경매분야 또한 법인인 중개업자들이 성장할 수 있는 중요분야로 부각되고 있다. 현재 법인인 중개업자가 경매 또는 공매대상 부동산에 대한 권리분석 및 취득의 알선을 할 수 있도록 하고 있다. 부동산경매물건을 안전하게 구입하기 위하여서는 우선 1차적으로 권리분석을 철저히 하여야 한다. 권리분석을 바탕으로 수익성 계산을 할 수 있어야 한다. 2차적으로 해야 하는 것은 대상 부동산의 입지분석을 하여야 하며, 향후 전망들에 대하여 컨설팅을 할 수 있어야 한다. 이러한 절차를 거쳐야 비로소 중개업자들은 중개의뢰인들에게 안전한 부동산 취득에 대한 확신을 주게 될 것이다. 그런데 판례는 경매부동산에 대한 중개업자들의 관여를 매우 소극적으로 해석하고 있다[7]. 이러한 판례에 기초할 경우 법인인 중개업자들이 실질적으로 경공매에 관여하여 수익성 있는 활동을 할 수 있는 여지는 거의 없어지는 셈이다. 부동산의 대상이 투자의 대상으로 부각되면서 안전하고 수익성 있는 투자분석을 해줄 수 있는 집단을 필요로 하고 있다. 부동산의 안전한 거래를 위하여 각종 권리분석을 하고, 수익성 분석을 통하여 투자의 적정성 여부를 판단하는 직업이 법인인 부동산중개업의 중요 역할이다. 따라서 경매부동산 거래에 법인인 중개업자들이 적극적으로 관여할 수 있도록 제도적인 손질이 필요하다고 생각한다. 2002년 1월 법무부가 법무사법 개정 법률안을 입법예고하면서 경매 공매와 관련된 일부 업무를 법무사

---

7) 대법원 1999.12.24.선고 99도2193판결: 대법원 1999.9.7 선고 99도 3005 판결: 대법원 1999.12.24 99도 2193 판결 참조

의 업무영역에 추가했다. 이에 대하여 부동산관련단체들도 대응에 나서고 있다.

부동산중개업의 전문화를 촉진하기 위하여 상기한 수익성 분야를 개척하는 것 이외에도 다양한 형태로 노력을 기울여야 할 것이다. 그리고 상기한 업무영역들은 법인인 중개업자들의 활동을 허용하고 있는 업무영역이기 때문에 개인인 중개업자들은 법인인 중개업자로 전환을 적극적으로 하여야 할 것이다. 법인인 중개업자 중심의 중개업이 발달을 하는 것이 중개업전문화를 앞당기는 계기가 될 것이다.

# Ⅶ. 부동산 권리분석과 관련된 쟁점과 정책과제

## 1. 공부상의 권리분석

부동산중개계약에 근거해서 중개물건에 대한 권리분석이 중요한 핵심적 업무에 속하는 부분이다. 2006년부터 중개업자들도 부동산경매에서 대리행위를 할 수 있게 됨으로써 중개물건에 대한 권리 분석은 중요한 영역이 되고 있다.

중개대상이 되는 부동산은 크게 나누어 토지와 건물이다. 토지와 건물의 경우 가장 먼저 조사 분석할 부분은 소유권취득에 하자가 있는지 여부에 대한 판단이다. 소유권 취득에 하자가 있느냐 하는 조사는 우선 지적공부와 등기부를 열람하여 조사 분석해야 한다. 등기부에는 소유권과 소유권을 제한하는 제한 물권 등이 표시된다. 권리분석을 위해서는 우선 소유권의 진실여부를 조사 분석해야 한다. 우리나라의 등기제도는 등기청구에 대한 실질적인 심사권이 등기공무원들에게 주어져 있지 않다. 따라서 등기절차상 등기의 형식적인 요건만 구비되면 진실과 다른 소유권 이전등기등기절차를 완료시킬 수 있다. 불법적으로 소유권이전 등기된 부동산이 매매되는 사기사건이 종종 발생하고 있다. 이러한 불법 부동산매매로 인한 부동산거래사고는 개인들에게 많은 손실을 안겨주고 있다. 따라서 소유권의 진실여부에 대한 조사분석은 현장방문이나 과거 거래의 역사를 조사하는 과정이 요구된다. 물론 이러한 권원조사 분석에도 불구하고 소유권취득에 문제가 발생할 소지는 여전히 남아있다. 왜냐하면 일필지의 발생에서부터 현재까지의 권리이전과정에 대한 모든 조사분석은 시간적으로나 경비적으로 제한을 받을 뿐만이 아니라 자료의 불충분으로 인한 한계가 있을 수밖에 없기 때문이다. 이러한 경우에는 권원보험제도의 도입을 통하여 그 보완장치를 마련할 수 있을 것이다. 미국의 경우 우리나라와 다른 법제도적 환경 때문에 권원보험제도가 발달하였다. 그러나 우리나라의 경우도 최근 부동산증권화나 뮤추얼펀드 성격의 부동산투자신탁제도 등의 도입 등으로 인하여 부동산권원의 진실성 확보의 필요성은 더욱 요구받게 되어가고 있다. 부동산중개영역에서 권원보험제도의 활용은 부동산 거래의 안정성을 확보하는 데 중요한 기능을 해 줄 것이다.

부동산은 소유권 이외에도 소유권을 제한하는 권리들이 존재한다. 소유권을 제한하는 제한물권의 설정 내용들은 등기부의 을구에 기록된다. 지상권, 지역권, 전세권 같은 용익물권과 저당권, 담보가등기 등과 같은 담보물권 그리고 가압류, 가처분, 소유권이전 가등기 등과 같이 부동산처분을 제한하는 등기가 있다. 또한 유치권, 미등기임차권, 법정지상권 등은 등기부에 기록되어지지 않는 권리로서 부동산 권리분석에서 특히 주의해야 할 부분이다. 경매되는 부동산은 대부분 권리관계가 복잡하다. 부동산중개업법에서 중개업자가 경매 또는 공매대상 부동산에 대한 권리분석 및 취득알선을 할 수 있도록 하고 있다. 특히 경매부동산에 대한 국민들의 관심이 높아지고 있다. 중개업자들이 경매부동산에 취득에 대하여 일정한 역할을 할 수 있도록 적극적으로 관심을 기울일 필요가 있다. 경매에 대한 중개업자들의 역할 확대는 부동산중개업의 발달에 크게 기여할 수 있는 부분이다.

소유권의 내용에 대한 분석도 중요한 권리분석의 한 부분을 차지한다. 등기부상의 표제부에는 일필지의 물리적인 특성 등이 기재된다. 토지의 소재, 지번, 면적, 지목 등은 토지대장이나 임야대장이 기록되는 정보로서 소유권의 내용을 구성하는 중요한 요소들이다. 이들 정보가 등기부의 표제부에 기록되는 것이다. 부동산권리분석에서 지적공부에 기록된 각종 기록내용들을 조사 분석하는 것이 중요한 부분을 차지하고 있다. 토지소재지, 지번, 면적, 지목 등에 대한 등기부의 기록 내용이 사실과 같은지 여부도 조사 분석해야 한다. 또한 지적도나 임야도에 기록되는 경계는 부동산 권리분석에서 매우 중요한 위치를 차지하고 있다. 지적공부에 기록된 지적도나 임야도가 실질적인 경계나 면적에서 많은 불부합이 존재하고 있는 것이 현실이다. 농지와 임야의 경우는 토지의 집약적인 이용이 빈번하게 발생하지 않아 지적불부합의 문제가 도시토지에 비하여 상대적으로 심각한 현실문제로 부각되는 비율이 낮고 잠재되어 있는 상태이다. 그러나 도시가 발달하는 지역에 존재하는 필지들은 잠재적인 지적불부합의 문제가 현실적인 문제로 보다 많이 부각되어지면서 전국적인 차원에서 많은 문제를 야기하고 있다. 지적불부합의 문제는 근본적으로 지적

재조사의 과정을 거쳐야 해결될 수 있는 문제이다. 지적불부합의 문제를 해결하기 위한 지적재조사는 많은 시간과 비용이 들기 때문에 국가의 정책적인 문제로 부각된 지 이미 오래되었다. 지적재조사 사업이 계획된 후 현재에는 유보된 상태이다. 따라서 지적불부합의 문제는 권리분석에서 또 하나의 난제를 제공하는 부문이다.

건물은 건물 등기부에 권리관계를 기록한다. 건물등기는 토지등기부와 같이 표제부 갑구 을구로 구성되고 그 기능 또한 토지등기부와 같다. 건물등기의 표제부에 기록되는 내용은 지번과 건물의 구조와 용도, 지붕의 구조와 건물의 면적 등이다. 여기에 기재되는 내용은 행정기관인 지적부서의 건축물대장에서 기록된 내용들이다. 1996년 7월 1일부터 건축물에 관한 대장관리업무가 지적부서로 이관되어 관리되고 있다. 건축부서에서 건축물에 대한 내용을 정리하여 지적부서로 통지함으로써 건축물대장이 관리되고 있다. 그런데 건축물 중에는 건축물관리대장에 기록된 내용과 실질적인 건축물 내용이 불일치하는 경우가 많이 존재한다. 이 또한 부동산 권리분석을 하는 데 어려움을 가중시키는 부문이다.

지적공부나 건축물대장에 기록된 물리적인 내용들은 토지 및 건물등기부에 기록된다. 행정적인 처리절차에 의하여 변동사항을 처리하는 데 일정한 시간이 요구된다. 따라서 권리분석을 할 때에는 등기부와 지적공부 및 건축물대장을 동시에 조사 분석해야 하는 것이다. 뿐만 아니라 행정적인 문제로 양쪽의 내용이 불일치하는 경우도 부동산권리조사 분석에서 조심해야 하는 부분이다.


## 2. 토지이용에 따른 권리분석


토지의 거래는 이를 구입하는 입장에서 볼 때 어떠한 용도로 구매하느냐 하는 목적에 따라 그 권리분석의 내용이 달라질 수 있으나 기본적으로는 토지의 이용목적에 부합되도록 구입한 토지를 활용할 수 있느냐 하는 문제가 핵심적인 문제로 부각된다. 토지의 이용은 국가의 정책적 목적에 의하여 통제된다. 토지와 관련된 법은 매우 많다. 그런데 토지에 관련된 정책적인 규제의 기본 체계는 '국토의 계획 및 이용에 관한 법률'에 근간을 두고 있다. 이 법은 2001년 12월 7일 국회에서 통과되어 2003년 1월부터 시행될 예정이다.[8] 본 제도로의 전환은 지난 40여 년간 시행해온 토지이용에 대한 정책의 새로운 전환점을

---

8) 다음을 참조; 박헌주, "국토이용체계 어떻게 바뀌는가?" 국토,2003.3; 최혁재, "용도지역지구제의 개편 및 관리방안" 국토,2003.3.

만들고 있다. 그동안 토지이용은 종합적인 토지이용계획 없이 개발사업위주로 국토를 관리해온 결과 난개발의 문제가 사회적인 문제로 부각되어왔다. 뿐만 아니라 최근에 중요한 이슈로 부각된 환경과 보전의 국민적 욕구가 토지이용의 새로운 변수로 등장하였다. 이러한 정책적인 욕구를 반영할 수 있도록 국토이용체계를 새로 개편하게 된 것이다. 새로 개편된 국토계획에서는 국토종합계획-시도종합계획-도시(군)계획으로 국토이용계획을 체계화시켰으며, 선계획-후개발 원칙이 적용될 수 있는 제도적인 틀을 의도하고 있다. 이러한 기본적인 국토계획의 틀에서 토지이용에 대한 행위제한은 용도지역 지구제를 통하여 구체화된다.

새로 개편된 용도지역지구제는 전국토를 도시지역, 관리지역, 농림지역, 자연환경보전지역 등 4개 용도로 개편하고 있다. 이는 기존의 준도시지역, 준농림지역을 중심으로 한 난개발의 문제를 해결하기 위하여 준도시지역과 준농림지역을 통합하여 주로 관리지역으로 지정하고, 관리지역 내에서 토지이용의 성격에 따라 보전관리지역, 생산관리지역, 계획관리지역으로 세분화하여 체계적인 토지이용의 통제를 가하고자 의도하고 있다. 또한 현재 도시지역에만 적용되는 경관지구, 미관지구, 고도지구, 방화지구, 방재지구, 보존지구, 시설보호지구, 취락지구 등의 용도지구의 적용을 전국토로 확대하여 토지이용에 대한 통제를 보다 세분화하고 있다.

이러한 용도지역지구제는 각각의 지정된 용도지역의 목적에 맞게 토지이용을 규제하고 있다. 토지이용의 규제방법은 기본적으로 건폐율, 용적률을 통하여 이루어진다. 건폐율 용적률의 적용은 구체적으로 필지 중심으로 이루어진다. 각 필지는 용도지역지구의 지정여건에 따라 지목이 정하여 진다. 현재에는 28개 지목이 있다. 현재의 토지이용 상태는 여러 가지 이유에 의하여 변화를 하지만 이를 나누어 보면 크게 두 가지 측면에서 언급할 수 있다. 하나는 새로운 토지수요에 부응하기 위하여 계획적인 토지이용을 추진함으로써 지목이 변화를 하는 경우이다. 이러한 경우는 국토계획체계에서 작성된 각종 개발계획 등이 현실화되는 과정에서 발생된다. 다른 하나는 개인들이 현재의 필지이용을 변화시켜 나감으로써 지목 등이 변하는 경우이다. 예를 들면 주거지역에서 시장이 자연스럽게 형성발전을 하면 이러한 사회변화를 반영하여 토지의 용도를 변화시켜주는 경우이다. 이와 같이 필지별 이용은 기본적으로 용도지역지구의 영향을 받지만 상기한 이유 등에 의하여 그 현실적 필지의 용도도 변화를 하여가는 것이다.

부동산 중개를 하면서 토지의 구매목적이 성취되도록 하기 위하여서는 상기한 토지이용규제체계의 틀과 변화과정에 대한 이해를 하는 것은 부동산권리분석에서 중요하다. 그런데 부동산권리분석에서 토지이용체계에 대한 이해와 더불어 중요한 것은 개별법들에 의한 토지이용의 제한부분이다. 개별법에 의한 토지이용의 규제는 부동산권리분석에서 또 다른 어려움을 주고 있는 부분이다. 왜냐하면 토지이용을 제한하는 개별법들이 매우 많기 때문이다. 토지이용을 제한하는 개별법들은 토지이용규제를 주목적으로 하지 않지만 당해 법의 목적을 달성하기 위하여 몇 개의 법조항들에서 토지이용을 규제하는 경우도 많다. 그리고 이러한 개별법들의 적용과정에는 행정기관의 재량권이 중요한 역할을 하는 경우가 매우 많다. 그 이유는 토지이용에 대한 허가는 개별조건에 따라 적용되어야 할 개별법들이 다양하게 존재하고 있으며, 허가관청은 이러한 개별법들에 따라 토지이용의 허가여부를 판단할 재량권을 행사할 수 있는 경우가 많기 때문이다. 이러한 재량권의 행사부문은 중개업자가 권리분석을 하는 데 중요한 도전적 요소로 존재하는 것이다.

# Ⅷ. 부동산중개정책의 향후 정책과제

최근에 부동산중개업에 대한 정책적인 접근방법에 중대한 변화가 발생하고 있다. 즉, 중개업을 경제논리적이며 합리적인 시각에서 접근하기보다는 정치적인 시각에서 접근하고자 하는 시도가 이루어지고 있다는 점이다. 정치적인 시각에서의 접근은 중개업발전을 위하여 매우 부정적인 영향을 미칠 것이기 때문에 신중한 정책적인 고려가 요구된다. 최근에 실업문제가 사회문제화되면서 실업자 구제수단으로 공인중개사를 많이 배출하고자 하는 정책적인 시도를 하고 있는데, 이것이 최근에 이슈화되고 있는 문제이다. 그 동안 공인중개사의 배출이 너무 지나치다는 업계의 주장이 제기되어 왔다. 그리고 부동산중개업의 수익구조가 취약하다는 업계의 주장도 계속 제기되고 있는 상황이다. 이러한 상황하에서 공인중개사의 인원을 증대시켜 나간다는 것은 공인중개사의 질을 저하시키고 부동산중개업의 전문화를 퇴보시키는 결과를 초래하게 될 것이다. 그 결과 부동산 거래질서가 훼손되고, 국민들의 부동산거래의 안정성의 확보에 많은 문제점들을 발생시킬 수 있을 것이다.

세계화의 흐름은 부동산중개업계도 상당한 도전적 환경을 만들고 있다. 우리는 IMF 이후 그 동안 상승만 하던 부동산 가격이 하락도 할 수 있다는 것을 경험하게 되었다. 저금

리정책은 투자의 개념을 새롭게 부각시키는 계기도 마련하고 있다. 이러한 사회경제적인 변화에서 부동산 중계업계가 발전하기 위해서는 어떻게 하면 수익구조를 다변화시키고, 전문화를 통한 서비스 수준을 제고시킬 것인가 하는 고민들을 해야 할 것이다. 이러한 업계의 고민들은 업계 스스로의 노력이 우선되어야 하겠지만, 정책당국의 올바른 상황 인식과 정책적인 고려가 있어야 할 것이다. 공인중개사의 과다배출문제는 국민들의 재산권 보호와 부동산 중개업의 발전에 부정적인 영향을 미치기 때문에 정책적인 방향전환이 필요하다고 생각한다. 그리고 부동산 중개업계의 중요 문제점들에 대한 비판적 분석들을 통하여 어떻게 하면 부동산중개업을 전문화할 수 있을 것인가에 대한 논의를 보다 활성화시키는 노력들이 이루어져야 할 것이다.

# 참고문헌

김영곤 외.(2002). 부동산금융과투자, 부연사.

박헌주.(2003.3). "국토이용체계 어떻게 바뀌는가?" 국토.

성연동.(1987). 부동산중개업제정의 정책의제설정에 관한 연구, 건국대학교 석사학위논문.

윤정길.(1984). 발전기획능력론, 범론사.

이성근.(2001). 부동산금융론, 부동산경제연구원.

최혁재.(2003. 3). "용도지역지구제의 개편 및 관리방안" 국토.

국토개발연구원.(1989). 토지공개념제도.

건교부 보도자료.(2003.6.4). 투기과열지구확대 및 분양권전매금지

대법원 1999.12.24.선고 99도2193판결.

대법원 1999.9.7 선고 99도 3005 판결.

대법원 1999.12.24 99도 2193 판결.

Bruce Lindeman.(1998). *Real Estate Brokerage Management*(4th edition)

John E. Cyr et al.(1999). *Real Estate Brokerage*(5th)

The Institute of Real Estate Management of the National Association of Realtors(2001),
    *Principles of Real Estate Management*(14th edition)

# 제9장 부동산경기와 부동산정책

안 재 금*

## I. 서 론

부동산문제는 인간의 기본적 욕구에 기초한 부동산에 대한 소요와 경제적 재화로서 부동산 수요의 측면이 복합되어 있다. 그러나 자본주의 체제에서 어떤 재화를 생산하고 취득하는 것은 시장원리를 기반으로 하고 부동산 또한 이러한 재화에 해당한다는 점에서 부동산문제는 경제적 요인들과 밀접한 관련을 갖는다.

특히, 우리나라의 경우, 경제 성장기에 있어서 정부가 주도하여 경제개발계획을 추진하면서, 주택부문에 대한 투자를 비생산적 투자로 간주함으로서, 정부의 통제 하에서 민간의 주도적 역할에 따라 주택공급이 이루어져왔다. 이러한 우리나라 특유의 시장주의적 부동산정책은 필연적으로 경제적 상황과 밀접한 관계 하에서, 부동산시장의 역기능을 조절하고 대처하는 후행적(後行的) 특성을 갖게 되었다고 할 수 있다. 후행적 부동산정책은 정책을 능동적으로 시행하여 부동산시장을 조절하고 조성하는 것이 아니라 경기변인과 부동산시장 여건으로부터 영향을 받아 시행되는 수동적 성향이 높다고 할 수 있다. 후행적 부동산정책은 부동산시장의 상황에 따라 배분적 정의, 형평성, 주택 소요, 경제원리 등에 입각하여 부동산문제를 해결함으로서 부동산시장을 안정시키는 성격을 갖는다고 할 수 있을 것이다.

그러나 우리나라의 부동산정책은 부동산경기에 영향을 미쳐 부동산경기를 활성화 시키거나 부동산경기로부터 영향을 받아 부동산경기를 진정시킴으로서 부동산시장을 안정화시켜야 함에도 직·간접적으로 부동산시장에 영향을 주어 부동산경기를 안정시켰다기보다는 오히려 부동산시장의 안정에 기여하지 못하였다는 비판이 있다. 이러한 비판의 주류

---

*  건국대학교 대학원 행정학과

는 부동산가격이 변화함에 따라 그 충격으로 정책의제로서 설정되고, 부동산정책으로 채택되어 그 정책의 효과로 부동산가격 또는 경기가 진정되기까지 시차가 발생하여, 부동산경기의 동태적 변화에 따르는 부동산정책의 적절한 시기를 지나치게 됨으로서, 부동산시장의 안정화에 기여하지 못하였다는 것이다. 그러나 이러한 비판을 위해서는 부동산가격 변화의 원인과 부동산가격의 변화에 대응하는 부동산정책의 시행시기와 시행된 부동산정책의 효과발생 시기 간의 시차, 부동산경기가 부동산정책에 미치는 변동성의 크기 등과 관련한 실증적 논의가 전제되어야 한다.

이러한 논의를 위하여, 본 연구는 실증적 분석에 기반을 두고, 통계패키지 EViews를 활용하여 계량적 분석기법에 따라 분석하였다. 먼저, 주택경기순환주기 분석에는 평활법에 해당하는 Hodrick Prescott 필터법에 따라 주택경기변동의 추세와 순환주기를 탐색하였다. 또한, 경제변인과 주택가격, 주택가격과 부동산정책 간의 관계와 영향력을 추출하기 위해 Granger-Sims 인과관계모형과 Var(vector auto- regressive)모형에 따라, 각 변인 간의 인과관계와 변동성을 분석하였다.

# II. 영향요인 분석 자료와 기법

## 1. 연구의 분석틀과 연구자료

### 1) 연구의 분석틀

본 연구는 우리나라 부동산시장의 특성에 입각하여 부동산경기가 부동산정책에 어떠한 영향을 미치며, 부동산경기에 따라 반응하는 부동산정책의 시기와 반응의 크기, 부동산정책의 수단 등을 분석함으로서 부동산정책이 부동산시장의 안정화에 기여한 요인을 분석하는 데 목적이 있다.

일반경기와 부동산경기에 개입하는 요인들은 다양하지만, 실물적경기변동이론, 화폐적 경기변동이론 등 경기변동이론과 선행연구를 검토하여 부동산경기에 영향을 미치는 일반경기의 대표적 요인들을 부동산경기관련변인, 화폐적 경기변인, 생산·소득 관련변인으로 분류하여 분기별 시계열자료를 작성하였다.

부동산정책은 질적인 자료를 양적 자료로 변환하기 위한 정책분류 기준을 설정하기 위하여 부동산정책 수단이 "규제적인가 자율적인가"와 "직접적인가 간접적인가"에 따라 전자를 X축에 후자를 Y축에 배치하여 교차하여 부동산정책의 4국면을 구성하고, 12개 부동산 정책유형으로 분류하였다. 이러한 정책 유형에 부동산정책을 배분하고 해당 정책유형에 더미(dummy) "1"을 주어 분기별로 합산하였다.

이러한 과정을 거쳐, 본 연구의 목적에 따라 설계한 분석틀은 〔그림 9-1〕 과 같다.

[그림 9-1] 연구분석틀

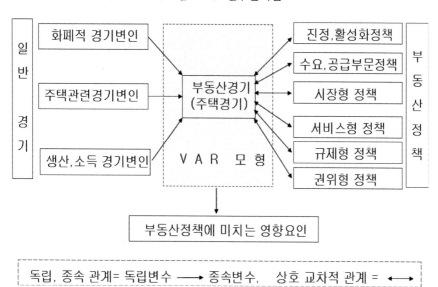

## 2) 범위와 변수

부동산경기와 부동산정책의 관계에서, 부동산경기가 과열되어 부동산정책에 영향을 미치는 관계와 부동산경기의 위축으로 부동산경기를 부양하는 경우가 있다. 본 연구에서는 이러한 점을 감안하여, 부동산경기와 부동산정책이 상호 영향을 미치는 교차적 관계로 파악하였다.

일반경기와 부동산경기 간 분석변수는 경기변동이론과 선행연구를 참조하여 부동산경기와 직접적으로 밀접한 관련이 있는 건축허가면적, 지가지수, 주가지수 3개 변인과   화폐수요이론 등 경제이론에서 경기변동의 원인으로 언급되는 통화량, 민간현금보유량, 회사채수익률 등 3개의 화폐적 경기변인, 그리고 산업생산자지수, 소비자물가지수, 도시근로자평균소득, 실업률, GDP 등 5개의 생산·소득 관련 변인 등 총 11개 경기변인를 선정하였다. 부동산경기의 변인은 부동산경기 지표의 하나인 주택가격지수를 선정하였다.

그러나 통화량, 소득, 물가 등의 일반경기변인은 부동산정책의 범위를 벗어난 경제정책에 해당한다고 할 수 있다는 점과 일반경기변인과 부동산정책의 경우, 하나의 변수가 아니라 다수의 변인으로 구성되어 있어 계량적으로 접근하기에는 분석기술상 한계가 있다는 점 등을 감안하여 일반경기와 부동산정책 간의 관계는 본 연구의 분석대상에서 제외하였다.

연구의 시간적 범위는 시계열적 자료취득 제한 등을 감안하여 경기변인자료는 1975년부터 2003년까지로 설정하였다. 주택가격과 부동산정책 자료는 우리나라의 부동산 정책이 1960년대 중반부터 본격적으로 시행되었다는 점과 IMF 경제체제의 여파로 인한 부동산 경기 순환 곡선 등을 감안하여 1965년부터 2003년까지를 연구범위로 설정하였다.

〈표 9-1〉 변수 분류표

| 구 분 | | 독립변수 | 종속변수 |
|---|---|---|---|
| 일반 경기와 부동산 경기 | 부동산경기변인 | 건축허가면적, 지가, 주가 | 주택 가격 지수 |
| | 화폐적 경기변인 | 통화량, 회사채 수익율, 민간현금보유량 | |
| | 생산·소득관련 경기변인 | 도시근로자평균소득, 산업생산지수, 소비자물가지수, GDP, 실업률 | |
| 부동산 경기와 부동산 정책 | 상호 교차적 관계 (주택가격지수 : 부동산정책) | | |
| | 부동산정책의 유형 : 시장형 억제정책과 시장형 부양정책, 서비스형 억제정책과 서비스형 부양정책, 규제형 억제정책과 규제형 부양정책, 권위형 억제정책과 권위형 부양정책, 수요 부문정책과 공급부문정책, 억제정책과 부양정책 | | |

## 3) 자료의 작성방법

(1) 주택가격지수 및 경기변인 자료

본 연구의 분석에 이용한 경제변인 자료는 한국은행발행 조사통계월보 각 년도 각 월 분과, 한국은행에서 인터넷으로 제공하는 자료를 활용하였다. 각 변수 간 자료의 크기(단위)의 차이로 발생하는 오차를 줄이기 위하여 1974. 4/4분기를 기준(＝100)으로 하여 지수화하였다. 그러나 위 출처에서 확보하지 못한 변인자료는 주택가격지수, 지가지수, 주가지수 회사채 수익률 등으로 작성방법은 다음과 같다.

**주택가격지수** : 1986-2003년까지 분기별 자료는 국민은행의 분기별 자료, 1965-1979년까지는 주택통계편람[1]의 연도별 자료(분기별로 균등 배분)를 활용하였으나, 1980-1985년까지는 결측자료로서, 주택핸드북[2]의 1979-1984년까지 주택취득능력지수(주택가격/년 소득)를 반영하여 추정하였다.

**지가지수** : 1987-2003년은 인터넷을 통해 국민은행에서 제공하는 분기별 자료이며, 1975-1986년까지는 연도별 지가자료를 분기별로 균등 배분하였다.

**주가지수** : 1980-2003년분은 증권감독원에서 인터넷상 제공하는 분기별(말) 자료이며, 1977-1979년은 투자[3]의 투공지수, 1974- 1976년분은 "주식"[4]의 분기말 자료이다.

**회사채수익률** : 주택관련 이자율의 장기시계열자료상 한계로 이자율을 대체하는 변인으로서 회사채수익률을 채택하였다. 회사채수익률의 1976-1993년 3/4분기까지 자료는 조사통계월보, 1993년 4/4분기부터 (장외 3년, AA- 등급)는 한국은행에서 인터넷으로 제공하는 자료이다.

(2) 부동산정책 자료

부동산정책 자료의 성격이 정성적이라 할 수 있으므로 계량적 분석에 적합하지 않다고 할 수 있다. 따라서 계량적으로 부동산정책을 분석하기 위해서는 부동산정책을 정량적 자

---

1) 주택통계편람, (경기도 : 대한주택공사, 1981) p.316.
2) '86 주택핸드북, (경기도 : 대한주택공사, 1987) pp.70-71.
3) 투자 , 한국투자공사, 1974-1976년도 분.
4) 주식, 증권거래소, 137-142호(1980.1월-6월).

료로 변환하여야 한다. 이를 위해서는 부동산정책 자료에 더미(dummy)를 주어 정량적 자료로 변환하여야 하고, 더미화할 수 있는 분류 기준이 설정되어야 하지만, 이러한 기준은 선행연구와 문헌 등에서 발견할 수 없었다. 본 연구에서는 이러한 분류기준을 설정하기 위하여 부동산정책을 다음과 같이 유형화하고 이러한 기준에 따라 부동산정책을 분류하였다.

부동산정책은 부동산 문제와 관련한 부동산정책의 목표와 이념, 부동산시장에 대한 인식의 차이에 따라 부동산시장에 개입하는 수단을 달리한다. 부동산정책은 수단의 성격이 규제적인가 자율적인가 또는 직접적인가 간접적인가에 따라 부동산정책의 성격을 나타내는 부동산정책유형을 분류할 수 있다고 판단된다.

본 연구에서는 부동산정책의 성격을 밝히기 위하여 부동산정책 수단이 "직접적인가 간접적인가"와 "규제적인가 자율적인가"에 따라 전자를 X축에 후자를 Y축에 배치하고 이를 교차시켜 시장형(Ⅰ국면), 서비스형(Ⅱ 국면), 규제형(Ⅲ 국면), 권위형(Ⅳ국면)으로 분류하였다.

[그림 9-2] 부동산정책의 4국면

시장형 정책(Ⅰ국면)은 부동산시장에 대하여 정부의 간접적인 개입과 자율적인 시장참여 형태로 통화량, 이자율의 조절과 부동산대출한도액 확대 등 재정, 금융정책이 여기에 해당한다.

서비스형 정책(Ⅱ 국면)은 정부가 직접적으로 부동산시장에 개입하지만 비 규제적이고 자율적으로 시장참여가 이루어지는 유형으로, 정부의 주택공급을 예로 들 수 있다.

규제형 정책(Ⅲ 국면)은 부동산시장에 정부가 직접적인 수단에 의하여 규제적인 부동산정책을 시행함으로서 시장참여에 제한이 이루어지는 유형으로 거래규제, 보유규제, 행위제한 등이 여기에 해당한다.

권위형 정책(Ⅳ국면)은 부동산시장에서 정부의 규제적인 수단에 의해서 부동산시장에 간접적으로 영향을 미치는 정책으로서 조세, 투기자조사, 세무조사 등이 여기에 해당한다.

이러한 부동산정책의 4국면에 따라 우리나라 부동산정책을 분류한 다음, 이러한 정책들이 수요를 증가시키거나 공급을 제한하여 주택가격(시장)에 상승효과를 주는 부양정책과, 가격을 제한하는 효과를 가져오는 억제정책으로 다시 2분하여, 시장형 억제정책과 시장형 부양정책, 서비스형 억제정책과 서비스형 부양정책, 규제형 억제정책과 규제형 부양정책, 권위형 억제정책과 권위형 부양정책 등 8개 유형으로 분류하였다.

여기에 부동산정책의 효과가 수요 또는 공급에 미치는가에 따라 수요부문정책과 공급부문정책, 가격을 진정시키는가 부양시키는가에 따라 진정정책과 활성화정책 등 4개 유형을 포함하여 도합 12개 유형으로 구분하였다. 이러한 정책유형을 기준으로 1965년부터 2003년 말까지 부동산정책 568건을 해당되는 정책유형에 더미(dummy) "1"을 부여하고 이를 분기별로 집계하였다.


## 2. 영향요인 분석기법 및 자료검정

부동산경기와 부동산정책 간의 관계를 실증적으로 탐색하기 위한변수 간 관계를 분석하는 기법에는 상관분석방법, 회귀분석방법 등 다양한 계량적 분석기법들이 있다. 그러나 각각의 계량분석기법들은 서로 다른 특징과 한계들을 가지고 있다.

## 1) 영향요인 분석기법

⑴ 분석기법 탐색

① 부동산경기의 변동요소

부동산경기를 나타내는 주택가격은 시간의 흐름에 따라 집적된 시계열 자료이다. 이러한 시계열 자료는 시간의 경과에 따라 집단현상의 양과 질의 특정 변화 상태를 내포하고 있다. 경제시계열($X_t$)은 변동주기에 따라 장기추세변동(secular trend variation, $T_t$), 순환변동(cyclical variation, $C_t$), 계절변동(seasonal variation, $S_t$), 불규칙변동(irregular variation, $I_t$)의 혼합형태이다.

경제시계열의 변동요소는 이들 4개 변동 성분의 혼합된 가법(加法)[5] 또는 승법(乘法)[6]형태를 가정하여 통계적으로 처리하게 되는데, 특정시계열에 대한 통계학적 분석기법에는 평활법(smoothing method)과 확률적 시계열분석기법(stochastic time series analysis)이 있다. 평활법은 다시 이동평균법(moving average method)과 지수평활법(exponential smoothing method)으로 구분되며, 확률적 시계열분석기법은 스펙트럼 함수에 기초한 진동수 영역분석기법(frequency domain analysis)과 자기회귀통합이동평균(ARIMA) 모형에 기초한 시간영역분석기법(time domain analysis)으로 구분된다.

② 영향요인 분석기법 탐색

계량경제적 모형을 이용한 분석방법에는 상관분석방법[7], 회귀분석방법[8], ARIMA모형,

---

5) 가법(加法)형: $X_t$(경제시계열) = $T_t$(장기추세변동) + $C_t$(순환변동) + $S_t$(계절변동) + $I_t$(불규칙변동)
6) 승법(乘法)형: $X_t$(경제시계열) = $T_t$(장기추세변동) × $C_t$(순환변동) × $S_t$(계절변동) × $I_t$(불규칙변동)
7) 상관분석방법은 거시경제변수들의 시계열자료를 교차상관함수를 통해 시차 간 교차상관계수를 도출하여 양자 간의 상관성과 선행, 후행 또는 동행관계를 분석하는 방법이다.
8) 회귀분석방법은 과거의 시계열에 의한 추세분석방법의 하나로서, 선형함수모형과 곡선함수모형이 있다. 일반적으로 경제관련 시계열자료는 추세성과 계절성을 동시에 포함하고 있음으로, 경기분석이나 예측을 위해서는 곡선함수모형이 이용된다. 부동산경기 분석이나 예측을 위해서는 삼각함수나 지시함수모형을 포함하여 분석하며 원시시계열자료에서 추세요인, 불규칙요인,

구조방정식모형, VAR모형 등이 있다. 이중 ARIMA모형은 추세분석방법의 하나로서 특정시계열의 과거자료와 모형설정에 수반되는 오차의 함수로 구성된다. 즉, 특정 시계열의 모형은 해당 시계열이 가지고 있는 운동 법칙을 최대한 반영하고 자체적으로 설명되지 않는 부분은 오차에 대한 모형으로 설명한다. ARIMA 모형은 오직 과거 시계열자료만을 활용하여 미래를 예측하는 방법으로 단기예측에 유용한 기법이며 건설경기예측, 수요예측 등에 광범위하게 이용되고 있다. 그러나 ARIMA모형은 시간에 대한 경직성으로 현재의 관측치는 과거의 어떠한 규칙성에 의해서 재현된다는 가정을 전제하는 모형으로서 변수들의 상호작용을 무시한다는 한계를 가지고 있다.

구조방정식모형은 거시경제이론에 근거하여 총수요, 물가, 임금, 금융 등 각 부문별로 회귀방정식을 연립방정식 체계로 구축하는 분석모형으로 종속변수와 설명변수 간의 인과관계를 설명한다.

그러나 구조모형(structure model)은 설명변수의 영향력이 항상 일정하다는 가정을 하여, 구조적 변화가 급속히 진행되는 경우 설명변수에 영향력을 적절히 반영하지 못하며, 경제이론에 의해서 모형을 구축함으로서 설계자의 주관에 의해서 변수가 선정된다는 취약점이 있다.

이상의 한계들을 보완할 수 있는 모형이 Sims(1980)의 벡터자기회귀모형(Vector Autoregressive Model: VAR)모형이다. VAR모형은 다변량시계열모형으로 어떤 경제이론을 기초로하여 가설을 설정하지 않고, 실제 관찰되는 시계열자료를 활용하여 모형체계 내의 모든 변수들은 내생변수로 간주한다. VAR모형은 각 방정식을 그 자신의 시차값들과 모형 내의 여타 변수들 모두의 시차값들에 대한 선형함수로 기술하는 모형으로 주택가격과 경제변인들 간의 인과관계와 영향력 그리고 시차를 분석할 수 있다.


⑵ 영향요인 분석


① 변동요소 분석

경제시계열의 장기추세변동 및 순환변동요소를 추출하는 방법으로서 평활법에 기초한 Hodrick-Prescott(HP) 필터 분석기법이 있다. HP 필터는 경제시계열이 추세변동과 순환

---

순환요인 등을 분해하여 분석한다.

변동으로 구성되어 있다는 가정에 기초하여 시계열을 장기간의 성장을 의미하는 추세변동과 순환변동으로 나누어 장기적 추세변동을 추출하는 방법이다. 시계열의 장기추세변동을 추출하기 위해서는 2차 차분된 추세변동의 자승합이 일정한 값보다 작아야한다는 제약조건을 만족시켜야한다. 또한 추세변동으로부터 편차 자승합을 최소화함으로서 추세변동의 변동성을 증대시키지 않고 순환변동을 최소화하는 일련의 최적화 과정에서 장기추세를 산출하여야 한다. HP필터는 이러한 조건을 만족시키는 선형필터(linear filter)이다.

부동산경기 순환주기는 추세와 순환변동으로 구성되어 있고, 장기간의 시계열을 분석대상으로 함으로 HP필터에 의해서 분석한다.


② 인과성과 변동성 분석[9]

부동산경기와 부동산정책의 변동성은 일반경기, 부동산경기, 부동산정책의 변화가 상호 어떠한 인과관계에 있으며, 어떠한 시차를 두고 어떤 크기로 영향을 미치는가의 문제이다.

즉, "어떤 사건 X는 Y 이다"라고 할 때 X와 Y 사이의 문제는 인과성의 문제라고 할 수 있고, "어떤 사건 X는 어떤 사건 Y에게 t 라는 시기에 q라는 영향을 주었다고 한다면, 이는 X의 충격(변화)에 대한 Y의 반응과 반응의 크기 즉, 변동성의 문제라고 할 수 있다.

본 연구는 VAR 모형에 입각하여 경기변인과 주택가격지수의 인과성을 추출하여 우리나라의 부동산경기의 특성을 분석하고, 부동산경기와 부동산정책 간의 변동성을 추출하여 부동산경기와 부동산정책의 성격과 영향요인을 분석하였다. 이러한 분석에는 VAR모형의 인과관계검정(Granger Causality Test), 충격반응분석(impulse response analysis), 분산분해(variance decomposition) 등의 분석기법을 활용하였다.


가. 인과관계 분석

Granger Causality의 인과관계 개념은 "변수 X를 제외한 모든 정보로서 어떤 변수 Y를 예측하는 경우, X에 관한 정보가 추가되었을 때 Y에 대한 예측력이 향상된다면 X가 Y의 원인이다"라고 정의한다. 따라서 "X가 Y의 원인이 된다고 해서 X가 Y의 충분조건이 되

---

9) 박준용 외 2, 경제시계열분석(서울: 경문사, 2004), 이홍재 외 3, 금융경제시계열분석(서울: 경문사,2005), 손재영, 전게서, p.24, 김용순, 전게서, pp.17-18, 박용석, 전게서, pp. 50-55 를 참조 인용.

거나, X를 변화시킨다고 하여 Y와 관련된 일정한 목표를 달성할 수 있다"고 해석할 수는 없다. 다만, "Y를 예측하는데 X를 추가할 경우 변수 Y에 대하여 설명력이 증가하는 경우 X가 Y의 원인이 된다"라고 해석할 수 있을 뿐이다.

그랜저-심스 인과관계검정은 항상 인과관계를 증명할 수 있는 것이 아니라, 단지 영향력에 대한 방향성(direction of influence)을 확인하는 의미로서 인과문제를 종결하는 의미가 아니라는데 한계가 있다. 그러나 변수 X와 변수 Y의 관계에서 영향력을 미치는 방향성을 확인함으로서 설명력을 향상시킬 수 있다면, 이는 사회과학의 문제 해결에 있어서 중요한 의의가 있다고 판단된다.

그랜저-심스 인과관계는 변수 X와 Y의 관계를 예측하는 정보가 단지 시계열 자료에만 있다는 전제 하에 다음과 같이 표현된다.

$$Y_t = \mu + \sum_{t=1}^{k} a_i X_{t-i} + \sum_{j=1}^{q} \beta_j Y_{t-j} + e_{1t} \text{ ----------- (1)}$$

$$X_t = \mu' + \sum_{t=1}^{m} \lambda_i X_{t-i} + \sum_{j=1}^{n} \delta_j Y_{t-j} + e_{2t} \text{ --------- (2)}$$

$Y_t$ 와 $X_t$는 정상 시계열이며 $e_{1t}$ 와 $\varepsilon_{2t}$는 오차항으로, 상호독립이며 동분산(independently and identicallly distributed)이다.

나. 변동성 분석

동시 방정식(simultaneous equations)모형에 사용되는 경제이론은 대체로 변수들 간의 동적 관계(dynamic relationship)를 설명하기에 충분하지 못할 때가 많다. 게다가 추정과 추론은 내생변수가 방정식의 양측 항에서 나타날 수도 있다는 사실에 의해 매우 복잡해진다. 이러한 문제를 해결하기 위한 대안으로 변수들 간의 관계를 모형화하는 비구조적(non-structural)방법이 사용된다. 이를 위해 주로 사용되는 방법이 벡터자기회귀(VAR, Vector Auto Regression)모형과 벡터오차수정(VEC, Vector Error Correction)모형이다.

벡터자기회귀(VAR)는 상호관련성이 있는 경제시계열 분석 및 예측을 위해 사용되고 변수들의 계(system)에 대한 확률교란(random disturbances)의 충격을 분석한다. VAR모형 접근은 계(system)에 존재하는 모든 내생변수 후행값의 함수로서 모든 내생변수를 모형화

하는 구조적인 모델링이 요구된다. VAR는 다음과 같이 나타낼 수 있어 동시성의 문제를
해결할 수 있다.

$$y_i = a_1 y_{t-1} + \ldots + a_p y_{t-p} + \beta x_t + e_t$$

$y_t =$ 내생변수의 k 벡터, $x_t =$ 외생변수의 d 벡터 $a_1, \ldots, a_p$ 와 $\beta$는 모형추정을
위한 계수행렬, $e_t =$ 오차행렬 (일시적으로는 있을 수 있지만, 자신의 후행 값과
상관 없음)

오차항의 교란(disturbances)이 계열 상관이 없다는 것은 더 많은 시차까지 후행된 y값
들을 첨가시킬 때, 어떤 계열 상관도 흡수될 수 있다는 것이다. VAR모형은 연립방정식체
계와 유사하지만, 모형의 오차항을 구조적으로 해석하고 식별제약의 일부가 오차항의 공
분산행렬에 가해진다는 점에서 연립방정식체계와 구별된다. VAR모형은 특정 주택가격과
경기변인 간, 경제변인이 주택가격에 영향을 미치는 경로와 시차를 분석하는 충격반응분
석(impulse response analysis)과 그 반응의 크기와 관련되는 분산분해(variance
decomposition)가 있다. 충격반응분석과 분산분해는 계(system)의 동적 특성을 설명하지
만, 충격반응함수는 VAR에 있는 변수들에 대한 내생변수의 충격효과를 추적하는 반면,
분산분해는 VAR에 있는 내생변수에 대한 성분충격 속에서 내생변수의 변화를 분해하는
것이다. 그러나 VAR모형은 모형 내에 포함된 변수가 많지 않은 장점이 있는 반면, 추정
이나 분석결과가 선정된 적은 수의 변수에 의해서 좌우되고, 사용되는 변수들의 배열순서
및 표본기간, 시차길이 등에 따라 결과가 달라질 수 있다는 약점이 있다.

## 2) 자료의 기초통계량 및 정상성 검정

본 연구의 자료를 기반으로 계량적 분석을 하기 위해서는 먼저 자료의 정규분포 가정
이 성립하여야함으로 자료에 관한 기초통계량을 검정하여야 한다. 또한 본 연구의 자료는
시계열적으로 집적된 자료로서 시계열 자료의 평균, 분산, 자기상관함수는 시간의 흐름에
따라 일정하다는 가정인 시계열 자료의 정상성(stationary)을 확인되어야 한다.

(1) 기초통계량검정

경제시계열 통계패키지 Eviews는 기초통계량 Jarque- Bera 검정결과[10]를 제공한다. 주택가격지수와 경기변인의 시계열자료의 Jarque- Bera검정 결과는 모든 변수의 Jarque-Bera 확률값이 정규분포한다는 귀무가설 $(=H_0)$을 기각하는 것으로 나타났다. 따라서 모든 시계열변수들은 정규분포가 아니라고 할 수 있다.

(2) 시계열의 정상성 검정

시계열 자료의 정상성(stationary)이란 시계열의 평균, 분산, 자기상관함수는 시간의 흐름에 따라 일정하다는 가정이다.

시계열의 정상성을 검증하는 방법은 단위근 검정과 공적분 검정이 있다. 시계열의 정상성이 확인되지 않는 경우 후행연산자(backshift operator)와 후행연산자 개념을 확장한 차분연산자(differencing operator)를 활용한 단위근검정과 공적분검정을 통하여 정상 시계열로 변환한다. VAR모형을 이용한 분석 시 이러한 시계열자료의 불안정으로 인한 추정오류를 피하여야 한다는 점에서 단위근의 존재 여부를 확인하여야 한다.

① 단위근검정

단위근검정방법에는 ADF(augmented Dickey-Fuller)검정법[11], Dkckey-Fuller 검정법[12], Phillips-Perron 검정법[13]이 있다. ADF (augmented Dickey-Fuller)검정법은 사용

---

10) Jarque-Bera검정은 시계열의 정규분포성을 검정하는 통계량으로, $E\mu_t^3 = 0$, $E(\mu_t^4 - 3\sigma^5) = 0$ 인 표본정규분포로 구성된 시계열의 왜도(skewness)와 첨도(kurtosis) 차이를 나타낸다. Jarque-Bera 통계량은 자유도(d.o.f) 2를 갖는 $X^2(2)$의 정규분포를 따른다

$Jarque-Bera$ 통계량 $= \frac{N-k}{6}(S^2 + \frac{1}{4}(K-3)^2)$

　S=왜도, K=첨도, N=계열을 작성하기 위한 추정계수(estimated coefficient)의 수

11) ADF 검정법에서는 자기상관의 영향을 제거하기 위하여 차분 추가항(augmented terms)을 추가시킨 다음 추정할 것을 제안하고 있는데, 이 경우 검정통계량은 분포가 DF통계량에 접근하게 된다.

12) Dkckey-Fuller 검정법은 단위근을 검정하려는 시계열을 시차변수와 몇 개의 시차 차분변수(lagged differenced variable)에 회귀시키고, 시차 변수에 대한 계수의 최소자승추정치가 단위근과 유의성을 t-통계량을 이용하여 검정하는 방법이다.

의 편리성으로 인해 널리 사용되는 방법으로 본 연구 또한 ADF 검정법[14])에 따른다. 경제변인시계열 자료의 안정성을 검증하기 위하여 단위근검정결과 원 시계열 자료는 모두 단위근을 가지고 있어 불안정한 시계열 자료로 나타났다. 1차 차분하여 단위근 검정을 시행한 결과 유의수준 1%, 5%, 10%에서 모든 시계열, 즉, 주택가격, 지가, 건축허가면적, 국내총생산, M1, 주가, 민간화폐보유액, 산업생산지수, 소비자물가지수, 월평균소득, 실업률 등의 ADF 임계값 $t^*$는 1%, 5%, 10% 유의수준에서 모두 크게 나타났다. 따라서 단위근이 있다는 귀무가설을 기각하여 경제변인 모두는 단위근이 존재하지 않는 정상시계열 자료로 변환되었다고 할 수 있다.


② 공적분검정

대부분의 시계열은 가성회귀(spurious regression)를 갖는 불안정시계열로 알려져 있으며 이러한 시계열은 단위근을 갖는다. 공적분은 비록 개별적인 변수들이 불안정하더라도 변수들의 선형결합이 안정적 특징을 가질 때[15]) 이들 회귀모형은 공적분을 갖는다고 한다. 공적분 검정은 개별 시계열이 단위근을 가지고 있더라도 이들 시계열 간에 가성적 관계가 성립하지 않을 조건을 발견하도록 함으로써 회귀분석의 결과를 의미 있게 할 수 있다는데 의의가 있다. 공적분검정의 방법으로 다변량 시계열분석에 의한 요한슨 공적분 검정(Johnson's Cointegration Test)이 많이 사용되고 있다.

공적분 검정은 허구적 회귀와 상황을 피하기 위하여 사전검정으로서의 역할을 수행한다. 시계열의 불안정성의 문제를 해결하고자 1차 혹은 그 이상의 차분을 하는 경우 변수 간에 중요한 장기적 관계를 잃어버릴 수 있다. 이는 대부분의 경제이론이 수준변수(level variable)행태로 변수 간에 장기적 관계를 나타내기 때문이다. 따라서 불안정 시계열에 단위근이 존재하더라도 변수 간에 공적분이 되어 있다면 회귀결과는 허구적이 아닐 수 있

---

13) Phillips-Perron 검정법에서는 오차가 자기상관 또는 이분산(heterosked- asticity)이 의심이 될 때에는 Dkckey-Fuller 검정법에 비모수적 수정을 할 것을 제안한다.

14) ADF검정법을 살펴보기 위해 모형 $Y_t = \rho Y_{t-1} + \mu_t$ (1) 을 검토 한다. 이 식은 t시점의 Y를 $Y_{t-1}$시점으로 회귀시켰을 때의 AR(1)이다. 이때, $\rho = 1$이라면 자기상관의 문제가 발생하여 확률행보(random walk) 시계열이라고할 수 있다. 위 [1]식을 1차 차분연산자(first-order difference operator) △를 사용하여 표시하면 다음과 같다.
$\triangle Y = (\rho - 1)Y_{t-1} + \mu = \delta Y_{t-1} = (Y_t - Y_{t-1}) = \mu$

15) 개별적인 시계열이 단위근을 갖지만 그들 사이에는 안정적인 시계열을 생성하는 선형결합이 존재한다.

고 통상적인 t값과 f값은 유효하다고 할 수 있다.

공적분검정은  세  가지  모형식($Y_t = \beta X_t + \varepsilon_t$,  $Y_t = a + \beta X_t + \varepsilon_t$,

$Y_t = a + \delta_t + \beta X_t + \varepsilon_t$)을 통해 설명 된다. 공적분의 존재여부는 시차(time lag)변수를 사용한 경우와 차분(difference)한 경우의 일치성 여부에 따라 결정할 수 있으며, 일치할 경우 공적분이 존재하지 않고 일치하지 않을 경우 공적분이 존재한다.

본 연구의 경기변인과 주택가격, 부동산 정책자료를 공적분 검정을 시행한 결과 공적분 관계가 존재하는 것으로 확인되었다. 이러한 관계를 해소하기 위하여 차분하여 다시 공적분검정을 시행한 결과 공적분관계가 존재하지 않은 것으로 확인되었다. 따라서 오차수정모형(VECM)에 따라 검정하여야 한다.


# Ⅲ. 부동산경기와 부동산정책의 영향요인 분석


경기 국면별 일반경기와 부동산경기, 부동산경기와 부동산정책 간의 특성을 파악하기 위하여 부동산경기 순환국면을 확장(expansion) 국면과 후퇴(recession)를 심리적 안정국면으로, 수축(contraction) 국면과 회복(revival)국면을 심리적 위축국면으로 구분하였다. 또한 회복과 확장국면을 시장가치상승기로, 후퇴국면과 수축국면을 시장가치하락기로 분류하였다. 시대별 구분은 정책기반조성기, 간접조정 전기, 간접조정 후기, 직접개입확대시기, 간접개입시기, 부동산시장 자율화 확대시기로 구분하였다.[16]

---

16) 일반경기와 부동산경기의 기간분류는 다음과 같다.
심리적 안정 제1기(1979. 3/4-1982. 4/4), 심리적 안정 제2기(1989. 2/4- 1994. 1/4), 심리적 위축 제1기(1975. 4/4-1979. 3/4), 심리적 위축 제2기(1983. 1/4 -1989. 1/4), 심리적 위축 제3기(1994. 2/4 -2002. 1/4), 시장가치 상승 제1기(1975. 4/4-1981. 1/4), 시장가치 상승 제2기(1986. 4/4-1991. 3/4), 시장가치 상승 제3기(2000. 2/4-2003. 4/4), 시장가치 하락 제1기(1981. 2/4-1986. 3/4), 시장가치 하락 제2기(1991. 4/4-2000. 1/4)
부동산경기와 부동산정책 간 기간분류는 다음과 같다.
심리적 안정 제1기(1972. 4/4-1975. 3/4), 심리적 안정 제2기 (1981. 2/4-1986. 3/4), 심리적 안정 제3기(1989. 2/4-1993. 1/4), 심리적 위축 제1기(1973. 3/4-1979. 3/4), 심리적 위축 제2기 (1983. 1/4-1989. 1/4), 심리적 위축 제3기(1994. 2/4-2002. 1/4),
시장가치 상승 제1기(1975. 4/4-1981. 1/4), 시장가치 상승 제2기(1986. 4/4-1991. 3/4), 시장가

## 1. 주택경기순환

장기적인 시계열인 주택가격과 지가의 추세와 순환변동을 추출하기 위하여 HP필터에 따라 장기 추세선의 평활화계수(smoothing parameter)인 라그랑지 승수(Lagrangian multiplier) $\lambda$[17]를 1600으로 하여 분석하였다.

### 1) 주택경기의 변동 추세

1965년 이래 우리나라 주택경기의 장기추세선은 상승추세를 지속적으로 유지하다가 1975년을 기점으로 그 상승추세가 강화되었다. 그 후 1986년을 기점으로 상승추세가 더욱 강화되었다가 1992년 상반기를 정점으로 완만한 추세로 전환하였으며, 1999년 하반기를 기점으로 상승추세로 다시 전환한 것으로 추출되었다. 그러나 주택가격의 상승추세가 하락추세로 전환되었다고 할 수 있는 확실한 변곡점은 없었다고 할 수 있다.

이는 1965년 이래 우리나라 부동산경기가 일시적 순환 요인으로 주택가격 하락을 경험하였으나, 부동산경기의 추세가 하락으로 반전한 경험 없이 지속적으로 상승추세를 유지하고 있음을 보여 준다.

---

치 상승 제3기(2000. 2/4-2003. 4/4), 시장가치 하락 제1기(1972. 1/4-1975. 3/4), 시장가치 하락 제2기(1981. 2/4-1986. 3/4), 시장가치 하락 제3기(1991. 4/4-2000. 1/4),
정책기반조성기=1962-1971, 간접조정 전기=1972-1979, 간접조정 후기=1980- 1986, 직접개입 확대시기=1987-1992, 간접개입시기=1993-1997, 주택시장 자율화 확대시기=1998-2002

17) 라그랑지 승수(Lagrangian multiplier) $\lambda$는 장기 추세선의 변동폭을 필요에 따라 적절하게 조절하는 평활화계수(smoothing parameter)의 역할을 하여 성장부문의 변동성을 제약하는 계수로서 추세변동계열의 평활화 정도를 통제한다. $\lambda$는 기본적으로 (순환변동성분의 분산/ 추세변동성분의 분산)의 제곱 형태를 갖는다. 따라서 $\lambda$ 값이 너무 크면 과대 평활화되어 추세변동이 거의 직선의 형태를 갖는 반면, 너무 작으면 추세변동계열 원형에 가깝게 산출된다. Prescott(1986)는 순환변동 성분의 분산이 이 추세변동 성분 분산의 1/8이라고 가정하여, 연간 자료의 경우 $\lambda$ =100, 분기별 자료의 경우 $\lambda$ = 1,600, 월별자료의 경우 $\lambda$ = 14,400으로 지정할 것을 제안한다.

[그림 9-3] 주택매매가격의 장기추세

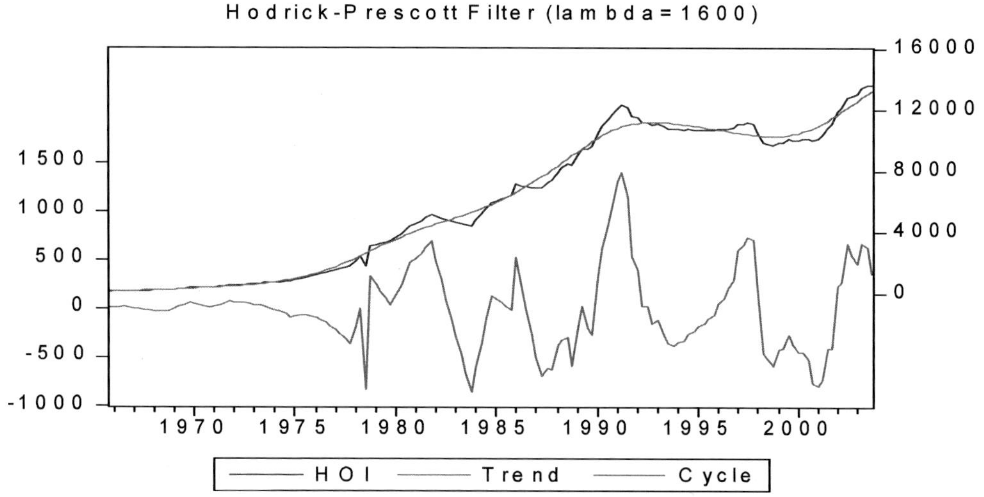

Hodrick-Prescott Filter (lambda=1600)

주택보급률 부족에 따른 만성적인 수요초과 등 우리나라 부동산시장의 환경에서 그 원인을 찾을 수 있을 것으로 판단된다.([그림 9-3] 참조)

## 2) 주택경기순환의 주기

HP필터에 의하여 1차 평활하여 추출한 [그림 9-4]에서와 같이 주택가격의 순환곡선에 있어서 순환요인이 충분히 제거되지 아니하였다. 소순환을 제거하고 주순환을 추출하기 위하여 제1차 평활한 곡선에 다시 HP 필터를 적용하는 방법으로 2차 평활하였다. 그 결과 우리나라의 부동산경기 주순환은 1965년 이래 3회에 걸쳐 순환이 이루어졌으며, 현재는 제 4차 부동산경기 주순환이 진행 중인 것으로 확인되었다.[18]

우리나라 주택경기는 1969년 3/4분기에 확장국면에 진입하였다가 1971년 4/4분기에 정점에 도달한 이후, 1975년 3/4분기 저점에서 반전하여 1979년 3/4분기에 회복국면에 이르

---

18) 우리나라 주택경기 주순환순환 주기를 표로 정리하면 다음과 같다.

| 구 분 | 1순환 | 2순환 | 3순환 | 4순환 |
|---|---|---|---|---|
| 확장국면 | 1969.3/4~ 1971. 4/4 | 1979. 4/4~1981. 1/4 | 1989. 2/4~1991. 3/4 | 2002. 2/4~ |
| 후퇴국면 | 1972. 4/4~1973. 2/4 | 1981. 2/4~1982. 4/4 | 1991. 4/4~1994. 1/4 | |
| 수축국면 | 1973. 3/4~1975. 3/4 | 1983. 1/4~1986. 3/4 | 1994. 2/4~2000. 1/4 | |
| 회복국면 | 1975. 4/4~1979. 3/4 | 1986. 4/4~1989. 1/4 | 2000. 2/4~2002. 1/4 | |

렸다(1순환). 1979년 4/4분기에 확장국면에서 상승하여 1981년 2/4분기에 정점에 도달한 후 하락추세로 반전하여 1986년 3/4분기에 저점에 도달하였다가 반전하여 1989년 1/4분기에 회복국면이 진행되었다(제2순환). 1989년 2/4분기에 확장국면에 진입하여 91년 4/4분기에 정점에 이르렀다가 하락추세로 반전되어 2000년 1/4분기에 저점에 이르렀으며, 다시 반전하여 2002년 1/4분기에 회복국면을 경과하였다(제3순환). 2002년 2/4분기에 확장국면에 진입하여 현재 제4순환이 진행 중인 것으로 나타났다(아래 [그림 9-4] 참조).

[그림 9-4] 주택경기 주순환 주기(1965-2003)

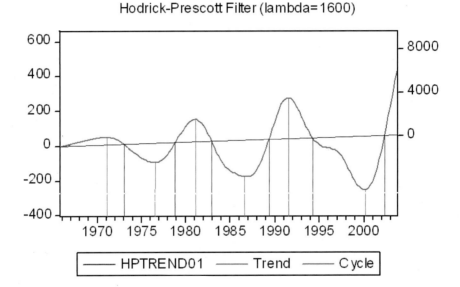

대체로 우리나라 주택순환 주순한 주기는 10-12년 주기로 확인되고, 상승기가 각각 4-9년, 하락기가 4-8년으로 나타났으며, 초기보다 후기 순환의 진폭이 깊고 높아 그 진폭이 확대되고 있는 것으로 확인되었다.

## 2. 부동산경기와 부동산정책의 인과성 분석

### 1) 일반경기와 부동산경기의 인과관계

부동산경기의 변화와 일반경기의 관련성을 확인하기 위하여 경기변인을 독립변수로서 부동산경기 지표의 하나인 주택가격지수를 종속변수로 설정하고, 경기변인을 부동산경기 관련변인, 화폐적변인, 생산·소득관련변인으로 구분하여 Granger 인과관계를 검정하였다.

1975부터 2003년까지의 자료를 활용한 인과관계검정 결과, 알려진 바와 같이, 지가와 주가는 주택가격의 원인으로 확인되어 부동산경기의 설명변수로 확인되지만, 건축허가면적은 부동산경기의 원인으로 확인되지 아니하였다. 건축허가면적은 주택가격, 지가, 주가로부터 영향을 받는 수동적 성격으로 확인되었다. 따라서 건축허가면적은 주택가격에 후행한다고 할 수 있다.

또한, 지가와 주식가격의 인과관계는 주가가 지가에 미치는 인과성이 보다 밀접한 점을 감안하면 주가가 지가에 영향을 미치고, 지가가 다시 주택가격에 영향을 미치는 관계를 예상할 수 있지만, 지가와 주식가격이 건축허가면적과 지속적으로 유의성이 인정된다는 점에서 주택가격보다는 건축경기에 보다 영향을 미친다고 할 수 있다. 부동산경기관련 변인 중 주식가격이 가장 선행한다고 할 수 있으며, 건축허가면적이 가장 후행한다고 할 수 있다.

회사채수익률, 민간현금보유량, M2 등 화폐적 경기변인과 주택가격 간 인과관계 검정결과 회사채수익률은 주택가격의 원인으로 확인되었다. 통화량과 민간현금보유량은 주택가격의 원인으로서 인과성은 확인되지 않았으나 회사채수익률의 원인으로 확인되었다. 따라서 통화량, 민간현금보유량과 주택가격 사이에 회사채수익률을 개입시킬 경우, 통화량과 민간현금보유량 회사채수익률에 인과하고, 회사채수익률이 다시 주택가격과 인과관계의 원인으로서 영향을 미치는 간접적 관계를 예상할 수 있다. 그러나 회사채수익률이 통화량에 영향을 미치는 원인으로서 인과성이 보다 높게 나타남으로 이러한 관계의 유의성은 낮다고 할 수 있다.

생산·소득 관련변인은 소비자물가지수, 산업생산지수, 도시근로자평균소득, GDP, 실업률을 생산·소득 관련 경기변인과 주택가격지수와 인과관계검정을 시행한 결과 유의수준 5%에서는 실업률이, 유의수준 10%에서는 GDP, 도시근로자평균소득이 주택가격의 원인으로 확인되었을 뿐 주택가격의 원인으로 인과성이 확인되지 아니하였다. 이는 예상에서 벗어난 결과로서 우리나라의 부동산시장은 시장가치에 입각한 합리적 기대를 반영한다고 할 수 없다고 판단된다.

부동산시장에서 부동산의 시장가치와 관련한 시장참여자들의 성향을 분석하기 위하여 부동산경기를 심리적 기준에 따라 심리적 안정기와 심리적 위축기, 주택가격의 시장가치 변화의 방향을 기준으로 시장가치 상승기와 시장가치 하락기로 구분하여 경기변인과 주택가격의 Granger 인과관계를 검증하였다.

심리적 안정기는 주택가격이 고점권에 있는 시기로, 인과관계 분석결과, 심리적 안정 제1기에 도시근로자평균소득과 인과성이 인정되었을 뿐 기타 일반경기변인과의 인과관계가 인정되지 않았다.

심리적 위축기는 주택가격이 저점권에 있는 시기로 인과관계검정결과 시기별로 차이는 있지만 대부분의 경기변인과의 인과성이 인정되었으며, 특히 생산·소득관련변인과의 인과성이 확인되었다. 특히, 생산소득 관련변인인 GDP는 전 기간 인과성이 인정되었으며 도시근로자평균소득과 민간현금보유량과 통화량은 심리적 위축 제2기까지 주택가격의 원인으로 인과성이 확인 되었으나, 심리적 위축 제3기에는 회사채수익율과 소비자물가가 전 기간 강하게 주택가격의 원인으로 인과성이 인정되었다.

이는 심리적 안정기에는 경기변인과의 인과성이 약화되고 심리적위축기에는 경기변인과의 인과성이 강화된 결과라고 할 수 있다. 따라서 부동산경기가 심리적 안정국면에서 시장참여자의 행동은 주택가격이 상승할 것이라는 심리적 요인에 보다 영향을 받으며, 심리적 위축기에는 시장기본가치에 보다 충실해진다고 할 수 있으며, 이러한 경향은 최근에 이를수록 강화되었다고 할 수 있다.

주택가격의 시장가치 변화를 기준으로 시장가치 상승기와 시장가치 하락기로 구분하여 경기변인과 주택가격 간의 Granger인과관계를 검증하였다.

그 결과 시장가치 상승기에는 기간별로 차이가 있지만, 화폐적 경기변인과 생산소득관련 경기변인 등의 경기변인이 주택가격에 영향을 주어 주택가격의 상승요인으로 작용하였다고 할 수 있다. 또한, 시장가치 상승기별 경기변인과의 관련성은 최근에 이를수록 경기변인과의 유의성이 약화된 것으로 나타났다. 시장가치 하락기에 있어서는 최근에 이를수록 일반경기가 주택가격의 원인으로서 인과성이 강화된 것으로 나타났다. 특히 GDP, 산업생산지수가 전 기간 인과성이 인정되었으며 회사채수익률, M2와의 인과성 또한 강화되었다. 이는 시장가치하락기에 있어서 시장가치적 요인과의 유의성이 최근에 이를수록 강화된 결과라고 할 수 있다.

이상의 결과를 정리하면, 부동산경기순환 확장, 후퇴, 수축, 회복 4국면 중 확장국면에

서는 거품요소적 성향이 점차 높아지고 시장가치적 성향은 점차 낮아지며, 후퇴국면에서
는 시장가치적 성향이 점차 높아지고, 거품 가치적 성향은 점차 낮아진다고 할 수 있으
며, 수축국면에서는 확장국면의 성향이 회복국면은 후퇴국면의 반대 성향이 나타난다고
할 수 있다.

이를 정리하여 거품적성향의 정점과 시장가치적 성향의 정점을 "1"로 가정하고, 저점
을 "-1"로 가정하여 그림으로 표시하면 [그림 9-5]와 같다.

[그림 9-5] 부동산시장참여자의 성향

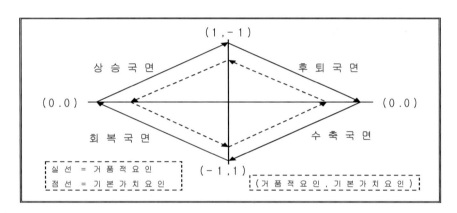

## 2) 부동산경기와 부동산정책의 인과관계

부동산경기 국면별 주택가격과 부동산정책의 인과관계를 추출하기 위하여 부동산경기
를 심리적 안정기와 심리적 위축기, 시장가치 상승기와 시장가치 하락기로 분류하여
Granger인과관계 검증을 하였다.

심리적 안정기에 있어서, 주택가격의 변화와 부동산정책 간의 인과관계가 대부분 성립
하지 않은 것으로 확인되어, 부동산정책이 시행시기와 그 효과가 부동산경기의 변화에 상
응하지 아니하였다고 판단된다. 시기별로는 심리적 안정 제3기(1989.2/4-1993.1/4)의 주택
가격 변화가 부동산정책의 원인으로서 인과관계가 가장 높게 인정되지만, 권위형 부동산
정책보다는 서비스형 억제정책과 공급부문정책이 유의했던 것으로 확인되었다. 심리적위
축기에는 주택가격의 변화가 수요부문을 중심으로 규제 완화, 수요창출, 금융·재정지원
등의 정책들에 영향을 주는 원인으로서 인과관계가 확인되었다.

부동산경기순환 국면에 따라 부동산정책 유형의 특성을 분석한 결과는 다음과 같다.

심리적 안정제3기(1989.2/4-1993.1/4)에서 규제형, 권위형 정책이 전체의 약 70%정도에 이르는 등 심리적 안정기의 부동산정책은 최근에 이를수록 수요부문정책과 부동산경기 진정정책, 규제형 정책, 권위형정책의 비중이 높아진 것으로 나타났다. 심리적위축기는 부동산경기가 침체된 시기라고 할 수 있음에도 수요억제정책의 비중이 48.9%에 이르고 있으며, 최근에 이를수록 수요부문의 정책 비중이 높아진 것으로 나타났다.

전체적으로 시장가치 상승기의 부동산정책은 주택가격 부동산경기 진정정책과 수요부문을 중심으로 부동산정책이 이루어졌다. 특히 시장가치 상승제2기(1986.4/4-1991.3/4)는 이러한 성향이 높았다. 부동산정책 유형별로는 규제형정책 43.6%, 권위형정책 23.1%로 나타나 규제형정책과 권위형정책을 중심으로 부동산정책이 이루어졌음이 확인되었다. 시장형정책과 서비스형정책은 상승제1기(1975.4/ 4-1981.1/4)에서 가장 높고, 규제형정책은 상승제2기에서 가장 높게 나타났다. 시장가치 하락기는 시장형정책과 서비스형정책은 시장가치 하락제2기에, 규제형 정책은 시장가치 하락제3기에, 권위형정책은 시장가치 하락제1기에 가장 높게 나타났다. 심리적 위축기와 비교하면, 시장가치 하락기는 시장형정책과 서비스형정책의 비중이 높고 규제형정책과 권위형정책의 비중이 낮게 확인되었다.

이는 주택가격 하락기에는 시장형정책, 서비스형정책 성향이 높아지고 주택가격 상승기에는 규제형, 권위형정책 성향이 강화되는 것이라고 할 수 있다. 심리적 안정기에 있어서 우리나라 부동산정책은 주택가격의 상승에 대하여 최근에 이를수록 수요부문을 중심으로 규제적이고 권위적인 성격이 강화되었으며, 심리적 위축기는 양도세, 보유세, 거래세 등의 권위형정책보다는 금융지원 등 시장형정책을 시행하여 수요부문을 지원하는 성향이 높다고 할 수 있다.

시대별 부동산정책유형을 분석한 결과는 다음과 같다.

주택가격급등기라는 공통점을 가진 간접조정기 전기와 직접개입확대기는 직접개입확대기가 억제형정책의 비중이 강화되고 공급정책의 비중이 낮은 것으로 확인되었다. 그러나 직접개입확대기의 부동산경기가 보다 급변하였고, 주택 200만호 공급정책 등 부동산정책의 질적 차이를 감안할 때, 정책기조의 차이점은 발견할 수 없었다. 주택가격 급등기인 직접개입확대기는 부동산경기 진정정책과 수요정책의 비중이 가장 높았으며, 주택가격 급락기인 부동산시장 자율화확대기에는 부동산경기 활성화정책의 비중이 가장 높았다. 이는 공급부문의 특성에 그 원인이 있을 것으로 추정된다. 직접개입확대기는 규제형정책과 권위형정책의 비중이 높았으며, 간접조정기와 간접개입확대기는 부동산소요와 관련이 있는 서비스형 정책의 점유율이 높게 나타났다.

### 3) 부동산경기와 부동산정책의 변동성분석

1965년 이후 우리나라 부동산정책을 1965년 이후의 주택가격을 VAR 모형에 따라 충격반응분석과 분산분해 검정을 하였다. 그 결과는 다음과 같다.

지가지수 표준편차 1단위 충격에 대하여 주택가격의 반응은 시차 2기에 정점에 도달하여 설명력은 0.1%로 미약하였으나, 시차 10기에는 설명력이 5.8%로 나타났다. 그러나 충격반응은 미약한 것으로 나타났다. 건축허가면적 표준편차 1단위 충격에 대하여는 시차 4기까지 반응하다가 그 이후 감소한 것으로 나타났으며, 설명력은 시차 4기에 4.6%로 확인되었다. 주가지수 1단위 표준편차 충격에 대하여는 주택가격은 시차 3기까지 민감한 반응을 보이다가 완만해졌으나, 시차 1기에 0.7%의 설명력을 보인 후 설명력이 지속적으로 감소하였다.

통화량과 민간현금보유량, 회사채수익률 등 화폐적 경기변인에 대한 주택가격의 변동성을 검정한 결과 민간현금보유량의 충격에 주택가격의 반응은 9개월 후 정점에 도달하였으며 0.5%의 설명력을 보였다. 회사채수익률의 충격에 주택가격은 15개월 후까지 음(-)의 반응이 증가하였으며 설명력은 8%로 나타났다. 통화량의 충격에 주택가격의 반응은 9개월 후 반응이 정점에 도달하며 설명력은 1.4%로 나타났다. 따라서 통화량보다 회사채수익률이 부동산경기에 미치는 변동성이 크다고 할 수 있다.

도시근로자평균소득의 충격에 대하여 주택가격은 9개월 후 반응이 정점에 도달하며 설명력은 0.1%로 반응이 미약하며, 소비자물가에는 3개월 후 음에서 반응하여 점차 반응이 높아지다가 15개월 후 양으로 반응하였으며 6개월 후 설명력은 1%를 나타낸 후 지속적으로 증가하여 30개월 후 9.6%의 설명력을 나타냈다. 국내총생산에 주택가격의 반응은 18개월 후까지 지속적으로 증가하였으나 설명력은 약 0.3%를 나타냈다. 생산소득관련 변인의 경우 소비자물가지수의 변동성이 가장 높은 것으로 확인되었다.

주택가격과 부동산정책 간 Granger 인과관계검정과 VAR 모형에 따라 충격반응검정과 분산분해를 하였다.

주택가격과 부동산경기 진정정책 간의 관계는 양 방향으로 상호 영향을 미치지만, 주택가격이 부동산경기 진정정책의 원인으로 작용하는 인과관계가 보다 밀접하게 나타났다. 부동산경기 진정정책은 주택가격의 변화에 대하여 약 9개월 후에 반응하며, 주택가격은 부동산경기 진정정책의 충격에 대하여 약 9개월에서 21개월까지 반응한 것으로 확인되었다.

주택가격과 수요부문정책의 관계는 상호 변화의 원인으로 작용하지만, 주택가격이 수요부문정책을 유발하는 인과성이 보다 밀접한 것으로 나타났다. 주택가격은 수요부문정책의 충격에 대하여 6개월 후부터 반응하여 21개월 후에 정점에 도달하며, 9개월 후 11%의 설명력을 갖는다. 수요부문정책은 주택가격의 충격이 있을 때 반응이 9개월 후에 정점에 도달하며 약 9%의 설명력이 있는 것으로 확인되었다.

주택가격과 시장형 억제정책 간의 관계는, 주택가격이 시장형 억제정책의 원인으로서, 주택가격의 충격에 시장형 억제정책은 6개월 후에 반응이 정점에 도달하였다가 그 이후 감소하며, 약 3%의 설명력을 갖는 것으로 확인된다.

서비스형 억제정책과 주택가격은, 서비스형 억제정책이 주택가격의 원인으로서, 서비스형 억제정책의 충격에 대하여 주택가격은 약 24개월 후 정점 도달하고 약 4%의 설명력이 있으며, 주택가격의 충격에 대하여 서비스형 부양정책의 반응은 3분기까지 하락하였다가 4분기 이후 상승하는 형태로 설명력은 3분기에서 약 3.8%로 나타났다.

규제형 억제정책과 주택가격의 관계는, 양방향으로 인과관계가 성립하였지만, 주택가격이 규제형 억제정책의 원인이라는 인과관계가 매우 높게 나타난다. 주택가격의 변화에 대하여 규제형 억제정책의 반응은 9개월 후에 정점에 도달하며, 설명력은 3분기 후에 약 4.4%, 5분기 후에는 약 9%까지 증가한다. 규제형 억제정책의 충격에 주택가격은 4분기 후에 정점에 도달하며, 설명력은 4분기 후 6.9%, 5분기 후에 약 8%로 확인된다.

권위형 억제정책과 주택가격은 양방향의 인과관계가 성립하였다. 권위형 억제정책은 주택가격의 변화에 9개월 후 7.2%의 설명력이 있으며, 주택가격은 규제형 억제정책의 충격에 12개월 후 약 4.6%의 설명력이 있는 것으로 추정되었다.

권위형 부양정책, 규제형 부양정책, 시장형 부양정책, 부동산경기 활성화정책, 공급부문정책 등은 주택가격과 인과관계가 인정되지 않거나, 인정된 경우에도 충격반응분석, 분산분해 결과 반응이 미약하였다. 이는 우리나라의 경우 공급부문정책과 부동산경기 활성화정책을 적극적으로 시행하지 않았음을 설명한다.

또한 이상의 결과를 종합할 때, 전체적으로는 부동산경기가 부동산정책에 영향을 미치는 경우 부동산정책의 반응은 시행 후 9개월 전 후에서 반응이 정점에 도달하며, 부동산정책이 부동산경기에 영향을 미치는 경우에는 주택가격의 반응은 12~24개월 내외 동안 반응이 지속되었다고 할 수 있다.

심리적 기준에 따른 주택가격과 부동산정책 간의 Granger 인과관계검증 결과, 전 기간을 대상으로 한 인과관계 검증과 달리 많은 부동산정책들이 주택가격과 Granger 인과관계가 성립하지 않았다. 이러한 결과는 정책시행기와 정책의 효과발생기가 서로 다를 수 있다는 점과 주택가격과 부동산정책간의 충격반응분석결과 등을 종합할 때 우리나라의 부동산 정책의 시기가 적절하였다고 할 수 없다.

심리적 안정기와 심리적 위축기의 인과관계검증 결과를 비교하면, 상대적이지만 심리적 안정기에는 주택가격이 부동산정책을 유발하는 성향이 높게 나타났으며, 심리적 위축기는 이와 반대의 성향을 나타냈다. 전체적으로는 주택가격이 부동산정책을 유발하는 경우가 많아 우리나라 부동산정책은 후행적으로 부동산시장의 변화에 따른 대책적 성격을 갖는 다고 할 수 있다.

부동산 정책을 유형별로 집계하여 분석한 부동산정책의 특성은 심리적 안정기에 있어 서 최근에 이를수록 수요부문정책, 규제형정책, 권위형정책의 비중이 높아지고, 공급부문 정책, 시장형정책의 비중은 감소한 것으로 나타났다. 특히 심리적위축기에도 억제정책의 비중이 70~80%(심리적 위축 제1기, 제2기)에 이르고 있고 지속적으로 수요부문정책의 비중이 높아지고 있는 것으로 나타났다.

시대별 부동산정책의 특성은, 직접개입확대기는 규제형정책과 권위형정책이, 간접조정 확대기와 간접개입확대기에는 서비스형 정책이 높은 비중을 나타냈다. 부동산시장 자율화 확대기는 규제형, 권위형 정책이 감소하고 시장형, 서비스형 정책이 증가하였다. 또한 주 택가격 급등기에 해당하는 직접개입확대기에는 부동산경기 진정정책과 수요부문정책의 점유율이 가장 높았으며, 주택가격 급락기에 해당하는 주택시장자율화확대기에는 부동산 경기 활성화정책의 점유율이 가장 높게 나타났다.

# Ⅳ. 결론 및 시사점

우리나라의 부동산정책은 부동산시장의 변화와 매우 밀접한 관련성을 가지고 있다. 본 연구는 이러한 부동산정책의 특성에 따라 경기변인과 주택가격, 주택가격과 부동산정책의 관계에서 부동산시장의 특징적인 외연을 구하고, 부동산시장의 안정화와 관련한 부동산경 기와 부동산정책 간의 영향요인을 탐색하는 것을 연구목적으로 하였다. 연구결과 다음과 같은 결론에 도달하였다.

첫째, 우리나라의 부동산경기는 최근에 이를수록 경기의 진폭이 확대되었으며, 부동산경기가 정점에 이를 때에는 거품적 성향이, 부동산경기가 저점에 이를 때에는 시장가치적 성향이 강화되었으며, 이러한 경향은 최근에 이를수록 강화되었다.

둘째, 주택가격에 직접적으로 영향력이 큰 변인은 생산소득 변인이라고 할 수 있지만, 도시근로자평균소득을 제외하고 주택가격의 변화와 인과성이 높지 않은 것으로 추정되었다. 그렇지만 회사채수익률, 소비자물가지수 등은 주택가격에 높은 변동성이 확인되었다.

셋째, 주택가격 상승기와 심리적 안정기에 있어서 최근에 이를수록 부동산정책의 규제적이고 권위적인 정책성향이 강화되었다. 또한 우리나라의 부동산정책은 부동산경기가 침체된 시기에도 규제정책과 억제정책의 비중이 높게 나타났다. 그러나 부동산정책과 주택가격과의 관계에서 대부분의 부동산경기 진정정책은 주택가격과의 인과성이 인정되지 아니하였다. 주택가격을 원인으로서 부동산정책과 인과성이 인정된 것은 1980년대 말에 해당하는 심리적 안정 3기로 확인되었다.

넷째, 주택가격과 부동산정책 간의 인과관계분석결과는, 부동산정책이 주택가격의 원인보다 주택가격이 부동산정책의 원인으로서 작용하는 대부분이었다고 할 수 있다. 이는 우리나라 부동산정책이 부동산경기의 변화에 따른 역기능을 해소하는 후행적인 처방적 성격을 갖는다고 할 수 있다.

다섯째, 대부분의 부동산정책의 경우 주택가격변화 후 6개월부터 9개월 사이에 시행되는 것으로 나타났다. 이러한 결과는, 정책결정과정 등을 감안할 때, 우리나라 정책당국이 주택가격의 변화에 매우 민감하였다고 할 수 있다. 그러나 부동산정책이 부동산시장에서 효과를 나타내기까지에는 시차가 발생한다. 따라서 후행적 성격의 부동산정책으로는 동태적인 주택가격 변화에 적절하게 대처하기에 제한적이라고 할 수 있다.

이러한 연구결과에 따른 정책적 시사점은 다음과 같다.

첫째, 비정상적인 버블(bubble)의 심화는 경계하여야한다. 우리나라 부동산경기의 주기의 진폭이 확대되고 있으며, 부동산경기 정점에서는 거품적 성향이, 부동산경기 저점에서는 시장가치적 성향이 강화되어왔다. 이는 경기변인과 주택가격 간, 주택가격과 부동산정책 간 인과관계 분석결과가 설명한다.

둘째, 부동산시장의 안정화를 위한 규제형정책은 그 효과를 크게 기대하기 어렵다고 할 수 있고, 시장형정책과 서비스형정책을 보다 적극적으로 시행하여야 한다. 주택취득능력과 관련되는 재정, 금융정책, 수요·공급 부문과 관련한 직접적이고 자율적인 부동산시장 개입수단 등이 보다 유용하다고 판단된다.

셋째, 장기적으로는 부동산시장이 안정되기 위해서 주택재고 부족에 따른 초과수요를 해소하여야한다. 초과수요 해소 없이 부동산시장을 안정시키기에는 한계가 있다. 또한 전체적인 초과수요를 해소한 경우에도 고정성, 지역시장성 등 부동산 고유의 특성으로 주택소비자들의 선호에 의하여 국지적인 부동산문제가 발생할 수 있다. 따라서 초과수요를 해소하기 위해서는 주택소비자들의 특성과 선호가 주택정책에 반영되어야한다.

넷째, 정책시기와 관련하여, 후행적 부동산정책은 주택가격의 동태적 변화에 적절히 대응하기에는 제한적이라고 할 수 있다. 이는 주택가격과 부동산정책에 대한 분석결과가 설명한다. 부동산정책이 보다 효과적이기 위해서는 주택가격의 변화를 예상하고 사전에 대응할 수 있어야한다.

본 연구는 부동산시장의 안정화와 관련하여 부동산정책에 미치는 영향요인을 탐색하는 것을 연구목적으로 하였다. 통상 이러한 개괄적 목적을 가지고 있는 연구는 보다 깊이 있는 심층 분석을 결여할 수 있다는 점과 장기간의 거시변수를 취급함으로서 분석결과의 유의성이 약화될 우려가 있다는 한계를 가지고 있다. 이러한 한계는 실증적 분석을 바탕으로 부동산정책의 외연으로부터 접근하려는 본 연구의 분석방법 상 불가피했던 것이라고 할 수 있다. 따라서 본 연구는 시론적이고 탐색적인 성격을 갖는다고 할 수 있다.

# 참고문헌

국토개발연구원.(1984). 한국의 주택경기변동.

강원철 · 김복순.(1997). 지가변동요인분석. 서울 : 감정평가연구원.

김갑성 · 서승환.(1999). 부동산시장의 구조변화에 대한 실증분석. 삼성경제연구소.

김관영.(1996). 주택시장의 경기변동에 관한연구. 주택연구 제6권 제1호. 한국주택학회.

김재영.(1992). 정부개입이 주택경기변동에 미치는 영향분석에 관한 연구. 중앙대학교 박사학위 논문.

김현철.(2005). 시계열자료의 분석과 예측. 서울 : 교육과학사.

박준용 · 장유순 · 한상범.(2004). 경제시계열분석. 서울 : 경문사.

박용석.(2003). 부동산경기변동과 가격결정요인에 관한 연구. 단국대학교. 박사학위청구논문.

박홍립.(1988). 경제학원론. 서울 : 박영사.

박헌주·정희남·박철·문경희.(2000). 토지시장의 구조변화와 전망 연구. 국토연구원.

서승환.(1993). 부동산가격과 부동산정책. 주택금융.

손경환·김혜승.(2002). 부동산시장 구조모형 연구. 국토연구원.

손재영.(1993). 지가와 거시경제변수간의 인과관계에 관한 실증분석. 토지시장의 분석과 정책과제. 연구논문집 93-02. 한국개발연구원.

심성훈.(2004). 통화량 변동이 물가와 주택가격에 미치는 영향. 주택연구. 제12권제2호.

안상형·이명호.(1998). 현대통계학. 서울 : 학현사.

오석홍·김영평.(2002). 정책학의 주요이론. 서울:법문사.

윤봉한.(1999). 금융학원론. 서울:법문사.

윤정길.(1984). 발전기획능력론. 서울 : 범론사.

_____.(1991). 정책과정론. 서울 : 범론사.

윤주현.(2001). VAR모형 구축을 통한 토지 및 주택시장 전망연구. 국토연구원.

이영훈.(2003). 통계이론과 응용. 서울 : 학현사.

이정전.(2000). 토지경제학. 서울 : 박영사.

이중희.(1997). 주택경제론. 서울 : 박영사.

이홍재·박재석·송동진·심경원.(2005). 금융경제시계열분석. 서울 : 경문사.

임서환.(2002). 주택정책반세기. 경기도 : 주택공사.

정의철.(1999). 소득충격이 주택수요에 미치는 효과. 주택연구 제7권제2호.

정희수 외.(2003). 우리나라 부동산시장에 대한 분석평가와 시장안정화 방안에 관한 연구. KDI 국제정책대학원.

조주현.(2002). 부동산학원론. 서울 : 건국대학교출판부.

최막중·지규현·조정래.(2002). 주택금융 제약이 주택소비규모와 점유형태 선택에 미치는 영향에 관한 실증분석. 주택연구 제10권제1호.

최차순.(2005). VAR 모형을 이용한 REITs의 가격예측에 관한 연구. 부동산정책연구 제5편 제1호.

하성규.(2001). 부동산정책론. 서울: 박영사.

허세림.(1992). 부동산 시장이 존재하는 거시경제에서의 정책파급효과에 관한연구: 통화정책을 중심으로. 고려대학교 박사학위논문.

허재완.(1992). 우리나라 부동산경기변동의 특성분석. 토지연구 제3권.

황명찬.(1989). 한국의 토지와 주택. 서울: 법문사.

주식 137-142호.(1980). 증권거래소.

주택백서.(2002). 건설교통부.

주택통계편람.(1981). 경기도 : 대한주택공사.

조사월보. 1965-1980년 각 년도 각 월 분. 한국은행.

조사통계월보. 1981-2003년 각 년도 각 월 분. 한국은행.

투자. 한국투자공사. 1974-1976년도 분.

86 주택핸드북.(1987). 경기도 : 대한주택공사.

Arthur Weimer And Homer Hoyt.(1954). "Principle of Real Estate", N.York : The Ronard Press Co.

Box, G.E.P and G.M. Jenkins.(1976). "Time Series Analysis forecasting and control", San Francisco : Holden-Day Inc.

Dickey, D.A. and W.A. Fuller.(1979). "Distribution of the estimators for autoregressive time series with a unit root",(Journal of the American Statistical Association.

Engle, R.F. and C.W.J. Granger.(1987). "Co-integration and error correction: representation, estimation and testing" , Econometrica.

Fred E. Case.(1974). "Real Estate Economics: A Systematic Introduction" , L. A. California Association of Realtor.

Friedman, M..(1963). "Money and Business Cycles", in M. Friedman ed. The optimum Quantity of Money and Other Essays, Aldine Publishin Company.

Johansen, S.(1991). "Estimation and hypothesis testing of cointegration vectors in Gaussian vector autoregressive models", Econometrica.

Keynes, J. M(1936).(1964). The Theory of Employmemt, Interest and Money , London : Harcourt Brace and World.

Lucas, Robert E.(1973). "Some International Evidence on Output- Inflation Trade-offs" American Economic Review Vol.63.

Mary Alice hines.(1976). "Principle and Practices of Real Estate" , Richard D. Irwin, Inc, Hmewood Ⅲ.

Saunders, P.(1986). Social Theory and the Urban Question , London : Unwin Hyman.

## [부록 Ⅰ] 경기변인 지수

| 구분 | HP | LPI | SC | GDP | M2 | SPI | CUR | IPI | CPI | EAI | UER | CP |
|---|---|---|---|---|---|---|---|---|---|---|---|---|
| 1974.4 | 100.00 | 100.00 | 100.00 | 100.00 | 100 | 100.00 | 100.00 | 100.00 | 100.00 | 100.00 | 100 | |
| 1975.1 | 109.54 | 106.75 | 132.67 | 101.22 | 104.09 | 111.74 | 105.09 | 103.39 | 106.93 | 104.78 | 120 | |
| 1975.2 | 119.08 | 113.50 | 216.82 | 104.39 | 111.38 | 110.52 | 99.12 | 113.56 | 115.54 | 111.91 | 62 | |
| 1975.3 | 128.62 | 120.24 | 127.44 | 104.23 | 121.49 | 120.98 | 110.65 | 116.95 | 123.21 | 125.64 | 64 | |
| 1975.4 | 138.15 | 126.99 | 119.13 | 108.38 | 125.18 | 124.46 | 123.98 | 128.81 | 128.26 | 135.04 | 86 | |
| 1976.1 | 147.69 | 135.43 | 194.56 | 111.85 | 130.57 | 133.09 | 133.30 | 132.20 | 130.87 | 144.70 | 104 | 100.00 |
| 1976.2 | 157.23 | 143.80 | 111.28 | 111.03 | 134.3 | 131.29 | 127.65 | 149.15 | 135.25 | 154.19 | 64 | 93.62 |
| 1976.3 | 166.77 | 152.32 | 101.69 | 116.96 | 149.79 | 131.56 | 141.12 | 154.24 | 140.30 | 164.91 | 60 | 90.50 |
| 1976.4 | 176.31 | 160.77 | 79.38 | 118.80 | 169.15 | 136.35 | 158.27 | 161.02 | 140.15 | 180.34 | 84 | 96.55 |
| 1977.1 | 187.06 | 174.25 | 74.82 | 119.08 | 176.07 | 140.28 | 176.94 | 155.93 | 144.61 | 173.35 | 104 | 93.76 |
| 1977.2 | 197.82 | 187.74 | 206.21 | 122.14 | 190.69 | 144.02 | 170.44 | 179.66 | 148.68 | 182.18 | 60 | 93.48 |
| 1977.3 | 208.57 | 201.22 | 218.41 | 129.22 | 215.9 | 151.70 | 185.12 | 183.05 | 153.54 | 200.15 | 60 | 93.95 |
| 1977.4 | 219.33 | 214.71 | 160.97 | 134.61 | 237 | 171.10 | 226.74 | 196.61 | 154.92 | 218.13 | 82 | 93.15 |
| 1978.1 | 259.73 | 241.00 | 149.59 | 132.59 | 249.36 | 184.45 | 260.23 | 194.92 | 163.49 | 223.51 | 72 | 96.55 |
| 1978.2 | 300.12 | 267.29 | 327.85 | 138.59 | 257.87 | 205.28 | 253.60 | 222.03 | 168.43 | 247.55 | 54 | 96.27 |
| 1978.3 | 215.84 | 293.58 | 258.00 | 136.37 | 290.92 | 216.51 | 275.03 | 222.03 | 175.97 | 279.35 | 58 | 96.07 |
| 1978.4 | 380.92 | 319.87 | 162.82 | 144.89 | 320.94 | 198.94 | 323.51 | 238.98 | 180.37 | 304.25 | 72 | 103.40 |
| 1979.1 | 391.30 | 333.17 | 137.59 | 150.74 | 321.56 | 168.99 | 360.56 | 237.29 | 188.62 | 335.11 | 80 | 121.10 |
| 1979.2 | 401.68 | 346.47 | 216.00 | 151.85 | 337.82 | 162.17 | 334.62 | 255.93 | 202.52 | 342.09 | 70 | 124.97 |
| 1979.3 | 412.06 | 359.77 | 216.00 | 147.58 | 365.02 | 171.00 | 344.22 | 244.07 | 208.21 | 345.39 | 74 | 125.15 |
| 1979.4 | 422.44 | 373.07 | 186.10 | 148.46 | 416.41 | 154.68 | 409.13 | 244.07 | 215.63 | 394.55 | 82 | 126.08 |
| 1980.1 | 453.99 | 383.96 | 185.79 | 149.08 | 457.26 | 160.81 | 431.97 | 232.20 | 239.33 | 395.79 | 114 | 142.20 |
| 1980.2 | 485.53 | 394.85 | 257.08 | 148.11 | 478.18 | 180.62 | 396.43 | 245.76 | 256.73 | 406.53 | 88 | 148.58 |
| 1980.3 | 517.08 | 405.75 | 180.62 | 149.14 | 530.25 | 174.09 | 414.41 | 238.98 | 268.18 | 454.58 | 92 | 138.47 |
| 1980.4 | 548.63 | 416.64 | 132.36 | 148.27 | 601.6 | 165.11 | 452.38 | 254.24 | 284.61 | 450.82 | 126 | 130.74 |
| 1981.1 | 570.37 | 424.46 | 96.31 | 151.78 | 636.16 | 161.18 | 487.86 | 245.76 | 299.30 | 475.66 | 112 | 115.98 |
| 1981.2 | 592.11 | 432.28 | 180.26 | 153.07 | 680.72 | 195.52 | 473.81 | 281.36 | 313.98 | 490.57 | 78 | 106.05 |
| 1981.3 | 613.85 | 440.11 | 136.82 | 156.55 | 732.88 | 217.17 | 490.71 | 277.97 | 328.84 | 539.91 | 82 | 106.66 |
| 1981.4 | 635.58 | 447.93 | 115.23 | 160.08 | 818.88 | 203.25 | 522.01 | 286.44 | 330.68 | 543.48 | 92 | 125.76 |
| 1982.1 | 623.82 | 453.98 | 95.13 | 161.10 | 875.59 | 199.49 | 553.13 | 264.41 | 334.61 | 536.39 | 112 | 101.07 |
| 1982.2 | 612.05 | 458.51 | 247.59 | 164.68 | 955.4 | 179.63 | 512.42 | 291.53 | 340.21 | 548.41 | 76 | 81.18 |
| 1982.3 | 600.28 | 461.91 | 271.59 | 169.10 | 1049.8 | 188.70 | 557.55 | 288.14 | 344.49 | 598.93 | 76 | 66.60 |
| 1982.4 | 588.52 | 472.12 | 239.54 | 173.41 | 1122.3 | 192.84 | 643.94 | 303.39 | 345.01 | 604.13 | 78 | 73.13 |
| 1983.1 | 578.42 | 493.95 | 185.30 | 178.26 | 1144.2 | 188.46 | 657.55 | 294.92 | 351.57 | 626.40 | 120 | 69.07 |
| 1983.2 | 568.32 | 515.79 | 356.51 | 183.32 | 1222.1 | 194.65 | 614.38 | 333.90 | 352.79 | 626.36 | 72 | 64.88 |
| 1983.3 | 558.22 | 537.62 | 295.38 | 188.51 | 1298.7 | 182.03 | 641.26 | 340.68 | 353.31 | 680.22 | 68 | 65.21 |
| 1983.4 | 548.13 | 559.46 | 275.85 | 190.79 | 1379.4 | 182.42 | 692.70 | 357.63 | 353.32 | 686.33 | 70 | 66.00 |
| 1984.1 | 595.74 | 577.92 | 151.95 | 196.70 | 1432.5 | 199.55 | 718.78 | 350.85 | 358.38 | 694.58 | 112 | 65.07 |

| 구분 | HP | LPI | SC | GDP | M2 | SPI | CUR | IPI | CPI | EAI | UER | CP |
|---|---|---|---|---|---|---|---|---|---|---|---|---|
| 1984.2 | 643.35 | 596.38 | 344.41 | 197.80 | 1488 | 202.91 | 665.46 | 394.92 | 360.40 | 691.19 | 66 | 61.95 |
| 1984.3 | 690.96 | 614.85 | 252.82 | 200.55 | 1573.7 | 210.54 | 696.24 | 384.75 | 361.62 | 741.30 | 66 | 66.93 |
| 1984.4 | 738.57 | 633.31 | 304.82 | 203.52 | 1641.3 | 209.65 | 737.69 | 396.61 | 362.67 | 759.04 | 66 | 69.07 |
| 1985.1 | 754.45 | 644.39 | 121.74 | 209.13 | 1669.8 | 208.71 | 773.06 | 369.49 | 365.21 | 734.86 | 102 | 68.47 |
| 1985.2 | 770.32 | 655.47 | 359.49 | 212.60 | 1738.9 | 207.64 | 711.73 | 403.39 | 368.53 | 737.67 | 74 | 67.68 |
| 1985.3 | 786.20 | 666.56 | 258.36 | 215.32 | 1833.2 | 210.41 | 710.18 | 401.69 | 371.49 | 799.41 | 72 | 64.88 |
| 1985.4 | 802.08 | 677.64 | 316.97 | 221.73 | 1938.1 | 233.97 | 786.12 | 418.64 | 373.34 | 819.71 | 74 | 63.67 |
| 1986.1 | 891.09 | 690.01 | 209.69 | 222.43 | 2073.3 | 277.39 | 807.05 | 432.20 | 378.39 | 824.56 | 118 | 59.48 |
| 1986.2 | 875.79 | 702.37 | 340.62 | 232.60 | 2181.8 | 358.63 | 769.19 | 486.44 | 380.48 | 830.97 | 68 | 59.01 |
| 1986.3 | 874.09 | 714.74 | 349.33 | 243.47 | 2326.1 | 405.79 | 796.29 | 489.83 | 381.59 | 891.52 | 60 | 59.76 |
| 1986.4 | 865.58 | 727.11 | 255.18 | 245.60 | 2510.8 | 425.60 | 867.78 | 518.64 | 378.76 | 907.65 | 60 | 59.48 |
| 1987.1 | 862.18 | 735.32 | 399.54 | 252.91 | 2668.7 | 522.59 | 912.80 | 518.64 | 381.47 | 945.06 | 90 | 59.76 |
| 1987.2 | 863.88 | 752.60 | 289.49 | 261.79 | 2896.2 | 599.30 | 877.99 | 593.22 | 389.72 | 959.12 | 60 | 59.76 |
| 1987.3 | 901.30 | 797.08 | 339.69 | 267.23 | 3067.8 | 724.49 | 901.52 | 567.80 | 394.90 | 1009.45 | 52 | 60.08 |
| 1987.4 | 926.80 | 833.67 | 250.26 | 272.11 | 3271.2 | 758.63 | 1063.97 | 618.64 | 399.46 | 1121.38 | 46 | 59.48 |
| 1988.1 | 986.32 | 891.44 | 295.54 | 290.21 | 3498.8 | 940.83 | 1088.44 | 628.81 | 410.05 | 1099.72 | 64 | 61.62 |
| 1988.2 | 1023.74 | 957.77 | 497.44 | 283.56 | 3728.2 | 1119.12 | 1070.38 | 630.51 | 417.82 | 1090.18 | 44 | 68.14 |
| 1988.3 | 1056.05 | 1014.18 | 490.31 | 294.32 | 4025.7 | 1045.13 | 1109.68 | 657.63 | 422.87 | 1214.66 | 48 | 72.05 |
| 1988.4 | 1049.24 | 1062.55 | 263.49 | 299.49 | 4246.9 | 1276.12 | 1211.03 | 686.44 | 426.69 | 1313.10 | 46 | 68.14 |
| 1989.1 | 1125.77 | 1220.13 | 347.49 | 299.66 | 4427.8 | 1417.40 | 1282.96 | 635.59 | 432.98 | 1334.32 | 66 | 63.48 |
| 1989.2 | 1183.59 | 1289.56 | 727.44 | 304.26 | 4563.9 | 1442.37 | 1227.32 | 661.02 | 441.23 | 1374.14 | 48 | 72.52 |
| 1989.3 | 1183.59 | 1346.81 | 657.38 | 312.74 | 4859.1 | 1522.20 | 1293.22 | 684.75 | 446.77 | 1554.69 | 46 | 75.13 |
| 1989.4 | 1202.30 | 1402.17 | 704.05 | 322.40 | 5341.7 | 1390.22 | 1389.24 | 705.08 | 452.07 | 1609.09 | 48 | 72.66 |
| 1990.1 | 1302.63 | 1499.48 | 619.13 | 327.76 | 5653.7 | 1367.49 | 1534.76 | 688.14 | 466.06 | 1612.55 | 62 | 71.59 |
| 1990.2 | 1362.15 | 1555.41 | 974.97 | 333.13 | 5882.3 | 1088.40 | 1452.71 | 723.73 | 479.86 | 1627.66 | 42 | 73.73 |
| 1990.3 | 1413.16 | 1615.76 | 1062.82 | 343.08 | 6197.1 | 942.02 | 1475.39 | 747.46 | 486.92 | 1767.69 | 46 | 76.53 |
| 1990.4 | 1455.68 | 1690.73 | 980.36 | 348.71 | 6693.2 | 1096.01 | 1678.65 | 766.10 | 492.21 | 1873.53 | 46 | 83.84 |
| 1991.1 | 1507.32 | 1770.02 | 672.05 | 360.86 | 6944.1 | 1048.04 | 1878.04 | 750.85 | 511.47 | 1910.85 | 62 | 85.10 |
| 1991.2 | 1532.20 | 1830.03 | 1001.95 | 367.14 | 7203.2 | 947.37 | 1780.37 | 793.22 | 522.38 | 2018.22 | 44 | 87.10 |
| 1991.3 | 1513.50 | 1879.62 | 997.49 | 374.47 | 7614.1 | 1044.28 | 1842.75 | 800.00 | 532.32 | 2248.30 | 44 | 88.36 |
| 1991.4 | 1447.18 | 1906.69 | 357.23 | 382.11 | 7999.9 | 1007.65 | 1916.65 | 861.02 | 538.58 | 2274.99 | 46 | 90.22 |
| 1992.1 | 1435.27 | 1914.89 | 736.72 | 392.85 | 8336.5 | 960.03 | 2097.32 | 823.73 | 548.05 | 2358.78 | 60 | 82.91 |
| 1992.2 | 1394.46 | 1904.74 | 572.41 | 393.25 | 8646.3 | 880.43 | 1924.14 | 866.10 | 558.95 | 2360.96 | 46 | 81.18 |
| 1992.3 | 1396.16 | 1897.88 | 638.77 | 391.49 | 9108.3 | 864.05 | 1968.03 | 830.51 | 564.41 | 2564.63 | 46 | 75.45 |
| 1992.4 | 1375.75 | 1882.70 | 858.05 | 397.38 | 9720.9 | 1020.78 | 2061.31 | 871.19 | 564.09 | 2608.83 | 48 | 64.28 |
| 1993.1 | 1379.15 | 1874.79 | 879.33 | 405.19 | 10128 | 980.26 | 2350.86 | 832.20 | 573.39 | 2606.07 | 66 | 57.85 |
| 1993.2 | 1357.05 | 1820.80 | 932.31 | 413.78 | 10498 | 1163.15 | 2489.13 | 888.14 | 585.10 | 2549.71 | 58 | 54.63 |
| 1993.3 | 1343.44 | 1772.73 | 784.87 | 420.37 | 11152 | 1043.88 | 2708.10 | 874.58 | 589.44 | 2796.97 | 54 | 63.25 |
| 1993.4 | 1336.64 | 1743.65 | 957.33 | 428.90 | 11413 | 1250.98 | 3145.24 | 947.46 | 594.89 | 2828.42 | 54 | 59.62 |

| 구분 | HP | LPI | SC | GDP | M2 | SPI | CUR | IPI | CPI | EAI | UER | CP |
|---|---|---|---|---|---|---|---|---|---|---|---|---|
| 1994.1 | 1336.64 | 1736.51 | 518.41 | 438.42 | 12026 | 1402.43 | 3186.95 | 918.64 | 610.77 | 2947.93 | 62 | 56.64 |
| 1994.2 | 1333.24 | 1731.99 | 696.00 | 444.86 | 12669 | 1442.82 | 3040.60 | 984.75 | 619.28 | 2971.23 | 50 | 57.71 |
| 1994.3 | 1336.64 | 1731.12 | 881.85 | 454.01 | 13169 | 1468.28 | 3159.71 | 954.24 | 630.19 | 3204.52 | 44 | 61.43 |
| 1994.4 | 1334.94 | 1733.72 | 1154.36 | 470.61 | 13821 | 1649.22 | 3271.27 | 1074.58 | 629.39 | 3287.80 | 42 | 64.88 |
| 1995.1 | 1334.94 | 1734.59 | 704.67 | 479.39 | 14298 | 1397.42 | 3574.39 | 1044.07 | 639.84 | 3386.28 | 50 | 70.14 |
| 1995.2 | 1333.24 | 1737.19 | 969.69 | 488.11 | 15061 | 1378.87 | 3383.35 | 1108.47 | 649.16 | 3282.94 | 40 | 68.70 |
| 1995.3 | 1333.24 | 1739.80 | 603.23 | 501.36 | 15867 | 1409.70 | 3496.16 | 1081.36 | 654.79 | 3619.48 | 38 | 62.55 |
| 1995.4 | 1331.54 | 1743.27 | 933.38 | 507.33 | 17036 | 1452.45 | 3624.78 | 1169.49 | 657.40 | 3653.04 | 38 | 55.57 |
| 1996.1 | 1340.04 | 1747.11 | 645.95 | 514.83 | 17633 | 1324.86 | 3919.61 | 1140.68 | 669.75 | 3833.04 | 46 | 55.33 |
| 1996.2 | 1340.04 | 1751.30 | 879.64 | 522.52 | 18360 | 1404.47 | 3680.72 | 1211.86 | 680.80 | 3719.64 | 40 | 52.07 |
| 1996.3 | 1346.84 | 1754.98 | 727.28 | 533.17 | 19090 | 1197.63 | 3655.20 | 1161.02 | 687.96 | 4128.54 | 38 | 56.54 |
| 1996.4 | 1351.94 | 1760.07 | 878.51 | 542.42 | 19873 | 1125.81 | 3849.03 | 1259.32 | 690.77 | 4023.22 | 42 | 57.20 |
| 1997.1 | 1384.25 | 1762.71 | 598.67 | 540.16 | 20621 | 1051.27 | 3971.88 | 1183.05 | 701.18 | 4189.45 | 62 | 57.48 |
| 1991.2 | 1384.25 | 1765.18 | 901.59 | 553.25 | 21543 | 1173.08 | 3709.85 | 1281.36 | 708.33 | 4034.10 | 50 | 56.45 |
| 1997.3 | 1387.66 | 1768.71 | 666.15 | 559.69 | 22554 | 1055.23 | 3727.57 | 1238.98 | 715.27 | 4417.08 | 44 | 56.40 |
| 1997.4 | 1379.15 | 1765.53 | 1047.49 | 557.58 | 23780 | 608.14 | 3909.96 | 1294.92 | 725.67 | 4046.11 | 52 | 79.04 |
| 1998.1 | 1312.83 | 1743.10 | 580.77 | 511.87 | 25722 | 888.41 | 3984.60 | 1125.42 | 763.82 | 4071.23 | 116 | 96.46 |
| 1998.2 | 1226.10 | 1577.68 | 390.92 | 509.99 | 26914 | 520.81 | 3492.01 | 1135.59 | 766.20 | 3820.06 | 138 | 81.70 |
| 1998.3 | 1217.60 | 1528.46 | 245.33 | 513.18 | 28585 | 479.06 | 3469.94 | 1125.42 | 765.56 | 3779.16 | 150 | 59.90 |
| 1998.4 | 1207.40 | 1525.40 | 380.72 | 526.87 | 20404 | 689.81 | 3697.73 | 1286.44 | 769.02 | 3891.22 | 150 | 43.32 |
| 1999.1 | 1229.50 | 1530.74 | 261.44 | 539.36 | 30593 | 825.95 | 3843.75 | 1283.05 | 769.24 | 4051.93 | 170 | 38.80 |
| 1999.2 | 1232.91 | 1543.60 | 453.54 | 558.78 | 30815 | 1165.86 | 3604.48 | 1415.25 | 770.75 | 3833.62 | 134 | 37.17 |
| 1999.3 | 1255.01 | 1556.26 | 448.26 | 571.28 | 31219 | 1400.67 | 3790.79 | 1447.46 | 770.54 | 4100.56 | 112 | 44.81 |
| 1999.4 | 1249.91 | 1570.20 | 1124.26 | 587.41 | 30916 | 1545.49 | 4075.28 | 1659.32 | 773.99 | 4244.01 | 94 | 44.25 |
| 2000.1 | 1248.55 | 1578.59 | 450.56 | 605.35 | 31476 | 1383.87 | 4531.78 | 1628.81 | 784.30 | 4284.23 | 104 | 47.00 |
| 2000.2 | 1260.11 | 1584.43 | 528.05 | 610.08 | 31429 | 1139.21 | 4139.55 | 1684.75 | 782.72 | 4251.66 | 78 | 45.97 |
| 2000.3 | 1265.22 | 1588.07 | 562.51 | 619.28 | 32074 | 1070.68 | 4255.12 | 1701.69 | 793.78 | 4454.97 | 74 | 42.11 |
| 2000.4 | 1251.27 | 1580.76 | 575.95 | 613.59 | 32532 | 795.77 | 4235.04 | 1762.71 | 798.52 | 4422.59 | 76 | 39.22 |
| 2001.1 | 1265.22 | 1582.98 | 331.59 | 626.15 | 33107 | 865.35 | 4770.05 | 1645.76 | 812.73 | 4705.12 | 98 | 33.72 |
| 2001.2 | 1294.12 | 1588.68 | 662.72 | 632.51 | 33891 | 939.02 | 4488.99 | 1725.42 | 822.21 | 4515.72 | 72 | 35.49 |
| 2001.3 | 1355.35 | 1593.28 | 658.21 | 640.69 | 35337 | 838.11 | 4475.11 | 1683.05 | 826.95 | 4987.87 | 66 | 30.79 |
| 2001.4 | 1379.15 | 1601.89 | 801.69 | 641.85 | 35165 | 1006.45 | 4924.45 | 1769.49 | 825.37 | 4942.24 | 66 | 31.39 |
| 2002.1 | 1484.59 | 1630.08 | 696.56 | 665.32 | 37010 | 1290.36 | 5295.05 | 1755.93 | 833.27 | 5085.36 | 74 | 32.60 |
| 2002.2 | 1515.20 | 1650.95 | 753.08 | 676.36 | 37994 | 1245.07 | 5124.97 | 1847.46 | 844.33 | 4950.54 | 60 | 32.65 |
| 2002.3 | 1593.42 | 1705.92 | 618.62 | 684.73 | 38629 | 1163.17 | 5272.65 | 1800.00 | 848.27 | 5222.29 | 56 | 29.30 |
| 2002.4 | 1605.33 | 1745.67 | 871.23 | 691.89 | 40088 | 1129.42 | 5397.01 | 1967.60 | 852.22 | 5113.14 | 58 | 27.62 |
| 2003.1 | 1624.03 | 1752.83 | 635.85 | 689.71 | 40811 | 912.68 | 5619.75 | 1862.71 | 867.23 | 5302.73 | 72 | 25.10 |
| 2003.2 | 1676.75 | 1761.07 | 1131.18 | 691.16 | 40544 | 1003.13 | 5236.45 | 1905.08 | 872.76 | 5158.22 | 66 | 24.73 |
| 2003.3 | 1700.56 | 1779.73 | 653.49 | 701.19 | 40497 | 1181.93 | 5159.15 | 1854.24 | 875.13 | 5505.32 | 66 | 26.04 |
| 2003.4 | 1697.16 | 1805.54 | 765.54 | 720.69 | 41283 | 1248.88 | 5266.37 | 2118.64 | 882.24 | 5482.03 | 68 | 25.34 |

1974.4=100 (회사채수익률, 1976 = 100)
1979~1985 주택가격지수=주택취득능력지수(주택가격/근로소득)를 대입하여 추정한 추정지수임.
약호 : HP= 주택가격지수, LPI = 지가지수, SC= 건축허가면적, GDP= 국내총생산, M2=통화량, SPI=주가지수, CUR = 민간현금보유량,
IPI=산업생산지수, CPI=소비자물가지수, EAI=도시근로자평균소득, UER=실업률, CP=회사채수익률

## [부록 Ⅱ] 부동산정책유형 분류 집계표(분기별)

| 분기 | HOI | POL1 | POL2 | DEP | SUP | SEV1 | SEV2 | AUP1 | AUP2 | MAP1 | MAP2 | REP1 | REP2 |
|------|------|------|------|-----|-----|------|------|------|------|------|------|------|------|
| 1965.4 | 100.00 | 0 | 0 | 0 | 0 | 0 | 0 | 0 | 0 | 0 | 0 | 0 | 0 |
| 1966.1 | 110.50 | 0 | 0 | 0 | 0 | 0 | 0 | 0 | 0 | 0 | 0 | 0 | 0 |
| 1966.2 | 124.50 | 0 | 0 | 0 | 0 | 0 | 0 | 0 | 0 | 0 | 0 | 0 | 0 |
| 1966.3 | 138.50 | 1 | 0 | 0 | 0 | 0 | 0 | 0 | 0 | 0 | 0 | 1 | 0 |
| 1966.4 | 142.00 | 0 | 0 | 0 | 0 | 0 | 0 | 0 | 0 | 0 | 0 | 0 | 0 |
| 1967.1 | 147.75 | 1 | 3 | 1 | 3 | 0 | 0 | 1 | 1 | 1 | 2 | 0 | 1 |
| 1967.2 | 153.50 | 0 | 0 | 0 | 0 | 0 | 0 | 0 | 0 | 0 | 0 | 0 | 0 |
| 1967.3 | 159.25 | 0 | 0 | 0 | 0 | 0 | 0 | 0 | 0 | 0 | 0 | 0 | 0 |
| 1967.4 | 165.00 | 2 | 1 | 3 | 0 | 0 | 0 | 2 | 0 | 0 | 0 | 1 | 0 |
| 1968.1 | 178.00 | 3 | 0 | 1 | 2 | 0 | 0 | 1 | 0 | 0 | 0 | 0 | 0 |
| 1968.2 | 191.00 | 0 | 0 | 0 | 0 | 0 | 0 | 0 | 0 | 0 | 0 | 0 | 0 |
| 1968.3 | 204.00 | 0 | 0 | 0 | 0 | 0 | 0 | 0 | 0 | 0 | 0 | 0 | 0 |
| 1968.4 | 217.00 | 1 | 0 | 0 | 1 | 0 | 0 | 0 | 0 | 1 | 0 | 0 | 0 |
| 1969.1 | 254.00 | 0 | 0 | 0 | 0 | 0 | 0 | 0 | 0 | 0 | 0 | 0 | 0 |
| 1969.2 | 291.00 | 0 | 0 | 0 | 0 | 0 | 0 | 0 | 0 | 0 | 0 | 0 | 0 |
| 1969.3 | 328.00 | 0 | 0 | 0 | 0 | 0 | 0 | 0 | 0 | 0 | 0 | 0 | 0 |
| 1969.4 | 365.00 | 0 | 0 | 0 | 0 | 0 | 0 | 0 | 0 | 0 | 0 | 0 | 0 |
| 1969.3 | 328.00 | 0 | 0 | 0 | 0 | 0 | 0 | 0 | 0 | 0 | 0 | 0 | 0 |
| 1969.4 | 365.00 | 0 | 0 | 0 | 0 | 0 | 0 | 0 | 0 | 0 | 0 | 0 | 0 |
| 1970.1 | 368.00 | 0 | 0 | 0 | 0 | 0 | 0 | 0 | 0 | 0 | 0 | 0 | 0 |
| 1970.2 | 372.00 | 0 | 0 | 0 | 0 | 0 | 0 | 0 | 0 | 0 | 0 | 0 | 0 |
| 1970.3 | 375.50 | 0 | 0 | 0 | 0 | 0 | 0 | 0 | 0 | 0 | 0 | 0 | 0 |
| 1970.4 | 379.00 | 1 | 0 | 0 | 1 | 1 | 0 | 0 | 0 | 0 | 0 | 0 | 0 |
| 1971.1 | 413.25 | 0 | 0 | 0 | 0 | 0 | 0 | 0 | 0 | 0 | 0 | 0 | 0 |
| 1971.2 | 447.50 | 0 | 0 | 0 | 0 | 0 | 0 | 0 | 0 | 0 | 0 | 0 | 0 |
| 1971.3 | 481.75 | 0 | 0 | 0 | 0 | 0 | 0 | 0 | 0 | 0 | 0 | 0 | 0 |
| 1971.4 | 516.00 | 0 | 0 | 0 | 0 | 0 | 0 | 0 | 0 | 0 | 0 | 0 | 0 |
| 1972.1 | 535.25 | 3 | 2 | 2 | 3 | 0 | 0 | 1 | 1 | 2 | 0 | 0 | 1 |
| 1972.2 | 554.50 | 1 | 0 | 0 | 1 | 0 | 0 | 0 | 0 | 1 | 0 | 0 | 0 |
| 1972.3 | 573.75 | 0 | 0 | 0 | 0 | 0 | 0 | 0 | 0 | 0 | 0 | 0 | 0 |
| 1972.4 | 593.00 | 5 | 0 | 0 | 5 | 1 | 0 | 1 | 0 | 2 | 0 | 3 | 0 |
| 1973.1 | 615.50 | 2 | 1 | 0 | 3 | 0 | 0 | 0 | 0 | 1 | 0 | 0 | 1 |
| 1973.2 | 638.00 | 2 | 1 | 0 | 3 | 1 | 0 | 0 | 0 | 1 | 0 | 0 | 1 |
| 1973.3 | 660.50 | 1 | 0 | 0 | 0 | 0 | 0 | 1 | 0 | 1 | 0 | 0 | 0 |
| 1973.4 | 683.00 | 3 | 1 | 2 | 2 | 0 | 0 | 3 | 0 | 0 | 0 | 1 | 1 |
| 1974.1 | 712.75 | 5 | 2 | 4 | 4 | 0 | 0 | 4 | 0 | 1 | 0 | 0 | 2 |
| 1974.2 | 742.50 | 1 | 0 | 0 | 0 | 0 | 0 | 1 | 0 | 0 | 0 | 0 | 0 |
| 1974.3 | 772.25 | 1 | 0 | 0 | 0 | 0 | 0 | 0 | 0 | 0 | 0 | 0 | 0 |

| 분기 | HOI | POL1 | POL2 | DEP | SUP | SEV1 | SEV2 | AUP1 | AUP2 | MAP1 | MAP2 | REP1 | REP2 |
|---|---|---|---|---|---|---|---|---|---|---|---|---|---|
| 1974.4 | 802.00 | 4 | 0 | 1 | 3 | 2 | 0 | 1 | 0 | 0 | 0 | 2 | 0 |
| 1975.1 | 878.50 | 1 | 0 | 0 | 0 | 0 | 0 | 1 | 0 | 1 | 0 | 0 | 0 |
| 1975.2 | 955.00 | 0 | 0 | 0 | 0 | 0 | 0 | 0 | 0 | 0 | 0 | 0 | 0 |
| 1975.3 | 1031.50 | 0 | 0 | 0 | 0 | 0 | 0 | 0 | 0 | 0 | 0 | 0 | 0 |
| 1975.4 | 1108.00 | 4 | 0 | 0 | 3 | 1 | 0 | 0 | 0 | 0 | 0 | 3 | 0 |
| 1976.1 | 1184.50 | 0 | 1 | 0 | 1 | 0 | 0 | 0 | 0 | 0 | 0 | 0 | 1 |
| 1976.2 | 1261.00 | 0 | 0 | 0 | 0 | 0 | 0 | 0 | 0 | 0 | 0 | 0 | 0 |
| 1976.3 | 1337.50 | 3 | 1 | 0 | 3 | 0 | 0 | 2 | 0 | 1 | 0 | 1 | 1 |
| 1976.4 | 1414.00 | 2 | 0 | 0 | 1 | 1 | 0 | 0 | 0 | 0 | 0 | 0 | 0 |
| 1977.1 | 1500.25 | 0 | 0 | 0 | 0 | 0 | 0 | 0 | 0 | 0 | 0 | 0 | 0 |
| 1977.2 | 1586.50 | 1 | 1 | 1 | 1 | 1 | 0 | 0 | 0 | 0 | 0 | 1 | 1 |
| 1977.3 | 1672.75 | 0 | 1 | 0 | 1 | 0 | 0 | 0 | 0 | 0 | 0 | 0 | 1 |
| 1977.4 | 1759.00 | 1 | 1 | 0 | 1 | 0 | 0 | 1 | 0 | 1 | 0 | 0 | 2 |
| 1978.1 | 2083.00 | 3 | 1 | 4 | 0 | 1 | 1 | 1 | 0 | 0 | 1 | 2 | 0 |
| 1978.2 | 2407.00 | 4 | 2 | 3 | 3 | 1 | 0 | 0 | 0 | 2 | 0 | 3 | 2 |
| 1978.3 | 1731.00 | 8 | 0 | 7 | 1 | 1 | 0 | 5 | 0 | 0 | 0 | 4 | 0 |
| 1978.4 | 3055.00 | 5 | 0 | 2 | 2 | 2 | 0 | 1 | 0 | 1 | 0 | 2 | 0 |
| 1979.1 | 3138.25 | 2 | 0 | 1 | 1 | 1 | 0 | 1 | 0 | 0 | 0 | 1 | 0 |
| 1979.2 | 3221.50 | 5 | 3 | 5 | 3 | 0 | 0 | 1 | 0 | 0 | 1 | 4 | 2 |
| 1979.3 | 3304.75 | 1 | 0 | 0 | 1 | 0 | 0 | 0 | 0 | 0 | 0 | 1 | 0 |
| 1979.4 | 3388.00 | 3 | 0 | 0 | 3 | 0 | 0 | 0 | 0 | 1 | 0 | 2 | 0 |
| 1980.1 | 3641.00 | 0 | 0 | 0 | 0 | 0 | 0 | 0 | 0 | 0 | 0 | 0 | 0 |
| 1980.2 | 3893.99 | 2 | 1 | 1 | 2 | 2 | 0 | 0 | 0 | 1 | 1 | 0 | 0 |
| 1980.3 | 4146.99 | 2 | 3 | 4 | 1 | 0 | 1 | 0 | 1 | 1 | 0 | 1 | 2 |
| 1980.4 | 4399.98 | 4 | 0 | 1 | 3 | 3 | 0 | 1 | 1 | 1 | 0 | 0 | 1 |
| 1981.1 | 4574.34 | 5 | 0 | 3 | 2 | 2 | 0 | 2 | 0 | 1 | 0 | 0 | 0 |
| 1981.2 | 4748.69 | 5 | 6 | 5 | 7 | 0 | 1 | 0 | 3 | 2 | 0 | 3 | 5 |
| 1981.3 | 4923.04 | 4 | 0 | 0 | 4 | 0 | 0 | 0 | 0 | 3 | 0 | 3 | 0 |
| 1981.4 | 5097.39 | 0 | 1 | 1 | 0 | 0 | 0 | 0 | 0 | 0 | 1 | 0 | 0 |
| 1982.1 | 5003.02 | 2 | 2 | 2 | 2 | 1 | 0 | 1 | 1 | 0 | 1 | 0 | 1 |
| 1982.2 | 4908.65 | 4 | 4 | 4 | 4 | 1 | 0 | 1 | 2 | 2 | 2 | 0 | 1 |
| 1982.3 | 4814.28 | 2 | 1 | 1 | 2 | 1 | 1 | 0 | 0 | 2 | 0 | 0 | 1 |
| 1982.4 | 4719.91 | 4 | 4 | 3 | 3 | 1 | 2 | 0 | 0 | 1 | 0 | 2 | 3 |
| 1983.1 | 4638.92 | 13 | 0 | 6 | 6 | 5 | 0 | 3 | 0 | 2 | 0 | 3 | 0 |
| 1983.2 | 4557.94 | 10 | 1 | 4 | 8 | 4 | 0 | 2 | 0 | 3 | 0 | 2 | 1 |
| 1983.3 | 4476.95 | 1 | 0 | 0 | 1 | 1 | 0 | 0 | 0 | 0 | 0 | 0 | 0 |
| 1983.4 | 4395.97 | 5 | 2 | 4 | 2 | 0 | 0 | 0 | 0 | 1 | 0 | 4 | 2 |
| 1984.1 | 4777.80 | 7 | 0 | 0 | 4 | 2 | 0 | 2 | 0 | 1 | 0 | 1 | 0 |
| 1984.2 | 5159.64 | 0 | 0 | 0 | 0 | 0 | 0 | 0 | 0 | 0 | 0 | 0 | 0 |
| 1984.3 | 5541.47 | 6 | 0 | 3 | 3 | 2 | 0 | 0 | 0 | 2 | 0 | 3 | 0 |
| 1984.4 | 5923.31 | 0 | 0 | 0 | 0 | 0 | 0 | 0 | 0 | 0 | 0 | 0 | 0 |
| 1985.1 | 6050.65 | 3 | 0 | 3 | 0 | 1 | 0 | 0 | 0 | 0 | 0 | 2 | 0 |

| 분기 | HOI | POL1 | POL2 | DEP | SUP | SEV1 | SEV2 | AUP1 | AUP2 | MAP1 | MAP2 | REP1 | REP2 |
|---|---|---|---|---|---|---|---|---|---|---|---|---|---|
| 1985.2 | 6177.98 | 9 | 0 | 8 | 1 | 1 | 0 | 5 | 0 | 0 | 0 | 6 | 0 |
| 1985.3 | 6305.31 | 4 | 1 | 1 | 4 | 1 | 0 | 0 | 0 | 0 | 1 | 3 | 0 |
| 1985.4 | 6432.65 | 2 | 0 | 0 | 2 | 2 | 0 | 0 | 0 | 1 | 0 | 0 | 0 |
| 1986.1 | 7146.56 | 1 | 0 | 1 | 0 | 0 | 0 | 0 | 0 | 0 | 0 | 1 | 0 |
| 1986.2 | 7023.82 | 1 | 0 | 1 | 0 | 0 | 0 | 0 | 0 | 1 | 0 | 0 | 0 |
| 1986.3 | 7010.18 | 2 | 0 | 0 | 2 | 1 | 0 | 0 | 0 | 1 | 0 | 0 | 0 |
| 1986.4 | 6941.99 | 0 | 0 | 0 | 0 | 0 | 0 | 0 | 0 | 0 | 0 | 0 | 0 |
| 1987.1 | 6914.71 | 3 | 0 | 2 | 1 | 1 | 0 | 1 | 0 | 0 | 0 | 2 | 0 |
| 1987.2 | 6928.35 | 0 | 1 | 1 | 0 | 0 | 0 | 0 | 0 | 0 | 1 | 0 | 0 |
| 1987.3 | 7228.40 | 0 | 0 | 0 | 0 | 0 | 0 | 0 | 0 | 0 | 0 | 0 | 0 |
| 1987.4 | 7432.97 | 0 | 0 | 0 | 0 | 0 | 0 | 0 | 0 | 0 | 0 | 0 | 0 |
| 1988.1 | 7910.32 | 6 | 0 | 6 | 0 | 0 | 0 | 2 | 0 | 0 | 0 | 4 | 0 |
| 1988.2 | 8210.37 | 1 | 0 | 0 | 1 | 1 | 0 | 0 | 0 | 0 | 0 | 0 | 0 |
| 1988.3 | 8469.50 | 18 | 0 | 18 | 0 | 0 | 0 | 11 | 0 | 1 | 0 | 12 | 0 |
| 1988.4 | 8414.94 | 7 | 0 | 4 | 3 | 3 | 0 | 3 | 0 | 0 | 0 | 4 | 0 |
| 1989.1 | 9028.67 | 3 | 0 | 0 | 3 | 3 | 0 | 0 | 0 | 1 | 0 | 1 | 0 |
| 1989.2 | 9492.38 | 8 | 1 | 6 | 3 | 4 | 0 | 3 | 1 | 0 | 0 | 5 | 0 |
| 1989.3 | 9492.38 | 1 | 0 | 1 | 0 | 0 | 0 | 1 | 0 | 0 | 0 | 0 | 0 |
| 1989.4 | 9642.41 | 9 | 1 | 8 | 2 | 1 | 0 | 2 | 0 | 0 | 0 | 6 | 1 |
| 1990.1 | 10447.08 | 4 | 2 | 6 | 0 | 1 | 0 | 2 | 1 | 1 | 0 | 2 | 1 |
| 1990.2 | 10924.42 | 25 | 2 | 21 | 6 | 2 | 0 | 6 | 0 | 7 | 2 | 16 | 0 |
| 1990.3 | 11333.58 | 3 | 0 | 1 | 2 | 2 | 0 | 2 | 0 | 0 | 0 | 1 | 0 |
| 1990.4 | 11674.54 | 2 | 1 | 0 | 2 | 1 | 0 | 0 | 0 | 0 | 0 | 1 | 1 |
| 1991.1 | 12088.69 | 3 | 3 | 2 | 4 | 0 | 1 | 1 | 0 | 0 | 0 | 1 | 3 |
| 1991.2 | 12288.27 | 4 | 2 | 1 | 5 | 2 | 2 | 0 | 0 | 0 | 1 | 3 | 1 |
| 1991.3 | 12138.25 | 3 | 2 | 1 | 1 | 1 | 0 | 0 | 0 | 0 | 0 | 2 | 2 |
| 1991.4 | 11606.35 | 0 | 1 | 0 | 1 | 0 | 0 | 0 | 0 | 0 | 0 | 0 | 0 |
| 1992.1 | 11510.88 | 2 | 2 | 2 | 2 | 0 | 0 | 1 | 0 | 0 | 0 | 1 | 2 |
| 1992.2 | 11183.55 | 1 | 1 | 2 | 0 | 0 | 0 | 0 | 0 | 0 | 0 | 1 | 1 |
| 1992.3 | 11197.19 | 2 | 1 | 0 | 2 | 0 | 0 | 0 | 0 | 0 | 0 | 2 | 1 |
| 1992.4 | 11033.53 | 0 | 0 | 0 | 0 | 0 | 0 | 0 | 0 | 0 | 0 | 0 | 0 |
| 1993.1 | 11060.81 | 3 | 1 | 1 | 3 | 1 | 0 | 0 | 0 | 1 | 0 | 2 | 0 |
| 1993.2 | 10883.51 | 3 | 1 | 0 | 4 | 3 | 1 | 0 | 0 | 0 | 0 | 1 | 0 |
| 1993.3 | 10774.40 | 6 | 1 | 4 | 2 | 1 | 0 | 2 | 1 | 0 | 0 | 4 | 0 |
| 1993.4 | 10719.85 | 2 | 0 | 1 | 1 | 1 | 0 | 0 | 0 | 0 | 0 | 1 | 0 |
| 1994.1 | 10719.85 | 2 | 1 | 1 | 2 | 0 | 1 | 0 | 0 | 0 | 0 | 2 | 1 |
| 1994.2 | 10692.57 | 0 | 1 | 0 | 1 | 0 | 1 | 0 | 0 | 0 | 0 | 1 | 0 |
| 1994.3 | 10719.85 | 4 | 1 | 0 | 2 | 0 | 0 | 2 | 2 | 0 | 0 | 4 | 0 |
| 1994.4 | 10706.21 | 2 | 1 | 1 | 2 | 2 | 0 | 0 | 0 | 0 | 0 | 0 | 1 |
| 1995.1 | 10706.21 | 1 | 1 | 2 | 0 | 0 | 0 | 0 | 0 | 0 | 0 | 2 | 1 |
| 1995.2 | 10692.57 | 0 | 0 | 0 | 0 | 0 | 0 | 0 | 0 | 0 | 0 | 0 | 0 |
| 1995.3 | 10692.57 | 2 | 3 | 4 | 1 | 0 | 0 | 0 | 0 | 0 | 0 | 1 | 0 |
| 1995.4 | 10678.93 | 0 | 1 | 1 | 0 | 0 | 1 | 0 | 0 | 0 | 1 | 2 | 0 |

| 분기 | HOI | POL1 | POL2 | DEP | SUP | SEV1 | SEV2 | AUP1 | AUP2 | MAP1 | MAP2 | REP1 | REP2 |
|---|---|---|---|---|---|---|---|---|---|---|---|---|---|
| 1996.1 | 10747.12 | 0 | 0 | 0 | 0 | 0 | 0 | 0 | 0 | 0 | 0 | 0 | 0 |
| 1996.2 | 10747.12 | 0 | 0 | 0 | 0 | 0 | 0 | 0 | 0 | 0 | 0 | 0 | 0 |
| 1996.3 | 10801.68 | 0 | 0 | 0 | 0 | 0 | 0 | 0 | 0 | 0 | 0 | 0 | 0 |
| 1996.4 | 10842.59 | 2 | 2 | 0 | 3 | 0 | 0 | 0 | 1 | 0 | 0 | 2 | 2 |
| 1997.1 | 11101.72 | 2 | 0 | 1 | 1 | 0 | 0 | 1 | 0 | 0 | 1 | 0 | 0 |
| 1991.2 | 11101.72 | 2 | 3 | 2 | 3 | 0 | 0 | 0 | 0 | 0 | 0 | 2 | 3 |
| 1997.3 | 11129.00 | 0 | 0 | 0 | 0 | 0 | 0 | 0 | 0 | 0 | 0 | 0 | 0 |
| 1997.4 | 11060.81 | 2 | 0 | 1 | 1 | 1 | 0 | 0 | 0 | 0 | 0 | 1 | 0 |
| 1998.1 | 10528.91 | 3 | 3 | 2 | 4 | 0 | 1 | 0 | 0 | 0 | 0 | 1 | 1 |
| 1998.2 | 9833.35 | 1 | 6 | 4 | 2 | 0 | 2 | 0 | 2 | 0 | 2 | 1 | 3 |
| 1998.3 | 9765.15 | 2 | 3 | 3 | 2 | 0 | 0 | 0 | 2 | 1 | 1 | 2 | 1 |
| 1998.4 | 9683.32 | 4 | 7 | 5 | 6 | 3 | 3 | 0 | 3 | 0 | 3 | 3 | 4 |
| 1999.1 | 9860.62 | 1 | 6 | 5 | 2 | 1 | 1 | 0 | 0 | 0 | 0 | 0 | 7 |
| 1999.2 | 9887.90 | 2 | 4 | 4 | 2 | 0 | 1 | 0 | 0 | 1 | 3 | 1 | 1 |
| 1999.3 | 10065.20 | 1 | 6 | 6 | 1 | 0 | 0 | 0 | 1 | 0 | 4 | 2 | 2 |
| 1999.4 | 10024.28 | 1 | 1 | 1 | 1 | 0 | 0 | 0 | 1 | 1 | 0 | 0 | 0 |
| 2000.1 | 10013.39 | 0 | 1 | 0 | 0 | 0 | 0 | 0 | 1 | 0 | 1 | 0 | 0 |
| 2000.2 | 10106.11 | 0 | 1 | 0 | 1 | 0 | 0 | 0 | 0 | 0 | 0 | 0 | 1 |
| 2000.3 | 10147.03 | 2 | 1 | 1 | 2 | 0 | 1 | 0 | 0 | 1 | 0 | 0 | 1 |
| 2000.4 | 10035.20 | 3 | 0 | 0 | 3 | 1 | 0 | 0 | 0 | 1 | 0 | 0 | 0 |
| 2001.1 | 10147.03 | 0 | 2 | 2 | 0 | 0 | 0 | 0 | 0 | 0 | 2 | 0 | 0 |
| 2001.2 | 10378.88 | 2 | 0 | 0 | 2 | 2 | 0 | 0 | 0 | 0 | 0 | 0 | 0 |
| 2001.3 | 10869.87 | 0 | 2 | 2 | 1 | 0 | 0 | 0 | 0 | 0 | 2 | 0 | 0 |
| 2001.4 | 11060.81 | 2 | 1 | 1 | 1 | 1 | 0 | 0 | 0 | 0 | 1 | 0 | 0 |
| 2002.1 | 11906.39 | 8 | 8 | 13 | 3 | 1 | 0 | 4 | 0 | 0 | 6 | 4 | 2 |
| 2002.2 | 12151.89 | 2 | 2 | 1 | 2 | 1 | 0 | 0 | 0 | 0 | 2 | 0 | 1 |
| 2002.3 | 12779.26 | 17 | 2 | 12 | 7 | 3 | 0 | 4 | 0 | 1 | 1 | 9 | 1 |
| 2002.4 | 12874.73 | 12 | 0 | 9 | 3 | 1 | 0 | 4 | 0 | 4 | 0 | 4 | 0 |
| 2003.1 | 13024.75 | 2 | 0 | 2 | 0 | 0 | 0 | 1 | 0 | 0 | 0 | 1 | 0 |
| 2003.2 | 13447.54 | 8 | 0 | 8 | 0 | 0 | 0 | 3 | 0 | 0 | 0 | 5 | 0 |
| 2003.3 | 13638.48 | 2 | 0 | 2 | 0 | 0 | 0 | 2 | 0 | 0 | 0 | 0 | 0 |
| 2003.4 | 13611.20 | 3 | 0 | 2 | 1 | 1 | 0 | 1 | 0 | 1 | 0 | 0 | 0 |

부동산정책변인 약호 : 주택가격지수=HOI, 진정정책=POL1, 활성화정책=POL2, 서비스형억제정책=SEV1, 서비스형부양정책=SEV2, 권위형억제정책=AUP1, 권위형부양정책=AUP2, 시장형억제정책=MAP1, 시장형부양정책=MAP2, 규제형억제정책=REP1, 규제형부양정책=REP2, 수요부문정책=DEP, 공급부문정책=SUP.
1964.4 주택가격 = 100

# 제10장 아파트 재건축사업 진행단계별 가격변동
## -서울 강남권을 중심으로-

# I. 서 론

## 1. 연구의 목적

우리나라는 1960년대 이후부터 산업화 및 도시화로 인해 지방의 인구가 서울로 집중되는 현상을 보여 왔고, 인구의 집중은 주택 부족을 가져와 단독주택과 연립주택 등을 무분별하게 건축하는 결과를 초래하였다. 이 시기에 강북지역은 인구가 집중되었던 시기였다.

1970년대부터 서울시는 강북지역의 인구집중도 및 과밀화를 줄이기 위해 압구정지구, 반포지구, 영동지구 등 강남지역을 개발하기 시작하였고, 1980년대는 개포지구, 고덕지구, 잠실지구 등을 추가로 개발하여 강북의 인구를 강남으로 분산시키기도 하였다.

오늘날 강남지역의 아파트는 1970년대 건축된 아파트로서 짧은 기간 내에 주택수요를 충족시키기 위해서 대량으로 건설된 건물로서 낙후된 시공방법, 난방방식의 낙후성, 경과 연수가 20년이 지나는 등 여러 가지 문제점을 가지고 있어 재건축[1]의 필요성이 제기되어 왔었다.

---

*  건국대학교 대학원 행정학과

1) 1960년대부터 도시화와 산업화로 인구의 도시집중이 이루어졌을 때 지어졌던 아파트 및 연립 주택으로써 짧은 기간 내에 주택수요를 충족시키기 위해서 대량으로 지어진 건축물들이며, 이들 주택은 인위적인 축조물이기 때문에 내용연수를 가지는 내구소지재로 재건축의 대상이 된다.(이원준, 부동산학 원론(서울:박영사,1994),p. 89.)

1996년 11월 14일 서울시는 서울시내의 5개 저밀도지구아파트를 고밀도지구로 변경하여 용적률 270% 및 인센티브 15% 추가와 30층 내외의 고층아파트로 재건축을 허용하겠다고 발표하였다. 서울시의 발표로 인해 5개 저밀도지구아파트를 중심으로 부동산가격이 상승하기 시작하였다.

1998년 IMF 체제하에서 재건축아파트 가격이 최저가격으로 하락하면서 재건축에 대한 투자수요는 급감하고, 강북지역과 의정부 및 신도시지역으로 투자수요가 이동하였다.

2000년 초부터 건설회사들은 재건축대상지역에 있는 아파트를 중심으로 재건축아파트 시공권을 얻기 위해서 극심한 경쟁을 하였다. 이러한 경쟁의 결과 재건축아파트에 대해 시민들로부터 많은 관심을 갖게 하였고, 재건축대상아파트는 수익 창출이 가장 높은 투자상품으로 인식 하게 되었다.

서울의 주택보급률은 1995년 68%, 2000년 77.4%, 2002년 82.4%로 7년간 약 14.4% 상승하였지만, 서울의 주택보급률이 전국에서 제일 낮고 아파트를 건축할만한 택지가 부족하다는 점에서 재건축대상아파트는 투자의 관심지역이 되었다. 관심이 증가 할수록 재건축대상아파트의 가격은 상승하였다. 서울의 재건축대상지역 아파트는 높은 수익을 얻을수 있는 투기의 대상이 된 것이다. 특히, 서초구, 강남구, 송파구, 강동구 지역은 이러한 재건축대상지역의 아파트들이 집중되어 있는 지역으로서 아파트 가격 상승의 중심지가 되었다.

재건축대상아파트의 가격 상승을 막기 위해 2003년 10월 29일 정부는 부동산 규제정책을 실시하였다. 아파트에 대해서는 규제정책을 실시하면서 토지에 대해서는 지방발전을 도모한다는 명목 아래 혁신도시, 기업도시, 행정복합도시, 자유경제도시, 국제자유화도시, 공공기관의 지방이전 등으로 개발을 유도하여 토지시장의 과열을 초래한 정책을 실시하였다. 이제는 토지시장도 투기[2]의 장으로 바뀌게 된 것이다.

2005년 초 토지가격의 상승이 아파트가격 상승보다 높아짐으로써 조용하던 아파트가격은 상승세로 돌아서게 되었다. 그 동안 정부는 규제 일변도의 부동산정책을 실시하여 왔으며 공급에 대한 정책은 등한시 하였다. 경제의 기초인 수요·공급의 원칙[3]을 간과한

---

2) 부동산투기는 ① 부동산을 구입하는 목적이 단순히 자본차익을 기대하는 것이며, ② 따라서 보유기간 중에는 부가가치를 증가시키는 아무런 행위를 하지 않고, ③ 토지 이용도가 매우 낮으며, ④ 조세 회피와 같은 좋지 않은 목적에서 비롯된 것이고, ⑤ 개발계획과 같은 투기적 정보를 사전에 은밀하고 불법적인 방법으로 획득하여 이루어진 것이며, ⑥ 건실하게 일하는 다른 사람들에게 상대적 박탈감을 주는 불로소득을 노리는 투자행위이다.(조주현, 부동산학원론 (서울 : 건국대학교출판부, 2004), pp.99~100.)

것이다. 정부가 신규아파트 공급에 대한 확실한 정책을 국민들에게 제시하지 않는다면 앞으로 재건축대상아파트를 중심으로 아파트시장은 또 한번 가격 상승을 가져올 수도 있을 것이다. 이러한 의미에서 아파트가격 변동에 대한 연구가 중요하며, 특히 재건축대상아파트에 대한 연구는 더욱 중요하다고 할 수 있겠다.

재건축대상지역의 아파트에 대하여 보도하는 언론은 저밀도지구아파트, 고밀도지구아파트, 택지개발환경보존지구아파트 등을 구별하지 않고 일률적으로 재건축아파트라고만 보도하므로 강남권에 있는 아파트는 전부가 재건축대상아파트라고 시민들로 하여금 믿게 만들었다. 이러한 잘못된 믿음은 아파트가격 상승을 부채질하는 하나의 원인이 되었다.

재건축대상아파트도 자세히 분석해 보면 재건축사업 진행단계별로 가격 상승 폭도 다르다. 그러나 언론에서는 이를 구분하지 않고 발표하는 경우가 많았다. 그러다 보니 진행단계가 한참 지난 아파트나, 지금 시작하는 아파트나 거의 가격에 대한 편차 없이 보도되는 경우가 많았다.

재건축아파트사업 진행단계는 여러 가지로 구분할 수 는 있으나 본 연구에서는 재건축대상단계, 추진위원회구성단계, 시공사선정단계, 안전진단획득단계, 조합설립인가단계, 사업계획승인단계, 평형 및 동·호수 추첨단계 등 7가지 단계로 구분하였다.

이러한 단계에 따라서 서울시 25개 자치구 중에서 재건축대상아파트가 가장 밀집되어 있으며 아파트가격 상승의 진원지인 강남구, 서초구, 송파구, 강동구 등의 4개구[4]를 중심으로 한 강남권과 각 지역별(강남구, 서초구, 송파구, 강동구)로 나누어서 재건축사업을 추진 중인 아파트들의 가격 변동에 대해서 연구하였으며, 다음과 같은 연구목적을 가지고 분석하였다.

첫째, 전체아파트를 기준으로 하여 재건축사업 진행단계별로 가격변동이 있는지를 분석하였다.

둘째, 전체아파트의 평당가격이 재건축아파트의 가격변동에 영향을 미치는지에 대해서 분석하였다.

셋째, 재건축사업 진행단계별 평당가격 및 평형에 대한 가격변동을 시간별 가격기준과 회귀분석기준의 두 가지 방법으로 분석하여 최종 원인을 규명하였다.

이러한 세 가지 분석을 강남권아파트와 각 지역별아파트(강남구아파트, 서초구아파트,

---

3) 부동산시장에서는 수요공급 원칙이 분화되어 가고 있다. 아파트는 아파트대로, 주택은 주택대로, 상가는 상가대로 각각 분화되면서 수요공급의 원칙이 지켜진다.(조주현, 상게서, p.51.)

4) 본 연구에서는 이 4개구를 총칭하여 강남권아파트로 설명하고자 한다.

송파구아파트, 강동구아파트)로 구분하여 분석하였다.

## 2. 연구의 범위와 방법

본 연구는 재건축아파트사업에 있어서 진행단계별로 가격 변동의 차이가 있는지의 여부를 강남구, 서초구, 송파구, 강동구 등 4개 지역아파트와 4개 지역을 하나로 묶은 강남권아파트에 대해서 분석하였다. 이에 관한 조사 및 연구는 많지는 않았지만 끊임없이 다루어져 왔었다.

재건축아파트사업에 있어서 진행단계는 연구자의 관점에 따라서 제각기 다르게 구분할 수는 있지만, 재건축아파트사업 진행단계와 수요자의 행태에 입각하여 본 연구에서는 다음 7단계로 구분하였다.

첫째, 재건축대상단계로 재건축아파트에 투자하는 것이 일반아파트에 투자하는 것보다 유리하다고 판단하는 시기이다.

둘째, 추진위원회구성단계로 재건축사업이 본격적으로 추진된다는 것을 뜻하므로 투자자들이 증가하는 시기이다.

셋째, 시공사선정단계로 시공권을 획득하기 위한 건설회사들의 경쟁과 언론의 홍보로 재건축에 대해 모르고 있던 시민들도 재건축에 관심을 갖게 되여 투자에 관심을 갖는 시기이다.

넷째, 안전진단통과단계로 재건축대상아파트가 안전진단을 실시하여 불합격판정을 받으면 지금까지 조심스럽게 투자를 관망하던 수요가 투자에 적극적으로 가담하게 되는 시기이다.

다섯째, 조합설립인가단계로 조합원의 재산이 법적으로 조합에 신탁되는 과정으로 투자의 시기는 늦었지만 조금이라도 이익을 보기 위해 투자하게 되는 시기이다.

여섯째, 사업계획승인단계로 승인과 즉시 이주가 시작되므로 실수요자 위주로 투자하게 되며, 매도자는 매도가격이 최고라고 생각하고 매도하려고 하는 시기이다. 매도하려는 물건이 많을수록 가격은 하락한다.

일곱째, 동·호수추첨단계로 평형, 동, 호수 등 추첨결과에 따라 로열층과 비로열층 사이에 가격차이가 발생하며 재건축사업에 있어서 최고가격을 형성하는 시기이다.

분석에 필요한 자료는 첫째, 2005년 7월 8일을 기준으로 부동산인터넷 포탈사이트인 조인스랜드, 부동산랜드, 네오넷, 알114, 부동산서브, 스피드뱅크, 유니에셋 중에서 신뢰도가 가장 높다고 평가되는 중앙일보의 조인스랜드닷컴을 선정하여 회귀분석을 하였다.

둘째, 재건축사업 진행단계에 있는 아파트에 대한 시세는 부동산뱅크에서 1996년부터 2003년까지 발행한 월간지와 부동산인터넷사이트 중 가장 오래되어 과거시세가 기록되어 있는 부동산랜드사이트(1996년~2005년)를 선정하여 시간별 자료로 활용하였다.

회귀분석자료는 어느 한 시점을 기준으로 분석한 것이고, 시간별 자료는 각 진행단계마다 가격을 적용하여 분석한 것이다.

분석에 필요한 표본은 강남권 전체를 대상으로 재건축대상아파트 표본 525개와 일반아파트 표본 1,323개를 합하여 총 1,848개 표본을 기준으로 분석하였다. 표본 선정은 100세대 미만아파트 단지와 주거용오피스텔은 제외하였으나 재건축대상아파트에 속하는 아파트는 100세대 미만이더라도 표본 속에 포함시켰다.

지역별로는 강남구는 재건축대상아파트의 표본 187개와 일반아파트의 표본 446개 등 총 632개의 표본을 기준으로 하였고, 서초구는 재건축대상아파트의 표본 204개와 일반아파트의 표본 293개 등 총 497개의 표본을 기준으로 하였다. 송파구는 재건축대상아파트의 표본 66개와 일반아파트의 표본 312개 등 총 378개의 표본을 기준으로 하였고, 강동구는 재건축대상아파트 표본 69개와 일반아파트의 표본 272개 등 총 341개의 표본을 기준으로 하였다.

분석방법으로는 통계패키지를 활용하여 채택된 표본의 각 요인별 상관성과 재건축아파트사업 진행단계별 가격변동 및 전체아파트와 재건축아파트에 대해 각 지역별 및 강남권 전체로 구분하여 더미변수를 활용하여(지역별, 요인별로 미치는 영향을 분석하기 위하여 독립변수, 종속변수 등…….) 회귀분석을 하였다.

# Ⅱ. 재건축사업에 관한 이론적 고찰

## 1. 재건축사업의 개요

### 1) 재건축 사업의 개요

재건축이란 노후·불량주택[5]을 철거하고 그 철거한 대지 위에 새로운 주택을 건설하기 위해 기존 주택의 소유자가 재건축조합을 설립해 자율적으로 주택을 건설하는 사업을 말한다.

주택건설 촉진법 시행령(제4조의2)에서는 아파트와 연립주택을 재건축대상으로 한정하고 있으나 기타여건을 고려하여 사업 시행 상 불가피한 경우에는 단독주택·다세대 주택 등을 일부 포함하도록 하고 있으며, 노후·불량주택의 범위를 다음과 같이 규정하고 있다.

① 훼손되거나 일부가 멸실되어 도괴, 기타 안전사고의 우려가 있는 주택

② 준공한 후 20년이 경과되어 건물의 가격에 비하여 과다한 수선·유지비나 관리비용이 소요되는 주택

③ 건물이 준공된 후 20년이 경과하고 부근 토지의 이용 상황 등에 비추어 주거환경이 불량한 경우로서 건물을 재건축하면 그에 소요되는 비용에 비하여 현저한 효용의 증가가 예상되는 주택

④ 도시미관·토지이용도·난방방식·구조적 결함 또는 부실시공 등으로 인하여 재건축이 불가피하다고 관할 시장·군수 또는 자치구의 구청장이 인정하는 주택

이상의 내용에서 볼 때 재건축제도는 노후한 공동주택(아파트, 연립주택)을 대상으로 안전성 확보, 수선·유지관리비 절감, 토지효용 증대, 도시미관 개선 등을 위하여 시행하는 제도라 할 수 있고, 따라서 재건축의 목적은 주거지의 슬럼화를 방지하고 주거환경을 개선하는 목적과 재건축사업을 시행함으로써 개발이익을 통한 경제적 부를 얻고자 하는 것이다.

---

5) 주택의 노후화는 그 발생요인과 상화에 따라 물리적 시설물의 노후화, 경제적 노후화, 사회적 노후화, 기능상의 노후화 등 4종류로 구분할 수 있다(정창무, 무허가 불량주택정책에 관한 연구,(서울대학교대학원 박사학위논문, 1985, p. 6).

## 2) 재건축제도의 도입배경

아파트 도입 초기인 1960년대부터 70년대 초에 대량으로 공급되었던 시민아파트 등 대규모 아파트단지는 서민 또는 도시정비사업으로 철거당한 철거민을 수용하기 위한 주택으로, 설비나 시설물들이 현재의 공동주택에 비하여 크게 떨어질 뿐만 아니라, 저급한 자재의 사용이나 낙후된 시공기술은 아파트의 노후화를 가속시켰으며, 아파트 벽체의 누수, 균열, 배관의 부식과 현 실정에 맞지 않는 연탄아궁이, 단열재의 미사용 등으로 인하여 이들 주택에 대한 시설유지 및 보수비가 과다하게 소요되는 등 거주자는 경제적인 손실을 감수해야 할 뿐만 아니라 도괴의 위험성마저 내포하고 있었다. 이러한 건축물들은 현재와 비교하면 건폐율과 용적률이 상당히 낮아, 토지의 이용이 효율적이지 못하고 건축된지 20년이 지남으로써 발생되는 건물의 노후화로 인한 주위 환경과 조화되지 못하고 슬럼화 됨으로써 여러 가지 사회적인 부작용을 가지고 있어 토지의 효율적인 측면과 주거환경의 개선이라는 측면에서 재건축 제도의 필요성이 대두되기 시작하였다.

이러한 시대적인 배경과 더불어 1960년대에 건축된 노후화된 주택들의 주거환경을 개선하고자 하는 거주자들의 강력한 요구가 마포아파트 주민들을 필두로 하여 외부로 표출하기 시작하였다.

이는 1983년도부터 시행된 합동재개발방식의 영향을 크게 받은 것으로 재건축을 함으로써 커다란 경제적 이익을 얻게 되는 아파트단지를 중심으로 추진위원회가 결성되기 시작하였다. 그러나 그 법체계의 미흡으로 추진이 부진하였는데 1987년 12월 4일 주촉법 개정으로 재건축조합에 의한 재건축을 허용하고 1988년 6월 16일 동 법 시행령을 개정하여 재건축 대상 노후·불량주택의 범위를 명시함으로써 재건축제도가 활성화 되었다(이원준, 1998: 265~267). 이후 정부에서는 1993년 2월 24일과 동년 3월 6일 2차례에 걸친 주촉법 개정으로 재건축 요건을 대폭 완화시킴으로써 재건축을 활성화시키고자 하였다.

이처럼 노후·불량주택 소유자의 경제적 이익과 정부의 예산지원 없이 국민들의 생명과 재산을 보호한다는 취지가 맞아떨어지면서 재건축제도가 자리를 잡기 시작하였다.

## 2. 재건축아파트의 종류

재건축대상아파트의 종류로는 세 가지 종류가 있다. 저밀도지구아파트는 층고가 5층인 아파트를 말한다. 고밀도지구아파트는 10층~15층 사이의 층고를 가진 아파트이며, 택지개발환경보존지구아파트는 층고가 5층인 아파트이다.

저밀도지구아파트에는 서울시에 5개 지구가 있는데 잠실지구, 청담·도곡지구, 반포지구, 암사·명일지구, 화곡지구 등이 있으며 재건축 후 용적률은 270%+15%이고, 층고는 30층 정도이다.

고밀도지구아파트로는 13개 지구가 있는데 잠실지구, 반포지구, 여의도지구, 서초지구, 청담지구, 서빙고지구, 이수지구, 압구정지구, 원효지구, 이촌지구, 가락지구, 암사·명일지구, 아시아선수촌지구 등이 있으며 재건축 후 용적률은 230~250%이고, 층고는 제한이 없다.

택지개발환경보존지구아파트는 개포지구, 고덕지구, 가락지구, 둔촌지구 등이 있는데 용적률은 200%이하이고, 층고는 12~15층이다.

### 1) 저밀도지구 아파트

저밀도지구 아파트는 1996년 11월 14일 시행되었으며, 용적률은 기준 270%에 도로부지나 공원부지로 5% 개발이익환수를 할 경우 인센티브로 5% 더 높여주기로 하였고, 층고는 30층 정도이다. 서울시의 저밀도지구아파트는 총 5개의 지구가 있는데, 2005년 기준으로 청담·도곡지구에 9,074세대, 잠실지구에 21,250세대, 암사·명일지구에 4,920세대, 반포지구에 9,040세대, 화곡지구에 5,198세대 등 총 49,461세대가 있다(〈부록 표 10-1〉 참조).

### 2) 고밀도지구 아파트

고밀도지구 아파트는 아파트가 처음 도입된 1970년부터 건축된 아파트가 대다수이며 강남구는 압구정동, 청담동, 역삼동, 대치동 등이고, 서초구는 반포동, 잠원동, 서초동 등이고, 송파구는 잠실동, 신천동, 송파동 등이며, 강동구는 명일동 등이 여기에 속한다. 아파트 건립 초기부터 고밀도로 지정되어 있어 기존의 용적률은 저밀도지구나 택지개발환경보존지구보다 높기 때문에 재건축을 시행할 경우 수익성 여부에 관해서는 문제가 있지만, 층고 제한이 없을 경우에 한해서는 수익성이 높아 질 것이다.

고밀도지구 아파트에 해당되는 용적률은 230%가 기준이다. 정부가 개발이익환수제도를 시행 할 경우 임대아파트를 10~25%를 건립하여야 하는데 임대아파트의 건립에 따라 용적률을 최고 20%까지 상향조정하여 250%까지 가능하다. 특히, 층고에는 제한이 없다는 것이 특징이다 보니 언론에 압구정동 현대아파트는 50~60층을 재건축할 것이라고 발표가 나오는가 하면, 잠실주공5단지는 상업지구로 일부 대지를 용도 변경하여서 재건축한다고 발표하기도 하였다. 층고 제한이 없다는 점은 고밀도지구에서의 가장 큰 장점이다.

서울시의 고밀도지구 아파트는 총 13개 지구가 있다. 2005년 기준으로 청담·도곡지구에 총 36단지 154동 14,659세대, 압구정지구에 10,751세대, 반포지구에 총 42단지 160동 17,050세대, 서초지구에 총 28단지 139동 12,285세대, 이수지구에 총 5단지 30동 3,930세대, 잠실지구에 총 7단지 94동 10,840세대, 가락지구에 총 3단지 18동 2,070세대, 아시아선수촌지구에 1976년 8월 21일 지구지정이 되었고 2004년에는 기본계획을 변경하였으며, 이에 해당하는 아파트로는 아시아선수촌아파트 1단지로서 18동 1,356세대가 있으며, 암사·명일지구에 총 4단지 41동 5,136세대, 여의도지구에 총 212단지 80동 6,652세대, 서빙고지구에 총 22단지 119동 8,755세대, 이촌지구에 총8단지 27동 1,942세대, 원효지구에 1단지 6동554세대 등 고밀도지구아파트에는 총 190단지 1,011동, 95,215세대가 있다(〈부록 표 10-2〉 참조).

### 3) 택지개발 환경보존지구 아파트

택지개발 환경보존지구 아파트[6]는 1980년 이후 강남의 영동지역과 잠실지역 등 강남권의 개발로 강북의 인구 및 지방의 인구가 급속히 유입되자 환경보존지역을 일시에 해제시켜 택지로 개발한 지역이다. 이 들 지역은 대지지분이 많고 녹지가 많아 주민들이 생활하기에는 아주 편리한 장소이다. 택지개발환경보존지구의 기본 용적률은 200%이고 개발이익환수제도에 따른 임대아파트 건축 시 용적률의 증가분의 최고 25%까지 추가로 건축할 수 있음으로, 임대아파트를 건축하는 경우 25%만큼 용적률을 상향조정하여 최고 225%까지 건축할 수 있다. 층고는 12~15층으로 중밀도지구에 적합한 층고에 해당한다.

2005년 기준으로 개포지구에 총 5단지 269동 12,410세대, 가락지구에 총 2단지 134동

---

6) 택지개발환경보존지구아파트는 택지개발촉진법(2003. 5. 29. 일부 개정)을 기준으로 한다.: 법 제1조(목적) 이 법은 도시지역의 시급한 주택난을 해소하기 위하여 주택건설에 필요한 택지의 취득·개발·공급 및 관리 등에 관하여 특례를 규정함으로써 국민주거생활의 안정과 복지향상에 기여함을 목적으로 한다.

6,300세대, 둔촌지구에 총 4단지 191동 5,930세대, 고덕지구에 총 8단지 277동 11,530세대 등 택지개발 환경보존지구 아파트에는 총 19단지 861동 36,470세대가 있다(〈부록 표 10-3〉 참조).

### 4) 저밀도·고밀도·택지개발 아파트 비교

저밀도·고밀도·택지개발 환경보존지구 아파트를 비교해 보면, 강남권 전체 세대수 149,874세대 중 저밀도지구아파트가 42,107세대로 28%로를 차지하고, 고밀도지구아파트가 71,296세대로 48%를 차지하고, 택지개발환경보존지구아파트가 36,471세대로 24%를 차지하고 있다. 또한 저밀도지구아파트에서는 송파구가 21,250세대로 전체저밀도지구아파트에 48%를 차지하고 있으며, 고밀도지구아파트는 서초구가 28,655세대로 40%를 차지하였고, 강남구가 32%를 차지하여 고밀도지구아파트는 서초구와 강남구가 전체 고밀도지구아파트의 72%를 차지하였다. 택지개발 환경보존지구 아파트에서는 강남구가 12,411세대로 34%를 차지하였고, 강동구가 47%차지하여 강남구와 강동구가 81%를 차지하였다.

강남구는 전체재건축아파트에 비하여 47,701세대로 30%를 차지하였고, 서초구는 36,147세대로 24%를 차지하였고, 송파구는 41,980세대로 28%를 차지하였고, 강동구는 27,046세대로 18%를 자지하여 재건축에 대한 비중은 강남구, 서초구, 송파구, 강동구 순이 되었다.(〈표 10-1〉 및 〈그림 10-1〉 참조).

〈표 10-1〉 저밀도·고밀도·택지개발 환경보존지구 비교

| 구 분 | | | 저밀도지구 | 고밀도지구 | 택지개발환경 보존지구 |
|---|---|---|---|---|---|
| 현재 | 세대수 | 계 | 42,107 (28%) | 71,296 (48%) | 36,471 (24%) |
| | | 강남 | 9,015 | 23,275 | 12,411 |
| | | 서초 | 7,492 | 28,655 | 0 |
| | | 송파 | 21,150 | 14,230 | 6,600 |
| | | 강동 | 4,450 | 5,136 | 17,460 |
| | 대지지분 | | *건물면적과 동일 | *건물면적보다 적음 | *건물면적보다 많음 |
| | 층 고 | | 5층 | 5~15층 | 5층(80%) 10층(20%) |
| 향후 | 용적률 | | 270+15% | 230+20% | 200+25% |
| | 층 고 | | 25~34층 | 층고제한 없음 | 12~15층 |
| 재건축추진 사항 | | | 반포지구 일부만 제외하고는 전 지역이 재건축공사 중에 있거나 입주 완료상황 | 재건축추진위원회를 구성하고 있는 단지가 대 다수이나 개발이익 환수제 위헌 여부 결과에 따라 사업추진 속도가 달라질 것. | 안전진단은 통과되었으나, 조합설립인가 신청은 보류함. (개발이익 환수제 및 아파트 1회 매매에 대한 위헌판결 여부가 관심) |
| 단지별 특성 | | | 재건축세대수가 송파구에 많으므로 부동산 시장이 잠실지역에 집중됨. | 강남과 서초지역의 재건축 세대수가 많아 향후 부동산 시장을 주도해 나갈 수 있을 것. | 강남과 강동지역의 재건축 세대수가 많아 이 지역이 부동산 가격을 주도해 나갈 것. |

주 : 총 세대수는 149,874세대임.

[그림 10-1] 지역별 택지개발지구 비교 분석

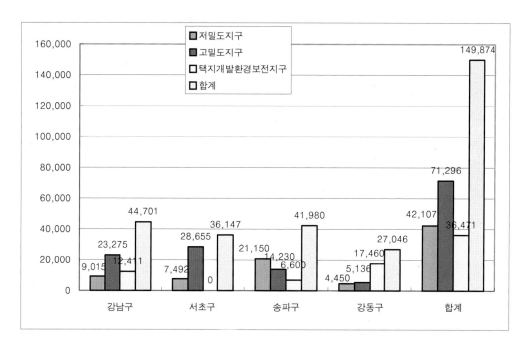

## Ⅲ. 분석지역의 특성과 아파트가격 현황

### 1. 분석지역의 특성

#### 1) 강남권지역 현황

재건축사업지는 1970년대 강남개발로 인하여 조성된 아파트들 즉, 20년 내지 30년을 경과한 아파트들이 집중된 곳이며 우선적으로 재건축이 시행되어야 할 지역이라 하겠다.

정부는 이러한 재건축지역을 개발이익환수제로 아파트가격을 안정화 시키려는 정책을 지속적으로 추진하고 있지만 이는 역으로 아파트 공급 감소를 가져와 아파트가격을 상승 시키는 하나의 원인으로 작용하였다. 즉, 2000년 말부터 나타난 아파트 가격상승은 정부의 규제위주 정책으로 인한 아파트 공급 감소에서 나타난 결과라 하겠다. 그럼에도 불구하고 현재의 정부정책 역시 공급량 위주의 정책이 아닌 개발의 규제와 개발이익환수라는 안정화정책으로 일관하고 있지만 과거의 사례에서 본 것처럼 2~3년 후에는 재건축 지연에 따른 주택공급량이 감소한 결과로 인하여 크나큰 손실이 발생할 것이다.

정부는 이점을 염두에 두어야 할 것으로 생각된다. 연암 박지원의 '허생전'에서 보듯이 공급량이 부족하면 매점매석이 발생하는 법이므로 아파트투기 자체도 공급량이 적기 때문에 자연적으로 발생하는 현상이다. 공급량을 확대시키지 않고 주택보급량을 확대시키는 방법의 일환으로 서울시의 인구를 분산시키려는 신도시정책을 역대 정부가 시행하였지만 서울의 인구가 감소하기보다 오히려 지방의 인구가 유입되어 거대한 수도권으로 발전하게 되는 등 정책의 목적과 수단이 전도되는 현상이 발생하게 된 것이다.[7]

강남지역의 개발과 더불어 강북지역의 개발억제로 인하여 강남지역은 문화적·교육적·교통적으로 모든 측면에서 강북지역보다 생활여건이나 환경이 향상되어 사람들이 지속적으로 강남지역으로 유입되게 되었다. 지속적인 인구유입의 결과 주택공급량 부족을 불러왔고 또한 20~30년 된 노후주택에 대한 재건축 필요성이 대두되기 시작하였다.

강남구의 대표적인 재건축대상지로는 압구정동, 대치동, 도곡동, 삼성동, 청담동, 역삼동 등으로 강남구 대부분의 지역이 재건축대상지이다. 서초구는 고속버스터미널 주변의 반포동, 잠원동, 법원주변의 서초동 등 서초구 전체가 재건축대상지이고, 송파구는 잠실대교를 중심으로 양 측면이 모두 재건축대상지이다. 강동구는 강남구와 서초구, 송파구처럼 대규모는 아니지만 둔촌동, 고덕동, 명일동 등 일부가 재건축 대상지이다. 강북에서 이 정도의 인프라를 갖춘 재건축 또는 재개발 등 주민을 위한 개발이 사실상 없었다고 할 수 있다.

1975년 10월 1일 강남지역은 강남구가 자치구로 승격하면서 본격적인 개발에 착수하였으며, 그 지역은 현재(2005)의 강동구, 송파구, 강남구, 서초구를 포괄하는 지역이었다. 개발 착수시기에는 인구 유입의 정도가 낮았으므로 강남구라는 대규모의 행정구역이 가능하였던 것이다.

1978년 10월 1일 인구의 유입 증가로 인해 3년 만에 강남구는 강동구로 분구가 되면서 탄천 동쪽은 강동구가 관할하고 탄천 서쪽은 강남구가 관할하게 되었던 것이다. 강동구의

---

7) 목표의 전환현상(displacement of goal) 또는 동조과잉현상(over-conformity)으로 본래 규칙이란 조직의 목표성취보다 합리적으로 성취하기 위해서 만들어 논 수단에 불과하다. 따라서 목표를 떠난 수단이나 절차는 생각할 수 없다. 그러나 목표가 수단에 의해서 대치되거나 밀려나는 경우를 말한다.(백완기, 행정학, 서울:박영사, 2000, p. 80).

분구로 강동구는 잠실지구의 개발과 송파지구 개발, 가락지구 개발, 명일지구개발, 둔촌지구개발, 고덕지구개발 등의 개발사업을 촉진하게 되었으며, 그 결과로 1988년 1월 1일 강동구에서 송파구가 분구되었다. 강남구는 반포지구개발, 서초지구개발, 방배지구개발, 삼성지구개발, 영동지구개발, 대치지구개발 등 개발에 전력을 다한 결과 강북의 인구와 지방의 인구는 강남권역으로 집중적으로 유입되게 되었으며 1988년 1월 1일 강남구에서 서초구가 분구되었다.

그 외에 재건축대상지를 중심으로 구별 주택재고현황과 서울시의 주택재고현황 및 주택유형별 즉, 아파트와 단독주택의 공급량의 추이, 주택보급률 및 주택의 자가보유율의 추이 그리고 인구밀도를 파악하였다.

### 2) 강남권 재건축대상아파트 현황

강남권 4개구 전체의 재건축대상 아파트를 분석해 보면 총 149,874세대 중에서 저밀도지구 아파트는 42,107세대로 28%에 해당하고, 고밀도지구아파트는 71,296세대로 48%에 해당하며, 택지개발환경보존지구아파트는 36,471세대로 24%에 해당한다. 전체 재건축 물량의 약 1/3에 불과한 28%의 저밀도지구아파트가 재건축하는데도 아파트가격은 지속적으로 증가하고 있으니, 고밀도지구아파트와 택지개발환경보존지구아파트가 본격적으로 재건축 할 경우 아파트가격의 상승은 급상승이 불가피 할 것이다.

강남권의 저밀도지구아파트를 분석해 보면, 저밀도지구아파트는 현재 공사 중이거나 일부 입주한 지역도 있다. 저밀도지구아파트는 송파구가 21,150세대로 전체구의 50%를 차지하므로 잠실지역 재건축이 아파트가격의 상승을 주도하고 있는 것이 증명이 되는 셈이다. 강남구는 9,015세대로 전체의 21%가 되어 서초구와 비슷하지만 서초구는 재건축사업의 진행이 순탄하지 않아 거의 공사가 없다고 보아야 할 것이다.

향후 재건축이 활발할 것으로 보는 지역은 고밀도지구아파트 지역이므로 서초구 반포동, 잠원동, 서초동 일대와 강남구의 대치동, 압구정동, 도곡동, 삼성동 등이 아파트가격 시장을 주도해 나갈 것으로 예측된다. 택지개발지구의 재건축이 본격적으로 시행되면 강남구의 개포지구와 송파구의 가락지구, 강동구의 둔촌지구와 고덕지구가 아파트가격을 주도하게 될 것으로 예측된다(〈표 10-2〉 참조).

〈표 10-2〉 강남권지역 재건축대상아파트 현황

(단위 : 세대)

| 구 분 | | 계 | 저밀도 | 고밀도 | 택지개발 |
|---|---|---|---|---|---|
| 계 | | 149,874 (100%) | 42,107 (28%) | 71,296 (48%) | 36,471 (24%) |
| 강남구 | | 44,701 (30%) | 9,015 | 23,275 | 12,411 |
| | 100% 기준 시 | | 20% | 52% | 28% |
| 서초구 | | 36,147 (28%) | 7,492 | 28,655 | 0 |
| | 100% 기준 시 | | 21% | 79% | 0 |
| 송파구 | | 41,980 (28%) | 21,150 | 14,230 | 6,600 |
| | 100% 기준 시 | | 51% | 34% | 15% |
| 강동구 | | 27,046 (14%) | 4,450 | 5,136 | 17,460 |
| | 100% 기준 시 | | 16% | 19% | 65% |

자료 : 조인스랜드닷컴 2005. 7. 8.

## 2. 분석지역의 아파트 가격 현황

분석지역인 강남구, 서초구, 송파구, 강동구의 아파트를 중앙일보와 연관이 있고 부동산 시세 제공회사에서도 신뢰도가 높은 조인스랜드닷컴을 선정하여 2005년 7월 8일을 기준으로 매매가격 및 세대수 등을 조사하였다.

아파트 가격은 상한가와 하한가 등 편차가 많으나 아파트 시세를 말하면 주로 상한가를 뜻하고 있고, 아파트 가격이 상승할 때도 상한가가 먼저 상승하고 아파트 가격이 하락할 때도 상한가가 먼저 급매로 하락하므로 하한가를 기준으로 삼는 것보다는 상한가를 기준으로 삼는 것이 옳다고 본다. 또한 상한가와 상한가의 평균가격도 고려해 보았으나 아파트 가격에는 평균가격은 있을 수 없는 것이다. 아파트가 매매되면 상한가를 기준으로 매매되고 평균가격으로 매매되는 경우는 없기 때문에 평균가격으로 연구하는 것은 불합리하다고 판단되어 상한가를 기준으로 조사하였다.

## 1) 분석지역의 전체아파트가격 현황

강남구아파트는 251개 단지 100,465세대, 총 매매가격은 69,605,500만원, 평당 가격은 2,385만원으로 조사되었고, 서초구아파트는 198개 단지 63,724세대, 총 매매가격은 49,844,600만원, 평당 가격은 1,950만원으로 조사되었고, 송파구아파트는 150개 단지 93,750 세대, 총 매매가격은 26,376,000만원, 평당 가격은 1,566만원으로 조사되었고, 강동구 아파트 는 159단지 59,770세대, 총 매매가격은 20,231,300만원, 평당 가격은 1,145만원으로 조사되었 고, 4개구를 총 합산한 결과 758개 단지 317,709세대, 총 매매가격은 166,057,400만원, 평당 가격은 1,860만원으로 조사되었다. 조사 결과 강남구아파트의 총 매매가격은 전체의 41.9% 를 차지하고 강남구와 서초구아파트의 총 매매가격을 합치면 강남권 전체아파트 매매가격 의 71.9%를 차지한다. 송파구와 강동구아파트 가격은 이에 비하면 미미한 수준이다(〈표 10-3〉 참조).

〈표 10-3〉 분석지역의 전체아파트가격 현황

(단위 : 만원, 세대)

| 구 별 | 세대수 | 총매매가 | 평당가격 | 세대당 매매가격 | 단지수 |
|---|---|---|---|---|---|
| 전 체 | 304,312(100%) | 132,890,900 | 2,034 | 436 | 553 |
| 강남구 | 97,285(31.6%) | 58,811,600(41.9%) | 2,543 | 605 | 197 |
| 서초구 | 59,937(20.0%) | 39,268,100(30.0%) | 2,025 | 655 | 145 |
| 송파구 | 91,277(29.5%) | 21,952,500(15.8%) | 1,739 | 241 | 113 |
| 강동구 | 55,813(18.9%) | 12,858,700(11.0%) | 1,264 | 230 | 98 |

자료 : 조인스랜드닷컴 2005. 7. 8.

## 2) 분석지역의 재건축대상아파트가격 현황

### (1) 저밀도지구 아파트 가격 현황

재건축사업지 중에서도 재건축대상아파트의 아파트가격을 조사하였는데 그 중에서도 저밀도지구아파트에 대해서 조사한 내용을 보면, 강남구는 12개단지 9,015세대, 총 매매가 격은 3,541,000만원, 평당 가격은 4,817만원으로 조사되었고, 서초구는 5개 단지 7,492세대,

총 매매가격은 2,030,000만원, 평당 가격은 3,651만원, 송파구는 5개 단지 21,150세대, 총 매매가격 1,363,000만원, 평당 가격은 6,616만원으로 조사되었고, 강동구는 2개 단지 4,450세대, 총 매매가격은 500,000만원, 평당 가격은 4,716만원으로 조사되었고, 4개 구의 저밀도지구아파트 총 단지수는 24개 단지 42,107세대, 총 매매가격은 7,434,000만원, 평당 가격은 4,610만원으로 조사되었다. 총 매매가격을 보면 강남구가 전체의 47%를 차지하고 강남구와 서초구를 합치면 전체의 74%를 차지한다. 저밀도지구아파트도 강남구가 아파트가격을 주도하고 있다는 사실을 보여주고 있다(〈표 10-4〉 참조).

〈표 10-4〉 저밀도지구아파트가격 현황

(단위 : 만원, 세대)

| 구 별 | 단지수 | 세대수 | 총매매가 | 평당가격 | 비고(평형합계) |
|---|---|---|---|---|---|
| 합 계 | 24(100%) | 42,107(100%) | 7,434,000(100%) | 4,610 | 1,613 |
| 강남구 | 12(48%) | 9,015(21%) | 3,541,000(47%) | 4,817 | 735 |
| 서초구 | 5(20%) | 7,492(19%) | 2,030,000(27%) | 3,651 | 556 |
| 송파구 | 5(20%) | 21,150(50%) | 1,363,000(18%) | 6,616 | 216(강동106) |
| 강동구 | 2(12%) | 4,450(10%) | 500,000(8%) | 4,716 | 동서울 470세대 입주로 제외 |

자료 : 조인스랜드닷컴 2005. 7. 8.

(2) 고밀도지구 아파트 가격 현황

고밀도지구아파트의 가격을 조사한 내용을 보면, 강남구는 50개 단지 23,275세대, 총 매매가격은 13,746,000만원, 평당 가격은 2,574만원으로 조사되었고, 서초구는 65개 단지 28,655세대, 총 매매가격은 15,102,000만원, 평당 가격은 2,081만원으로 조사되었고, 송파구는 12개 단지 14,230세대, 총 매매가격은 3,938,000만원, 평당 가격은 2,284만원으로 조사되었고, 강동구는 4개 단지 5,136세대, 총 매매가격은 661,000만원, 평당 가격은 1,440만원으로 조사되었고, 4개 구 전체를 종합하면 총 131단지 71,296세대, 총 매매가격은 33,447,000만원, 평당 가격은 2,263만원에 달하고 있다. 특히 고밀도지구아파트의 총 매매가격은 조사대상 지역 중 강남구가 전체아파트의 41%를 차지했으며, 서초구는 전체아파트의 45%를 차지하고 있어 두 구를 합치면 무려 86%가 된다(〈표 10-5〉 참조).

〈표 10-5〉 고밀도지구 아파트 가격 현황

(단위 : 만원, 세대)

| 구 별 | 단지수 | 세대수 | 총매매가 | 평당가격 | 비고(평형합계) |
|---|---|---|---|---|---|
| 합 계 | 131(100%) | 71,296(100%) | 33,447,000(100%) | 2,263 | 14,776 |
| 강남구 | 50(39%) | 23,275(32%) | 13,746,000(41%) | 2,574 | 5,339 |
| 서초구 | 65(50%) | 28,655(40%) | 15,102,000(45%) | 2,081 | 7,254 |
| 송파구 | 12(8%) | 14,230(20%) | 3,938,000(12%) | 2,284 | 1,724 |
| 강동구 | 4(3%) | 5,136(8%) | 661,000(2%) | 1,440 | 459 |

자료 : 조인스랜드닷컴 2005. 7. 8.

(3) 택지개발 환경보존지구 아파트 가격 현황

택지개발 환경보존지구 아파트는 강남구 5개 단지 12,411세대, 총 매매가격은 1,494,500만원, 평당 가격은 4,714만원으로 조사되었고, 송파구 2단지 6,600세대, 총 매매가격은 425,000만원, 평당 가격은 4,086만원으로 조사되었고, 강동구 12개 단지 17,460세대, 총 매매가격은 2,478,200만원, 평당 가격은 2,750만원으로 조사되었다.

〈표 10-6〉 택지개발환경보존지구아파트가격 현황

(단위 : 만원, 세대)

| 구 별 | 단지수 | 세대수 | 총매매가 | 평당가격 | 비고(평형합계) |
|---|---|---|---|---|---|
| 합 계 | 19(100%) | 36,471(100%) | 4,397,700(100%) | 2,888 | 7,964 |
| 강남구 | 5(26%) | 12,411(34%) | 1,494,500(34%) | 4,714 | 5,339 |
| 서초구 | 0 | 0 | 0 | 0 | 0 |
| 송파구 | 2(11%) | 6,600(19%) | 425,000(10%) | 4,086 | 1,724 |
| 강동구 | 12(63%) | 17,460(48%) | 2,478,200(56%) | 2,750 | 901 |

자료 : 조인스랜드닷컴 2005. 7. 8.

4개 구를 합산하여 보면 총 19단지 36,471세대, 총 매매가격은 4,397,700만원, 평당 가격은 2,888만원으로 조사되었다. 강남구가 전체의 34%를 차지하고 강동구가 56%를 차지하여 외형상 세대수는 비슷하나 평당 가격에서 강남구의 4,714만원보다 1,964만원 적은 2,750만원으로 조사되어 아파트가격은 강남구가 월등히 높다는 것을 알 수 있다(〈표 10-6〉 참조).

(4) 분석지역의 재건축대상 아파트 가격 현황

 재건축사업지에 있는 재건축대상아파트인 저밀도지구아파트, 고밀도지구아파트, 택지개
발보존지구아파트 등 3종류의 아파트를 종합해서 조사해 본 결과 총 174단지 149,874세
대, 총 매매가격은 45,067,700만원, 평당 가격은 2,546만원으로 조사되었다. 강남구는 67개
단지 44,701세대, 총 매매가격은 18,781,500만원, 평당 가격은 2,938만원, 서초구는 70개 단
지 36,147세대, 총 매매가격은 17,132,000만원, 평당 가격은 2,193만원, 송파구는 19개 단
지 41,980세대, 총 매매가격은 5,726,000만원, 평당 가격은 2,815만원, 강동구는 18개 단지
27,046세대, 총 매매가격은 3,428,200만원, 평당 가격은 2,338만원으로 조사되었다. 총 매매
가격에서는 강남구가 42%, 서초구가 38%로 강남권역 재건축아파트에서 총 80%를 차지
하였다(〈표 10-7〉 참조).

〈표 10-7〉 분석지역의 재건축대상 아파트 가격 현황

(단위 : 만원, 세대)

| 구 별 | 단지수 | 세대수 | 총매매가 | 평당가격 | 비고(평형합계) |
|---|---|---|---|---|---|
| 합 계 | 174(100%) | 149,874(100%) | 45,067,700(100%) | 2,546 | 17,701 |
| 강남구 | 67(39%) | 44,701(30%) | 18,781,500(42%) | 2,938 | 6,391 |
| 서초구 | 70(40%) | 36,147(24%) | 17,132,000(38%) | 2,193 | 7,810 |
| 송파구 | 19(11%) | 41,980(28%) | 5,726,000(12%) | 2,815 | 2,034 |
| 강동구 | 18(10%) | 27,046(18%) | 3,428,200(8%) | 2,338 | 1,466 |

자료 : 조인스랜드닷컴 2005. 7. 8.

[그림 10-2] 분석지역의 재건축대상아파트가격 현황

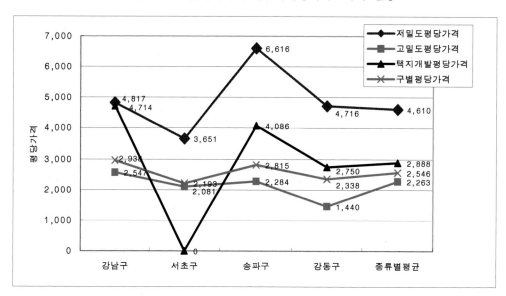

# Ⅳ. 재건축사업 진행단계별 가격변동요인 분석 결과

강남권 및 지역별 재건축아파트를 추진단계별 평당 가격을 비교 분석하였다. 강남권은 재건축대상단계에서 평당 가격이 1,024만원이었으나 동·호수추첨단계에서는 5,362만원으로 423% 상승하였다. 강남구는 초기단계에서 1,082만원 이였으나 동·호수추첨단계에서는 5,191만원으로 379% 상승하였다. 서초는 초기단계에서 990만원 이였으나 동·호수 추첨단계에서는 6,097만원으로 515% 상승하였다. 송파구는 초기단계에서 991만원 이였으나 동·호수 추첨단계에서는 6,522만원으로 558% 상승하였다. 강동구는 초기단계에서 1,000만원이었으나 동·호수 추첨단계에서는 3,962만원으로 396% 상승하였다.

재건축단계에서 강남구는 강남권보다 5.6% 높았으나 동·호수추첨단계에서는 3.1% 감소하였다. 서초구는 강남권보다 3.3% 낮았으나 동·호수추첨단계에서는 13.7% 상승하였다. 송파구는 강남권보다 3.2% 낮았으나 동·호수추첨단계에서는 21.6% 상승하였다. 강동구는 강남권보다 2.3% 낮았으나 동·호수추첨단계에서는 26.1% 더 낮아졌다.

저밀도지구아파트가 많고 재건축사업추진이 빠른 송파구가 재건축아파트 평당 가격에 있어서 타 지역에 비해 가장 높았고, 가격상승률도 가장 높았다. 가격 상승률에 있어서 강동구는 강남구보다 약 17%높았지만 평당 가격에 있어서 약 1,229만원(23.6%) 낮게 나타나 지역적인 열세가 그대로 투영되었다.

〈표 10-8〉 강남권 및 지역별 재건축사업진행단계별 평당 가격 비교

(단위 : 만원)

| 구 분 | 재건축대상 | 추진위구성 | 시공사선정 | 안전진단통과 | 조합설립인가 | 사업계획승인 | 동호수추첨 |
|---|---|---|---|---|---|---|---|
| 강남권 | 1,024(100%) | 1,144(11.7%) | 1,152(12.5%) | 1,494(45.8%) | 1,764(72.2%) | 2,397(134.0%) | 5,362(423%) |
| 강남구 | 1,082(100%) | 1,125(3.9%) | 1,184(9.4%) | 1,485(37.2%) | 1,523(40.7%) | 2,042(88.7%) | 5,191(379%) |
| 서초구 | 990(100%) | 1,118(12.9%) | 1,239(25.1%) | 1,485(50.0%) | 2,015(103.5%) | 3,241(227%) | 6,097(515%) |
| 송파구 | 991(100%) | 1,325(33.7%) | 1,357(36.9%) | 1,796(81.2%) | 2,071(108%) | 2,776(180%) | 6,522(558%) |
| 강동구 | 1,000(100%) | 1,174(17.4%) | 1,729(72.9%) | 1,848(84.8%) | 1,852(85.2%) | 1,868(86.8%) | 3,962(396%) |

자료 : 부동산뱅크(월간지, 1996~2003), 부동산랜드(1996~2005).

[그림 10-3] 강남권 및 지역별 재건축사업 진행단계별 평당가격 분석

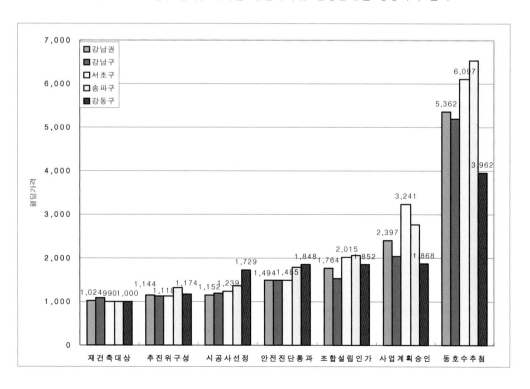

# V. 결 론

## 1. 연구의 요약 및 결론

부동산 가격 상승의 진원지인 강남구, 서초구, 송파구, 강동구를 강남권역으로 지칭하는데 강남권 전체아파트에 대한 가격조사 자료를 재건축대상아파트와 일반아파트로 나누어 분석하였다.

2003년 말 현재 서울시 주택보급률은 86.2%(서울시 추정)인데, 서울시에서 아파트를 공급할 수 있는 토지와 대지는 한계점에 도달함으로써 서울시민뿐만 아니라 전국적으로 부동산에 관심이 있는 국민이라면 서울에 있는 재건축대상지역에 대해서 관심을 갖게 되었다. 재건축대상아파트는 공교롭게도 강남권역에 치우쳐 있는 것이 현실이다.

재건축대상 아파트는 저밀도지구 아파트, 고밀도지구 아파트, 택지개발지구 아파트를 합하면 약 149,874세대가 되는데, 이를 강남권 전체 아파트 317,709세대와 비교하면 약 47.1%가 되며, 강남권 전체아파트 중 1/2이 재건축대상 아파트임을 알 수 있다. 또한, 2003년 기준으로 강남권 전체 주택 489,744세대와 비교 해 볼 때 약 30.6%가 재건축대상 아파트라는 것을 알 수 있다.

이렇듯 강남권 전체가 재건축대상지역이 됨으로써 부동산가격 상승이라는 말만 나오면 당연히 강남에 대한 규제가 최우선적으로 실시될 수밖에 없었던 것이다. 정부가 규제일변도의 정책을 통해서 부동산 가격을 어느 정도 안정화 시킬 수도 있겠지만 공급이라는 측면을 소홀히 할 경우 강남권의 재건축아파트는 주택부족에 따른 기대심리가 작용되어 또 다시 부동산가격을 상승시키는 진원지가 될 것이다. 이런 의미에서 재건축아파트의 가격변동에 대한 연구가 필요했던 것이다.

재건축대상아파트의 가격변동에 대한 연구를 보면, 과거에는 추진위원회 구성 단계, 안전진단통과 단계, 사업계획승인 단계 등 세 가지 또는 4가지 단계별로 연구가 이루어져 왔었으나, 본 연구는 재건축대상 여부, 추진위원회 구성, 건설시공사 선정, 안전진단 통과, 조합설립 인가, 사업계획 승인, 동ㆍ호수 추첨이라는 7단계로 세분화하여 분석하였으며, 분석방법이 제대로 설정되었는지를 검증하기 위해 더미변수를 독립변수로 사용할 수 있는 선형회귀분석을 하였다. 또한 재건축사업 진행단계에 따라 시간별로 가격을 분석하는 방법도 활용하였다.

회귀분석 방법으로 강남권 전체아파트를 기준으로 재건축사업 추진단계별 가격 상승여부를 분석하였고 강남구, 서초구, 송파구, 강동구 등 지역별로도 가격변동 자료를 가지고 재건축사업 추진단계별로 가격 상승여부를 분석하였다. 또한 강남권 전체아파트와 재건축아파트의 평당 가격을 비교하여 전체아파트의 가격이 재건축아파트 가격에 영향을 미치는가를 2005년 7월 8일 기준으로 회귀분석하였다.

시간별 분석 방법으로는 각 지역별로 재건축사업 진행단계를 아파트단지별로 세분화하여 가격을 조사하여 합산하여 분석하였고, 각 지역의 수치를 합산하여 강남권으로 분석하였다. 1996년부터 2005년까지의 가격을 진행단계별로 구분하여 합산한 것이다.

첫째, 강남권 전체 아파트를 기준으로 할 때 재건축아파트의 경우 동·호수추첨단계에서 가격 변동률은 412.1%로 상승하였다. 초기의 가격보다 약 4배 상승하였다. 강남구는 동·호수 추첨단계에서 가격 변동률은 491.7% 상승하여 초기의 가격보다 약 5배 상승하였다. 서초구는 동·호수추첨단계에서 가격 변동률은 397.8%로 상승하여 초기의 가격보다 4배 상승하였다. 송파구는 동·호수추첨단계에서 가격 변동률은 441.0%로 상승하여 초기의 가격보다 약 4.5배 상승하였다. 강동구는 동·호수추첨단계에서 가격 변동률은 549.7% 상승하여 초기의 가격보다 약 5.5배 상승하였다.

둘째, 강남권 전체아파트의 평당 평균가격을 기준으로 할 때, 전체아파트의 가격변동이 재건축아파트 가격에 영향을 미치는 것으로 분석되었다. 강남구는 재건축사업 초기에는 상호 영향이 없다가 재건축 후기에는 재건축아파트의 가격변동이 전체아파트 가격에 영향을 미치는 것으로 분석되었다. 서초구는 재건축 초기에는 전체아파트의 가격변동이 재건축아파트 가격에 영향을 미치고 있었으나, 재건축 후기에는 이와 반대로 재건축아파트의 가격변동이 전체아파트의 가격에 영향을 미치는 것으로 분석되었다. 송파구는 재건축 초기에는 전체아파트가 약간의 영향을 주고 있었으나, 재건축 후기에는 재건축아파트의 가격변동이 전체아파트 가격에 영향을 미치는 것으로 분석되었다. 강동구는 재건축 초기에는 전체아파트의 가격변동이, 재건축 후기에는 재건축아파트의 가격변동이 영향을 미치는 것으로 분석되었다.

셋째, 강남권에서 안전진단통과단계와 조합설립인가단계에서의 부(-)의 효과가 나타난 것은 재건축아파트의 한 종류인 고밀도지구아파트가 많아 평균평형이 상승하여 평당 가격이 하락한 것으로 분석되었다. 강남구에서 시공사선정단계가 부(-)의 효과가 나타난 것도 고밀도아파트인 것으로 분석되었다. 서초구에서 시공사선정단계에서 "0"이 발생한 것과 안전진단단계에서 부(-)의 효과가 나타났다. 동일한 수치가 연속하여 나타날 때 회귀분석의 결과는 앞 단계에서는 "0"으로 처리하고 끝 단계에서는 "결과"가 나타나게 된다. 서초구에서도 시공사선정단계에서는 "0"으로 처리되고 안전진단단계에서 결과가 나타났는데 그 결과는 고밀도지구아파트인 것으로 분석되었다. 송파구는 시공사선정단계와 안전진단통과단계 및 조합설립인가단계의 수치가 동일하여 시공사선정단계와 안전진단통과단계에서는 "0"으로 처리되었다. 그러나 결과치는 조합설립인가단계에서 나타났는데 부(-)의 효과는 추진위구성단계에 있어 명확한 분석결과를 찾지 못하였다. 강동구는 사업계획승인단계에서 부(-)의 효과가 나타났는데 이 또한 고밀도지구아파트가 원인 것으로 분석되었다.

재건축사업 진행단계별 자료를 회귀분석과 시간별 가격 분석으로 분석해 본 결과 재건축아파트 종류에 있어서 고밀도지구아파트가 주원인으로 밝혀졌다. 분석 결과 고밀도지구아파트는 평형으로 분석하면 평당 가격이 하향하는 경향이 나타나고, 저밀도지구아파트나 택지개발환경보존지구아파트는 평형으로 분석하면 평당 가격이 상승하는 경향으로 나타났다. 서로의 특성이 다른데도 불구하고 평형이라는 하나의 특성으로 분석해서 나타난 결과이다. 재건축아파트는 대지지분으로 가격을 결정하는데 분석을 할 경우에는 건축면적인 평형을 기준으로 삼았기 때문에 발생한 것이다.

추후 재건축아파트에 대하여 가격변동에 대한 분석을 할 경우에는 대지지분을 기준으로 하여 연구해야 할 것이다.


## 2. 연구의 한계 및 향후 과제

재건축아파트사업 진행단계별 연구에 있어서 논문 자료를 수합하고 분석하는 데는 많은 어려움이 있었다. 가격변동에는 사회적요인, 정치적요인, 심리적요인, 경제적요인 등 여러 가지 요인들이 있었으나, 이러한 제반요인들을 가격변동의 분석에 적용하기에는 너무 광범위하고 수치로 나타낼 수도 없는 등 현실적으로 연구 분석의 자료로 사용하기에는 한계점이 있었다. 이러한 한계점을 제외하고 연구 분석의 범위를 물리적 특성, 단지 특성, 지역 특성, 재건축진행단계별 특성으로 한정하였다.

또한 주거용 오피스텔을 아파트에 편입시켜야 하느냐에 대한 판단상의 어려움이 있었으나 본 논문에서는 제외시켰고, 세대수가 100세대 이하의 아파트도 제외시켰다. 다만, 재건축 대상아파트가 100세대 미만인 경우에는 포함시켰다.

재건축대상아파트에서도 저밀도지구아파트, 고밀도지구아파트, 택지개발지구아파트 등에 대해서도 가격의 변동에 대한 비교가치가 충분히 있음에도 재건축사업 사업진행단계별이라는 제목에 초점을 맞추게 됨으로써 각각의 재건축종류별로 정확히 분석을 하지 못하고 종합적인 분석을 하게 된 것도 연구의 한계점이라고 볼 수 있다.

재건축대상아파트 가격분석에 있어서 아파트의 평형 기준을 적용할 것인가, 대지지분을 적용할 것인가에 대한 판단상의 어려움도 있었다. 재건축대상아파트는 일반아파트와는 달리 평형을 중시하는 것이 아니라 대지지분을 중시하는 것인데 대지지분을 중시하면 일반아파트와 비교기준이 안 맞고, 평형을 기준으로 하면 평당가격이 상승하여 꽤 높은 아파트지역이라고 알려지는 단점도 있었으나 자료를 동일하게 맞추기 위하여 대지지분이 기준이 아닌 평형이 기준이 되는 연구를 해야 하는 한계점이 있었다.

동·호수 추첨에 있어서 평형을 지원하는 배정방법에 대해서도 자세히 발표한 논문이 없어 일반적인 매매가를 적용하였는데 엄밀히 한다면 재건축대상아파트의 기존평형의 순위, 대지 지분, 배정받을 평형의 세대수 등 많은 변수가 고려되는 것이 옳으나 현실적으로 분석하지 못한 연구의 한계가 있었다.

향후 과제로는 주거용 오피스텔은 계속 증가할 것이기 때문에 아파트나 주택의 수로 합산되어 분석 자료로 활용해야 할 것이고, 재건축대상아파트인 저밀도지구아파트, 고밀도지구아파트, 택지개발지구아파트에 대해서는 제 각각 분석을 하여 가격변동의 차이와 원인을 보다 세밀하게 분석하는 것이 필요할 것이다.

재건축대상아파트의 평형을 기준으로 할 때의 문제점과 대지지분을 기준으로 할 때의 문제점이 서로 상충하므로 대지지분만을 가지고 연구 분석할 필요도 있다. 또한, 동·호수 추첨 시 배정받은 평형에 대해서 기존의 평형의 순번과 대지지분의 순번, 세대수, 새로 배정받을 평형의 세대수 등의 변수를 자세하게 연구 분석하는 것이 필요하다.

# 참고문헌

강금식.(2003). 현대통계학, 서울 : 박영사.

강병서·김계수.(1998). 통계분석을 위한 SPSSWIN, 서울 : 법문사.

김규영.(2002). 알기쉬운 투자론, 서울 : 박영사.

김영진.(1985). 부동산학 총론, 서울 : 범론사.

김재덕.(1990). 부동산 경영원론, 서울 : 박영사.

김종덕.(1999). 회귀분석, 서울 : 세종출판사.

백완기.(2000). 행정학, 서울 : 박영사.

손충기·백영균·박정환.(2003) 내가 하는 통계분석, 서울 : 학지사.

윤대식·윤성순.(1995). 도시모형론, 서울 : 홍문사.

이원준.(1998). 부동산 경기와 전략분석, 서울 : 한국RE컨설팅연구원.

이원준.(1994). 부동산학 원론, 서울 : 박영사.

이중희.(1997). 주택경제론, 서울 : 박영사.

이춘희.(1993). 신주택사업 업무편람, 서울 : 신주택미디어.

조주현.(2004). 부동산시장분석론, 서울 : 부연사.

조주현.(2000). 부동산학 개론, 서울 : 건국대학교출판부.

조주현.(2002). 부동산학 원론, 서울 : 건국대학교출판부.

하성규.(2001). 주택정책론, 서울 : 박영사.

황명찬.(1993). 한국의 토지와 주택, 서울 : 법문사.

고원영.(2000). 도시 주거환경이 공동주택가격에 미치는 영향, 연세대학교 대학원박사학위논문.

곽승준·허세림.(1994). 헤도닉 가격기법을 이용한 주택특성의 잠재가격 추정, 서울 : 주택연구.

구본창.(2000). 분양가 차등화를 위한 아파트 특성별 가격차에 관한 연구, 서울 : 주택연구.

구본창·송현영.(2001). 아파트 특성별 가격차이, 서울 : 주택포럼.

구인효.(2001). 재건축 아파트 시장의 수익률 변동요인에 관한 연구, 홍익대학교 대학원 석사학
    위논문.

김선중.(1988). 공동주택 유지·관리체계화를 위한 결함의 현황과 수선시기에 관한 연구, 연세대
    학교 대학원 박사학위논문.

김영환.(1997). 재개발·재건축아파트지역의 주거환경 개선에 관한 연구, 서울대학교 대학원 박

사학위논문.

김의준·김양수·신명수.(2000). 수도권 아파트가격의 지역간 인과성 분석, 대한국토·도시계획
학회지.

김재태.(2002). 아파트 가격 결정요인에 관한 연구, 경기대학교 대학원 박사학위논문.

김주영.(2003). 아파트 가격에 내재한 개발밀도 가치의 차이에 관한 연구, 한국주택학회.

김창석·김주영.(2002). 아파트 용적률이 주택가격에 미치는 영향, 대한국토·도시계획학회지.

김호철·김병량.(2000). 고밀도아파트 재건축의 정책방향에 관한 연구, 한국지역개발학회지.

백인길.(1995). 공동주택 재건축의 개발기준 개선방안에 관한연구, -개발이익을 중심으로-, 서울
대학교 대학원 박사학위논문.

송명규.(1992). 학군의 질과 명성이 주택가격에 미치는 효과에 대한 실증적 연구, 지역사회개발
연구.

오동훈·이민석.(2004). 주택재건축사업의 진행단계별 가격상승규모 추정에 관한 실증연구, 대
한국토·도시계획학회지.

윤정중·유완.(2001). 도시경관의 조망특성이 주택가격에 미치는 영향, 대한국토·도시계획학
회지.

이계평.(1996) 서울의 주택시장과 대기질개선 편익에 관한연구 -식별문제를 고려한 헤도닉 가격
기법의 응용-, 서울대학교 대학원 박사학위논문.

이번송·정의철·김용현.(2001). 아파트 단지특성이 아파트 가격에 미치는 영향분석, 국제경제
연구.

이상경·신우현.(2001). 재건축 가능성이 아파트 가격에 미치는 영향, 대한국토·도시계획학회지.

이왕기.(1996). 아파트 가격에 내재한 경관조망가치의 측정 및 분석, 한양대학교 석사학위논문.

이용만·이상한.(2003). 강남지역의 주택가격이 주변지역의 주택가격을 결정하는가?,대한국토·
도시계획학회지.

이정민.(2001). 서울시 강남지역 아파트가격 환경요인 분석, 홍익대학교 대학원 박사학위논문.

이창무.(2004). 재건축가능성이 아파트 가격형성에 미치는 영향, 대한국토·도시계획학회지.

임민호.(1995). 재건축사업시행에 있어 개발이익에 관한 연구, 홍익대학교 대학원 석사학위논문.

정의철.(2003). 개발밀도가 아파트 가격에 미치는 효과분석, 대한국토·도시계획학회지.

정홍주.(1995). 아파트 가격결정모형에 관한 실증연구 -서울지역 한강변아파트를 중심으로- 건
국대학교 대학원 석사학위논문.

조문현.(2000). 노후·불량주택 재건축시행에 관한 연구 -재건축조합 및 시공사선정위 문제점을
중심으로-, 건국대학교 행정대학원 석사학위논문.

조주현.(1998). 주거밀도가 주택가격에 미치는 영향에 관한 연구, 건국대학교 사회과학논총.

최막중.(2001). 용적률 및 개발용도 규제의 변화가 지가에 미치는 영향에 관한 이론적 분석, 대한국토·도시계획학회지.

최명섭·김의준·박정욱.(2003). 공간종속성을 고려한 서울시아파트가격의 공간 영향력, 지역연구.

최열·공윤경.(2003). 재건축특성과 공동주택 가격과의 관계, 대한국토·도시계획학회지.

한혜진.(2003). 재건축사업이 아파트가격에 미치는 영향력에 관한 연구, 건국대학교 대학원 석사학위논문.

강동아파트재건축조합, 표준규약, 2004.12.

건교부, 국토건설 25년사, 1987.12.

대한주택공사, 주택편람, 1999

도시 및 주거환경법 해설, (주)미래파워, 2003.

부동산뱅크, '96.1~2000.12' 월간지

서울시내 신문사, 재건축관련 보도자료 1995~2005.

서울시주택국, 서울시 통계, 2003.

주택사업공제조합, 주택공제편람, 2003.3

통계청, 서울통계편람, 2000센서스

현대주택, 한국주택편람, 서울 : 주택문화사, 2003.

JOINSLAND.COM (조인스랜드)

LAND.CO.KR (부동산랜드)

NEONET.CO.KR (부동산뱅크)

R114.CO.KR (부동산 알114)

SERVE.CO.KR (부동산서브)

SPEEDBANK.CO.KR (부동산스피드뱅크)

UNIASSET.COM (부동산 유니엣셋)

〈부록 표 10-1〉 서울시 5개 저밀도지구 아파트 현황

| 지구 | 단 지 | 총세대 | 평형 | 세대수 | 추진현황 | 준공일 |
|---|---|---|---|---|---|---|
| 잠실<br>지구 | 잠실시영 | 6,000 | 20 | 410 | 평형 및 동·호수 추첨 | '75.10 |
| | | | 17 | 570 | | |
| | | | 14 | 400 | | |
| | | | 13 | 4,520 | | |
| | 잠실주공1 | 5,390 | 15 | 270 | 평형 및 동·호수 추첨 | '76. 4 |
| | | | 13 | 4,020 | | |
| | | | 10 | 600 | | |
| | | | 8 | 500 | | |
| | 잠실주공2 | 4,450 | 19 | 730 | 평형 및 동·호수추첨 | '76. 4 |
| | | | 15 | 130 | | |
| | | | 13 | 3,590 | | |
| | 잠실주공3 | 3,280 | 17 | 280 | 평형 및 동·호수 추첨 | '76. 4 |
| | | | 15 | 3,000 | | |
| | 잠실주공4 | 2,130 | 17 | 2,130 | 평형 및 동·호수 추첨 | '76. 4 |
| 반포<br>지구 | 주공1단지 | 3,950 | 62 | 60 | 조합설립인가신청 | '74. 3 |
| | | | 42 | 720 | | |
| | | | 32 | 1,320 | | |
| | | | 22 | 1,490 | | |
| | 주공2단지 | 1,720 | 25 | 490 | 사업계획승인신청 | '78.12 |
| | | | 18 | 1,230 | | |
| | 주공3단지 | 2,400 | 25 | 650 | 평형 및 동·호수 추첨 | '80. 5 |
| | | | 16 | 1750 | | |
| | 신반포1차 | 790 | 51 | 60 | 조합설립인가신청 | '77.10 |
| | | | 33 | 160 | | |
| | | | 32 | 250 | | |
| | | | 28 | 320 | | |
| | 신반포15차 | 180 | 68 | 80 | 조합설립인가신청 | '82.10 |
| | | | 56 | 70 | | |
| | | | 45 | 30 | | |
| 청담<br>·<br>도곡<br>지구 | 해 청 | 810 | 50 | 20 | 평형 및 동·호수 추첨 | '74. 3 |
| | | | 40,41 | 60 | | |
| | | | 35 | 60 | | |
| | | | 32 | 70 | | |
| | | | 29 | 40 | | |
| | | | 27,28 | 200 | | |
| | | | 25,26 | 260 | | |
| | | | 22,23 | 100 | | |

| 지구 | 단 지 | 총세대 | 평형 | 세대수 | 추진현황 | 준공일 |
|---|---|---|---|---|---|---|
| 청담 · 도곡 지구 | AID차관 | 914 | 22 | 170 | 사업승인신청 | '74.11 |
| | | | 15 | 744 | | |
| | | 760 | 15 | 760 | | |
| | 영동1~3 | 2,590 | 13 | 2,590 | 평형 및 동·호수 추첨 | '74.11 |
| | 개나리1~3 | 290 | 29 | 100 | 평형 및 동·호수 추첨 | '80. 5 |
| | | | 26 | 100 | | |
| | | | 21 | 90 | | |
| | | 300 | 19 | 150 | | |
| | | | 28 | 150 | | |
| | | 230 | 61 | 30 | | |
| | | | 57 | 30 | | |
| | | | 47 | 40 | | |
| | | | 41 | 40 | | |
| | | | 38 | 30 | | |
| | | | 31 | 30 | | |
| | | | 30 | 30 | | |
| | 도곡주공 | 2,450 | 13 | 1,000 | 평형 및 동·호수 추첨 | '77. 6 |
| | | | 10 | 1,450 | | |
| | 도곡주공2 | 600 | 13 | 600 | 평형 및 동·호수 추첨 | '74. 3 |
| | 신도곡 | 120 | 17 | 60 | 평형 및 동·호수 추첨 | '77. 7 |
| | | | 21 | 60 | | |
| | 우 신 | 1,170 | 24 | 240 | 평형 및 동·호수 추첨 | '78. 4 |
| | | | 20 | 400 | | |
| | | | 17 | 530 | | |
| 화곡 지구 | 주공2단지 | 1,754 | 13 | 1,754 | 평형 및 동·호수 추첨 | '78. 3 |
| | 양서1단지 | 290 | 31 | 290 | 평형 및 동·호수 추첨 | '79. 7 |
| | 양서3단지 | 100 | 28 | 100 | 평형 및 동·호수 추첨 | '79. 4 |
| | 홍 진 | 90 | 20 | 90 | 평형 및 동·호수 추첨 | '79. 6 |
| | 내발산주공 | 1,550 | 13 | 1,150 | 평형 및 동·호수 추첨 | '78. 5 |
| | | | 10 | 400 | | |
| | KAL | 204 | 20 | 204 | 평형 및 동·호수 추첨 | '79. 5 |
| | 세 림 | 40 | 32 | 40 | 평형 및 동·호수 추첨 | '82. 5 |
| 암사 · 명일 지구 | 강동시영1 | 3,000 | 11 | 1,200 | 평형 및 동·호수 추첨 | '79.12 |
| | | | 13 | 900 | | |
| | | | 15 | 900 | | |
| | 강동시영2 | 1,400 | 13 | 350 | 평형 및 동·호수 추첨 | '80.10 |
| | | | 15 | 730 | | |
| | | | 17 | 320 | | |
| | 동서울 | 470 | 15 | 270 | 입주완료 | '81. 4 |
| | | | 19 | 200 | | |
| | 한 양 | 50 | 22 | 50 | 평형 및 동·호수 추첨 | '82. 4 |

자료 : 조인스랜드닷컴 2005. 7. 8.

〈부록 표 10-2〉 서울시 13개 고밀도지구 아파트 현황

| 연번 | 지구명 | 지구지정일 | 단지수 | 동 수 | 세대수 | 기본계획변경추진 | 비 고 |
|------|--------|-----------|--------|-------|--------|------------------|-------|
| 계 | | | 190 | 1,011 | 95,215 | | |
| 1 | 청담·도곡 | '76.8.21 | 36 | 154 | 14,659 | 2002 | |
| 2 | 압구정 | '76.8.21 | 21 | 125 | 10,022 | 2002 | |
| 3 | 반 포 | '76.8.21 | 42 | 160 | 17,050 | 2002 | |
| 4 | 서 초 | '76.8.21 | 28 | 139 | 12,285 | 2002 | |
| 5 | 이 수 | '76.8.21 | 5 | 30 | 3,930 | 2003 | |
| 6 | 잠 실 | '76.8.21 | 7 | 94 | 10,804 | 2002 | |
| 7 | 가 락 | '79.11.7 | 3 | 18 | 2,070 | 2003 | |
| 8 | 아시아선수촌 | '83. 7.6 | 1 | 18 | 1,356 | 2004 | |
| 9 | 암사·명일 | '79.11.7 | 4 | 41 | 5,136 | 2004 | |
| 10 | 여의도 | '76.8.21 | 12 | 80 | 6,652 | 2002 | |
| 11 | 서빙고 | '76.8.21 | 22 | 119 | 8,755 | 2002 | |
| 12 | 이 촌 | '76.8.21 | 8 | 27 | 1,942 | 2003 | |
| 13 | 원 효 | '76.8.21 | 1 | 6 | 554 | 2003 | |

자료 : 조인스랜드닷컴 2005. 7. 8.

〈부록 표 10-3〉 서울시 택지개발 환경보존지구 아파트 현황

| 지구명 | 아파트명 | 준공일 | 동 수 | 층 수 | 평 형 | 세대수 | 비 고 |
|---|---|---|---|---|---|---|---|
| 총 계 | | | 861 | | | 36,470 | |
| 강남구 | 개포시영 | 1883 | 30 | 5 | 10 | 300 | 안전진단통과 |
| | | | | 5 | 13 | 1,000 | |
| | | | | 5 | 17 | 480 | |
| | | | | 5 | 19 | 190 | |
| | 개포주공1 | 1982 | 124 | 5 | 11 | 530 | 조합설립인가 |
| | | | | 5 | 13 | 1,530 | |
| | | | | 5 | 15 | 1,795 | |
| | | | | 5 | 16 | 65 | |
| | | | | 5 | 17 | 1,055 | |
| | | | | 5 | 18 | 65 | |
| | 개포주공2 | 1982 | 32 | 5 | 8 | 460 | 안전진단통과 |
| | | | | 5 | 16 | 200 | |
| | | | | 5 | 19 | 200 | |
| | | | | 5 | 22 | 290 | |
| | | | | 5 | 25 | 250 | |
| | 개포주공3 | 1982 | 25 | 5 | 11 | 480 | 안전진단통과 |
| | | | | 5 | 13 | 1,580 | |
| | | | | 5 | 15 | 780 | |
| | 개포주공4 | 1983 | 58 | 5 | 11 | 610 | |
| | | | | 5 | 13 | 380 | 안전진단통과 |
| | | | | 5 | 15 | 170 | |
| | 계 | | 269 | | | 48,710 | |
| 송파구 | 가락시영1 | 1981 | 74 | 5 | 13 | 1,650 | 안전진단통과 |
| | | | | 5 | 15 | 770 | |
| | | | | 5 | 17 | 1,180 | |
| | 가락시영2 | 1982 | 60 | 5 | 10 | 300 | 안전진단통과 |
| | | | | 5 | 13 | 1,200 | |
| | | | | 5 | 17 | 1,200 | |
| | | | | 5 | 19 | 300 | |
| | | | | | 7 | 100 | |
| | 계 | | 134 | | | 55,310 | |

| 지구명 | 아파트명 | 준공일 | 동 수 | 층 수 | 평 형 | 세대수 | 비 고 |
|---|---|---|---|---|---|---|---|
| 강동구 | 둔촌주공1 | 1980 | 46 | 5 | 16 | 300 | 추진위원회설립 |
| | | | | 5 | 18 | 210 | |
| | | | | 5 | 22 | 480 | |
| | | | | 5 | 25 | 280 | |
| | 둔촌주공2 | 1980 | 36 | 5 | 16 | 210 | 추진위원회설립 |
| | | | | 5 | 22 | 270 | |
| | | | | 5 | 25 | 420 | |
| | 둔촌주공3 | 1980 | 62 | 10 | 23 | 240 | 추진위원회설립 |
| | | | | 10 | 31 | 720 | |
| | | | | 10 | 34 | 520 | |
| | 둔촌주공4 | 1980 | 37 | 10 | 23 | 180 | 추진위원회설립 |
| | | | | 10 | 25 | 200 | |
| | | | | 10 | 31 | 360 | |
| | | | | 10 | 34 | 1,440 | |
| | 고덕시영 | 1984 | 43 | 5 | 13 | 800 | 안전진단통과 |
| | | | | 5 | 17 | 1,000 | |
| | | | | 5 | 19 | 500 | |
| | | | | 5 | 22 | 200 | |
| | 주공1단지 | 1983 | 21 | 5 | 13 | 390 | 조합설립인가 |
| | | | | 5 | 15 | 390 | |
| | 주공2단지 | 1984 | 71 | 5 | 11 | 34 | 안전진단통과 |
| | | | | 5 | 13 | 210 | |
| | | | | 5 | 14 | 261 | |
| | | | | 5 | 15 | 240 | |
| | | | | 5 | 16 | 1,141 | |
| | | | | 5 | 18 | 714 | |
| | 주공3단지 | 1984 | 68 | 5 | 11 | 38 | 안전진단통과 |
| | | | | 5 | 14 | 472 | |
| | | | | 5 | 16 | 1,367 | |
| | | | | 5 | 18 | 703 | |
| | 주공4단지 | 1984 | 10 | 5 | 16 | 239 | 시공사선정 |
| | | | | 5 | 18 | 171 | |
| | 주공5단지 | 1084 | 24 | 5 | 18 | 340 | 시공사선정 |
| | | | | 5 | 21 | 260 | |
| | | | | 5 | 24 | 145 | |
| | | | | 5 | 27 | 145 | |

| 지구명 | 아파트명 | 준공일 | 동 수 | 층 수 | 평 형 | 세대수 | 비 고 |
|---|---|---|---|---|---|---|---|
| 강동구 | 주공6단지 | 1984 | 25 | 5 | 18 | 321 | 시공사선정 |
| | | | | 5 | 21 | 259 | |
| | | | | 5 | 24 | 168 | |
| | | | | 5 | 27 | 132 | |
| | 주공7단지 | 1984 | 25 | 5 | 18 | 372 | 시공사선정 |
| | | | | 5 | 21 | 308 | |
| | | | | 5 | 24 | 117 | |
| | | | | 5 | 27 | 93 | |
| | | | 0 | | | 0 | |

자료 : 조인스랜드닷컴 2005. 7. 8.

# 제11장 지방자치단체 공유재산관리

안 종 욱*

# I. 서 론

## 1. 연구의 목적

우리나라의 경우 2004년 말 현재 전 국토 면적 99,617㎢(3백1억3000만평) 중 전국에 분포되어 있는 공유재산의 면적은 6,845㎢(20억7000 만평)로 전 국토 면적의 약 6.9%에 해당한다. 이를 재산가격으로 환산하면 156조 449억원이며 이 가운데 행정재산은 84.9%인 132조 5423억원에 달하고 있다(행정자치부, 2004: 2).[1] 하지만 우리나라의 여러 정부기관과 지방자치단체들은 국·공유재산에 대한 정확한 실태파악이 부족하고 중장기계획 수립 및 종합조정 기능이 취약하며, 관리담당자의 전문성이 떨어지는 등 재산관리체계의 효율성도 저하된 상태이다(국무조정실, 2005: 4).

이러한 공유재산 중 공유지(公有地)는 도시계획 등 미래의 행정수요에 대비한 각종 공간계획을 집행하기 위한 공공시설 부지를 확보해 두거나, 토지이용계획 등에 의해 보전이 필요한 지역을 사적 개발압력으로부터 보호하기 위해, 또는 정부가 직접 도시개발 사업에 참여하여 체계적인 도시성장을 유도하기 위한 수단으로서 중요한 정책적 기능을 담당하는 등 그 중요성이 날로 증대되고 있다.

현재 각 지방자치단체에서 관리되고 있는 공유재산의 비효율적 관리로 인해 제기되고 있는 문제점을 살펴보면 아래와 같다.

---

\* 건국대학교 대학원 행정학과

1) 2004년말 현재 한국의 국유지는 국토면적의 23.4%인 23,305㎢(70억5000만평)에 달한다.

첫째, 시 전역에 산재되어 있는 300㎡미만 과소(過小) 토지의 분산관리에 따른 운영부실이 심각한 실정이다. 이러한 과소(過小) 토지의 경우 대부분 도로개설 등 도시계획사업 시행을 위해 확대 보상되어 취득된 재산의 일부분으로 대부분 민간에 의해 점유당하고 있다. 둘째, 방대하고 다양한 특성을 가지고 있는 공유재산의 효율적 관리를 위한 관리 인력의 전문성이 취약하여 공유재산의 효과적 관리에 한계를 나타내고 있다. 셋째, 매년 시행되고 있는 공유재산 실태조사의 경우 담당인력 부족 등으로 인해 실질적인 실태조사가 제대로 이루어지지 않고 있는 실정이다.

이로 인해 누락이나 미 관리 공유재산들이 수년간 누적되고 있어 공유재산의 전체적인 실체 파악마저 어려운 실정이다.

이러한 공유재산의 전반적 관리부실 문제를 해결하기 위하여 현 공유재산관리의 문제점들을 객관적이고 실증적으로 분석하여 그 해결방안을 제시해 보고자 한다.

본 연구의 목적은 첫째, 현 공유재산의 관리 체계 및 현황을 정확히 파악하여 이를 실증적으로 분석하고, 그 분석결과를 토대로 하여 효율적 공유재산관리를 위한 실현 가능한 "공익성" 및 "수익성" 증진 방안을 제시하는데 있다.

둘째, 공유재산의 효율적 관리를 위한 정책의 개선방안을 모색하는데 그 목적이 있다. 공유재산의 경우 그 관리에 있어서 부동산 관련 전문지식이 절실히 요구되고 있으나 현재 공유재산을 관리하고 있는 일선 담당공무원들의 경우 대부분 비전문 공무원으로 충원되어 있어 전문성이 떨어지고 있는 실정이다. 또한 공유재산의 효율적 관리를 위한 관리 전담부서의 미비로 인하여 계획적이고 합리적인 공유재산의 이용 및 관리가 이루어지지 않고 있다. 본 연구에서는 이러한 공유재산의 효율적 관리를 위한 문제분석과 정책적 대안을 제시하고자 한다.


## 2. 연구범위와 방법


본 연구에서는 기존의 부분적이고 관념적인 공유재산관련 연구논문들의 한계를 벗어나기 위해 공유재산의 효율적 관리에 영향을 미치고 있는 주요 영향요인들을 실증적이고 포괄적으로 분석하여 합리적인 공유재산관리 정책 방안을 제시하고자 하였다. 이를 위해 1989년 이후 2004년까지 발표된 17여 편의 기존의 선행 연구논문에서 거론된 모든 변수들을 추출하여 이를 종합하고 유형별로 재분류함으로써 공유재산관리 영향요인에 대한 포괄적인 분석모델을 제시하고자 하였다. 이를 위해 서울특별시와 전국 지방자치단체들의 최근 10여년 간의 공유재산관리 실무 자료를 분야별로 비교분석하였다. 또한 공유재산을 직접 관리하고 있는 서울, 경기, 강원, 제주도 등 전국의 지방자치단체에서 재산관리업무를 수행하고 있는 담당공무원들을 대상으로 설문조사를 실시하였다. 그리고 설문조사의 객관성 확보를 위해 공유재산에 대한 실태조사 경험이 있는 부동산분야 전문가인 감정평가사들과의 인식을 비교분석하였다. 아울러, 설문분석의 신뢰성을 높이기 위해 선행연구에서 수행하지 않은 회귀분석과 구조모형분석을 병행하여 실시하였으며, 이를 비교·분석하여 보다 객관적이고 실증적인 공유재산관리 영향요인을 추출하고자 노력하였다.

# II. 공유재산 관리에 관한 이론

## 1. 공유재산관리에 관한 이론적 배경

재산이란 일정한 목적 하에 결합된 경제적 가치의 총체로서 이는 소유와 연결되는 법률적 개념이다(박우서 외, 1996: 49). 토지의 공유란 토지의 소유권을 국가나 지방자치단체가 보유하고 있는 상태를 말하며, 토지의 사유와 상반되는 의미를 지닌다.

우리나라 재산의 소유형태는 개인이 소유하는 사유재산과 지방자치단체가 소유·관리하는 공유재산 그리고 국가가 소유·관리하는 국유재산으로 나눌 수 있다. 이 중 국유재산과 공유재산은 1950년 4월 8일에 국유재산법이 제정되고 1963년 11월 11일에 지방재정법이 제정된 이후 수차례에 걸쳐 개정되었다. 그 중 지방재정법의 경우 그동안 공유재산의 생산적 활용도를 제고하고 분권화·자율화 취지에 맞게 제도를 개선하기 위해 "공유재산 및 물품관리법"을 제정, 공포하여 2006년 1월 1일부터 시행되고 있다.

## 1) 공유재산의 개념 및 구분

공유재산이란 일정한 행정목적을 수행하기 위해 지방자치단체가 소유하는 부동산과 동산을 포함한 현금 외의 모든 재산적 가치가 있는 물건 및 권리를 말한다.

또한 공유재산은 그 용도에 따라 공유재산 및 물품관리법 제5조제2항 규정에 의해 행정재산, 보존재산 및 잡종재산으로 구분하고 행정재산은 공용재산, 공공용행정재산 및 기업용 재산으로 분류된다.

## 2) 공유재산관리의 정책결정률 (행동률)

공유재산의 관리목적은 재산의 유형에 따라 "공익성"과 "수익성"이라는 상충되는 두 가지의 행동목적을 달성하기 위한 것이다. 즉, 행정재산에 있어서는 직접적인 행정목적 추구가 주된 것이어야 하고, 이러한 행정목적 달성에 장애가 되지 않는 범위에서만 수익성이 추구되어야 한다는 것이다. 반면에 잡종재산에서는 재산적인 성질이 더 강조되므로 수익성 추구에 더 큰 가치가 부여되어야 하며, 이를 위하여 불필요한 자산은 매각하는 등 적극적인 방안을 모색할 필요가 있다(류지태, 2001: 51). 그러나 현실적으로는 이러한 구분 없이 공유재산이 이용되고 있어 공익적 목적은 물론 수익적 목적도 제대로 달성하지 못하여 자원관리의 비효율성을 초래하고 있다.

여기에서는 공유재산 관리에 있어 새로운 정책결정기준을 마련하기 위해 개인이나 조직이 어떠한 결정이나 행동을 하기 위한 기준으로 ① 무엇이 옳고 그르냐의 문제와 ② 어떤 것이 이익이 되고 손해가 되는가를 따져서 판단하고 결정하는데 대한 4가지 결정 유형을 정리한 "개인의 결정률(決定律) 이론"을 도입하여 "공유재산관리 정책결정률"의 기준을 마련하고자 한다(윤정길, 2000: 132). 공유재산관리의 행동 결정에 있어 가장 중요한 영향을 미치고 있다고 판단되는 공익성과 수익성을 기준으로 이를 도식화 해보면 아래 [그림11-1]과 같이 표현 할 수 있을 것이다.

[그림 11-1] 공유재산관리 정책결정률

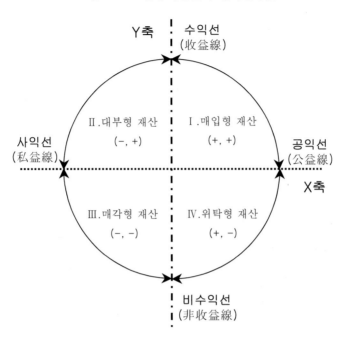

공유재산 관리에 있어 가장 이상적인 유형으로 Ⅰ상한에 위치한 "매입형 재산"을 들 수 있다. 이 유형은 재산의 공익성을 유지하면서 재산운영에 필요한 유지관리 재원을 자체적으로 충당할 수 있다는 장점을 가지고 있음을 알 수 있다. 오늘날 각 지방자치단체에서 지향하고 있는 현대형 공유재산 관리 모형이라 할 것이다.

그리고 Ⅱ상한에 위치한 재산의 경우 공익성은 미약하나 수익발생이 가능한 재산으로 "대부형 재산"으로 구분할 수 있다. 이러한 재산은 비교적 면적이 커서 장래에 주변여건의 변화로 인해 공익성이 증대되면 Ⅰ상한의 현대형 공유재산 관리모형으로 변환될 가능성이 많은 재산으로, 현 단계에서는 매각보다는 대부·임대 등을 통한 수익증진을 도모하는 방향으로 재산관리가 이루어져야 할 것으로 판단되는 재산이다. 그러나 Ⅲ 상한에 위치한 재산의 경우 비교적 면적이 협소하고 수익성과 공익성 모두가 부족하여 공유재산으로 계속 관리하기에 부적합한 범주의 재산들로서 이러한 유형의 재산은 토지의 무단점유 등으로 공유재산으로 계속 유지해야 할 가치가 미약하므로 용도폐지 후 매각하여야 할 "매각형 재산"이라 할 수 있을 것이다.

한편, 현재 관리되고 있는 대부분의 공유재산은 Ⅳ상한에 위치하고 있다고 볼 수 있을 것인데 IV 상한의 "위탁형 재산"의 경우 과거 전형적인 공유재산 관리 유형으로 공익성을 우선하고 수익성을 등한시함으로써 지방자치단체의 재정적 부담을 가중시키는 한 원인이 되어 왔다.

## 2. 공유재산관리에 관한 선행연구

선행연구논문에서 제시된 여러 영향요인들을 종류별로 재분류하고 어떠한 요인들이 공유재산의 효율적 관리에 영향을 미치고 있는지를 살펴보고자 한다.

〈표 11-1〉국·공유재산의 효율적 관리에 관한 선행연구

| 영항요인 | | | 손재식 (1989) | 조명헌 (1996) | 김종대 (1997) | 박춘오 (2000) | 이순재 (2001) | 윤이남 (2001) | 오봉길 (2001) | 김정화 (2002) | 잉은시 (2003) | 윤용헌 (2003) | 정주미 (2004) | 최낙송 (2004) |
|---|---|---|---|---|---|---|---|---|---|---|---|---|---|---|
| 인적요인 | 업무태도 | 적극적 업무태도 | | | ○ | | ○ | | ○ | | ○ | | | |
| | | 업무수행 자부심 | | | | | | | | | | | | |
| | 근무환경 개선 | 단체장 관심도 | ○ | | | ○ | | ○ | | | | | | |
| | | 관리인력 충원 | ○ | ○ | ○ | ○ | ○ | ○ | ○ | ○ | ○ | | | |
| | | 보직기간 연장 | | | ○ | ○ | ○ | ○ | | ○ | ○ | | | |
| | | 인센티브 수혜 | | | | | | ○ | | | | | | |
| | 관리인력 전문화 | 업무전문성 유무 | | | | ○ | ○ | ○ | | ○ | | | | |
| | | 교육훈련강화 | | | | | | | | | | | | |
| | | 민간전문가영입 | | | | | | | | | | | | |
| | | 전문직종 신설 | | | | | | ○ | | | | | | |
| 제도·정책적 요인 | 의사결정 기구 | 계획적 재산 관리체계 | ○ | | ○ | ○ | ○ | ○ | | ○ | ○ | ○ | ○ | ○ |
| | | 심의회(민간 전문가영입) | | | | | | ○ | | | | | | |
| | | 효율적심의회운영 | | | | | | | | | | | | |
| | 실질적 실태조사 | 정기실태조사실시 | | ○ | ○ | ○ | ○ | ○ | ○ | | | | | ○ |
| | | 실태조사용역발주 | | | | | | | | ○ | ○ | | ○ | |
| | | 관리전담기구설치 | ○ | | ○ | ○ | | | | ○ | ○ | ○ | | |
| | 전산관리 체계구축 | 재산관리정보시스템운영 | | | ○ | | ○ | | | ○ | ○ | | ○ | ○ |
| | | 실시간 처리 시스템구축 | | | | | ○ | | | | | | | |
| | | 회계간 일원화 | | | | | ○ | | | | | | | |
| | | 국토정보와 연계 | | | | | | | | | | | ○ | |

| 영향요인 | | 연구자 → 학위논문 | 손재식 (1989) | 조명헌 (1996) | 김종매 (1997) | 박춘오 (2000) | 이순재 (2001) | 윤이남 (2001) | 오봉길 (2001) | 김장희 (2002) | 앙은식 (2003) | 윤용헌 (2003) | 정주미 (2004) | 최낙송 (2004) |
|---|---|---|---|---|---|---|---|---|---|---|---|---|---|---|
| 정책적요인 | 과소 토지 매각 | 점약적 재산관리 | ○ | ○ | ○ | ○ | ○ | ○ | | ○ | | | ○ | |
| | 토지비축 확대 | 과소 토지 매각 | | | | ○ | ○ | | | | | ○ | | |
| | 위탁관리 활성화 | 토지비축 확대 | | ○ | ○ | ○ | | ○ | | ○ | | ○ | ○ | |
| | 매각기준 완화 | 위탁관리(이웃소싱) | | | ○ | ○ | | ○ | ○ | | | ○ | ○ | |
| | | 매각기준 및 절차 완화 | ○ | | ○ | ○ | | | | | ○ | | | |
| | | 대부사용허가획대 | ○ | ○ | ○ | ○ | | ○ | | | | | ○ | ○ |
| | | 변상금 부과 징수 | ○ | | ○ | ○ | ○ | ○ | | | | | | |

자료 : 공유재산관리 효율향상을 위한 선행연구 논문(1989~2004) 발췌 재구성.

<표 11-2> 국·공유재산의 효율적 관리에 관한 선행연구(계속)

| 영향요인 | | 연구자 | 조임곤 (1997) | 남창우 (1998) | 서울시 (2002) | 지대식 (2004) | 회계학회 (2004) |
|---|---|---|---|---|---|---|---|
| 인적요인 | 업무태도 | 적극적 업무태도 | O | | | | |
| | | 업무수행자부심 | | O | | | |
| | | 단체장 관심도 | | O | | | |
| | 근무환경 개선 | 관리인력 충원 | | | | O | O |
| | | 보직기간 연장 | | | | O | |
| | | 인센티브 수혜 | | | | | |
| | 관리인력 전문화 | 업무전문성 유무 | | O | O | | O |
| | | 교육훈련강화 | | | O | O | |
| | | 민간전문가 영입 | | O | O | | |
| | | 전문직종 신설 | O | | | O | O |
| 제도·정책적요인 | 의사결정기구 | 계획적 재산관리체계 | | O | | O | O |
| | | 심의회민간전문가영입 | | | O | | |
| | | 효과적심의회운영 | | O | | | O |
| | 실질적 실태조사 | 정기실태조사실시 | | | O | O | O |
| | | 실태조사용역발주 | | | | | |
| | | 관리전담기구설치 | | | | O | O |
| | 전산관리 체계구축 | 재산관리 정보시스템운영 | O | | | O | |
| | | 실시간처리시스템구축 | | | O | | |
| | | 회계 간 일원화 | O | | O | | |
| | | 국토정보와 연계 | | | O | O | |
| 경제적요인 | 과소 토지 매각 | 집약적 재산관리 | O | O | | O | O |
| | | 과소 토지 매각 | | | | O | |
| | 토지비축 확대 | 토지비축확대 | O | O | | O | |
| | 위탁관리 활성화 | 위탁관리(아웃소싱) | | | | O | |
| | 매각기준 완화 | 매각기준 및 절차 완화 | O | | | O | |
| | | 대부사용허가확대 | | | | O | O |
| | | 변상금 부과 철저 | | | | | |

영향요인의 재분류 결과 효율적 공유재산 관리에 관한 선행연구에서 가장 많이 제시된 영향요인으로는 10여개의 연구논문에서 언급되고 있는 "공유재산관리의 전산화"로 나타났다. 그 다음으로 8개의 연구논문에서 교육훈련의 강화, 일정기간 담당공무원의 전보제한, 전문직종 신설 등 "전문인력 확보"의 필요성에 대해 기술하고 있다. 그 다음으로 7개의 연구논문에서 수익성 제고와 환경친화적 개발방안 모색 등을 위해 "개발신탁사업 추진의 필요성"을 제시하고 있으며, 6개의 연구논문에서 토지수급조절 및 지가안정을 위한 "공유토지의 비축확대"와 미관리 재산의 권리보전 및 현황파악을 위한 "정확한 실태조사 실시"의 필요성을 주장하고 있다.

5개의 연구논문에서는 공공시설 예정지 확보를 위한 토지의 선행 취득, 국토정책과의 연계강화와 재산가치 향상을 위한 "종합적 · 계획적 관리체계의 필요성"이 제시되고 있으며, 공유재산의 효과적인 관리를 위해 "영세재산의 집중 · 대형화"와 지방자치제 실시이후의 재산의 위임관리 부작용 해소를 위한 "관리체계 개선의 필요성"과 재산관리 총괄부서의 지도감독기능 강화와 재산관리 아웃소싱을 위한 "관리체계 개선" 등을 주장하고 있는 것으로 나타났다.


# Ⅲ. 공유재산관리의 분석틀


## 1. 영향요인에 대한 논의

본 연구에서는 효율적인 공유재산관리에 영향을 미치는 요인들을 실증적으로 규명하기 위해 공유재산관리 실태분석 및 인식분석을 실시하였다.

실태분석을 위해서 전국의 공유재산관리 기초통계자료와 서울특별시 소재 시유재산에 대한 관리실태를 조사 하여 비교 · 분석하였다. 인식분석에서는 현재 지방자치단체 공유재산관리 업무를 처리하고 있는 담당공무원들과 공유재산실태조사 용역 업무를 수행하고 있는 감정평가사들을 상대로 하여 효율적 공유재산관리 영향요인 분석을 위한 설문조사를 실시하여 두 집단 간의 인식차이를 실증적으로 분석하고자 하였다.

## 1) 독립변수

### ⑴ 인적 영향요인

#### ① 업무태도

공유재산을 관리하고 있는 행정조직의 경우 경직된 행정관료적 풍토로 인해 재산관리에 있어서 경영마인드가 형성되어 있지 않아 재산의 최유효이용 및 개발을 위한 다각적이고 창조적인 활용방안이 강구되거나 시행되지 못하고 있다(한국토지공법학회, 2001 : 103). 특히 이를 관리하고 있는 행정청의 담당공무원들의 공유재산에 대한 소극적 유지·관리로 인해 유휴상태로 방치되어 있는 재산이 해마다 줄어들지 않고 있다.

#### ② 근무환경개선

공유재산을 관리 총괄청인 재정경제부를 비롯하여 일선 지방자치단체의 관리인력이 절대적으로 부족하여, 시유재산의 무단점유와 유휴상태가 지속적으로 발생하는 등 공유재산의 관리업무가 효과적으로 수행되기 어려운 실정이다.

#### ③ 관리인력의 전문화

지방자치단체의 공유재산의 관리와 처분에 관한 사무는 매우 복잡다양하며 담당공무원은 등기업무, 재산가격의 감정과 평가, 권리분석, 지적공부·지적도면의 작성 및 해독 등의 전문성을 요하는 분야의 업무를 수행해야 하는 전문분야로 공유재산을 철저히 유지·보존하고 적극적으로 활용하기 위해서는 지방자치단체의 일상적인 업무처리 차원으로는 소화하기 어려운 지적, 측량, 등기·등록 등에 관한 기술적·법률적 전문지식과 경험이 요구되고 있으나 대부분의 담당공무원들은 행정직 공무원으로 충분한 전문적 지식과 경험을 갖추지 못하고 있다(석종현, 2001: 15).

(2) 제도·정책적 영향요인

① 계획적 재산관리

국유재산의 경우를 살펴보면 국유재산이 행정목적의 원활한 수행과 국부창출에 기여할 수 있는 방향으로 이용되기 위해서는 무엇보다 체계적이고 종합적인 국유재산 관리이용 계획의 수립 및 시행이 전제되어야 한다. 그러나 현재 국유재산의 관리·이용실태는 구토 이용계획, 도시기본계획 등 관련 계획과 연계성이 없이 개별적인 차원에서 운용되고 있으며 국유재산 전체에 대한 종합적인 관리도 극히 미흡한 실정이다(여홍구 외, 1996: 245).

② 의사결정기구 활성화

각 지방자치단체에서는 공유재산의 처분, 취득과 관련한 원활하고 정확한 의사결정을 위해 공유재산 및 물품관리법 제16조 규정에 근거하여 공유재산심의회를 두도록 규정하고 있다. 하지만 현재 각 자치단체들의 경우 공유재산심의회를 운영함에 있어서 주요 정책결정 사안에 대한 객관적이고 실질적인 충분한 심의가 이루어지지 않고 있는 실정이다.

③ 실질적 실태조사

공유재산의 이용이 활성화되기 위해서는 먼저 공유재산의 실태조사가 수반되어야 한다. 공유부동산을 어떠한 기준과 방법으로 이용할 것인가를 정하기 위해서는 실태를 파악하는 것이 선결과제이기 때문이다. 하지만 현 공유재산관리 인력과 예산[2]으로는 실질적이고 정확한 공유재산 실태조사를 실시하기는 역부족인 것이다.

④ 전산관리체계 구축

현재 서울특별시에서는 실시간 전산관리체계 구축을 위해 행정자치부와 공동으로 토지, 지리정보시스템 등 국가표준시스템과 연계한 재산관리 전국표준시스템을 개발하여 2005

---

2) 현 공유재산 및 물품관리법시행령 제44조(대장과 실태조사) 규정에 의해 자방자치단체들은 필요한 경우 전문기관에 의뢰하여 공유재산의 관리실태를 조사할 수 있으나 2006년 현재 전국적으로 재정경제부와 서울특별시등 4개 기관에서 실태조사 용역을 발주 한 바 있다. 하지만 재정여건이 미약한 여타 시·도 및 시·군·구에서는 현실적으로 용역발주가 어려운 실정이다.

년 말 완료할 예정이었으나 관련기관의 미온적인 협조 등으로 아직 시스템 개통을 하지 못하고 있는 실정이다.

### (3) 경제적 영향요인

#### ① 과소(過少) 토지 매각

국·공유지의 경우 필지규모의 영세화에 더불어 각각의 필지가 넓게 산재 되어 있어 관리 및 활용에 어려움이 많이 발생하고 있으며, 수익목적으로 사용되기도 어려운 상황이다. 이로 인해 전반적인 국·공유재산의 효율적 관리가 어려운 실정이다.

시유재산의 경우 행정목적 달성을 위해 공용의 청사부지로 사용하거나 사회복지시설의 운영 등 공공용으로 사용하기 위해서는 어느 정도 이상의 토지규모를 가지고 있어야 시설물의 효율적 운영이 가능 하므로 과소토지의 경우 사실상 행정용으로 거의 사용될 수 없는 토지로 조속히 매각하여야 할 재산이다.

#### ② 토지비축 확대

토지비축제도는 일명 토지은행(land banking)이라고도 불리며, 미래의 행정수요에 대비하기 위해 정부가 미리 싼값에 미개발 토지를 대량 매입하여 국·공유지의 형태로 비축하였다가 토지수요의 증가에 대응하여 이 비축된 토지를 수요자(주로 민간토지개발자)에게 팔거나 대여하는 제도를 말한다(이정전, 1980: 20).

국·공유지 비축은 지방자치단체 또는 국가가 직접 토지를 소유하는 방법이기 때문에 개발이익의 사유화를 근원적으로 방지할 수 있으며, 국·공유지 비축은 지방자치단체 또는 국가가 토지를 소유하고 민간에게 강한 이용권을 준다면 우리 사회에 뿌리깊이 내재된 토지소유의 욕구를 토지이용의 측면으로 의식을 전환할 수 있는 계기도 될 수 있다(김신종, 1996: 187).

#### ③ 위탁관리 활성화

국·공유재산의 관리가 반드시 행정청과 공공기관에 의해서만 이루어져야 하는가에 대하여는 의문을 가질 수 있다. 최근 행정의 전문화에 따라 공행정의 민간화, 민간 활력의 도입이 강조되고 있다.

④ 대부·사용허가 확대

대부란 잡종재산을 지방자치단체가 그 외의 자에게 사법상의 임차계약에 근거하여 사용, 수익하게 함을 말하는데 대부에는 유상대부와 무상대부가 있다. 대부는 유상으로 함이 원칙이나 개별법이나 법규에 근거하는 경우 무상으로 할 수 있다. 현행 시유재산의 대부는 자치구에 위임되어 시행되고 있다. 이러한 대부의 경우 대부료 산정체계가 지역여건이나 부동산 시장동향을 충분히 고려할 수 없을 만큼 다소 경직적으로 규정되어 있다.

⑤ 변상금 부과

무단 점유된 공유재산의 경우 공유재산 및 물품관리법 제81조의 규정에 의거 당해 재산에 대한 대부료 또는 사용료의 100분의 120에 상당하는 변상금을 징수[3]하도록 규정하고 있다. 하지만 공유재산관리에 있어 이러한 변상금 규정에도 불구하고 2003년과 2004년도 서울특별시 및 자치구 공유재산 실태조사 결과와 같이 민간에 의한 공유재산의 무단점유는 줄어들지 않고 있는 실정이다.

## 2) 종속변수

종속변수는 독립변수인 공유재산관리의 인적 영향요인, 제도·정책적 영향 요인, 경제적 영향요인들에 의해 직접 영향을 받아 결과적으로 나타나는 것으로, 본 연구의 궁극적 목적인 공유재산관리 효율향상을 유인하는 것을 말한다.

본 연구에서는 공유재산관리 실무 담당공무원과 공유재산 실태조사용역 경험이 있는 민간전문가인 감정평가사들을 대상으로 실시한 설문조사를 바탕으로 하여 공유재산의 효율향상을 나타내는 객관적인 지표로서 공유재산관리에 따른 공공복리 증진과 미래행정수요 대비 토지 비축등의 "공익성" 증진 여부, 과소 토지 매각과 대부·사용허가를 통한

---

3) 변상금 부과의 경우 지방재정법 제82조(금전채권과 채무의 소멸시효 : 규정에 의거 금전의 지급을 목적으로 하는 지방자치단체의 권리로서 시효에 관하여 다른 법률에 특별한 규정이 없는 것은 5년간 이를 행사하지 아니하면 소멸시효가 완성한다.)규정에 따라 5년의 범위 내에서 변상금을 부과할 수 있다.

"수익성" 제고 여부를 측정항목으로 설정하여 효과적 공유재산관리 영향요인을 분석해 내고자 하였다.

## 2. 영향요인의 측정

본 연구에서는 영향요인의 실증분석을 위해 전국의 공유재산관리 기초통계자료와 서울 특별시 시유재산에 대한 관리실태를 비교분석하였으며, 공유재산관리 실무 담당공무원 및 감정평가사들의 인식에 관한 설문조사를 실시하였다.

### 1) 관리실태 조사

관리실태조사의 분석은 기술통계분석을 활용하여 정리하였다. 기술통계란 분석대상에 대한 관찰기록인 자료를 수집하여 정리하고 이를 일목요연하게 제시하는 원초적 단계의 통계분석이다. 기술통계분석을 통하여 전국 지방자치단체에서 관리하고 있는 공유재산의 연도별, 종류별 보유현황과 증감 내역, 토지면적 및 가액 증감내역을 조사하였으며 지방 세 외수입 중 재산임대 및 매각수입 등의 자료에 대한 최소치, 최대치 등 기본사항을 살 펴보고 연구대상지역인 서울특별시의 공유재산관리 자료와 비교분석하여 현 공유 재산 관리체계가 가지고 있는 제반 문제점들을 살펴보았다.

### 2) 설문 조사

(1) 조사대상

본 연구의 목적이 기존 학위논문과 학회지 등에서 자주 거론되고 있는 지방자치단체에 서 소유하고 있는 공유재산의 효율적 관리를 위한 영향요인의 실증적인 분석에 있음을 감 안하여 영향요인을 유형별로 인적요인, 제도·정책적요인, 경제적 요인으로 재 분류하였다.

이들 요인들에 대한 실증분석을 위해 전국의 광역 및 기초 자치단체 재산관리 담당공무 원 약 2,190명 중 현재 공유재산관리 업무를 직접 수행하고 있는 서울특별시 및 25개 자치 구 재산관리 담당공무원들과 행정자치부에서 실시한 공유재산 및 물품관리법 제정과 관련하여 2005년 12월 15일 실시된 지방자치단체 담당공무원 교육에 참석한 인천, 경기, 강원, 제주시에 근무하고 있는 재산관리 담당공무원 391명(17.9%)을 분석대상으로 삼았다.

아울러, 재산관리 담당공무원들을 대상으로 분석한 재산관리 영향요인의 객관적인 신뢰도 검증을 위해 현재 각 시·군·구에서 개별공시지가 조사업무를 수행하고 있으며 최근 각 지역에서 공유재산실태조사 용역업무를 추진하고 있는 외부전문가인 전국 28개 감정평가법인 소속 감정평가사 1,848명 중 201(10.8%)명을 설문조사하고, 지방자치단체 재산관리 담당공무원과 비교분석 하였다.

〈표 11-3〉 설문조사 대상 현황

| 구 분 | 설 문 대 상 자 | 대상인원(명) |
|---|---|---|
| | 총 계 | 800 |
| 재산관리 담당공무원 | 소 계 | 500 |
| | 서울특별시 소속 담당공무원 | 100 |
| | 서울시 25개 자치구 소속 담당공무원 | 250 |
| | 인천, 경기, 강원, 제주도 소속 담당공무원 | 200 |
| 감정평가사 | 소 계 | 300 |
| | 전국 28개 감정평가법인 소속 감정평가사 | 300 |

(2) 설문지 구성

연구목적을 위한 자료의 수집 및 측정을 위한 조사방법으로 Likert 5점 척도를 사용한 설문지법을 이용하였다. 본 연구의 설문지는 총 53개 문항으로 크게 6개의 범주로 나누었다.

〈표 11-4〉 설문지의 구성항목과 측정방법(담당공무원 대상)

| 구 분 | 설 문 항 목 | 문항번호 | 측정방법 |
|---|---|---|---|
| 1. 업무 만족도 및 보직 | ·공유재산 관리현황 업무 만족도<br>·공유재산관리 보직 만족도<br>·업무보직 이전 사유<br>·재산관리 대민업무처리 시민 만족도 | I-1<br>I-2<br>I-3<br>I-4~5 | 명목척도<br>또는<br>Likert<br>5점 척도 |
| 2. 인적 요인 | ·공유재산관리 업무처리 태도<br>·재산관리 전문성 측정<br>·근무환경(담당인원, 보직기간, 인센티브)에 대한 측정<br>·단체장의 관심 여부<br>·교육훈련 이수 경험<br>·현재·적정 담당인원수 | II-1~2<br>II-3~6<br>II-7~9<br><br>II-10<br>II-11<br>II-12~13 | Likert<br>5점 척도 |
| 3. 제도·정책적 요인 | ·의사결정기구 활성화 관련<br>·실태조사 업무처리 여부<br>·정보시스템 구축 방안<br>·관리일원화 방안<br>·계획적 재산관리 체계 구축 | III-1~5<br>III-6~7<br>III-8~9<br>III-10<br>III-11 | Likert<br>5점 척도 |
| 4. 경제적 요인 | ·집약적 재산관리<br>·토지비축 확대로 수익증대 가능 여부<br>·사용허가, 대부와 수익증대 여부<br>·위탁관리 활성화와 수익증대 여부<br>·무단점유방지와 수익증대 여부 | IV-1~4<br>IV-5~6<br>IV-7<br>IV-8<br>IV-9 | Likert<br>5점 척도 |
| 5. 관리효율 향상을 위한 종속변수적 요인 | ·합리적 의사결정 체계 구축<br>·재산관리 전문화<br>·공익성 증진<br>·수익성 제고<br>·효율적 재산관리 고려 사항<br>·재산관리 의사결정 기준 | V-1<br>V-2<br>V-3<br>V-4<br>V-5<br>V-6~8 | Likert<br>5점 척도<br>또는<br>명목척도 |
| 6. 일반적 특성 | ·성별·나이·학력·직급·총 근무연수<br>·현부서 근무연수·직종 | VI-1~7 | 명목척도 |

자료 : 부록의 설문자료 요약·정리.

## 3. 연구수행을 위한 분석틀

### 1) 분석모형 설정

독립변수적 요인들이 공유재산관리에 있어 효율향상에 어떠한 영향을 미치는지에 대해 알아보기 위해 공유재산의 효율적 관리를 종속변수로 설정하였다. 즉 공유재산관리의 효율 향상을 위해서는 부동산관리에 대한 전문성을 갖춘 인력이 합리적인 제도와 정책을 바탕으로 하여 공유재산 관리에 있어 공익성과 수익성을 동시에 제고 시킬 수 있는 제반 여건을 조성하는 것을 말한다.

[그림 11-2] 공유재산관리의 영향요인 분석틀

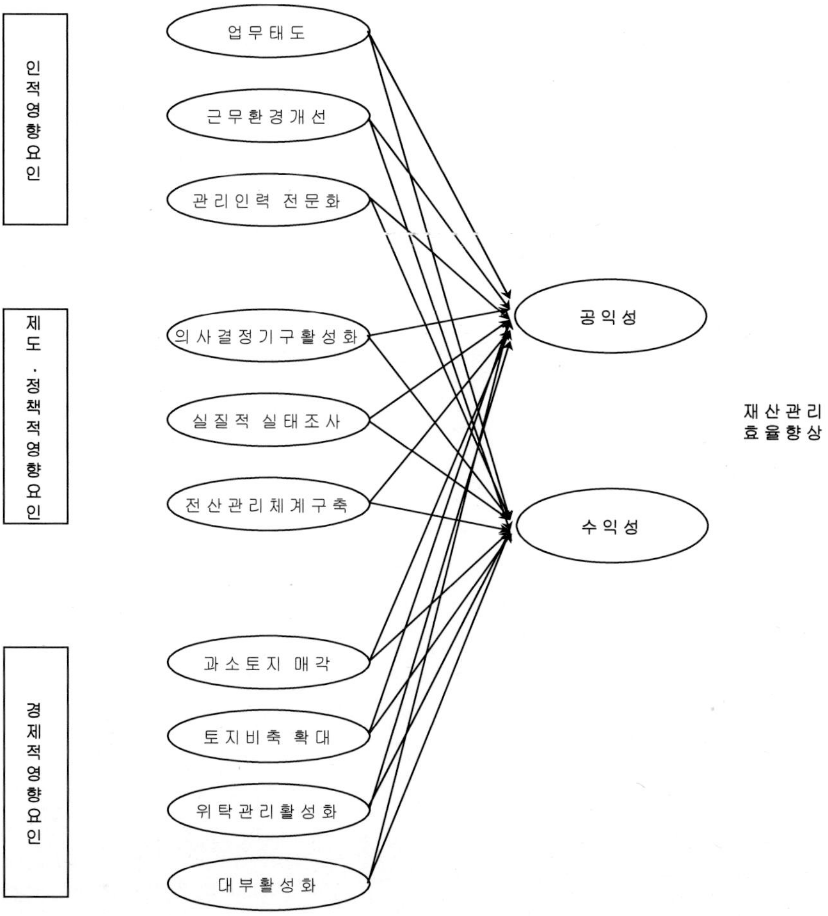

# Ⅳ. 공유재산관리의 영향요인 분석 결과

## 1. 회귀모형에 의한 재산관리 영향요인 분석

본 연구에서는 효율적인 공유재산관리 영향요인 분석을 위한 분석틀([그림 11-2] 참조)에서 제시한 10개의 독립변수가 종속변수인 공익성 및 수익성에 대해 미치는 직접적인 영향의 정도와 방향을 알아보기 위해 담당공무원 집단과 감정평가사 집단에 대해 각각 다중회귀분석[4]을 실시하여 비교·분석하였다.

### 1) 담당공무원 집단에 대한 영향요인 분석

#### (1) 공익성 영향요인 분석

담당공무원 집단을 대상으로 효율적 공유재산관리를 위한 영향요인의 분석을 위해 독립변수는 분석틀에서 제시한 10개의 요인을 구성요소로 하고 공익성을 종속변수로 하여 다중회귀분석을 실시하였다.

모형 공익성 $= \beta_0 \cdot$ X5(실질적 실태조사) $+ \beta_1 \cdot$ X8(토지 비축 확대) $+ \beta_3 \cdot$ X9(위탁관리 활성화)에 대한 모형 적합성 결과 p<.0001로 유의수준 0.001보다도 작고 결정계수(R-Square)[5] 값이 0.8614로 이 모형은 유의한 모형이라고 판단 할 수 있다.

---

4) 다중회귀분석(multiple regression analysis)은 독립변수가 하나의 종속변수에 미치는 영향을 분석하거나 현상들의 예측적 관계성을 밝히는데 사용되는 통계 기법으로 회귀식의 궁극적인 목적은 종속변수를 예측할 수 있는 하나의 선형방정식을 도출하는데 있다. 이방정식을 회귀방정식이라고 하는데 이 회귀식은 종속변수의 실제값과 회귀식에 의해서 예측될 수 있는 값의 차이를 최소화하는 선형함수이다. 회귀식의 도출은 오차의 제곱의 합을 최소화하는 최소제곱법을 이용하게 된다. 독립변수가 2개 이상인 경우에 다중회귀분석을 이용하며 $Y' = \beta_0 + \beta_1 X_1 + \beta_2 X_2 + \cdots + \beta_i X_i$로 나타낸다($Y'$:예측하려는 종속변인, $\beta_0$:절편, $\beta_1$:회귀계수, $X_i$:독립변인).

5) 회귀식의 유효성은 결정계수(R-Square)와 잔차의 표준편차로 평가할 수 있으며, 결정계수(R-Square)는 회귀분석이 종속변수를 얼마나 잘 설명하는지를 나타내 주는데, 계수 값이 1에 가까울수록 회귀식이 유효하다. 예를 들어 결정계수 값이 0.86이면 전체 분산 중에서 약 86%를 설명해 주고 있다.

<표 11-5> 담당공무원 집단에 대한 분산분석표(공익성)

| Source | 자유도 | 제곱합 | 평균제곱 | F-value | P-value |
|---|---|---|---|---|---|
| Model | 3 | 1898.591 | 632.8637 | 725.26 | <.0001 |
| Error | 350 | 305.409 | 0.8726 | | |
| Total | 353 | 2204 | | | |
| 상관계수 | | 0.93413 | 결정계수 | | 0.8614 |
| Dependent Mean | | 2.38527 | 중상관계수 | | 0.8602 |
| Coeff Var | | 39.16242 | | | |

<표 11-6> 담당공무원 집단에 대한 회귀분석결과(공익성)

| 변 수 | df | β | SE | t | P |
|---|---|---|---|---|---|
| 실질적 실태조사(X5) | 1 | -0.14443 | 0.05023 | -2.88 | 0.0043 |
| 토지비축확대  (X8) | 1 | 0.25227 | 0.05013 | 5.03 | <.0001 |
| 위탁관리 활성화(X9) | 1 | 0.82848 | 0.01806 | 45.87 | <.0001 |

공익성 영향요인 분석을 위해 독립변수들에 대한 유의성 검정 결과 실질적 실태조사, 토지 비축 확대, 위탁관리 활성화에 대한 p-value(유의확률)값이 유의수준 0.05보다 작으므로 모형에 유의한 변수라고 판단할 수 있다.[6] 또한 10개 독립변수 중 「공익성」에 가장 큰 영향력을 주고 있는 변수는 $p<.05$ 수준에서 "위탁관리 활성화"이며, $p<.05$ 수준에서 토지 비축 확대, 실질적 실태조사 순으로 영향을 많이 미치는 것으로 나타났다. 담당공무원을 대상으로 한 회귀분석의 다중회귀식은 회귀계수(Parameter Estimate)에 의해 다음과 같이 나타낼 수 있다.

공익성 = -0.14443 · X5(실질실태조사) + 0.25227 · X8(토지비축확대)  +0.82848 · X9(위탁
관리 활성화)

영향요인분석결과 유의한 통계치를 보인 요인의 영향 정도가 위탁관리활성화 0.82848

---

6) t값은 편회귀계수(Parameter Estimate)값을 계수의 표준오차(Standard Error) 나누어 구하며, 그 값이 높을수록 종속변수를 예측하는데 공헌도가 높다. 또한 회귀모형의 타당성 검정은 F값 $(t-Value)^2$으로 할 수 있으며 2(또는 1)이상이면 모형에 유의한 변수로 본다.

(p<.05), 토지 비축 확대 0.25227(p<.05), 실질적 실태조사 0.14443(p<.05) 순으로 공익성에 영향을 주는 영향요인으로 밝혀졌다.

### (2) 수익성 영향요인 분석

담당공무원 집단을 대상으로 효율적 공유재산관리를 위한 영향요인의 분석을 위해 독립변수는 분석틀에서 제시한 10개의 요인을 구성요소로 하고 수익성을 종속변수로 하여 다중회귀분석을 실시하였다.

모형   수익성 = $\beta_0$X2(근무환경   개선) + $\beta_1$X3(관리인력   전문화) + $\beta_2$X7(과소 토지 매각) + $\beta_3$X9(위탁관리 활성화) + $\beta_4$X10(대부 활성화)에 대한 모형 적합성 결과 p<.0001로 유의수준 0.001보다도 작고 결정계수(R-Square) 값이 0.8529로 이 모형은 유의한 모형이라고 판단 할 수 있다.

〈표 11-7〉 담당공무원 집단에 대한 회귀분석결과(수익성)

| 변 수 | df | β | SE | t | P |
|---|---|---|---|---|---|
| 근무환경 개선 (X2) | 1 | −0.1016 | 0.05113 | −1.99 | 0.0477 |
| 관리인력 전문화(X3) | 1 | −0.21118 | 0.05189 | −4.07 | <.0001 |
| 과소토지매각 (X7) | 1 | 0.14851 | 0.05465 | 2.72 | 0.0069 |
| 위탁관리 활성화(X9) | 1 | 0.81591 | 0.01841 | 44.31 | <.0001 |
| 대부활성화 (X10) | 1 | 0.11172 | 0.05375 | 2.08 | 0.0384 |

수익성 영향요인 분석을 위해 독립변수들에 대한 유의성 검정 결과 근무환경 개선, 관리인력 전문화, 과소 토지 매각, 위탁관리 활성화, 대부 활성화에 대한 p-value(유의확률) 값이 유의수준 0.05보다 작으므로 모형에 유의한 변수라고 판단할 수 있다. 또한 10개의 독립변수 중 수익성에 가장 큰 영향력을 주고 있는 변수는 p<.05 수준에서 위탁관리 활성화이며, 그 다음은 관리인력의 전문화, 과소토지의 매각, 대부 활성화, 근무환경 개선의 순으로 영향을 많이 미치는 것으로 나타났다.

담당공무원을 대상으로 한 회귀분석의 다중회귀식은 회귀계수(Parameter Estimate)에 의해 다음과 같이 나타낼 수 있다.

수익성 = -0.1016X2(근무환경 개선) - 0.21118X3(관리인력 전문화) + 0.14851X7(과소 토지 매각) + 0.81591X9(위탁관리 활성화) + 0.11172X10(대부 활성화)

영향요인 분석결과 유의한 통계치를 보인 요인의 영향 정도가 위탁관리 활성화 0.81591(p<.05), 관리인력 전문화 0.21118(p<.05), 과소 토지 매각 0.14851(p<.05), 대부 활성화 0.11172(p<.05), 근무환경 개선 -0.1016(p<.05)의 순으로 수익성에 영향을 주는 영향요인으로 밝혀졌다.

## 2) 감정평가사 집단에 대한 영향요인 분석

### (1) 공익성 영향요인 분석

감정평가사 집단을 대상으로 효율적 공유재산관리를 위한 영향요인의 분석을 위해 독립변수는 분석틀에서 제시한 10개의 요인을 구성요소로 하고 공익성을 종속변수로 하여 다중회귀분석을 실시하였다.

〈표 11-8〉 감정평가사 집단에 대한 분산분석표(공익성)

| Source | 자유도 | 제곱합 | 평균제곱 | F-value | P-value |
|---|---|---|---|---|---|
| Model | 5 | 1013.933 | 202.7866 | 271.81 | <.0001 |
| Error | 173 | 129.0668 | 0.74605 | | |
| Total | 178 | 1143 | | | |
| 상관계수 | | 0.86374 | 결정계수 | | 0.8871 |
| Dependent Mean | | 2.41011 | 중상관계수 | | 0.8838 |
| Coeff Var | | 35.83826 | | | |

모형   공익성 = $\beta_0$X2(근무환경   개선) + $\beta_1$X5(실질적   실태조사) + $\beta_2$X8(토지 비축 확대) + $\beta_3$X9(위탁관리 활성화) + $\beta_4$X10(대부 활성화)에 대한 모형 적합성 결과 p-value 값이 <.0001로 유의수준 0.001보다도 작고 결정계수(R-Square) 값이 0.8871로 이 모형은 유의한 모형이라고 판단할 수 있다.

공익성＝-0.15596X2(근무환경 개선)-0.1843X5(실질적 실태조사) +0.31692X8(토지 비축
　　확대)+1.00403X9(위탁관리활성화) -0.18742X10(대부 활성화)


영향요인 분석결과 유의한 통계치를 보인 요인의 영향 정도가 위탁관리활성화 1.00403
(p<.05), 토지 비축 확대 0.31692(p<.05) 순으로 공익성 향상에 영향을 주는 영향요인으로
밝혀졌다.


(2) 수익성 영향요인 분석

감정평가사를 대상으로 한 회귀분석의 다중회귀식은 회귀계수(Parameter Estimate)에
의해 다음과 같이 나타낼 수 있다.

수익성＝-0.28287X5(실질적 실태조사)+0.27868X7(과소 토지 매각) +0.96568X9(위탁관리
　　활성화)


영향요인 분석결과 유의한 통계치를 보인 요인의 영향 정도가 위탁관리활성화
0.96568(p<.05), 과소 토지 매각 0.27868(p<.05) 순으로 수익성 향상에 영향을 주는 영향요
인으로 밝혀졌다.


## 3) 집단 간의 공익·수익성 영향요인 비교분석

담당공무원 및 감정평가사 집단을 대상으로 하여 공익성, 수익성에 대한 유의한 영향을
주고 있는 영향요인들을 비교분석하였다. 그 결과 종속변수인 공익성에 대해 담당공무원
과 감정평가사 모두 실질적 실태조사, 토지비축확대, 위탁관리 활성화 영향요인이 유의한
영향을 주는 변수인 것을 알 수 있었다. 다른 또 하나의 종속변수인 수익성에 대해서는
담당공무원과 감정평가사 집단에서 동일하게 과소 토지 매각, 위탁관리 활성화 영향 요인
이 유의한 영향을 주는 변수인 것으로 나타났다.

또한 위탁관리 활성화의 경우 공익성 및 수익성 모두에 대해 유의한 영향을 주는 주요
한 변수임이 밝혀졌다. 아울러 담당공무원 집단과 감정평가사 집단 모두 공익성 향상에
영향을 미치는 요인으로 토지비축 확대를 들고 있으며, 수익성 향상에 영향을 미치는 요

인으로는 과소 토지 매각임을 알 수 있다.

본 연구를 통해 지방자치단체의 효율적 재산관리를 위한 공익성 증진 조치를 위해서는 미래행정 수요를 대비한 체계적인 토지 비축 확대와 수익성 증진을 위해 시 또는 군 전역에 퍼져있음으로 인해 비효율적 재산관리의 주요요인이 되고 있는 과소 토지를 적극적으로 매각하여야 할 것이다.

〈표 11-9〉 집단 간의 공익·수익성 영향요인 비교(회귀분석)

| 대 상 | 공익·수익성 | 영 향 요 인 |
|---|---|---|
| 담당<br>공무원 | 공익성 | 실질적 실태조사(-0.14443), 토지비축 확대(0.25227), 위탁관리 활성화(0.82848) |
| | 수익성 | 근무환경 개선(-0.1016), 관리인력 전문화(-0.21118), 과소 토지 매각(0.14851), 위탁관리 활성화(0.81591), 대부 활성화(0.11172) |
| 감정<br>평가사 | 공익성 | 근무환경 개선(-0.15596), 실질적 실태조사(-0.1843), 토지비축확대(0.31692), 위탁관리 활성화(1.00403), 대부 활성화(0.18742) |
| | 수익성 | 실질적 실태조사(-0.28287), 과소 토지 매각(0.27868), 위탁관리 활성화(0.96568) |

주 : 담당공무원과 감정평가사 집단의 의견이 같게 나타난 영향요인은 굵게 강조

## 2. 구조모형에 의한 재산관리 영향요인 분석

구조모형의 경우 잠재변수(Latent variable)간의 인과관계를 나타내는 반면, 측정모형의 경우 잠재변수와 이를 측정해 주는 관측변수(Observed variable)간의 관계를 나타내는 모형이라고 할 수 있다.

### 1) 담당공무원 집단에 대한 영향요인 분석

(1) 신뢰성분석(reliability analysis)

본 연구에서는 설문조사에 사용한 인적요인, 제도·정책적요인, 경제적요인 등 각 요인의 하위변수인 측정항목에 대한 내적 일관성 여부를 판단하기 위해 신뢰성분석(reliability analysis)을 실시하였다.

〈표 11-10〉 담당공무원 대상 설문조사에 대한 신뢰성분석

| 요 인 | | 최초항목수 | 확인적 요인분석 결과 |
|---|---|---|---|
| 인적요인 | 업무태도 | 3(1,2,10) | 1(1) |
| | 근무환경개선 | 3(7,8,9) | 0 |
| | 관리인력 전문화 | 4(3,4,5,6) | 2(5,6) |
| 제도·정책적 요인 | 의사결정기구 활성화 | 5(2,3,4,5,11) | 3(2,3,4) |
| | 실질적 실태조사 | 3(1,6,7) | 0 |
| | 전산관리 체계구축 | 3(8,9,10) | 1(10) |
| 경제적 요인 | 과소토지매각 | 3(1,2,3) | 2(2,3) |
| | 토지비축확대 | 2(5,6) | 2(5,6) |
| | 위탁관리 활성화 | 1(8) | 1(8) |
| | 대부활성화 | 3(4,7,9) | 2(7,9) |

(2) 확인적 요인분석(Confirmatory Factor Analysis)

신뢰도분석을 마친 다음 구성타당성을 검증하기에 앞서 측정항목에 대해 연구단위별로 측정모형을 도출하기 위한 확인요인분석을 실시하였다.

(3) 타당성분석(Validity Analysis)

본 연구에서는 신뢰성 검증에서 높은 수준의 신뢰도를 보이는 요인들을 대상으로 타당성(validity)분석을 실시하였다. 타당성(Validity)은 연구조사에서 사용하는 측정도구인 설문지가 측정하고자 하는 개념이나 속성을 얼마나 정확하게 측정하였는가를 나타내는 개념이다.

〈표 11-11〉 담당공무원집단의 확인적 요인분석 요인부하량

| 계 수 경 로 | | | | 표준화계수 (요인부하량 λ) |
|---|---|---|---|---|
| 변수1_ 1 | 적극적 업무태도 | ←- | 업무태도 | 0.539 |
| 변수1_ 5 | 민간전문가 영입 | ←- | 관리인력 전문화 | −0.865 |
| 변수1_ 6 | 전문직종 신설 | ←- | 관리인력 전문화 | −0.761 |
| 변수2_ 2 | 효과적 심의회 운영 | ←- | 의사결정기구 활성화 | 0.785 |
| 변수2_ 3 | 합리적 관리 의사결정 | ←- | 의사결정기구 활성화 | 0.706 |
| 변수2_ 4 | 심의회 최고의사 결정기여 | ←- | 의사결정기구 활성화 | 0.753 |
| 변수2_10 | 회계 간 관리일원화 | ←- | 전산관리체계구축 | 0.592 |
| 변수3_ 2 | 과소 토지 매각(비용) | ←- | 과소 토지 매각 | 0.966 |
| 변수3_ 3 | 과소 토지 매각(효율) | ←- | 과소 토지 매각 | 0.923 |
| 변수3_ 5 | 토지비축확대(수익증대) | ←- | 토지비축 확대 | 0.776 |
| 변수3_ 6 | 토지비축확대(지가안정) | ←- | 토지비축 확대 | 0.781 |
| 변수3_ 7 | 대부·사용허가 확대 | ←- | 대부활성화 | 0.630 |
| 변수3_ 9 | 변상금부과 철저 | ←- | 대부활성화 | 0.682 |

계 수 경 로 열의 오른쪽에는 인적 영향 요인, 제도 정책적 영향 요인, 경제 적영 항요인이 각각 표시되어 있다.

① 상관관계분석(correlation analysis)

본 연구에서 사용된 각 요인들의 관련성 및 방향성을 파악하기 위해 우선 담당공무원 집단을 상대로 한 설문조사결과에 대해 상관관계분석을 실시하였다. 상관관계분석 결과 공익성에 대한 상관관계분석에서 관리인력 전문화와의 상관계수가 0.249로, 위탁관리 활성화와는 상관계수가 0.247로, 대부활성화와는 상관계수가 0.312로 약간의 관련성을 가지고 있는 것으로 나타났다. 또한 토지비축 확대와는 상관계수가 0.638로 상당한 관련성이 있는 것으로 나타났다. 여기서 공익성 증진을 위해서는 공공용 토지의 비축을 확대하여야 할 것임을 알 수 있다.

수익성에 대한 상관관계분석에서는 과소 토지 매각과의 상관계수가 0.349로, 토지 비축 확대와의 상관계수가 0.297로, 위탁관리 활성화와의 상관계수가 0.232로 약간의 관련성이 있는 것으로 나타났다. 또한 대부 활성화와의 상관계수는 0.466으로 상당한 관련성이 있는 것으로 나타났다.

그리고 수익성에 대한 공익성의 상관관계분석결과 상관계수가 0.420으로 나타나 두 종

속변수 간에는 상당한 정의 관련성이 있는 것으로 나타났다. 즉, 공유재산의 수익성이 높아지면 이와 더불어 공익성도 함께 증진된다는 것을 알 수 있다.

〈표 11-12〉 담당공무원에 대한 각 요인별 상관관계분석 결과

| 요 인 | 업무<br>태도 | 관리<br>인력<br>전문화 | 의사결정<br>기구<br>활성화 | 전산관리<br>체계구축 | 과소<br>토지<br>매각 | 토지<br>비축<br>확대 | 위탁<br>관리<br>활성화 | 대부<br>활성화 | 공익성 | 수익성 |
|---|---|---|---|---|---|---|---|---|---|---|
| 업무태도 | 1 | | | | | | | | | |
| 관리인력 전문화 | 0.012 | 1 | | | | | | | | |
| 의사결정기구활성화 | 0.271* | −0.033 | 1 | | | | | | | |
| 전산관리 체계구축 | 0.205* | 0.174* | −0.061 | 1 | | | | | | |
| 과소 토지 매각 | 0.114* | 0.134* | 0.024 | 0.187* | 1 | | | | | |
| 토지 비축 확대 | 0.186* | 0.171* | 0.082 | 0.225* | 0.136* | 1 | | | | |
| 위탁관리 활성화 | 0.030 | 0.349* | 0.087 | 0.170* | 0.107* | 0.270* | 1 | | | |
| 대부 활성화 | 0.152* | 0.071 | 0.207* | 0.029 | 0.287* | 0.412* | 0.256* | 1 | | |
| 공익성 | 0.121* | 0.249* | 0.074 | 0.154* | 0.120* | 0.638* | 0.247* | 0.312* | 1 | |
| 수익성 | 0.138* | 0.071 | 0.116 | 0.139* | 0.349* | 0.297* | 0.232* | 0.466* | 0.420* | 1 |

\* 요인간의 상관계수는 $\alpha=0.05$ 수준(양쪽)에서 유의함.

② 수정모형 제시

구성개념들 간의 인과관계가 형성되는지 여부를 검정하기 위해 공분산 구조분석[7]을 실행하였다. 공분산 구조분석은 AMOS(Amount Of Structure) 4.0 패키지를 사용하였다. 본 연구에서는 담당공무원 집단과 감정평가사 집단과 담당공무원과 감정평가사 집단 전체에 대한 각각의 모형의 적합성을 평가하는 $\chi^2$(적합도지수)와 $\chi^2$의 확률값을 확인한 뒤, 기존 연구모형을 일부 수정하여 구조모형분석을 실시하였다.

---

7) 공분산 구조방정식(Covariance Structural Modeling)은 구성개념간의 이론적인 인과관계와 상관성의 측정지표를 통한 경험적 인과관계를 분석할 수 있도록 개발된 통계기법을 말한다. 연구자는 구조방정식 모형을 통해서, 다중변수관계를 포괄적으로 측정하고 탐색적인 분석에서 확인적인 분석까지 할 수 있다. 즉, 구조방정식 모형은 인과분석을 위해서 요인분석과 회귀분석을 개선적으로 결합한 형태라고 할 수 있다.

<표 11-13> 담당공무원 집단의 연구모형 부합도 평가 결과

| 모 형 | $\chi^2$ | df | p | q(CMN/DF) | GFI | AGFI | NFI | RMR |
|--------|---------|----|----|-----------|------|------|------|------|
| 연구모형 | 336.553 | 93 | 0.000 | 3.619 | 0.882 | 0.827 | 0.824 | 0.087 |
| 수정모형 | 165.041 | 85 | 0.000 | 1.942 | 0.945 | 0.912 | 0.914 | 0.061 |

분석결과 초기 연구모형은 적합성을 다소 만족하지 못하므로 수정지수(Modification Index)를 사용한 수정모형을 분석하였다. 수정모형의 적합성 여부를 보면 $\chi^2$(적합도지수)값은 유의하지 않지만 RMR=0.061, GFI=0.945, AGFI=0.912, NFI=0.914로 대체적으로 적합성을 만족하는 모형이라 할 수 있다.[8]

한편 AMOS를 이용한 효율적 공유재산관리 영향요인에 대한 구조방정식 수정모형 분석결과를 각 요인별로 살펴보면 아래와 같다.

---

8) 평균제곱잔차제곱근 RMR(Root Mean Square Residual)은 0에 가까우면 양호하고, 기초적합지수 GFI(goodness-of-fit index)는 Joreskog와 Sorbom에 의해서 고안된 것으로 적합지수를 의미하며 0.9이상이면 적합모형이라고 판단한다. 조정적합지수 AGFI(Adjusted Goodness-of-fit index)는 수정적합지수로 다음과 같은 식으로 나타낼 수 있다. AFGI=1-(1-GFI)·db/d 여기서 db=포화모형의 자유도, d=초기모형의 자유도를 말하며 0.9이상 적합하다. 표준적합지수NFI(Normed Fit Index)는 0.9이상이면 적합하다.

[그림 11-3] 담당공무원 집단의 공유재산관리 영향요인 모형분석결과

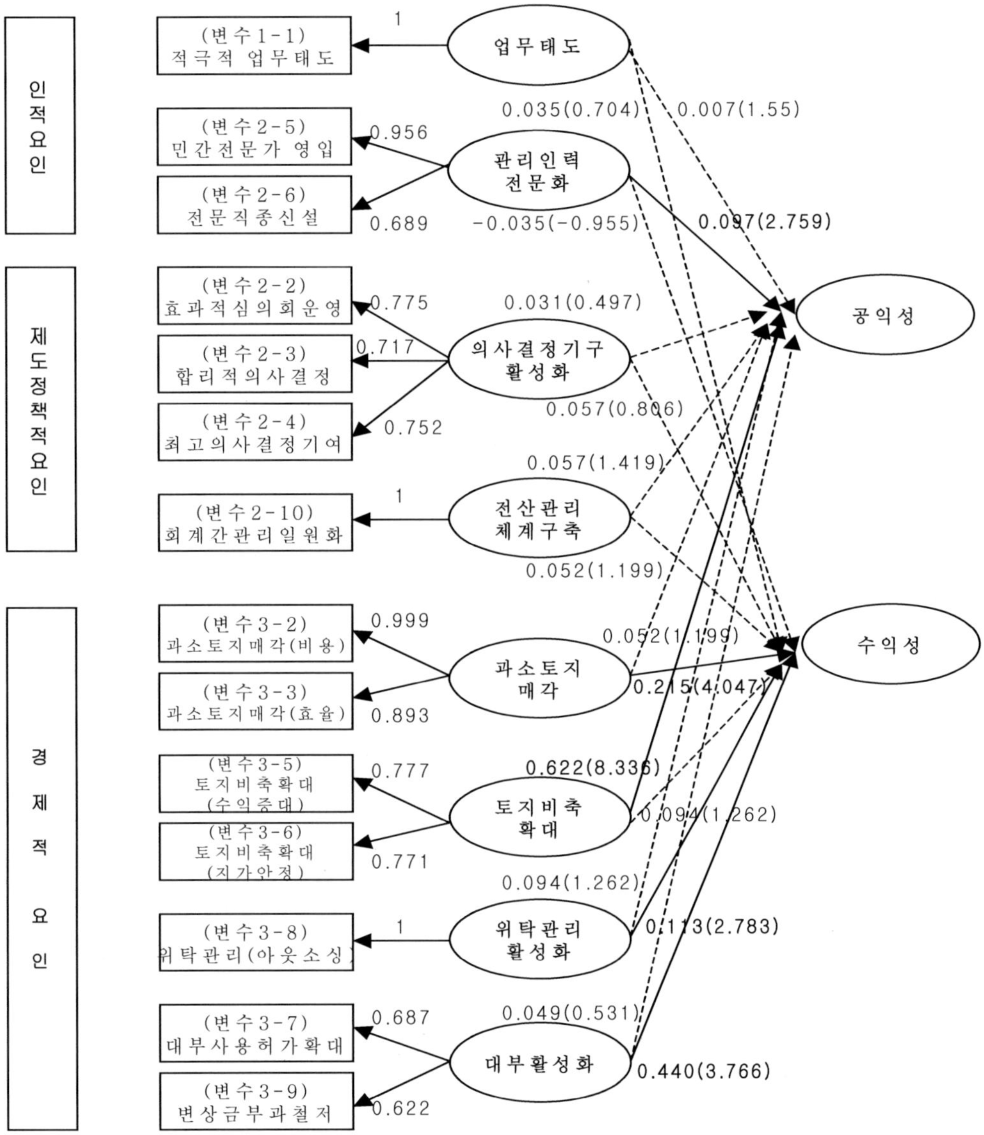

주 : 실선은 각 요인들 간 인과분석 결과 유의미한 영향을 미치고 있는 변수임.

③ 연구모형의 검정

담당공무원들을 대상으로 하는 효율적 공유재산관리 영향요인들 간의 인과분석 결과는
아래와 같다.

〈표 11-14〉 담당공무원 집단의 각 요인들 간 인과분석 결과

| 요 인 | 가 설 | 경 로 | 경로계수 | SE | t값 | p |
|---|---|---|---|---|---|---|
| 인적요인 | 가설 2 | 관리인력 전문화→공익성 | 0.097 | 0.035 | 2.759 | 0.006* |
| 경제적요인 | 가설 6 | 토지비축 확대 →공익성 | 0.622 | 0.075 | 8.336 | 0.000* |
| 경제적요인 | 가설13 | 과소 토지 매각 →수익성 | 0.215 | 0.053 | 4.047 | 0.000* |
| | 가설15 | 위탁관리 활성화→수익성 | 0.113 | 0.040 | 2.783 | 0.005* |
| | 가설16 | 대부 활성화 →수익성 | 0.440 | 0.117 | 3.766 | 0.000* |

* 요인간의 상관계수는 $\alpha$ =0.05 수준(양쪽)에서 유의함.

각 요인들 간의 인과분석결과를 보면 경제적 영향요인 중 토지비축 확대가 재산관리 효율향상을 위한 종속변수인 공익성에 가장 유의한 영향을 미치고 있는 것으로 나타났으며, 그 다음으로 인적 영향요인 중 관리인력 전문화의 순으로 통계적으로 유의한 영향을 크게 미치고 있음이 밝혀졌다.

담당공무원들로부터 공익성에 대한 가장 큰 재산관리 효율향상 영향요인으로 밝혀진 토지비축 확대(연구가설 6)의 경우 현 공유재산관리 체계로는 그 확충이 요원한 상황이다. 그 다음으로 인적 영향요인 중 공익성에 유의한 영향을 미치고 있는 요인으로는 관리인력 전문화(연구가설 2)인 것으로 나타났다.

또한, 각 요인들 간의 인과분석결과를 보면 경제적 영향요인중 과소 토지 매각이 재산관리 효율향상 요인인 수익성에 가장 유의한 영향을 미치고 있는 것으로 나타났다.

## 2) 감정평가사 집단에 대한 영향요인 분석

신뢰성분석, 확인적 요인분석, 타당성분석을 시행하고 다음으로 감정평가사 집단을 대상으로 실시한 설문조사에 대한 각 요인별 하위변수들에 대한 연구모형의 부합도 평가를 실시한 결과 감정평가사 집단의 경우 각 요인들 간 인과분석 결과가 담당공무원 집단과 다르게 나타났다. 감정평가사 집단에 대한 인과분석결과 인적 요인은 재산관리 효율향상에 유의한 영향을 미치는 것으로 나타났다. 하지만 제도·정책적 요인과 경제적 요인은 재산관리 효율향상에 유의한 영향을 줄 것이라는 가설이 기각되었다. 따라서 제도·정책적 요인, 경제적 요인은 재산관리 효율향상에 부분적으로 중요한 요인임을 확인할 수 있다.

### 3) 집단 간의 공익 · 수익성 영향요인 비교분석

구조모형분석결과에 대해 담당공무원 및 감정평가사 집단을 대상으로 하여 공익성, 수익성에 대한 유의한 영향을 주고 있는 영향요인들을 비교분석하였다. 그 결과 종속변수인 공익성에 대해 담당공무원과 감정평가사 모두 토지비축확대 영향요인이 유의한 영향을 주는 변수임이 밝혀졌다.

또한 수익성에 대해서는 담당공무원과 감정평가사 모두 과소 토지 매각, 위탁관리 활성화 영향요인이 유의한 영향을 주는 변수임이 밝혀졌다. 이를 정리하면 아래 〈표 11-15〉와 같다.

<표 11-15〉 집단 간의 공익 · 수익성 영향요인 비교(구조모형분석)

| 대 상 | 공익 · 수익성 | 영 향 요 인 |
|---|---|---|
| 담당 공무원 | 공익성 | 관리인력 전문화(가설2), **토지비축 확대(가설6)** |
| | 수익성 | **과소 토지 매각(가설13), 위탁관리 활성화(가설15),** 대부 활성화(가설16) |
| 감정 평가사 | 공익성 | **토지비축 확대(가설7)** |
| | 수익성 | **과소 토지 매각(가설15), 위탁관리 활성화(가설17),** 전산관리 체계구축(가설14) |

주 : 담당공무원과 감정평가사 집단의 의견이 같게 나타난 영향요인은 굵게 강조

## 3. 공유재산관리 영향요인의 종합적 분석

효율적 공유재산관리의 영향요인의 분석을 위해 실시한 다중회귀분석 및 구조모형분석에서 나타난 본 연구의 종속변수인 공익성 및 수익성에 유의한 영향을 미치고 있는 영향요인을 수합하여 비교하였다. 그 결과 위탁관리 활성화 영향요인은 담당공무원 및 감정평가사의 두 집단의 공익성 및 수익성 모두에 대해 유의한 영향을 주는 주요한 변수임이 밝혀졌다.

또한 담당공무원과 감정평가사 두 집단이 공통적으로 공익성에 유의한 영향을 미치고 있는 영향요인으로 실질적 실태조사, 토지 비축 확대 및 탁관리 활성화임이 밝혀졌다.

〈표 11-16〉 집단 간의 공익·수익성 영향요인 비교

| 대 상 | 공익·수익성 | 분석방법 | 영 향 요 인 |
|---|---|---|---|
| 담당<br>공무원 | 공익성 | 회귀모형분석 | **실질적 실태조사**, **토지비축 확대**, **위탁관리 활성화** |
| | | 구조모형분석 | 관리인력 전문화, **토지비축 확대** |
| | 수익성 | 회귀모형분석 | 근무환경 개선, 관리인력 전문화, **과소 토지 매각**, **위탁관리 활성화**, 대부 활성화 |
| | | 구조모형분석 | **과소 토지 매각**, **위탁관리 활성화**, 대부 활성화 |
| 감정<br>평가사 | 공익성 | 회귀모형분석 | 근무환경 개선, **실질적 실태조사**, **토지비축확대**, **위탁관리 활성화**, 대부 활성화, |
| | | 구조모형분석 | **토지비축확대** |
| | 수익성 | 회귀모형분석 | 실질적 실태조사, **과소 토지 매각**, **위탁관리 활성화** |
| | | 구조모형분석 | **과소 토지 매각**, **위탁관리 활성화**, 전산관리 체계구축 |

주 : 담당공무원과 감정평가사 집단의 의견이 같게 나타난 영향요인은 굵게 강조함.

또한 담당공무원과 감정평가사 두 집단이 공통적으로 수익성에 유의한 영향을 미치고 있는 영향요인으로 과소 토지 매각과 위탁관리 활성화를 들고 있다. 이를 표로 나타내면 〈표 11-16〉와 같다.

연구결과 지방자치단체의 효율적 재산관리를 위한 공익성 증진 조치를 위해서는 미래 행정 수요를 대비한 체계적인 토지 비축 확대 시스템을 갖추어야 할 것으로 사료되며, 이와 더불어 공유재산에 대한 실질적인 실태조사를 위해 외부 민간전문가에게 주기적으로 실태조사용역을 실시하여 담당공무원들의 인력부족으로 등으로 인한 업무과중을 덜어줄 수 있도록 정책적인 배려가 있어야 할 것이다.

수익성증진을 위해서는 시 또는 군 전역에 퍼져있음으로 인해 비효율적 재산관리의 주요요인이 되고 있는 과소 토지를 적극적으로 매각하여야 할 것이다. 이러한 과소토지의 경우 대부분이 영세한 주민들이 점유하고 있어 변상금 부과로 인한 수익의 증대 보다 오히려 비효율적 관리 요인이 되고 있음을 간과하지 말아야 한다는 것을 알 수 있다.

위탁관리 활성화의 경우 본 연구에 참여한 담당공무원 및 감정평가사 집단에서 공통적으로 유의한 영향을 미치고 있다고 밝혀진 주요 영향 요인으로, 효율적 공유재산관리를 위한 공익성 및 수익성「증진을 위해 궁극적으로 지방자치단체의 공유재산관리에 민간의 경영마인드 도입이 가능하도록 위탁관리 활성화를 추진하여야 할 것으로 사료된다.

# V. 결 론

## 1. 결과요약 및 정책적 함의

본 연구에서는 공유재산관리에 영향을 미치고 있는 주요 영향요인들을 분석하여 합리적이고 효과적인 공유재산관리 정책방안을 제시하기 위해 1989년 이후부터 2004년도까지 발표된 17편의 기존 선행 연구논문에서 거론된 관련 변수들을 추출하여 이를 종합하고 유형별로 재분류하였다. 아울러 공유재산관리 영향요인에 대한 설문조사 분석의 객관성을 제고하기 위해 전국 지방자치단체의 공유재산관리 실무자인 담당공무원 집단과는 별도로 공유재산 실태조사 용역 및 개별공시지가 검수 경험이 있는 재산관리 전문가인 감정평가사 집단을 대상으로 동일 내용의 설문조사를 실시하고 두 집단의 설문결과를 비교분석하기 위해 독립표본 t검정을 실시하였다.

본 연구에서는 효과적 공유재산관리 영향요인을 크게 인적 영향요인, 제도·정책적 영향요인, 경제적 영향요인으로 분류하고 각 영향요인 별로 세부요인을 구분하였다. 이들 세부요인들을 독립변수로 하여 독립변수가 종속변수인 공익성 및 수익성을 얼마나 잘 설명하고 있는지를 분석하기 위해 각 집단별로 다중회귀분석(multiple regression analysis)을 실시하였다. 또한 연구 분석의 신뢰성 제고를 위해 공유재산관리 영향요인의 세부요인에 대해 선형구조관계(Liner Structural Relations)를 이용한 공분산 구조분석(Covariance Structure Analysis)을 실시하여 각각의 독립변수가 종속변수에 어느 정도 영향을 미치는지를 분석하였다. 또한 다중회귀분석과 공분산구조분석에서 나타난 유의미한 공유재산관리 영향요인을 비교 검증할 수 있었다.

아울러 본 연구에서는 공유재산의 취득, 처분, 활용 등에 대한 객관적 관리기준 마련을 위해 개인의 행동결정률 모형에 착안하여 공유재산관리 주요 종속변수인 공익성 및 수익성을 기준으로 공유재산관리의 정책결정률 개념을 도식화하여 매입형 재산, 대부형 재산, 매각형 재산, 위탁형 재산으로 4분화를 시도하였다.

이상에서 분석했던 연구결과들을 요약하여 다음과 같이 결론지을 수 있었다.

첫째, 지방자치단체의 효율적 공유재산관리 여부에 대한 종속변수인 공익성 증진을 위해 미래행정 수요를 대비한 보다 적극적이고 체계적인 토지 비축 확대 시스템을 갖추어야 할 것으로 사료된다. 둘째, 지방자치단체의 효율적 공유재산관리 여부에 대한 종속변수인 수익성 증진을 위해 시 또는 군 전역에 분산되어 효율적 공유재산관리 저해요인이 되고 있는 300㎡미만의 과소 점유 토지의 적극적 매각 조치가 필요한 것으로 나타났다. 셋째, 공유재산관리의 공익성 및 수익성을 동시에 실현하기 위해 일정규모 이상의 공용행정목적으로 사용될 재산을 제외한 공유재산을 민간의 창의력 발휘와 수익창출이 가능하도록 적극적인 위탁관리 활성화 조치가 필요한 것으로 나타났다. 넷째, 효율적인 공유재산관리 체계를 지속적으로 유지하고 누락, 미 관리 되고 있는 공유재산을 발굴하며, 공유재산의 무단점유를 방지 등의 일련의 공유재산관리 업무 수행의 전제조건으로 공유재산의 실질적 실태조사가 필요하다는 것을 알 수 있다. 다섯째, 분석결과 효과적인 공유재산관리의 수익성 및 공익성 증진을 위해 재산관리 업무를 직접 수행하고 있는 담당공무원들의 근무환경 개선이 필요한 것으로 나타났다.

본 연구분석 결과를 통해서 얻을 수 있는 정책적 시사성으로 근거로 아래와 같이 효율적인 공유재산관리를 위한 정책적 대안을 제시하고자 한다.

첫째, 일정규모 이상의 공용, 공공용행정재산 또는 잡종재산에 대해 매년 유지관리상태 및 운영비용을 정기적으로 검토하여 비효율적으로 운영되고 있거나 적자가 발생하고 있는 공유재산 중 여타 사업실시계획 전망이 없는 공유재산에 대해서는 과감히 공개모집을 통해 민간 위탁운영될 수 있도록 조치하여야 할 것으로 사료된다. 둘째, 공유재산의 관리 및 처분에 대한 단체장의 자문역할을 형식적으로 수행하고 있는 공유재산심의회의 기능 및 역할 확대가 필요한 것으로 판단된다. 현 공유재산관리 체계로는 공유재산의 활용방안이 단체장의 주관적 의지에 따라 결정되는 경향이 뚜렷하게 나타나고 있으며 어떤 재산을 어떻게 합리적으로 활용할 것인지에 대한 체계적인 의사결정기구가 전무한 상태이다. 이러한 공유재산의 최유효(最有效) 활용방안에 대한 전문적 검토를 위해 기존 공유재산심의회의 역할을 확대하는 것이 바람직 할 것으로 사료된다.[9] 셋째, 공유재산의 합리적인 취득, 처분, 활용을 위한 관리전담부서의 설치가 필요한 것으로 판단된다. 또한 재산관리 전담부서에서 일정기간 이상 근무할 것을 전제로 하여 재산관리 전문인으로 지정하고 가능한 범위 내에서 인사 상 혜택과 특별수당 지급을 문서화하는 재산관리 전문인 제도의 도입이 필요할 것으로 사료된다.

---

9) 일본 동경도의 경우 재무국의 부장 및 과장급직원으로 "재산유효활용촉진검토위원회"를 1999년 5월에 구성·설치하고 있다. 동위원회에서는 미 이용 도유지의 매각 및 청사의 유효한 활용 방법에 대한 검토, 매각전담조직의 정비 등에 대한 각종 보고서를 작성하는 역할을 수행한다.

넷째, 공유재산의 취득, 처분, 토지이동 등으로 수시로 변동되는 재산정보를 실시간으로 정리·관리할 수 있는 재산관리 정보시스템의 구축이 필요하다고 생각한다. 이를 위해서는 현재 각 부처별로 독립되어 운영되고 있는 법원행정처의 등기전산자료와 행정자치부의 지적전산자료 및 서울시의 재산DB자료의 상호 연계가 필수적인 전제조건임을 알 수 있다.

다섯째, 장래 행정수요를 대비한 적극적인 공용 및 공공용 행정재산의 확보 및 활용을 위해서는 일본 등 선진국에서 시행하고 있는 "토지데이터뱅크제도"의 신중한 도입검토가 필요한 것으로 사료된다.

## 2. 연구의 한계 및 향후 과제

본 연구에서는 공유재산관리에 대한 영향요인의 실증적 분석을 위해 전문가 집단인 공유재산관리 담당공무원과 재산평가에 대한 전문적 지식을 가지고 있는 감정평가사를 대상으로 설문조사를 실시하였다. 그러나 본 연구에는 다음과 같은 한계성을 지니고 있다.

첫째, 공유재산관리 전문가 집단인 담당공무원의 담당업무 실무자로서의 의도적인 회피성 설문응답에 따른 객관성 저하를 방지를 위해 재산평가 전문가인 감정평가사에게 동일한 내용의 설문조사를 실시하고 이를 비교분석 하였다. 이로 인해 오히려 재산관리 전문가 집단에 대한 실체적의 의견 반영이 다소 미흡하지 않았나 하는 생각이다. 둘째, 통계자료의 대표성 문제이다. 자료의 정확성을 기하기 위해 서울, 인천, 경기, 강원, 제도도 소속 담당공무원의 경우 500부, 감정평가사의 경우 300부에 이르는 많은 양의 설문지를 배부하여 653여부에 이르는 회수율을 보였으며 그 중 592부(74%)를 분석하였다. 이러한 표본들이 전국적으로 산재하여 있는 재산관리 담당공무원의 모수(母數)를 충분히 대표할 수 있는지 의문이다. 셋째, 공유재산관리 영향요인에 대한 종합적 분석을 위해 효율적 공유재산관리와 관련된 여러 영향요인들을 동시에 분석하려고 노력함으로써, 개개 영향요인들에 대한 보다 세밀한 분석이 간과된 것으로 사료된다. 넷째, 공유재산관리에 따른 의사결정모형 정리에 있어서 정책결정자들이 실질적으로 사용할 수 있는 공익성 측정지표, 수익성 측정지표의 기준 정립을 통한 의사결정기준 마련에 어려움이 따르고 있음을 알 수 있다. 향후 이에 대한 연구와 보완이 필요하다고 생각된다.

# 참고문헌

김경호.(2004). "국유재산관리 특별회계 정비방안", 한국행정연구원.

김계수.(2004). Amos 구조방정식 모형, SPSS아카데미.

김두수.(2001). "국·공유재산관리제도해설(Ⅰ,Ⅱ,Ⅲ)", 지방재정 제111호.

김태일.(2001). 공공부문의 효율성 평가와 측정, 집문당.

김행종.(1996). " 국유지관리제도의 개선방안에 관한 연구", 지역사회개발연구 제21권 제1호.

동남회계법인.(2003). "서울시 재산관리 최적모형 도입관련 업무재설계 자문 용역 보고서".

류지태(2001). 현행 국유재산관리의 법적 문제, 「토지연구」제12권.

박우서 외1.(1996). "국유잡종재산의 관리 및 운영 개선방안에 관한 연구", 국토계획 제31권 제5
    호.

석종현.(2001). "국유부동산 관리제도에 관한 법적 검토", 토지공법연구.

손재식.(1989). "공유재산의 계획적 관리방안", 한국지방행정연구원.

여홍구 외1.(1996). "국유지관리 개선방안 연구", 성업공사.

유해웅.(1992). 토지공유의 법리와 그 제도, 국토정보(10월호).

_____.(1996). 토지 국·공유화론의 사상과 그 전개(Ⅰ,Ⅱ), 국토개발연구원, 국토정보(6,7월호).

윤정길.(2000). 관리와 PR, 대영문화사.

원윤희.(1998). "정부부문의 효율성 측정에 관한 연구", 법률행정론집.

이원준.(1992). 국유재산관리이론, 기공사, 1992.

이창균.(2000). "일본 자치단체 공유재산의 효율적 활용사례", 한국지방행정연구원.

이창우.(1995). "국유지의 개발과 보전", 토지연구 제6권제3호, 한국토지개발공사.

정현영·노시평.(2003). "지방정부 공유재산의 효율적 관리방안에 관한 연구", 한국정책과학학회.

조임곤·배인명.(1997). "서울시 잡종재산관리의 효율화 방안", 시정개발연구원.

쟈끄린느 모랑드비레르(이광윤 역).(2001). "프랑스에 있어 공공재산의 운영과 보호", 토지공법
    연구.

조명래.(2000). 토지에 관한 국민의식 조사, 새국토연구협의회.

지대식 외2.(2004). "국공유재산 관리체계의 효율화 방안 연구", 국토연구원.

한국토지공법학회.(2001). 국유부동산 관리 발전방안 연구.

한상국 외1.(2001). "국유부동산의 관리 효율화를 위한 실증적 연구", 한국조세연구원.

연합뉴스.(2005. 8). "국유재산 이용 관리 엉망".

조선일보.(2004.10). "공무원 10명이 국유재산 관리 역부족".

石田疎房.(1990). 「大都市の土地問題と政策」, 東京: 日本評論社.

小宮昌平.(1988). "自治体の土地先買制度と公有地擴大推進法", 「都市問題」5, 東京: 東京財政調査會.

小宮昌平.(1988). 「自治體の土地先賣制度と公有地擴大推進法」, 都市問題5月號, 東京 : 東京市政調查會.

早川和男·山琦壽一.(1992). 「自治體の環境計劃と土地政策」, 都市問題10月號, 東京 : 東京市政調查會, 1992.

Alonso, William.(1996), "*Location and Land Use*", Honolulu: East- West Center.

Bill G. Schumacher.(1976), "*An Electronic Data-Processing System*", in R. T. Golembiewski, et al. (eds), Public Administration.

Darin-Drabkin H. and Lichfile H.(1980), "*Land Policy in Planning, London*", Allen & Urwin.

# 제4편 사회복지 정책

# 제12장 복지정책의 철학적 정당성 논의

윤 정 길*·이 규 천**

# Ⅰ. 서 론

복지정책은 국민의 복리를 증진시키거나 최소한 현재 국민이 누리고 있는 복지수준을 유지하기 위한 현대국가의 제도적·법적 장치라고 볼 수 있다. 복지정책은 다른 정책영역과 달리 이해관계가 국가의 경제운용 방향과 결부되어 다양하게 표출되어 정치체제의 양태에 따라 시각의 차이가 많이 나는 분야이다. 자본주의적 경제체제에서 많은 사람들은 복지정책이 경제성장에 역행하는 것으로 인식하고 있다. 복지정책 부문에 많은 재정을 투입하는 것이 경제성장을 더디게 하는 측면을 가지고 있다는 점은 전적으로 부인될 수 없다.

그러나 국가존립의 정당성과 목적 자체와 정치의 본질적 속성이 국민 전체의 복리를 증진시켜 국민 모두가 인간다운 삶을 영위하게 하는 데 있다는 점을 전제로 할 때, 경제성장과 복지정책이 반비례적인 결과를 가져온다는 인식에 대한 사고의 발상전환이 필요하다. 정책을 크게 분배정책, 규제정책, 재분배정책으로 유형화할 때, 분배정책에서는 능률성 추구에 최고의 가치를 부여하고, 재분배정책에서는 평등성의 추구가 최고의 가치를 가지는 이념으로 강조된다.

능률과 평등을 추구하는 양대 정책적 조류 속에서 복지정책은 다른 평가를 받고 있다. 경제성장의 궁극적 목적이 국민의 복지를 향상시키는 것이라는 주장도 틀리지 않는다. 다만 한 시점에서 판단할 때, 정부의 예산운용에서의 우선순위와 깊이 관련된다. 이러한 관점에서 복지정책은 평등성 추구를 강조하기 때문에, 어떤 의미에서 능률성을 최우선으로 하는 가치체계와 배치되는 것으로 인식하는 시각이 강하게 나타난다.

*  건국대학교 행정학과 교수
** 한국농촌경제연구원 농림기술관리센터 .소장

그러나 능률과 평등은 상호 배타적인 것으로 인식해서는 안 되며 상호 보완적인 개념으로 인식하는 인식의 발상 전환을 필요로 한다. 이것은 최근 하나의 철학적 사조로 부각되고 있는 앤터니 기든스의 "제3의 길"과 맥을 같이 하는 것이다. 제3의 길의 철학적 사조에서 표방되고 있는 주요 가치는 평등, 기회균등, 책임, 그리고 공동체 의식이며, 사회정의를 실현하면서 시장의 효율을 균형 있게 충족시키려는 것으로서 평등과 능률의 조화를 지향하는 것이다.

모든 현대국가가 지향하는 복지국가의 건설을 위해서는 복지정책에 대한 정당성이 보장되어야 한다. 복지정책의 정당성을 보장받기 위해서는 정책실행에 대한 국민적 합의가 이루어져야 한다. 정책에 대한 국민적 합의는 국민의 정서와 사상을 지배하는 철학사상에 기반을 두어야 가능하다. 이렇게 할 경우 그 철학은 확고한 국가통치의 철학이 될 수 있게 된다.

국가통치의 형태는 정치학적 관점에서 민주주의와 공산주의, 경제학적인 관점에서 사회주의와 자본주의로 대별되지만 각각의 모습에는 상당한 차이가 있다. 특히, 인간과 정부의 역할에 대한 각기 다른 철학적 견해는 통치의 양식, 국가의 주권, 정부구조에서의 다른 정치체제를 만들어낸다(Lee, 1994 :1). 아담 스미스는 국가경제는 "보이지 않는 손"에 의해서 자율적으로 움직여야 한다고 주장한다. 따라서 시장경제에 대한 국가의 개입을 부인하거나 최소화하는 경제사상적 철학관으로 복지정책을 통한 국가의 시장개입을 정의롭지 못한 것으로 보고 있다. 이와는 달리 복지정책은 국가가 적극적으로 개입하여 시장원리에 기초한 경제성장을 도모하면서 모든 국민의 복리를 증진시키기 위한 능률추구가 가져오는 사회적 병폐를 시정하여 평등과 능률을 균형적으로 추구하려는 정부의 노력을 표현한 것이다.

여기서 정부는 어디까지 개입하여야 하는가 하는 것이 중요한 문제로 부각된다. 정부개입의 범위와 정도는 정치철학적 사사에 기초하여 정해진다. 인간의 본질적으로 가지고 있는 사회성은 우리가 상상할 수 있는 모든 문화에서 판단할 때, 측은지심의 감정, 공평성, 그리고 상호성을 불러 일으키게 된다(Wilson, 1993 :6).

사회적 규범을 형성하는 관습은 누가 동정을 받는 대상이며, 누가 어떠한 노력을 하여야 하는지를 결정할 수 있도록 하고, 이러한 감정을 구체화시킨다. 비록 관습이 사회에 따라 다르다 할지라도, 인간으로서 가지는 공통적 양심이나 감정이 존재한다.[1] 윌슨이 주

---

1) 공통의 감정에 대한 이견이 존재한다. 밀(Mill)이 주장한대로 도덕적 감정은 태어날 때부터 가지고 있는 것이 아니라 후천적으로 취득된 것이라는 주장을 받아들인다면 이견이 존재할 수

장한대로 인간이 가지고 있는 자연적인 사회성은 사회질서를 설명하는 데 도움을 주고 그 질서에 대한 우리의 판단을 위한 근거를 제공한다(Willson, 1993 :8).

그러나 이러한 자연적 감정이 모든 행동을 이끌 수 있는 것은 아니다. 인간의 감정에 의해 자율적으로 해결되지 못하는 부분을 정치가 담당해야 하는 영역이 된다. 사회에서 인간의 경제적 위치는 정치적, 사회적 위치로부터 독립적일 수 없다. 왜냐하면, 우리는 홉스적 현실(Hobbesian reality)과 모든 사람에 대한 각자의 다원주의적 투쟁(Darwinian struggle)이 사회에 존재하고 있다는 사실을 받아들여야 하기 때문이다.

사회에서의 정치적 자유는 정치적, 사회적, 경제적 제도에 의해 제약을 받는다(Lowi, 1979 : Harrington, 1984).[2] 같은 맥락에서 사회정의도 이제는 권리중심적 정의관으로부터 의무중심적 정의관으로 정의에 대한 관점의 전환이 요청된다. 이렇게 함으로써 정의라는 개념이 정치적 사회성을 위한 철학적 개념으로 통합될 수 있다.

헤겔은 개인들의 의지를 공통적으로 묶는 의무론적 정의론을 주장한다. 그의 의무론적 정의론에서 일반적 행동양태는 다른 모든 사람의 행복, 권리와 뒤섞여 있다는 점을 강조한다(Hegel, 1952 :.64). 여기서 단순히 권력의 힘과 폭력이 지배하는 상태에서는 공통의 윤리적 사고나 논리적 사고가 존재하지 않는다. 주장되어온 모든 철학적 사상의 기초는 개인의 권리와 사회적으로 인정된 개인의 권리나 의무와 깊이 연결된다. 개인의 권리에 기반을 둔 철학적 기초는 개인의 권리를 사회적 맥락에서 파악하지 않고 개인의 자유, 생명, 재산권을 중시하고, 개인의 의무에 기반을 둔 철학적 기초는 개인의 생명, 자유와 행복추구권을 중시한다. 두 철학적 사조에서 가장 첨예하게 대립되는 부분이 재산권에 대한 시각에 집중된다. 재산권의 절대적 자유가 보장되어야 한다는 주장이 권리중심적 (right-based) 철학관이고, 사회적, 정치적 맥락에서 재산권은 제약될 수 있다는 상대적 권리라는 주장이 의무중심적(duty-based) 철학관이다. 복지정책적 관점에서 개인의 권리는 사회적 필요에 의해 제한될 수 있다고 인정하는 것이 현대의 시대적 요구이다.

복지국가를 지향하는 것은 개인의 자유를 최대한 신장시키면서 사회적으로 필요한 경우 개인의 권리를 제한하고 의무를 부과하는 정책과 깊이 관련된다. 복지사회를 구현하기 위해 국가는 다양한 복지정책을 통하여 사회를 보다 정의롭게 만들어야 할 책임이 있다.

---

있다(Mill, 1993).

2) 해링튼은 미국사회를 진단하면서, 아담 스미스의 자본주의의 자유기업사회(free enterprise society)가 아니라, 거대한 독점적 세력에 의한 기업집산주의(corporate collectivism) 이라고 주장한다. 로위(Lowi)는 그의 자유주의의 종말(The End of Liberalism)에서 미국의 자유주의는 끝나고 이익집단 자유주의(interest group liberalism)만이 미국 정치에서 존재한다고 주장한다.

본고에서는 복지정책의 속성에 대한 논의와 깊이 관련되는 능률과 평등의 관계에 대한 고찰을 하고 이를 판단하는 데 필수적으로 작용하는 철학관에 대한 고찰을 통해서 복지정책의 정당성을 확보할 수 있는 철학적, 이론적 근거를 제시하려고 한다. 복지정책의 근본이 모든 사람의 행복추구권을 충족시키는 것이기 때문에 모든 국민의 삶의 질을 향상시킬 수 있는 방향으로 이루어져야 한다. 그러나 현실적으로 기술적, 재정적 한계가 존재하여 모든 국민에게 공평한 혜택이 돌아가도록 할 수 없는 경우에 가장 약한 계층이나 집단을 위한 정책의 시행이 요구되고 이에 합당한 가장 대표적인 정책이 복지정책이다. 따라서 능률과 평등에 관한 논의로부터 복지정책의 위치를 설명한 후 철학관에 따라서 복지정책의 성격이 규명되어야 한다.

## Ⅱ. 능률과 평등

복지정책은 막연하게나마 평등의 개념에서 출발한다. 만약 우리가 절대적으로 가치중립적인 정책결정을 할 수 있다면, 평등에 대한 고려를 할 필요가 없을 것이지만 그렇지 않을 경우 평등은 정책결정에서 가장 중요한 가치 중 하나가 될 것이다. 인간의 기본적인 필요나 욕구를 충족하는 점에서 평등한 것이 정의라고 주장된다(Mckeon, 1963 :60).

가치들 간의 갈등이 존재하고 가치들 간의 교환(trade-offs)이 요구되는 정책결정의 상황에서, 정책이 지향하는 가치관을 명백하게 설정하는 것이 매우 중요하다. 자본주의 사회는 권리의 영역과 돈의 영역간의 경계선을 확정하는 최선의 방법을 지속적으로 찾는 것이라고 볼 수 있다. 도이취(Deutch)의 주장에 따르면, 분배적 정의개념은 개인의 복지에 영향을 주는 재화와 조건이 부의 배분과 밀접하게 관련된다. 그러므로 개인의 복지를 증진시키기 위한 "효과적인 사회적 협동(effective social cooperation)"을 정의로운 것으로 보았다((Deutch, 1975 :140). 경제적 생산성이 평등(equality)이나 필요(need)보다는 형평(equity)을 기본목표로 하는 비협동적인 관계가 분배적 정의의 지배적인 원리가 될 것이다. 그러나 에이츠(Yates)가 주장하고 있는 것처럼, 평등이 현대 복지국가의 정치에서 지배적인 아이디어가 되고 있다(Yates, 1981 :35). 평등이 우선적으로 고려되어야만 하는 이유로는 실질적으로 복지정책과 같이 첨예한 이해의 대립과 정책적 논란이 많은 영역에서 우리는 평등의 개념을 발견하게 되고, 또한 정당하다는 것은 평등의 개념을 포함하고 있다는 점이다. 정책에 관련되는 모든 당사자(기업, 노동자)의 이익의 균형을 맞추려고 할수록 더욱 어려운 과업이 된다. 이러한 집단들을 동등하게 하려는 시도는 잘못되면 로위가 말한 "이익집단 다원주의(interest group pluralism)"(Lowi, 1979)에서 정책결정권자에게 영향력을 행사할 수 있는 로비력을 가지고 있는 자나 집단에게 유리하게 작용될 수 있다.

평등의 개념은 정책분석에서 독립적인 고려로서가 아니라 정의문제에 대한 논리적 전제로서 가장 잘 인식되고 있다. 대부분의 평등주의자들의 주장은 기존의 불평등이 부당하다는 전제에서 출발한다. 샘슨(Sampson, 1975)이 말한 것처럼, 평등은 "사회적 기능화(social functioning)"를 의미하게 된다. 정책결정은 하나 혹은 그 이상의 핵심가치에 의해 이루어지고, 이 핵심가치하에서 평가가 이루어져야 한다. 정책결정자가 문제를 인식하는 것은 정책결정자가 가지는 사상적 기반에 따라서 달라질 수 있다. 정책결정의 첫단계는 준거되어야 하는 가치의 설정으로부터 출발하기 때문이다(Anderson, 1979 :712).

능률개념은 모든 정책분석의 체계에서 필요한 하나의 고려요소이다. 왜냐하면, 이는 동일한 가치체계에서 보다 나은 대안을 선택하기 위한 척도이기 때문이다. 이런 의미에서 능률은 동일 목표를 추구하는 대안들 중 하나를 선택할 수 있도록 하는 심판자(tie-breaker)로서 도구적 가치(in-strumental value)로 인식되고 궁극적인 가치로 인식되지 않는다. 즉, 수단의 선택과 직접적으로 관련되며, 목표와는 직접 연관되지는 않는다. 이러한 관점에서 능률은 정치적 판단을 위한 하나의 하위기준(lower-order criterion)으로서 평등에 우선하는 가치라고 볼 수는 없다. 경제지향적 집단은 형평(equity)의 원리를 분배적 정의에서 기본적 가치로서 사용하는 경향이 있으며, 사회안정지향적 집단은 평등의 원리를, 그리고 보호지향적(caring-oriented)집단은 필요(need)의 원리를 사용한다.

정책결정에서 가장 바람직한 방향은 다음과 같이 정리될 수 있다. 평등이 강조되는 상황에서 능률은 평등을 추구함에 있어서 보다 능률적인 대안을 찾게 하는 하나의 판단기준이나 제약으로 고려되어야 한다. 정책결정자는 가능한 양자의 균형을 유지하려는 노력을 기울여야 한다. 특히 복지정책에서는 힘없고 약한 자의 인간으로서의 권리를 향유할 수 있도록 평등에 우선순위가 주어져야 한다. 왜냐하면 최종적으로 능률이 남기는 물음은 "무엇을 위한 능률인가?"이기 때문이다(Lee, 1993 :7). 평등은 실체적인 정의의 원리이고 능률은 도구적인 원리이다. 이러한 논리구조에서 복지정책의 기조인 평등(최소한 인간의 기본적 욕구충족 면에서)이 능률의 논리에 희생될 수는 없다.

# Ⅲ. 복지정책에 대한 철학적 다원주의

복지정책이 사회정의를 실현하기 위한 정부의 노력이라고 본다면, "정의란 무엇인가?"라는 물음에 답할 수 있는 합의된 정의가 필요하다. 그러나 사회정의에 대해 정의를 내리는 것은 아주 복잡하고 어떤 면에서 공통적으로 받아들여질 수 있는 정의를 내리기는 불가능할지도 모른다. 왜냐하면, 사회정의에 대한 정의를 내리는 것은 정의가 사회적, 경제적, 역사적 상황의 산물이며, 동시에 중점을 두는 관점의 차이에서 오는 결과이기 때문이다.

정의개념 자체가 의미 있는 것이고 건전한 사회에 필수적인 개념이라는 점을 부정하는 사람은 없다. 단지, 보통사람들도 누구나 정의개념에 대한 생각을 가지고 있으면서도 정의가 무엇인지를 한마디로 표현하는 데는 어려움을 겪고 있다. 그 이유는 정의에 대해서 이해하는 것이 어려워서가 아니라, 정의개념이 가지는 추상적인 성격과 광범위하게 적용되는 개념적 성격에서 오는 모호성, 그리고 현실의 모습을 설명하기보다는 미래지향적인 성격을 가지고 있어 실제적 상황에 적용시키기 어렵기 때문이다.

정의개념에는 인간의 속성(Hume), 사회계약론적인 인간의 자유(Locke, Hobbes, Rousseau, Kant), 도덕과 윤리(Aristotle, Plato, Hegal), 인간의 공통된 감정(맹자)[3], 그리고 정치적, 사회적, 경제적 체제 등이 포함된다. 정의의 개념화는 인간의 자유와 사회적, 정치적, 경제적, 역사적 맥락에서 이루어진다. 따라서 복지정책의 기초와 정당성을 제공하는 정의의 개념화는 크게 세 가지로 구분할 수 있으며, 각각의 견해는 나름대로의 논리를 가지는 철학적 사상의 주류를 이루고 있다.

## 1. 공리주의 철학사조와 복지정책

공리주의 철학사조에서는 복지정책에 대한 정당성을 찾기가 어렵다. 공리주의 철학사조

---

3) 맹자는 사람의 도덕적 기초를 이끌어내는 인간의 감정에 기반을 두는 정의의 개념을 제시하고 있으며, 정의개념이 최고의 가치를 가진다는 점을 갈파하였다. 맹자는 선택의 기준으로서 정의의 우선순위와 정의로운 사람이 어떻게 행동하여야 하는가를 설명하고 있다. 그는 정의의 첫번째 신호가 다른 사람의 고통을 참을 수 없는"모든 인간의 공통된 감정(feeling common to all mankind)"이라고 설명하고 있다(Solomon and Murphy, 1990 : pp.62~65).

는 정의의 개념을 행복으로 인식하여 행복한 것이 정의로운 상태라고 본다. 공리주의도 도덕적 기준과 행동의 준거를 제공하는 하나의 규범적, 윤리적 체계라고 볼 수 있다. 공리주의는 흄(1962)에 의해서 제시되고 벤담과 밀에 의해서 발전된 철학적 사상체계이다.

공리주의의 본질적 내용은 전체적으로 부가 증가되기만 하면, 올바른 행위로 인정되어 정책결정을 할 때 준거로 삼아야 한다는 점을 견지한다. 공리주의는 다수의 행복에 관련하여 수를 계산하지 않고 부만 증가하면 정의로운 것으로 보는 입장과 최대다수의 최대 행복을 정의로운 것으로 보는 입장으로 나눠지고 있다. 벤담은 인간이 고통과 쾌락에 의해 지배되며 궁극적인 도덕률(moral principle)은 효용의 원리(the principle of utility)라고 주장하면서 인간의 행복은 고통의 최소화와 쾌락의 극대화가 달성될 때 얻을 수 있는 것으로 보았다(1952). 그는 경제적 활동에 정부가 개입하는 것을 반대하여 자유방임주의적 입장을 취하고 있다. 따라서 어떤 정책의 가치나 효용은 전체로서 개인과 사회에 끼치는 고통이나 쾌락의 양에 의해 측정된다고 보았다. 이에 반하여 밀은 "행복은 단순히 쾌락의 합계가 아니다"라는 입장을 취하면서 자유방임적인 자본주의를 공격하고 있다(Taylor, 1986 :20).

공리주의 철학사상이 많은 철학자, 경제학자, 정치학자들에 의해서 광범위하게 수용되고 있으면서도 동시에 많은 철학자들로부터 공격을 받고 있다. 정책선택의 기준으로서의 공리주의를 공격하는 핵심은 윤리적 배경과 방법론적 배경에서 찾을 수 있다. 첫째, 자유의지주의자(libertarians)와 자유주의자(liberals)들은 공리주의가 정의와 맥을 같이 할 수 없다고 공격한다. 그 이유로 공리주의가 결과만을 중시하고 과정을 무시하는 점을 들었다. 따라서 공리주의는 개인의 운명에 대해 대응하지 못하며(Cohen, 1986 :133) 의무에 대한 개인적 성격을 무시한다(Ross, 1930 :21). 롤스(Rawls)는 더욱 신랄하게 "공리주의는 도덕적으로 옳은 의무의 행위(superogatory action)"가 존재한다는 점을 무시하고 있다고 공격한다.(Rawls, 1971 :117).

공리주의가 정부의 개입을 허용하지 않고 사회적 윤리를 고려하지 않기 때문에 사회적 약자를 위한 복지정책의 철학적 기초로서 인식될 수 없다. 공리주의적 철학사조를 따른다면 평등주의를 지향하거나 평등의 개념을 적용하여 사회의 불평등을 시정하려는 복지정책은 그 정당성을 상실할 수밖에 없다. 우리가 인간의 기본욕구를 충족시킬 수 있는 "평등으로부터 멀어질 때, 우리는 가난한 자나 약자의 만족을 탈취하여 부자나 강자에게 보태주는 결과도 정당한 것으로 받아들여지게 된다"(Hart, 1961 :5).

## 2. 자유의지주의 철학사조와 복지정책

자유의지주의 철학사상은 아담 스미스의 경제이론, "보이지 않는 손"과 노지크(Nozick, 1974)의 "재산획득에 관한 이론(theory of acquisition)과 재산의 이전((transfer in holdings)"에 관한 철학이론에 바탕을 두고 있다. 자유의지주의 철학사상을 주장하는 학자들은 정부의 개입이 불필요하다고 강조하면서, 자유는 정부가 어떠한 계약이나 제재를 가하지 않는 곳에서만 보장될 수 있다고 주장한다. 인간은 모든 면에서 동일하지 않기 때문에 다르게 인식되어야 한다는 점에서 출발한다. 따라서 개인의 재산권을 자연권(natural right)으로 여겨 재분배정책의 부류에 속하는 복지정책의 정당성은 용납되지 않는다. 이러한 맥락에서 가장 작은 정부가 가장 정의로운 정부로 인정된다.

이 철학사상은 사회가 도덕적으로 용납될 수 있고 다른 사람의 권리를 침해하지 않는 완벽하게 정의로운 상태에 있을 때만 정당성을 부여받을 수 있다. 재산의 획득과 이전이 역사적으로 정의롭게 이루어졌다는 것을 전제로 하고 있다(Rawls, 1993 :.263-264). 또한, 사회적 성격의 재산도 인정되고 있지 않다. 실질적인 관점에서 정부의 통제나 개입은 재산의 재분배가 요구되는 소유의 극단적인 불평등이 존재하는 경우에 지나친 불평등을 시정하여 사회를 정의롭게 만들 의무를 가진 국가의 임무로서 피할 수 없다. 불평등을 인정한다 할지라도 최소한의 기본적 욕구충족을 보장하여 모든 인간이 자신의 존엄성을 지킬 수 있도록 하기 위한 정부의 개입이 요구된다. 이러한 사회적 조정의 성격을 가지는 복지정책은 자유의지주의적 철학사조에서는 인정되지 않기 때문에 복지정책의 정당성을 여기서 찾을 수 없다.

## 3. 자유주의 철학사조와 복지정책

이것은 자유주의가 어떤 정치체제와 연관될 때, 복지국가를 지향하는 정치체제를 의미하게 된다. 자유주의에서는 정의, 공평, 개인의 자유라는 가치가 중심적인 위치를 차지한다. 여기서 개인의 자유는 인간으로서의 존재가치를 부여받아 존엄성이 지켜지는 자유를 의미한다.

복지정책은 어떤 지역이나 집단적 특수성만을 고려하는 정책이 아니기 때문에, 복지정책은 루소가 제시한 도덕적 심리학과 정책이론을 하나로 연결시키는 "일반의지"개념에 기초를 두어야 한다. 일반의지는 개인의 도덕적 역량을 공공실천의 영역으로 확대시키는 것을 의미한다. 인간의 속성에는 도덕적 선과 악이 잠재적으로 공존한다고 인식되고 있다 (Lemos, 1977 :30). 일반의지는 정치적 불평등에 대항하는 의지로서 "특수한 의지에 대항하는 의지"이다(Shklar, 1969 :185). 불평등의 기원은 인간이 공동이익에 대해 인식하지 못하는 것으로부터 기인되는 것이 아니라 특수한 이익만을 주장하는 데 있다(Rousseau, 1968 :74-78). 특수한 이익이 시민생활에서 결정적인 역할을 하지 못하도록 방어하는 것이 정의의 정신(spirit of justice)이다. 일반의지는 주의가 기울여질 수 있는 목소리에 의해서 결정되는 것이 아니라 시민을 하나로 통합하는 하나의 공통이익에 의해서 결정되어야 한다. 이것은 시민 전체의 평등성에 의해서 자연적인 불평등을 대체하는 것을 의미한다. 소수의 권리를 위하는 것이 진정한 정의의 본질이다. 사람들이 진정한 주권자가 되는 것은 그들이 제도적인 불평등을 방지할 수 있는 한에서만 가능하다. 강한 자에 의해 인위적으로 개념화된 정의에 대한 감각이 사회적 불평등을 초래할 수밖에 없기 때문이다. 따라서 일반의지가 복지정책의 기조가 되기 위해서는 모든 국민들이 그들의 이익 혹은 의무로서 수용할 수 있는 근본적인 공통의 이익을 인식하고 행동으로 표현되어야 한다.

롤스는 루소의 사상적 기조에 바탕을 두고 정책이나 정치적으로 적용될 수 있는 이론을 발전시켰다. 롤스는 평등주의적 입장에서 정의로운 사회를 위한 논리를 주장하고 있다. 동등한 시민이 되는 자유는 정의로운 사회에서 정착될 수 있는 것으로 보고 정의에 의해 보장된 권리는 정치적 협상이나 사회적 이익에 관한 계산에 연루되지 않는다는 점을 밝히고 있다(Rawls, 1971 :4). 그는 부정의(injustice)의 존재를 인정하지만, 이는 더 큰 부정의를 피하기 위해 필요한 경우에만 용납될 수 있는 것이라고 주장한다. 그의 여러 논리체계 - "원초적 지위(original position)", "질서정연한 사회(well-ordered society)", "차등원리(difference principle)" 중에서 차등원리가 복지정책의 철학적 기초를 제공하고 복지정책의 정당성과 깊이 관련된다. 롤스는 정의에 관한 두 가지 원리를 제시했다. 첫째, 각 개인은 기본적 자유에서 동등한 권리를 가지며, 둘째, 사회적, 경제적 불평등은 모든 사람의 이익이 되기 위해 합리적으로 기대되고 모든 사람에게 지위와 직업이 개방되도록 조정된다. 첫째의 원리는 기본적 권리와 의무의 배분에 있어서 평등에 관련되고 둘째의 원리는 사회적, 경제적 배분에 있어서의 불평등이 용납되는 상황과 연관된다. 특히 사회에서 가장 약한 자(the least disadvantaged)를 우선 고려하여 그들에게 다른 사람과 차등을 두어 더 많이 배분할 수 있으며, 이러한 배분으로부터 발생하는 불평등 배분을 정의로운 것으로 받아들여지는 것을 의미한다. 롤스의 원리는 사회적 약자 계층이나 사람을 부담이나 지원에 있어서 강자와 차별을 두어 취급하는 성격을 가지는 복지정책이 정의를 실현하기 위한 제도적 장치로서 정당성을 가지게 하는 철학적 논리를 제시하고 있다. 그러나 실질적 상황에서 어떻게 배분할 것인가 하는 실천적 원리를 구체적으로 제시하지 못하는 약점을 가지고 있다.

롤스의 이론을 보완하는 실천적 이론들은 거워스(Gewirth), 구딘(Goodin) 등에 의해 발전되었다. 거워스는 준거할 수 있는 정책판단의 기준으로서 "자유기준(freedom criterion)"과 "욕구기준(need criterion)"으로 분류하여 설명하고 있다. 복지정책의 기준으로서 이 두 기준 중에서 욕구기준이 자유기준에 우선하여 적용되어야 한다고 밝히고 있다. 자유기준은 자유의지주의자들이 주장하는 개인 재산권의 자유를 의미한다. 자유기준에 의하면 "만약 부유한 자에게 그들의 소유 중에서 일부분을 걷어 기아를 방지하기 위한 재원확보를 위해서 세금을 부과한다면, 정의에 어긋나지 않는다고 본다(Gewirth, 1985 :775).

거워스의 욕구기준을 보다 실천적으로 발전시킨 학자는 구딘(Goodin)이다. 그는 정보의 부족 등으로부터 오는 "취약성(vulnerability)"에 대한 분석을 통해 도덕적 책임론을 발전시키는 데 기여하였다(Goodin, 1985). 구딘은 도덕적 의무와 특수이익의 개념을 활용하여 배분의 기준을 강화시키려고 하였다. 취약한 자를 보호하는 것은 도덕적으로 바람직한 것이라고 주장하고 있다. 이 취약성 이론(vulnerability theory)은 목표집단을 선택하는 데 기여했지만 동일한 목표집단 내에서의 우선순위를 결정할 경우에 어려움을 겪게 된다. 이 우선순위의 문제를 해결할 수 있는 정책결정의 기준으로서 혹자(이규천, 1994)는 "고통의 정도(degree of pain)"를 정책결정의 기준으로 제시하고 있다. 고통의 정도는 문제의 급박함 정도를 기준으로 하여 정책수혜자를 확인할 수 있게 하여 정책결정 기준의 실천성을 높였다.

정부의 가장 중요한 기능 중의 하나가 극단의 불평등을 제거하는 것이다. 부의 소유자로부터 재산을 탈취하기보다는 재산을 축적하는 수단을 제거하는 것이고, 가난한 자를 위한 병원을 짓기보다는 시민이 가난하게 되지 않도록 하는 것이다. 이것이 복지정책의 기본적 사고여야 한다. 정부가 아무것도 하지 않는 것이 가장 큰 부정의가 될 수 있다. 왜냐하면, 다음의 의문이 항상 남기 때문이다. 시민사회의 실패를 누가 해결하는가? 누가 수동적인 시민을 능동적인 시민으로 만드는가?

# Ⅳ. 결 론

복지정책은 능률성을 추구하기보다는 평등성을 추구하는 노선에 가깝다. 일반적으로 복지정책은 능률성을 무시하는 정책노선으로 인식되는 경향이 짙다. 그러나 복지정책은 장기적 능률(인간적 능률, 사회적 능률)을 달성하려는 정책분야이다. 즉, 복지정책은 평등성 추구를 통해 궁극적으로 인간적인 능률을 지향하기 때문에 능률과 평등을 상호 배타적인 가치가 아닌 상호 보완적인 가치로서 인식하여야 한다.

복지정책은 국가의 적극적 개입을 전제로 하기 때문에 국가의 개입정도와 추구하는 이념에 대한 시각차이를 보이는 철학사상에 따라 정당성의 근거가 다르다. 과정을 무시하고 결과만을 중시하는 공리주의 철학사상에서는 능률성만을 강조하기 때문에 복지정책을 위한 철학적 기반이 될 수 없다.

자유의지주의 철학사상에서도 국가의 개입이 최소한으로 이루어지는 것이 정의로운 것으로 인식하기 때문에 적극적인 국가개입의 표현인 복지정책의 철학사상으로 적합하지 않다. 자유주의 철학사상은 복지국가의 실현과 밀접하게 연결되어 있어 복지정책의 철학사상의 기반이 될 수 있다.

사회정의를, 실현이 지나친 불평등을 시정하는 것으로 보는 관점에서 국가의 적극적인 개입이 필요하며 이에 대한 철학적 사상으로서 루소의 일반의지론과 롤스의 분배에 있어서의 차등이론이 복지정책의 철학사상적 기초가 된다.

국가는 사회적 불평등을 야기하는 원인을 제거하기 위한 정책적 개입을 하여야 한다. 이 과정에서 정책판단의 기준으로서 고통의 정도를 가지고 판단함으로써 복지정책 수행의 우선순위 문제를 해결할 수 있다. 이 우선순위를 가능하게 하고, 국가의 정책적 개입을 정당화시킬 수 있는 철학사상이 복지정책의 철학적 사상이 된다.

# 참고문헌

Anderson, Charles W.(1979). "The Place of Principles in Policy Analysis". *The American Political Science Review.* Vol. 73.

Bentham, Jeremy.(1952). *An Introduction to the principles and Morals and Legislation.* New York : Harper & Row.

Cohen, G. A.(1986). "Self-Ownership, World-Ownership, and Equality", Frank S. Lucash. ed. *Justice and Equality Here and Now.* Ithaca : Cornell University Press.

Deuth, Morton..(1975). "Equity, Equality, and Need : What Determines Which Value Will be Used as the Basis of Distributive Justice?" *Journal of Social Issues.* Vol.31.

Gewirth, Alan..(1985). "Economic Justice : Concepts and Criteria". Kenneth Kipnis and Diana T. Meyers. eds. *Economic Justice: private Right and Public Responsibilities.* New Jersey : Rowman & Allanheld Publishers.

Goodin, Robert E.(1985). "Vulnerabilities and Responsibilities : An Ethical Defense of the Welfare State". *The American Political Science Review* 79 : 775~787

Harrington, Michael.(1984). "Corporate Collectivism : A System of Social Justice". Garry Brodsky, John Troyer, and David Vanice eds. *Contemporary Readings in Social and Political Ethics.* New York : Prometheus Books.

Hegal, Georg Wilhelm Friedrich.(1952). *The Philosophy of Right.* Chicago : Encyclopaedia Britanica

Hobbes, Thomas.(1981). *Leviathan.* trans. C. B. PacPerson, Penguin Books.

Hume, David.(1962). *On Human Nature and the Understanding.* Anthony Flew. ed. New York : MacMillan Publishing.

Kant, Immanuel.(1952). "Prefect and Introduction to the Metaphysical Elements of Ethics". T. K. Abbott. trans. Robert Maynard Hutchins. ed. *Grest Books of the Western World.* Chicage : Encyclopaedia Britanica.

Lemos, Ramon M.(1977). *Rousseau's Political Philosophy.* Athens : University of Goorgia

Lee, Gyu-Cheon.(1993). "Bureaucratic Value Choice : A Tradeoff between Equality and Effiency". *Article of Public Management* Vol. 1 : 4~7

Lee, Gyu-Cheon.(1994). "An Injustice Model for Policy Analysis : Perception of Korean Housing Policy. Ph. D. Dissertation.

Lowi, Theodoer J.(1979). *The End of Liberalism:The Second Republic of The United States.* 2nd. ed. New York : W. W. Norton.

Mckeon, Richard.(1963). "Justice and Equality". C. J. Friedrich and J. W. Chapman. eds. *Nomos Ⅵ: Justice.* New York : Atherton Press.

Mill, J.S.(1933). *On Liberty and Considerations on Representative Government.* Fairhaven, N.J. : Oxford UP.

Nozick, Robert.(1974). *Anarchy, State, and Utopia.* New York : Basic Books.

Rawls, J.(1971). *A Theory of Justice.* Cambridge : Harvard University Press.

Hart, H.L.A.(1961). *The Concept of Law.* Oxford : The Clarendon Press.

Ross, David W.(1930). *The Right and the Good.* Oxford : The Clarendon Press.

Rousseau, Jean-Jacques.(1968). *The Social Contract.* trans. Maurice Cranston. Penguin Books.

Sampson, Edward E.(1975). "On Justice as Equality". *Journal of Social Issues.* Vol.31.

Shklar, Judity N.(1969). *Men and Citizens:A Study of Rousseau´s Social Theory.* Cambridge : Cambridge University Press.

Taylor, Paul.(1984). "Utilitarianism", Garry Brodsky, John Troyer, and David Vance. eds. *Contemporary Readings in Social and Political Ethics.* New York : Prometheus Books.

Wilson, James Q.(1993). "The Moral State". *American Political Science Review* 87 : 1~11

Yates, Douglas T.(1981). "Hard Choices : Justifying Bureaucratic Decision". Joel L. Fleishman, Lance Liebman, & Ma가 H. Moore. eds. *Public Duties:The Moral Obligations of Government of ficials.* Cambridge, Massachusetts : Harvard University Press.

# 제13장 사회복지정책의 논거와 형평성

한 영 수*

# I. 서 론

## 1. 연구 목적

21세기는 과학의 발달과 전문화로 인하여 생산력이 향상되고, 사회적으로는 그 만큼 필요한 인력이 상대적으로 줄어들 것이다. 또한 정보가 부(富)와 소득을 결정 짓는 시대가 됨으로써 소득의 격차는 더욱 커질 것으로 예견된다. 한국은 지난 1997년 외환위기로 인하여 경제적 마이너스 성장을 경험하였고, 외환위기 극복을 위한 구조조정 과정에서 대량 실직 사태가 발생함과 동시에 부를 소유한 계층은 더 많은 부를 축적할 기회를 가지게 됨으로써 계층간의 소득격차가 더욱 크게 벌어졌다. 이러한 일련의 현상들로 인하여 그 동안 사회적 갈등과 불안이 적지 않았으며[1], 앞으로 국가차원의 적절한 개입이 없으면 더욱 심각한 상황이 발생될 것으로 예측 된다.[2]

---

* 강남대학교 행정학과 교수

1) 한국은 외환위기(1997년) 이후 소위 구조조정 과정에서 그 폭과 방법상의 의견차이로 노동자들의 연이은 시위와 파업이 있었고, 사업실패자와 구조조정에 의한 실직자의 증가로 인하여 노숙자가 크게 증가하였다. 노사간의 갈등을 해결하기 위한 대통령직속의 勞·社·政 위원회가 설치되기도 하였으나 그 역할은 유명무실하였다.

2) 사회적 갈등이 심화될 경우 사회복지정책을 확대 실시함으로써 사회적 안정을 도모한 사례가 미국에서는 있다. 1950년대 후반에서 1960년대 초반 민권운동으로 사회갈등이 심화되자 War on Poverty 프로그램을 실시함으로써 사회갈등을 조정한 사례가 있다. 사회복지의 이러한 기능을 통제이론(control theory)으로 설명할 수 있다.

그동안 우리 정부는 서구의 신자유주의 기조 위에서 생산적 복지를 천명한 바도 있다. 서구의 경험에 의하면, 이러한 조치들은 소득재분배라는 측면에서 긍정적 측면보다는 부정적 측면이 강조되고 있다(권혁주, 1998: 27-43 참조).[3] 국가발전 목표를 "더불어 잘 사는 복지사회"라고 전제할 때, 그 수단인 사회복지정책의 목적가운데 하나는 소득재분배를 통하여 사회적 격차를 줄여나가는 것이라고 할 수 있다. 즉 과거에 비하여 현재가 보다 나은 소득배분 상태를 보여야 한다는 것이다.

그럼에도 그동안 우리 정부의 복지정책은 빈부격차를 완화시키는 데 기여해왔다는 긍정적인 평가를 하기가 어렵다. 따라서 본고에서는 정부의 복지정책이 거시적 관점에서 빈부격차의 해소나 형평성 제고에 어떤 문제점을 내포하고 있는지를 살펴보고 그 대안을 찾아보고자 한다. 이를 논함에 있어서 본고는 사회복지의 개념을 광의적으로 해석하여 사회복지정책의 논거 및 사회복지와 형평성의 관계를 서술하고, 이러한 논리에 근거하여 복지정책이 지향하여야 할 방향을 거시적인 측면에서 제시해 보고자 한다.

## 2. 분석의 체계

본고는 사회복지정책을 인간의 욕구를 충족하기 위한 수단으로 보고, 인간의 욕구가 선호의 차등(選好의 差等)에서 발생된다는 점에서 출발하였다. 따라서 본고는 이러한 격차를 축소해 나가기 위하여 사회복지정책이 추구해야 할 규범적 방향을 논하고, 규범적 방향에 비추어 사회적 형평성의 제고 방향을 제시하고자 하였다.

첫째, 사회복지정책의 규범적 방향으로는 생존상의 욕구와 관련하여 공존동생주의에서 출발하여야 하고, 차등상의 욕구와 관련하여 평등주의 지향적(격차의 축소 지향)이여야 하며, 분배정의상의 욕구와 관련하여 실적주의 기조를 추구해야 한다. 이 세 가지 방향(욕구)은 상호관련 되어있고 사회복지정책이 이러한 방향에 충실할 때 인간의 욕구충족은 그만큼 개선될 수 있다고 본다.

둘째, 이러한 규범적 방향 중 현실적으로 사회복지정책의 중심적인 문제는 사회적 격차의 축소(형평성 문제)와 관련된다. 이는 인간의 욕구가 선호의 차등에서 연유되기 때문이다.

---

3) 영국의 Thatcher 정부가 신자유주의 이론에 기초하여 1986년 사회보장법의 기초가 된 Fowler 개혁을 실시한 바 있다. 이러한 신자유주의 개혁은 실업을 감소시키는 긍정적인 결과를 가져왔으나, 소득불균형과 빈곤층의 확대라는 신 불평등의 부정적 결과를 가져왔다.

셋째, 인간의 욕구는 시간과 공간에 따라서 변화될 수 있다. 이런 의미에서 본고는 공간과 관련하여 계층 간·지역 간의 형평성, 시간과 관련하여 세대 간의 형평성 문제를 다루었다.

넷째, 계층 간·지역 간의 형평성 문제는 소득격차와 관련하여 논하였고 세대 간의 형평성 문제는 전·후 세대 간의 연관성을 고려하여 연금보험과 아동복지 및 노인복지의 재정과 관련하여 논하였다.

다섯째, 형평성의 제고 방향은 사회복지정책의 규범적 방향과 연관시켜 거시적 측면에서 제시하였다.


# II. 사회복지정책의 논거(論據)


## 1. 사회복지정책의 규범적 방향

규범적인 측면에서 사회복지정책의 방향을 논하기 위해서는 사회복지의 개념 및 범위에 대한 논의로부터 시작할 필요가 있다. 오늘날 정치행정학분야에서는 사회복지의 개념을 광의로 이해하는 것이 일반적인 경향이지만, 사회복지의 개념을 광의적(廣義的)으로 이해한다고 하더라도 사회복지의 실제는 각 국가의 정치적 이데올로기뿐만 아니라 사회복지제도의 전통과 경제발전의 정도에 따라서 선·후진국간에 많은 차이가 있다.

그런데 사회복지의 범위를 어디까지 확대할 것이냐 하는 문제는 정치적 이데올로기나 사회적 관점과 관련하여 중요한 의미를 갖는다. 왜냐하면 그 범위의 지나친 확대나 축소에 따라서 마르크스주의(marxism)도 될 수 있고 자유방임주의(laissez faire)도 될 수 있기 때문이다. 또한 사회복지의 범위에 대하여 기능주의자들은 협의적(狹義的) 입장을 취하고 있고 갈등주의자들은 광의적 입장을 취하고 있는 것이다.

그러나 어느 입장이든 그들이 주장하는 사회복지에 관한 논리의 궁극적인 목표는 "인간의 보다 가치 있는 사회적 생존"을 추구하기 위한 것이라고 할 수 있다. 바꾸어 말하면, 사회과학의 당위적 측면은 사회공동체(社會共同體) 속에서 인간이 공존동생(共存同生)하는 것을 전제로 한 보다 가치 있는 삶을 위한 수단을 마련하는 것으로 볼 수 있다. 그러므로 사회복지정책이 지향하여야 하는 방향은 다음과 같이 정리해 볼 수 있을 것 같다.

첫째, 공존동생주의(共存同生主義)의 지향이다. 미래세대를 포함해서 현존하는 모든 인류가 지구를 공유하며 그것의 산물을 근거로 하여 살아야 한다는 논리 속에는 공존동생이라는 윤리적 이치가 숨어있다고 할 것이다. 그래서 사회과학은 사회공동체 속에서 공존하는 질서의 이치를 찾으려고 하며 이는 사회복지도 마찬가지라고 할 수 있다. 사회복지가 공존동생주의를 지향해야 한다는 것은 사회복지가 사회과학이기 때문에 그것이 지향하는 목표가 같아야 한다는 단순한 논리의 전개가 아니다. 사회 속에서 공존동생의 가치를 배제한다면, 인간의 독선적 행위(獨善的 行爲)가 나올 수 있고, 이것은 다시 다른 사람의 도전(挑戰)을 불러 일으켜서 사회적 갈등을 증폭시키게 되어 결국 파멸을 초래할 수도 있기 때문이다. 이런 상황에서는 인간의 복지가 존재하지 않는다. 또한 공존동생이라는 말은 인도주의(人道主義)의 성격과 상통하는 것으로서 "인간은 누구나 태어날 때부터 불가침의 권리를 가진다"(Nozick, 1974; 김항규, 1998: 95)는 것이다. 이러한 인간의 존엄성(尊嚴性)은 누구에게나 생존에 필요한 최소한의 물질적 혜택이 배려되어야 함을 의미한다.

둘째, 사회·경제적 평등주의(平等主義)의 지향이다. 여기에서 평등주의 지향이란 인간의 생존권을 넘어서 모든 사회의 사회·경제재가 모든 개인에게 균등하게 분배되어야 한다는 개념이 아니라 사회정책의 목표 내지 그 결과가 적어도 사회·경제적 격차의 축소 지향적이거나 그러한 결과를 가져오도록 하여야 한다는 것이다.

사회복지를 인간의 욕구충족을 위한 수단적 개념으로 볼 때, 사회복지 정책은 인간의 욕구(欲求)가 어디에서 연유(緣由)되느냐 하는 욕구 발생에 관한 원인에서 찾아 볼 수 있을 것이다. 인간의 욕구는 매우 다양하나 이러한 욕구의 발생연유는 경험적 선호의 차등(經驗的 選好의 差等; 經驗的 欲求)과 선험적 선호의 차등(先驗的 欲求의 差等; 先驗的 欲求)으로 크게 구분하여 볼 수 있는데 일반적으로 복지문제와 관련해서는 전자(前者)가 더 중요하다고 할 수 있다. 경험적 욕구를 충족하기 위해서는 자신이 선호하는 행위를 다른 사람들과 동등하게 할 수 있어야 한다. 즉 각 개인 간의 평등한 사회적 대우와 동등한 경제적 소비가 전제되어야 욕구충족이 가능하게 된다(Pigou, 1920: 89; Peacok, 1954: 18).[4] 따라서 사회적 평등이나 경제적 평등은 사회복지의 중요한 요소가 되는 것이다.

---

4) 동등한 경제적 소비는 경험적 차등을 그 만큼 줄여서 인간복지가 충족된다는 논리는 신고전학파의 경제이론에서도 찾아 볼 수 있다.

한편 인간의 욕구는 생애주기에 따라서도 변화되기 때문에 한 인간의 생애소득(生涯所得)이 그 주기의 필요에 따라 변화될 때 보다 많은 복지를 발생시키게 된다. 그러므로 개인의 생애에 있어서도 그의 소득이 적절히 분배되는 것이 매우 중요한 복지요소가 된다고 할 수 있다.

셋째, 실적주의(實績主義)에 따른 배분적 정의(配分的 正義)의 지향이다. 인간의 욕구 충족을 위하여 평등주의적 개념이 매우 중요한 요소임은 주지(周知)의 사실이다. 그러나 인간의 개인적 노력이나 업적을 고려하지 않은 평등한 배분은 오히려 불만을 일으키는 요인이 될 것이다. 그러므로 모든 사람이 합의할 수 있는 공정한 배분방식이 필요한데 이 것이 곧 배분적 정의라고 할 수 있다. 배분적 정의는 사회구성원 모두에게 이익이 되도록 사회적 경제재(經濟財) 등을 배분하는 방법에 대한 이성적 논리(理性的 論理)이다.

배분적 정의의 기준(정용덕, 1982: 294-307 참조)[5]으로서의 실적주의는 자본주의체제의 배분적 가치이며, 이것은 소득이나 부를 얻는 데 있어서 그 과정이 공정하면 결과 역시 공정한 것으로 간주하는 것이다. 즉 실적주의는 개인적 업적이나 그것의 사회적 공적(功績)에 따라서 사회적 경제재 등을 분배하는 방식이다. 물론 실적주의의 배분적 정의에서도 인간의 기본적 생존권에 대해서는 평등권을 인정하고 있다. 그러므로 실적주의는 자본주의제도를 살찌게 하고 배분의 전제(前提)인 파이(pie)를 크게 함으로써 그로 인한 사회구성원의 배분의 몫도 커지게 된다. 따라서 최선의 사회복지정책은 실적주의에 입각한 배분적 정의의 실현이라고 하겠다. 물론 사회복지정책은 오랜 역사 속에서 말하여 주듯이 온정적(溫情的)인 측면을 무시할 수 없으나 사회복지정책의 보다 더 합리적인 접근은 배분적 정의를 실현하기 위한 수단적 개념으로 이해하는 것이 좋을 것 같다. 그것은 사회복지정책을 온정(溫情)에 호소하는 것이 아니라 이성적 논리(理性的 論理)에 따라서 접근하려는 것이기 때문이다.

## 2. 사회복지정책과 형평성

사회과학을 이해하는 데 공간(장소)과 시간의 의미가 중요하듯이 사회복지정책에 있어서도 그것은 매우 중요한 의미를 가지는 것이다. 사회복지가 인간의 욕구를 근본으로 하

---

5) 정용덕 교수는 배분적 정의의 기준을 평등주의, 실적주의, 욕구주의로 나누고 있다.

며, 인간의 욕구가 경험적·선험적 선호의 차등에서 발생되고, 그것은 공간(사회적 계층이나 지역)에 따라 다양하게 표출되고 시간(생애주기)에 따라서 변화되기 때문이다. 그러므로 사회복지정책에는 소득계층 간, 지역 간, 그리고 세대 간의 형평성[6] 문제가 중요하다고 할 것이다.

먼저, 소득 계층 간의 형평성은 사회복지정책에 있어서 가장 기본적인 요소이다. 그것은 앞에서 언급한바와 같이, 인간의 욕구는 경험적 욕구나 선험적 욕구의 차등에서 연유되며 소득의 형평이 이러한 욕구의 차등을 감소함으로써 인간의 복지가 이루어질 수 있기 때문이다. 그러므로 계층 간의 소득격차를 줄이는 것은 사회복지정책의 가장 중요한 요소가 될 수 있다는 것이다.

다음으로, 사회복지정책에 있어서 지역 간의 형평성 문제는 두 가지 점에서 논의될 수 있다. 하나는 인간의 욕구는 문화 종속적인 성향이 있고 지역에 따라서 문화가 다를 수 있으며 다양한 문화는 서로 다른 욕구를 발생시킨다는 점이다. 인류는 종교적·문화적 차이에 따라서 서로 다른 생활양식을 가지고 있다. 즉 인도의 카스트제도와 같은 인간의 신분적 차별이나 남녀 간의 성차별이 있는가 하면, 수많은 종교적 의식에 따른 다양한 삶의 방식이 있다. 이러한 문화적 차이는 같은 국가 내에서도 존재할 수 있으며, 이것은 지역에 따라서 서로 다른 욕구가 표출될 수 있음을 의미한다. 그러므로 사회복지정책은 그 지역에 맞게 계획되고 추진되어야 한다.

보다 넓은 의미에서 보면, 정치체제의 이념적 선택이나 지방자치제도의 선택도 인간의 복지를 증진하기 위한 하나의 선택이라고 할 수 있다. 예컨대, 사회복지라는 측면에서의 지방자치제도가 가지는 의미는 지방분권적 체제가 중앙집권적 체제보다 주민의 복지를 더욱 증진시킬 수 있다는 것이다. 그러나 지방자치단체가 스스로 복지문제를 해결하기 위해서는 자기결정권과 능력을 가져야 하는데 그것은 지방자치단체의 재정적 뒷받침이 전제되어야 한다.

다른 하나는 지역 간의 격차문제로서 이는 다른 지역주민들과의 비교에서 발생하는 욕구와 관련된다. 소득, 교육환경, 취업기회, 문화수준 등의 다양한 격차는 지역주민들의 욕

---

6) 형평성은 평등의 개념과는 달리 그 정의가 쉽지 않을 뿐만 아니라 형평성의 대상, 내용, 시간에 따라서도 다양하게 적용될 수 있다. 즉, 그 대상을 개인 혹은 사회, 그 내용을 소득기준 혹은 욕구충족 기준, 그리고 시간을 생애전체 혹은 생애의 어떤 시점을 기준으로 할 것인가? 에 따라서 형평성의 기준이 달라질 수 있다. 평등이 단순한 균등을 의미한다면, 형평은 같은 것은 같게, 같지 않은 것은 다르게 처우하는 것으로 이해된다. 그러나 본고에서는 경우에 따라서 양자의 의미를 혼용하여 쓰고자 한다.

구를 분출시키고, 이를 해결하기 위해서는 지역간의 형평성이 고려되어야 하는 것이다.

끝으로, 세대 간의 형평성 문제가 사회복지정책의 중요한 논점이 될 수 있다. 인간 각자의 인생은 시작(출생)과 끝(죽음)이 명확하다. 그러나 개인을 포용하고 있는 사회는 시작과 끝이 없이 영속된다. 이러한 의미는 현세대는 물론 미래세대 사회구성원들의 복지를 고려해야 한다는 당위성을 의미한다. 영속되는 사회 속에서 인간은 각자 다른 시간에 다른 복지문제를 각자의 미래인생에서 경험하게 될 것을 고려한다면, 일반적으로 현세대와 미래세대의 종합적 이익형태를 적용하는 것이 합리적일 것이다.

Henry Sidgwick는 "아직 태어나지 않은 사람을 포함해서 모든 사람은 똑같이 존중되어야 한다"고 주장했고, 혹자는 "현대의 복지확장은 재생할 수 없는 자원을 다 써버리는 것이 되며 이것은 미래세대에 대한 기부금(기본재산)이 없음을 의미한다"고 했다(Scott Gordon, 1980: 70-71).

물론 인간은 지금까지 새로운 자원을 창조해 왔음을 상기할 필요가 있다. 그뿐만 아니라 인간은 시간의 흐름 속에서 사회를 변화시키고 가치관을 변화시켜 왔다. 그러나 사회에 따라서 각각 다른 사회변화와 가치관으로 변화시켜 온 것이다. 그러므로 우리가 추구해야 할 진정한 삶의 방향은 선진국의 "따라잡기 식"이 아니라 자기문화에 기초를 둔 자기 삶의 창조활동과 그 창조활동의 확장, 즉 자기 자신의 욕구충족(삶의 질을 개선함)을 영위해 나가는 것이다.

이렇게 볼 때 인간은 시간의 흐름 속에서 각자의 생애주기상의 욕구에 따라 그들의 삶을 확산시켜 나가는 것이며, 이와 같이 각자 욕구가 다른 삶들이 모여서 사회를 구성하게 되는 것이다. 따라서 사회복지는 수입의 시간 대(time-pattern)가 욕구의 시간 대(time-pattern)와 조화를 이루는 범위를 고려해야 한다(Scott Gordon, 1980: 67).

이것은 생애소득이 당대(當代)의 필요에 따라 분배가 변화될 때 보다 많은 복지를 발생시킨다는 것을 의미한다. 또한 이것은 수입이 같은 사람들이 같은 복지수준을 영위하는 것이 아님을 의미하기도 한다.

이와 같이 인간의 욕구는 공간(지역)과 시간에 따라서 달라진다. 따라서 사회복지 문제는 지역에 따라 달라지는 지역문화(특수성)와 인간 본연의 욕구(보편성) 속에서 시간의 개념을 가미하여 살펴봐야 한다(한정일, 1982: 175-202).

# Ⅲ. 사회복지정책의 형평성 제고 방향

모든 사회정책이 그러하듯이 단편적이고 단기적인 문제해결 중심의 사회복지정책은 그로 인한 또 다른 복지문제를 발생시킬 수 있으므로 종합적이고 장기적인 전략하에서 현실문제를 해결하는 지혜가 요구된다. 이러한 의미에서 사회복지정책은 공존동생주의, 소득의 격차를 줄여나가기 위한 평등주의 지향, 그리고 분배정책의 기준으로서의 실적주의의 기초 위에서 정책을 실현해 나감으로써 보다 높은 인간의 복지를 향상시킬 수 있을 것이다. 이러한 전제하에 우리나라의 사회복지정책 방향을 거시적 관점에서 몇 가지 제시해 보고자 한다.

## 1. 소득계층 간 형평성 제고 방향

첫째, 사회복지정책의 이념 노선을 재검토 할 필요가 있다. 외환위기 이후 한국은 각 분야에서 정부규제의 철폐와 시장기제에 의한 자원의 배분이라는 신자유주의적 개혁을 실시하고 있다. 이와 맥을 같이하여 지난 1999년 8·15일 경축사에서 김대중 대통령은 "생산적 복지"를 주창한바 있다. 생산적 복지는 영국 노동당의 "제3의 길" 노선과 유사한 것이다(남구현, 2000; 윤찬영, 2000: 160). 제3의 길은 제도적으로는 사회복지의 기본적인 수준들이 갖추어진 상태에서 과도한 정부부담에 따른 신자유주의적 효율성, 생산성, 경쟁 등의 개념이 첨가된 이념적 노선이다. 이러한 의미에서 볼 때, 우리나라의 사회복지 수준에서 생산적 복지는 비현실적이거나 너무 앞서가는 노선이라고 할 수 있다(윤찬영, 2000: 160). 이보다는 사회복지의 기본적인 수준을 확보하기 위한 노력이 우선적 과제라고 할 수 있다.

한편, 신자유주의적 복지 개혁은 소득배분에 부정적 영향을 미친다는 것이다. 영국의 대처(Thatcher)정부가 기초한 정책 패러다임은 신자유주의 이론으로서 정부의 직접적인 시장개입을 자제하는 한편 사회복지의 국가 재정규모를 축소하는 데 일차적 목표를 두었다. 1986년 사회보장법의 기초가 되었던 Fowler개혁은 소득평가 강화, 복지수당에 세금 부과, 저소득층에 지방세 부과 등이다(Howard, 1995: 186; 권혁주, 1988: 27-43). 그러나 영국의 경험에서 볼 때, 이러한 신자유주의 개혁은 실업을 감소시키는 긍정적 효과가 있으나 소득

불균형과 빈곤층의 확대 및 중산층의 감소라는 신 불평등의 부정적 결과를 가져왔다(이선희·신현중, 2000: 139-140). 더욱이 정보화 사회에서는 분배구조가 더 악화될 가능성이 있다(윤찬영, 2000: 160 참조).[7] 한편 스웨덴은 정부의 거시적 경제정책에 공공부문의 고용극대화 전략과 보편주의적 복지제도를 긴밀하게 연결·통합시켜 전통적 복지정책노선을 생산적 복지정책으로 전환해 나가고 있다(Esping-Andersen, Gøsta, 1996: 14; 이선희·신현중, 2000: 140).

이러한 경험들에 비추어 우리나라의 복지정책 전략은 기본적인 사회안전망 확충과 소득불평등 해소 등 공존동생의 공동체의식의 제고에 우선적 노력을 기울일 필요가 있다고 하겠다.

둘째, 사회복지 관련제도들의 구조개혁적 접근이 필요가 있다. "사회의 기본적 구조가 부나 기회를 배분하는 정의의 일차적 주제가 된다"고 롤스(Rawls, 1971)가 지적한 것처럼, 계층 간 소득격차의 개선을 위해서는 한정된 정부예산 내에서의 사회복지비 증가와 같은 소극적 방법보다는 관련제도들을 구조적인 측면에서 개선하는 접근방법이 중요할 것 같다. 예를 들자면, 조세구조의 개선과 같은 것이다. 조세정책에 있어서 세수구조(稅收構造)는 소득재분배적 기능을 한다. 그러므로 직접세와 간접세의 비율을 적절히 조정하여 계층간의 소득재분배적 기능을 수행할 수 있다. 그런데 우리나라는 1999년도 직접세와 간접세의 비율이 40.5%와 59.5%이었던 것이 2004년(예산기준)은 각각 49.7%와 50.3%를 점유하고 있어서(www.mofe.go. kr, 2006.1.5) 소득분배적 측면에서 다소 개선되고 있으나 아직도 소득계층간의 형평성 제고에 역행하고 있다. 이러한 현상은 선진국의 조세구조와 비교에서도 잘 알 수 있는데 역사적으로 시민권이 강하여 조세저항이 심했던 프랑스를 제외하고는 우리나라의 직접세 비율이 가장 낮다(〈표 12-1〉참조). 미국의 경우는 무려 직접세의 비율이 93.2%나 되고 간접세는 6.8%에 지나지 않으며 일본, 영국, 이태리 등은 직접세와 간접세가 대략 6 : 4의 비율을 보이고 있다. 이러한 수치가 우리나라 세수구조의 절대적인 기준이 되는 것은 아니지만 계층 간 소득격차가 벌어지고 있는 우리나라의 경우 적어도 직접세의 비율을 높여 나가야 한다는 시사점은 크다고 하겠다.

---

7) 미래의 정보화 사회에서는 사회적 생산력이 고도화되고, 이로 인하여 경제적 활동인구는 줄어들며 정년은 갈수록 낮아질 것이다. 일용·임시직 등 비정규직 근로자 비중이 늘어나는 가운데 금융·정보산업 등 소수 전문인력 중심의 고액연봉자가 등장해 소득불평등 상황이 심화될 수 있다.

〈표 12-1〉 각국의 직접세 · 간접세 비율(국세기준)

(단위: %)

| 구  분 | 한국 (1999) | 미국 (1998) | 일본 (1889) | 영국 (1997) | 이태리 (1997) | 독일 (1998) | 프랑스 (1998) |
|---|---|---|---|---|---|---|---|
| 직접세 | 40.5 | 93.2 | 59.3 | 56.9 | 56.7 | 45.4 | 39.6 |
| 간접세 | 59.5 | 6.8 | 40.7 | 43.1 | 43.3 | 54.6 | 50.4 |

자료 : 자료: 재경부, 조세개요. 2000.

셋째, 사회복지수요의 예방을 위한 교육기회의 확대가 필요하다. 사회복지제도는 사후 치료적 정책 중심에서 급변하는 사회변화에 대응할 수 있는 예방적 체계로 정비되어야 한다. 정보화시대에서 교육은 곧 소득을 결정하는 중요한 요인이 된다. 개인의 소득 차이를 결정 짓는 요소(정용덕(b), 1982: 185-189)는 유전적 요인이나 운(運)과 사건 같은 인간의 노력으로 통제할 수 없는 요소들도 있지만 소위 인적자본설(人的資本說)은 교육의 중요성을 잘 대변하고 있다. 급변하는 미래 시대의 대비책은 교육(학교교육, 직업교육, 평생교육)을 통하여 기본적인 적응능력을 기르는 것이다. 교육수준의 향상은 개인으로 하여금 직장취업뿐만 아니라 직업을 창조해 내는 힘을 가지게 한다. 우리나라의 빈곤층의 대부분이 무직이거나 일용직 및 비정규직에 종사하는 사람들이고 그들의 대부분이 중학교 이하의 교육수준에 있다. 이는 교육에 투자하는 것이 미래의 실업자를 줄일 수 있으며 또한 장래의 복지수요를 줄인다는 의미를 가지는 것이다.[8] 바꾸어 말하면, 이러한 노력은 교육수요자에 대한 서비스 증대일 뿐만 아니라 장기적으로는 납세자를 포함한 자원제공자들의 비용을 절감하는 데 기여하게 될 것이다(Gates, 1980: 147; 김영종, 2001: 399).

## 2. 지역간 형평성 제고 방향

첫째, 지속적인 국가정책을 통하여 지역간 정보인프라 및 교육환경의 격차를 개선해 나가야 한다.

그 동안의 불균형 경제개발로 인해 수도권 지역과 대도시를 중심으로 첨단산업이나 기

---

8) 최근 LG경제연구소는 소득불평등도는 실업률이 10% 확대되면 1.4% 증가하는 반면, 학력간 소득격차가 10% 늘어나면 3% 증가하는 것으로 나타나 학력변수의 영향이 커진 것으로 분석하고 있다.: 동아일보, 2001. 5. 26 참조.

업이 집중되어 왔고, 이 지역에는 교육수준이 높을 뿐만 아니라 풍부한 연구개발 인력과 투자가 이루어지고 있어 지역간 성장 잠재력에 있어서도 차이가 크다고 할 수 있다. 이와 같이 우리나라는 신경제에서 말하는 경제성장의 내생적 요인이 지역간에 큰 차이를 보이고 있다. 따라서 향후 정책수립 방향에 있어서는 지역간 균형된 정보 인프라의 구축은 물론 지역간 교육환경의 질적 격차 해소를 위한 계속적인 노력이 요구된다. 개인의 교육성취도 차이는 유전적인 한계 내에서 환경적 상황에 의해서 결정된다는 교육불평등설(教育不平等說)은 정보화시대의 교육의 중요성을 강조하고 있을 뿐만 아니라 교육환경의 지역간 격차 해소의 중요성을 대변하고 있는 것이다. 또한 지방자치단체장들도 단기적인 선심성 정책과 장기적 성장기반을 위한 인프라 구축의 결여가 지역격차를 심화시킨다는 것을 인식하고 문제 해결을 위하여 노력하는 것이 필요할 것이다.

둘째, 지방교부세의 인상 및 낙후지역의 증액투자를 통하여 지방자치단체의 자기결정권을 확대해 나가야 한다. 사회복지의 근본적 목적은 자기의 삶을 자기결정에 의하여 영위해갈 수 있게 하기 위한 것이다. 이와 같은 이치로, 지역의 복지문제는 지역주민의 자기결정에 의하여 해결하는 것이 중요하다. 이를 위해서는 지방자치단체가 주민의 욕구를 스스로 해결할 수 있는 재정적 자립이 전제되어야 한다.

그러나 우리나라 지방자치단체의 재정자립도는 서울, 경기 그리고 광역시를 제외하고는 40%에도 못 미치고 있고, 부족재원은 중앙정부의 의존재원으로 충당하고 있다. 이러한 상황에서는 지방자치단체의 자기결정권이 여러 가지 측면에서 제약될 수밖에 없으며, 이는 주민의 고유한 욕구를 해결해 나가는 데 커다란 장해요인이 될 것이다. 그러므로 중앙정부는 지방자치단체의 재정자립을 위한 계속적인 연구와 노력을 해야 할 필요가 있다고 하겠다. 즉, 현행 15%인 지방교부세를 인상해서 낙후지역에 증액 투자하여 지역간 격차를 줄여나가는 방안을 고려할 수 있다. 또한 지방자치단체의 정책관련자들도 단기적이고 전시적인 정책에서 벗어나 장기적 안목의 정책을 지향해야 할 것이다. 경제는 생산적이고 복지는 소비라는 인식을 버려야 하며(허만형, 1998) 양자가 순환적 관계 속에서 이루어져야 한다는 것이다(송근원, 2000: 123). 특히 사회발전이 계속적인 경제발전의 전제가 된다는 논리는 많은 경제발전논자들의 주장과 일치함을 인식하여 사회복지에 많은 관심을 기울려야 할 것이다.

## 3. 세대간 형평성 제고 방향

첫째, 연금의 책임준비금 개념을 도입하고 정기적인 연금재정의 분석을 통한 지속적인 제도개선이 필요하다. 현재 우리나라의 공적 연금제도는 재정적자 규모의 팽창으로 인하여 노후보장이라는 본연의 측면에서뿐만 아니라 전·후 세대간의 형평성이라는 점에서도 크게 문제점을 노정하고 있다. 연금의 재정적자는 결국 전세대의 복지비의 짐을 후세대가 지게 되는 것이다. 이는 사회정의에도 위배될 뿐만 아니라 이러한 문제점을 시정하여 나가지 않는 한 후세대의 노후를 보장할 수 없게 될 것이다.

현재까지의 문제 해결책은 대략 연금제도의 저부담 고급여 구조를 개선하기 위하여 연금 수급액을 줄이고, 연금 수급개시 연령을 높이며, 보험료율을 올려야 한다는 것과 연금재정의 방만한 운용을 근본적으로 개선해야 한다는 것으로 요약할 수 있다. 이러한 방법도 중요하지만 급변하는 사회 속에서 보다 적절히 대처해 나가기 위해서는 정기적으로 연금재정을 분석하고 그에 따른 적절한 개선책을 모색해 나가는 것이 필요할 것이다[9]. 이를 위해서는 정부가 먼저 나서서 연금제도에 책임준비금 개념을 도입하고, 이를 산정·공개하여, 이에 따라 제도를 적절히 개선해 나가는 것이 필요하다. 미국·캐나다·일본 등 연금의 역사가 우리보다 오래되어 책임준비금 부족분의 규모가 훨씬 큰 나라들도 정부가 이를 공개해 가입자들의 이해를 구하고 있다(안종범; 중앙일보, 2001. 2. 7). 이러한 조치는 정부의 신뢰도를 높여서 정책의 순응성을 향상시킬 것이다. 이에 따른 개선 정책의 성공은 전·후세대간의 형평성 문제를 해결하게 될 것이다.

둘째, 노인인구 및 부양비 증가에 비례한 복지비의 증액 등 노령사회를 대비한 적극적인 노인복지정책이 필요하다. 노령화사회로 진입한 우리나라는 노인복지 대책이 시급한 상황에 있다. 노인이 급격하게 증가함으로써 노인의 경쟁력이 국가 경쟁력이 되는 사회로 탈바꿈하고 있는 것이다. 이에 따라 노인복지정책도 시설보호자 및 저소득 노인 중심에서 일반노인 중심으로 바꾸고, 노인복지제도도 일반 노인들의 의료비와 소득보장 등 중장기 종합대책이 필요하다.

선진 외국의 경우는 노인복지정책에 대한 장기계획을 수립하고 있다. 예를 들면, 일본은 1989년 "골드플랜 10개년 계획"을 세웠다. "거동불능 노인 제로 작전, 장수사회 복지기금 설치, 자치단체마다 재가노인 복지시설 설치" 등이 주요 내용이다. 이와 함께 노인

---

9) 정부도 2003년부터 5년마다 연금재정을 점검하여 문제가 있으면 보험료를 높이거나 연금을 줄여나갈 예정이라고 한다.: 중앙일보, 2001. 2. 7.

의료비 급증에 따라 노인을 대상으로 한 "개호(介護)보험"[10]을 만들었다(鬼崎信好, 崔種赫, 1999: 703- 720 참조). 스웨덴도 거동이 불편한 노인들을 위한 가정방문치료와 치매 등 장기 질환자를 위한 요양시설을 확충하였고, 양로시설 이용 노인들에게도 총 경비의 30%를 국가에서 부담하는 한편, 노령연금을 소액으로 받는 이들을 위해 연금보조도 하고 있다(조선일보, 2001. 4. 7).

이러한 노인복지정책을 위해서는 많은 재정적 뒷받침이 필요하다. 그러므로 노령사회에 대비한 종합적 노인복지정책의 수립이 필요하고, 적어도 노인인구 및 부양비 증가에 비례하여 노인복지비를 증액해 나가야 할 것이다. 급격히 늘어나는 노인문제에 대한 대비를 조속히 준비하지 않으면 노인복지를 위한 비용부담은 미래세대가 감당하게 될 것이다. 지금 노인문제를 준비하는 것은 현세대와 미래세대 간의 형평성의 측면에서도 당위성이 있다고 할 것이다.

# Ⅳ. 결 론

국가의 존립목적은 더불어 잘사는 사회, 즉 복지사회를 만들어 나가는 데 두고 있다. 그러나 때로는 복지정책이 단편적이고 임시방편적이어서 오히려 본래의 목적인 인간의 복지와 반대되는 비(非)복지를 만들어 내기도 한다. 그러므로 복지정책이 본래의 목적을 달성해 나가기 위해서는 그것이 추구해야 할 바른 방향을 설정하고 다양한 복지정책들이 이러한 방향과 일치되도록 추구되어야 한다.

이러한 의미에서 복지정책은 우선 공존동생주의에서 출발되어야 한다고 본다. 인류는 지구상에서 공존동생 해야 하며, 이러한 질서의 파괴는 사회적 갈등을 초래하게 되고, 이는 비복지가 되기 때문이다. 사회복지정책은 또한 평등주의를 지향하여야 한다. 즉 사회복지정책은 사회적 격차를 축소해 나가야 한다는 것이다. 그러나 사회적 합의를 결여한 사회적 배분정책은 많은 불만을 일으킬 수 있고 이는 복지가 아니라 비복지에 해당된다. 따라서 재분배정책(복지정책)은 실적주의 기조 위에서 이루어져야 한다는 것이다.

---

10) 개호보험제도는 1997년 4월 9일에 법안이 제정되어, 2000년 4월 1일부터 실시되었다.

사회복지가 인간의 욕구를 충족시키기 위한 활동이라고 할 때, 사회복지정책의 중요한 부분의 하나는 재분배정책이라고 할 수 있고, 그것은 인간의 욕구가 선험적·경험적 선호의 차등에서 연유되기 때문이다. 그런데 사회복지적 측면에서 보면, 인간의 욕구가 사회·경제적 차등에서 발생한다는 점, 욕구가 문화적 영향을 받는다는 점, 시간의 흐름에 따라 인간의 욕구가 달라질 수 있다는 점에서 소득이나 부(富) 등 사회적 가치는 계층간, 지역간, 세대간의 형평성을 유지하는 것이 중요하다는 것이다.

이런 시각에서 볼 때, 우리나라의 소득계층간, 지역간, 세대간의 격차는 많은 복지적 문제점을 노정하고 있고, 이러한 격차는 특히 지난 1997년 외환위기 이후 더욱 악화되었으며 앞으로도 과학화, 정보화 시대와 함께 더욱 확대될 것으로 예견된다. 따라서 사회적 형평성과 관련하여 보다 근본적인 대책이 요구된다.

우리 정부에서는 이러한 문제점들을 해결하기 위하여 신자유주의 기조 위에 생산적 복지를 주장한바 있으나, 외국의 경험에 의하면 그것은 소득분배에 부정적 영향을 미치는 것으로 지적되고 있으므로 이를 고려할 필요가 있다. 우리의 경우는 영세민을 위한 사회안전망과 빈부격차 해소가 더 중요한 과제라고 할 수 있다.

계층간 소득격차를 줄이기 위해서는 조세제도 등 사회복지 관련제도의 구조를 개선하는 접근방법이 중요하다. 또한 정보화 시대는 정보가 소득이나 부(富)를 결정 짓는 중요한 요인이라는 점에서 빈곤층의 직접적인 물질적 도움보다는 미래의 복지수요를 줄일 수 있도록 교육기회 확대가 중요하다고 본다. 그리고 지역간의 소득격차를 줄이기 위해서는 지역간 균형발전을 위한 정보 인프라 및 교육환경의 형평성을 유지하는 것이 무엇보다 중요하며, 지역주민의 복지를 위해서는 지방자치단체의 재정자립을 통한 자기결정권을 유지하는 것이 필요하고, 이를 위해서는 지방교부세의 증액과 낙후지역에의 집중투자가 요구된다. 또한 정책관련자들이 사회복지가 경제발전에 중요한 요소임을 인식하는 것이 중요하다는 것이다. 한편, 세대간의 형평성을 위해서는 연금재정의 주기적 분석을 통한 지속적 개선이 필요하며, 노령사회를 대비하여 노인인구 및 부양비 증가 비례에 따른 노인복지비의 증액 등 노인복지정책에 적극적 관심과 노력이 요구된다. 이는 노인의 복지뿐만 아니라 세대간의 형평성이라는 점에서도 합당한 조치가 될 것이다.

# 참고문헌

권혁주.(1998). "영국 복지개혁의 소득재분배 효과".「한국행정학보」제32권 제1호.

김영종.(2001).「사회복지행정」. 서울: 학지사.

김정완.(1994). "지역균형개발을 위한 민간자본의 운용방안".「한국행정학보」제28권 2호.

김항규.(1998).「행정철학」. 서울: 대영문화사.

박순일.(2001). "빈부격차의 실태, 요인분석 및 정책 제언".「사회정책논총」제13집. 서울 : 한국 사회정책연구원.

남구현.(2000). "낡은 패러다임과 새로운 수사학".「월간 복지동향」제17호. 서울: 나남출판.

방석현·최경규.(2001). "한국 신경제의 현황과 지역간 격차 분석".「행정논총」제39권 1호. 서울 대 행정대학원.

이선희·신현중.(2000). "21세기 한국복지정책의 방향과 과제".「한국행정연구」제9권 1호. 서 울: 한국행정연구원.

정용덕.(1982a). "한국에 있어서의 배분적 정의와 공공정책".「한국정치학보」제6집.

_____.(1982b). "복지 및 소득재분배정책과 행정학".「한국행정학보」제16집.

서진완.(2001). "지역개발과 지역정보화".「한국행정연구」제26권 4호. 서울 : 한국행정연구원.

윤찬영.(2000). "21세기 사회복지분야의 전망과 비전".「한국행정연구」제9권 1호. 서울: 한국행 정연구원.

한정일.(1982).「한국정치발전론」. 서울 : 전예원.

허만형.(2000). "지니계수에 담긴 소득분배의 현실".「자치행정」. 서울 : 지방행정연구소.

_____.(1998).「복지가 경제를 살린다」. 서울 : 홍익재.

鬼崎信好, 崔種赫. (1999). "일본의 공적 개보험을 둘러싼 과제".「21세기 한국 사회복지 전망」. 서울 : 홍익재.

A. C. Pigou.(1920). *The Economics of Welfare*, London: Macmillian and Co., Ltd..

A. T. Peacok.(1954). *Income Redistribution and Social Policy*, London: Jonathan Cape.

Bruce Gates.(1980). *Social Program Administration: The Implementation of Social Policy*, Englewood Cliffs, NJ: Prentice-Hall.

Esping-Andersen, Gøsta.(1996). "After the Golden Age ? Welfare State Dilemmas in a Global Economy". pp. 1-31. in Gøsta Esping-Anderson(ed.), *Welfare State In Transition:*

*National Adaptations in Global Economies*, London: Sage Publications.

Glennerster, Howard.(1995). *British Social Policy Since 1945*, Oxford: Blackwell.

Helen M. Crampton & Kenneth K. Keiser.(1970). *Social Welfare Institution and Process*, New York: Random House.

John Rawls.(1971). *A Theory of Justice*, Cambridge: Harvard University Press.

Robert Nozick.(1970). *Anarchy, State, and Utopia*, N.Y.: Basic Books Inc..

Scott Gordon.(1980). *Welfare, Justice and Freedom*, N.Y.: Columbia University Press.

# 제14장 특수형태 근로종사자 보호정책

최 상 률*

# I. 서 론

우리나라의 특수형태 근로종사자의 대표적인 예로 들고 있는 것이 보험모집인, 학습지 교사, 레미콘기사, 골프장 경비보조원 등이라 할 수 있다. 이와 같은 특수형태 근로종사자 에 대해 논자에 따라 '특수고용직종사자'(유성재, 2003), '특수고용관계'(조용만, 2003), '특수업무종사자'(이철수, 2003), '특수형태근로'(이광택, 2003), '근로자유사종사자'(하경효, 2003), '독립노동자'(조경배, 2004), '계약근로형 노무공급자'(최영호, 2002)라는 표현을 사용하고 있다. 그러나 이러한 형태 근로종사자의 계약관계가 민법상의 고용계약 내지 근로 기준법상의 근로계약에 해당되는 경우도 있을 수 있겠지만 그렇지 아니한 경우도 있으므로, 보다 중립적인 표현인 '특수형태 근로종사자'라는 용어사용이 적정하다고 생각한다(김재훈, 2002: 147). '노사정위원회 비정규직근로자 대책특별위원회' '노사정위원회 특수형태 근로종사자특별위원회'등에서도 이러한 논의과정을 거쳐 '특수형태 근로종사자'라는 용어를 사용하고 있다. 그렇다면 특수형태 근로종사자의 정의는 어떻게 해야 할까가 문제가 된다. 우선 이들에 대해 "해당노무제공자의 근로자성은 부인되지만 사회적 보호 필요성의 관점에서는 근로자와 유사한 요소를 지니고 있는 직업군"이라고 하는 견해(김형배, 2004) 도 있고, "사용자가 노동자를 개인사업자로 등록하도록 하는 등의 방식으로 사업자화하여 근로계약 대신 위탁·도급 등의 계약을 체결하고 일을 시키는 형식의 고용형태"라는 견해(전국불안정노동철폐연대 법률위원회, 2004: 147)도 있다. 그러나 특수형태 근로종사자를 "전통적인 임금근로자와 독립적인 사업자의 경계영역에 위치한 노무제공자"라고 정의

---

* 국무총리실 조사심의관

(조경배, 2004: 299)하는 것이 가장 타당하다고 생각한다.[1] 왜냐하면 특수형태 근로종사자가 이와 같이 경계영역에 있지 않다면, '근로자' 또는 '사용자'로 분류하고 그것에 편입시키면 되기 때문이다.

아무튼 특수형태 근로종사자가 우리나라에서 꾸준히 확대되고 있는 추세는 분명하다(이호근, 2003: 3).[2] 또한 이러한 확대추세가 우리나라에만 국한되지 않고 국제적으로도 일반화된 현상이라고 볼 수 있어, ILO 등 국제기구도 이들에 대한 보호방안 논의[3]가 계속되고 있다는 점을 주목할 필요가 있다. 우리나라도 이러한 특수형태 근로종사자가 확대되어 가는 것이 사실이다. 이미 상당수의 업종에서 전통적으로 근로자에 의하여 수행되던 업무가 당사자 사이의 계약상 합의에 의하여 자유로운 사업자로서의 활동으로 바뀌어 가고 있는 실정이다. 이와 같이 노사의 결합 형태가 바뀌게 되는 주된 원인은 우선 기업측 사정에서 연유한다. 즉 ① 근로자를 사업자로 대체하는 것이 생산품목의 다양화와 유연성을 확보하는 데 유리하고, 경우에 따라서는 생산성이 보다 개선될 수 있기 때문이다. 더 근본적인 문제로서는 기업의 인건비 절감의 효과를 빼 놓을 수 없다. 반대로 노무제공자의 입장에서도 자영사업자가 근로자에 비하여 상대적으로 유리한 점도 있다. 즉 자영사업자에게는 근로자에 비하여 고소득의 기회가 주어지고, 기업이나 사용자에 대하여 활동의 자유를 가질 수 있다. 또한 사회보험의 가입이 강제 당하지 않고, 세법상 사업자로서 융통성이 더 있다는 점도 경우에 따라서는 장점으로 작용할 수도 있다(김형배, 2004: 1048). 또 다른 견해(전국불안정노동철폐연대 법률위원회, 2004)는 특수형태 근로화할 수 있는 업종이나 업무의 특성, 그리고 해당업종의 내외부적 요인들이 작용하였다고 한다. 즉 사용자가 정규직으로 고용해도 되지만 특수형태근로를 활용함으로써 더 많은 이윤을 창출할 수 있다는 점, 눈에 띄는 통제 없이도 노동 강도를 더 강화시킬 수 있는 형태로 변형되기가 쉬운 업종이나 업무라는 특성도 일면 존재하며, 성수기와 비수기의 격차로 인한 비용부담을 노동자에게 전가시키는 데는 특수형태근로가 보다 용이하다는 이유도 찾

---

1) 이와 같은 정의는 법적 정의가 아니라 개념적 정의인 것이다. 특수형태 근로종사자의 법적 정의는 제Ⅳ장에서 언급하기로 한다.

2) "우리나라 전체 임금근로자의 대략 6%(78만)를 차지하는 것으로 보이는 특수형태 근로종사자는 고용형태의 다변화 추세에 따라 이 그룹 종사자는 지속적으로 상승할 것으로 예상"된다고 한다.

3) ILO에서는 우리나라 특수형태 근로종사자보다 넓은 범주의 개념인 이른바 '도급노동(Contract Labor)'이라는 범주에서 지난 1995년 이래 관련 논의를 지속하여 오고 있다. 그러나 지속적이고 꾸준한 논의에도 불구하고 아직까지 어떤 '권고'나 '협약'이 채택하지 못하였다. 다만 ILO는 2004년 3월에 도급노동을 "2006년 제94차 총회 안건"으로 결정한 바 있다.

아볼 수 있다. 한편 열악한 노동자의 지위를 이용한 고소득에의 유인이 성과에 따른 수당 체계를 스스로 받아들이게 하는 근로조건이 되기도 하였다고 한다. 그러나 우리나라에서는 노동법 특히 근로기준법상 수규의무자로서 사용자의 지위를 부담하지 않고, 직업군에 따라서는 노동조합 및 노동관계조정법상 수규의무자로서 사용자의 의무도 회피할 수 있다는 점이 더 매력적으로 작용하는 것으로 보인다(전국불안정노동철폐연대 법률위원회, 2004: 254).4) 즉, 노동법적 의무로부터 일부 또는 전부의 해방이라는 차원에서 특수형태 근로종사자를 선호하는 경향이 있다고 해도 과언이 아니다.5)

이와 같이 특수형태 근로종사자가 증가하고 여러 직업군에서 다양하게 출현하면서 이들에 대한 노동법적 지위, 특히 근로기준법상의 근로자성과 집단적 노사관계법상의 지위가 크게 논란이 되고 있다. 이들 특수형태 근로종사자는 한편으로는 회사와의 사용종속관계가 일반 근로자와는 다르다는 점, 특히 계약체결의 내용이 성과에 따른 보수를 지급받

---

4) "업무나 사업의 특성이라는 것은 사측의 비근로자화 의도를 실현하기 쉬운 조건에 불과하다. 특수형태근로화 시도의 근저에서는 성수기와 비수기의 격차로 인한 비용부담보다는 '진행되고 있거나, 곧 나타날 노동자의 집단화와 그를 통한 노동조건향상 요구 등으로 인한 장래 비용부담을 막아내겠다는 의도'가 깔려 있다고 볼 수 있다. 즉 집단화된 노동자의 힘을 분산시키고 무력화할 수 있는 노무관리체계의 필요성이 존재하였으며, 관리감독이 어렵다는 업종의 특성은 정규직으로의 고용불가능이 아니라 오히려 개인사업자화를 통해 고용을 외부화하여 사용자로서의 법적 책임으로부터 벗어나면서도 여전히 노동자를 사업에 종속시켜 둘 수 있는 기능성으로 존재하였던 것이다. 이는 현재 특수고용형태에 묶여 있는 노동자들이 과거에는 정규직형태로 고용되어 있었다는 사실과 그들이 정규직에서 특수형태근로로 전환되는 과정을 보면 잘 드러난다. 특수형태근로자들 역시 처음에는 정규직으로 고용되어 지금과 동일한 노동을 하고 있었으나, 사용자가 경영 및 노무관리의 필요성에 따라 정규직에서 특수형태근로로 전환시킨 것이다"라고 견해를 피력한다.

5) 이와 같은 견해에 대해 "특수형태 근로종사자 증가 경향은 노동법적 의무의 회피 목적이나 의도에서 나타난 것이 아니고 그것은 결과라고 본다"는 반론을 주장하는 학자가 있다. 그 근거로서 특수형태근로의 특성을 들고 있다. "레미콘트럭기사, 학습지교사, 캐디, 보험모집인과 같은 업종에 종사하는 자는 업무의 성격상 성과의 고양이 사용자의 지휘명령에 의하지 않거나, 업무 수행하는 양태에 대하는 사용자의 모니터링이 불가능하거나 어렵다는데 기인한다"고 주장하는 것이다. "결국, 이러한 경영적 고려에 의하여 소위 특수형태 근로종사자가 늘어나는 것이고, 그 결과로서 이들에 대하여 노동법적 배려가 희박한 상황이 초래되는 것이지, 그 역이 아니다"라고 하면서, "즉, 노동법의 수규의무자로서의 지위 면탈은 결과이지 의도된 목적은 아니라고 할 것이다. 의도된 목적인 경우는 예외적이라고 보아야 할 것"이라고 한다. 이러한 주장을 하는 학자들도 "증가 원인이 이러하다고 하여도, 특수형태 근로종사자의 '종속성'에 기인한 보호의 필요성은 그 정도가 문제이지 여전한 것이다. 그러므로 이들에 대한 노동법적 보호에 대한 논의는 의의를 잃지 않는다"고 하여 특수형태 근로종사자에 대한 노동법적 보호의 필요성을 인정하고 있다.

는 등 자영인으로서의 요소를 가짐과 동시에 다른 한편으로는 전형적인 자영인과는 달리 어느 정도의 사용종속관계를 인정할 수 있는 요소들도 있어 근로자와 자영인의 요소를 동시에 갖고 있기 때문에 이들이 근로자인지 자영인인지 다투어지고 있다. 이처럼 이해관계 당사자들이 근로자성 여부를 두고 첨예하게 다투고 있는 이유는 근로자성이 인정된다면 노동법의 전면적 보호를 받게 되고, 그렇지 않은 경우는 자영인으로서 노동법의 보호 밖에서 일반 사법상의 지위, 즉 민법과 상법의 규율을 받는 지위를 갖게 될 뿐이기 때문이다(강문대, 2004).[6] 따라서 특수형태 근로종사자들은 근로자성을 인정받아 각종 노동법의 보호를 받으려고 하는 반면, 노무제공 이용자로서 사용자는 근로자성 인정으로 소요될 비용부담과 집단적 행동의 우려 때문에 근로자성을 인정하지 않으려 한다. 법적으로 볼때 이와 같은 갈등의 주원인은 현행 법체계가 노동법의 적용 전제조건으로서 근로자일 것을 요구한다는 점, 즉 근로자성 여부가 노동법적용의 선결문제가 된다는 데 있다.

이러한 문제인식 속에서 특수형태 근로종사자에 대한 노동법적 보호정책의 내용도 단순히 현행법체제하에서의 판례에 대한 해석론적 견해 제시에 그치지 않고 입법 정책적 방안을 제시하고자 한다. 왜냐하면 기존법 규정의 해석론을 통해서는 특수형태 근로종사자가 보호되지 않고 있고, 또한 현실적으로 특수형태 근로종사자에 대한 사회적보호의 필요성이 제기되고 있어, 새로운 입법적 보호방안이 아니고는 문제를 해결할 수 없기 때문이다. 또한 입법 정책적 보호방안을 강구하는 경우에도 개별적 근로 측면에서의 보호뿐만 아니라 집단적 근로 측면에서의 보호문제도 검토하고자 한다. 노동법적 보호에 있어 그 범위와 수준은 별론(別論)으로 하더라도 개별적 근로와 집단적 근로 어느 한쪽만 보호한다면 자칫 보호의 불안정성으로 인해 제대로 된 보호가 이루어지지 않을 수 있어서이다. 그리고 특수형태 근로종사자의 법적 지위를 통일적으로 판단하여 보호하기 위해 특별 법안을 제정하는 접근방식을 채택하고자 한다. 그렇게 하는 것이 전체 법질서 내에서 근로자개념 자체를 사실상 통일적인 개념으로 정의[7]해 왔던 우리나라 입법체계에 걸맞다고

---

6) "최근 이 문제가 첨예한 대립의 양상을 띠면서 제기되는 것은 이 문제의 이해당사자의 입장에서 볼 때 이 싸움에서 승리하느냐 그렇지 못하느냐에 따라 얻는 것과 잃는 것이 너무나 많이 차이가 나기 때문이다. 근로자입장에서 볼 때 이 싸움에서 승리한다면, 고용의 안정을 확보할 수 있을 뿐만 아니라 각종 수당 및 퇴직금수령의 혜택을 볼 수 있고 최소한 노조를 조직하여 사용자와 대등한 입장에서 교섭할 수 있게 된다. 만약 이 싸움에서 승리한다면, 고용의 안정을 확보할 수 있을 뿐만 아니라 각종 수당 및 퇴직금수령의 혜택을 볼 수 있고 최소한 노조를 조직하여 사용자와 대등한 입장에서 교섭할 수 있게 된다. 만약 이 싸움에서 패한다면 이와 같은 것들을 전혀 보장받을 수 없게 된다. 그것은 사용자의 입장에서도 정반대의 위치에서 마찬가지이다"라고 견해를 피력하고 있다.

생각되기 때문이다.

이에 앞서 우리나라 특수형태 근로종사자에 대한 현재의 노동법적 지위를 조명해 보고, 또 ILO와 OECD 주요 국가들은 이와 같은 문제를 어떠한 방식으로 접근하고 있는지를 고찰해 보기로 한다.

## Ⅱ. 특수형태 근로종사자의 노동법적 지위

우리나라 특수형태 근로종사자의 노동법적 지위가 현재 어떠한 지를 판례를 중심으로 살펴본다. 한마디로 표현하면, 법원이 특수형태 근로종사자의 근로기준법상 근로자의 지위를 부정[8]하고 있다고 말할 수 있다. 다만, 종전에 일부 직업군에 대해 노동조합법상 근로자의 지위를 인정하였던 대법원 판례[9]가 있었으나, 이마저도 최근 하급심법원을 중심으로 부정[10]되고 있는 경향이다.

---

7) 최저임금법제2조, 산업안전보건법 제2조 제2호, 산업재해보상보험법 제4조제2호, 고용보험 및 산업재해보상보험의보험료징수등에관한법률 제2조제2호, 임금채권보장법 제2조제1호, 근로자참여및협력증진에관한법률 제3조제1호, 사내근로복지기금법 제1호, 건설근로자의고용개선등에관한법률 제2조제2호 등에서 모두 근로기준법 제14조에 의한 근로자개념을 사용하고 있고, 노동조합및노동관계조정법상 근로자개념과 유사한 근로자개념을 사용하는 법은 근로복지기본법 제2조제1호 정도이다. 따라서 노동관계법 적용에 있어 근로자개념은 사실상 근로기준법상 근로자개념으로 통용되어 왔다고 볼 수 있다.

8) 대판, 77다972, 1997.1.11: 대판 88다카28112, 대판 98두9219, 2000.1.28(보험모집인의 근로기준법상 근로자성을 부인), 대판 95다20348, 1996.4.26(학습지교사의 근로기준법상 근로자성을 부인), 대판 95누13432, 1996.7.30: 대판, 2002도601, 2002.6.28(골프자 경기보조원의 근로기준법상 근로자성을 부인), 대판 94도2122, 1995.6.30: 대판 96누11181, 1996.11.29: 대판 97다7998, 1997.11.28: 대판96누1795, 1997.2.14(레미콘기사의 근로기준법상 근로자성을 부인)

9) 대판 90누1731, 1993.5.25는 골프장 경기보조원을 노동조합법상 근로자로서 인정한 대법원 판례이다.

10) 서울행판 2001구6783, 2001.9.4는 골프장 경기보조원의 노동조합법상 근로자성을 부인한다.

## 1. 판례의 입장

특수형태 근로종사자에 대한 근로자성을 판단하는 데 있어 지금까지 판례의 태도를 보면, 대원칙으로서 사용종속관계에 따라 근로자성을 판단하고, 하위원칙으로서 종속관계판단은 계약의 형식이나 명칭이 아닌 노무공급관계의 실질적 판단을 한 후, 결론으로서 노무공급관계의 실질은 이와 관련된 사실제반요소를 종합적으로 고려하여 판단하고 있다. 이러한 제반요소를 다시 구분하여 본다면 다음과 같다. 첫째, 지휘명령의 요소로서 ① 취업규칙·복무규정·인사규정·수행과정상의 구체적 지휘감독, ② 근무시간과 장소의 구속 여부, ③ 근로자 스스로에 의한 업무대체 가능여부이다. 둘째, 임금성의 요소로서 ④ 보수의 성격과 구성과 관련하여 근로자체의 대상적 성격을 갖고 있는지의 여부, ⑤ 기본급이나 고정급이 정해져 있는지 등의 여부이다. 셋째, 기타의 요소로서 ⑥ 비품·원자재·작업도구의 소유관계, ⑦ 근로제공관계의 계속성과 지속성의 유무와 정도, ⑧ 근로소득세의 공제여부나, ⑨ 사회보장제도에 관한 법령 등 다른 법령 등에 의하여 근로자의 지위를 받는지 여부, ⑩ 당사자의 경제·사회적 여건 등이다. 이러한 공식을 당사자의 개별 사정에 대입하여 전체적으로 종합 판단하여 근로자성 판단에 적용시키고 있다. 다만 아쉬운 것은 현행 노동법 체계 내에서는 판례의 결론이 근로자성을 부인하는 쪽에 서 있다는 점이다.

## 2. 판례의 한계

이와 같은 판례의 태도는 두 가지로 나누어 볼 수 있다. 우선 각 직업군별로 사용종속관계의 구체적 판단지표들이 어떠한 비중을 갖고 있는지가 불분명하고, 판단지표 상호간 관계는 어떠한 연계성이 있는지를 가지지 않고 그때 그때마다 비중을 달리하고 있다는 비판을 면할 수 없다. 여기서 특수형태 근로종사자 문제를 입법적으로 해결할 수밖에 없다고 판단하는 중요한 이유를 발견하게 된다. 즉 법원이 법해석의 원칙을 사전에 정해 놓았다고 하더라도 구체적인 사례에 적용할 때마다 달리 적용하거나 판단지표의 비중을 달리 한다면, 추후에는 그러한 여지가 없도록 명문의 규정을 두어 해결하는 것이 바람직하다는 의미이다.

둘째로, 대법원이 근로자성을 판단하는 판례상 원칙은 분명히 공식처럼 열거하고 있으나, 개별 직업군 적용시 결론[11]을 이미 내놓고 원칙 중 결론에 유리한 사실관계를 확인해 주는 판단지표만을 논거로서 강조하는 방식을 채택하고 있다는 점이다. 이와 같은 태도는 이미 결론이 나있는 상황이기 때문에 노동법이 개정되지 않는 한 결론을 바꿀 수 없다는 입장이기도 하다. 특수형태 근로종사자에 대해 입법 정책적 방안을 강구할 수밖에 없다는 또 하나의 근거도 바로 여기에 있다. 현행 노동법체계하에서 법원은 특수형태 근로종사자에 대해 근로자성을 인정하지 못한다는 결론을 이미 내려놓은 상태이기 때문이다. 따라서 이미 결론이 난 상황에서 원인 중 일부가 이러하지 않은가 저러하지 않은가 하는 분석과 비판을 제기한다고 해서 문제가 해결되지 않기 때문이다. 다만 입법을 통해 특수형태 근로종사자의 노동법적 지위를 분명히 규정한다면, 법원도 법에 규정된 입장을 따르지 않을 수 없을 것이라 생각한다.

## 3. 현행 특수형태 근로종사자의 노동법적 지위

그러면 우리나라 특수형태 근로종사자에 대해 현재 노동법적 지위는 어떠한가가 문제된다. 한마디로 말하면 법원의 판례가 근로자성을 지속적으로 부인하기 때문에 우리나라의 특수형태 근로종사자는 노동법적 보호의 사각지대라 할 수 있다. 학자들도 판례의 이런 태도를 바꾸기 위해 다양한 의견과 학설을 제시하여 보지만 역부족인 상태이다. 이와 같은 현실상황은 다음과 같은 결론을 도출해 낸다. 즉 우리나라의 특수형태 근로종사자의 노동법적 보호[12]를 위해서는 더 이상 해석론이나 판례의 변화를 기대하는 것은 의미가 없으며, 법률적·개정 등을 통해 입법론적으로 해결할 수밖에 없다는 것이다.

---

11) 여기서 '결론'이라 함은 '근로자성을 부인하는 결론'을 주로 의미한다.
12) '노동법적 보호'란 노동개별법 중 특수형태 근로종사자에 걸맞는 일부규정만을 적용하더라도 최소한의 노동법적 보호를 받는 것으로 생각할 수 있다.

# Ⅲ. 주요국의 특수형태 근로종사자문제 접근방식

입법론적 해결에 앞서 주요 국가들은 특수형태 근로종사자의 문제를 어떻게 해결하고 있으며, 입법정책으로 어떤 규율방식을 취하고 있는가를 분석할 필요가 있다. 여기에서는 관련 국제기구인 국제노동기구(ILO ; International Labor Organization)와 OECD 주요국의 접근방식에 대하여 살펴보고자 한다.

## 1. 국제노동기구(ILO)

우선 ILO에서는 우리나라 특수형태 근로종사자보다 넓은 개념인 이른바 '도급노동(Contract Labor)'이라는 범주에서 지난 1995년 이래 관련 논의를 지속하여 오고 있다. ILO논의과정에서 나타난 것은 도급노동을 제공하는 자가 반드시 노동시장에서 근로자성을 인정받아 보호되어야 한다는 것이 아니라, 노동시장과 재화시장의 중간영역에서 기능하고 있으며, 그에 대한 보호도 각각 시장영역에 따라 달라질 수 있다는 것을 보여주고 있다. 그러나 지속적이고 꾸준한 논의에도 불구하고 사용자측의 반대, 노사간 입장차이, 각국 정부 간 입장차이로 인해 아직 어떤 '권고안'이나 '협약안'이 채택되지 못하였다. 즉 특수형태 근로종사자를 포함한 도급노동에 대해 ILO는 2005년 12월 현재 '대책마련중'이라고 할 수 있다.

## 2. 독  일

먼저 독일의 경우 우리의 특수형태 근로종사자에 해당하는 유사근로자에 대하여 특별한 규정[13]을 제외하고는 개별적 노동법의 적용대상에서 배제하여 왔다. 즉 독일법상 유사근로자의 법적 지위에 있어 중요한 사실은 원칙적으로 이들은 근로자가 아니므로 포괄

---

13) 독일은 연방휴가법, 안전보호조치의촉진에관한법률, 성희롱방지법, 미성년근로자의보호에 관한 법률 등이 유사근로자에게도 적용되는 특별한 경우이다.

적인 노동법상 보호를 향유하지 않는다는 점이다. 독일의 사례에서 참고해야 할 점은 근로자·유사근로자·자영인 등 이른바 3원주의 방식에 의해 구분해 놓고 유사근로자에 대한 노동법상 보호는 All or Nothing의 방식이 아닌 부분적 보호의 방식을 취하고 있다는 점이다.


## 3. 네덜란드

네덜란드의 경우는 우리의 특수형태 근로종사자를 ① 자영인에 가까운 특수형태 근로종사자(외관자영사업자)와 ② 근로자에 가까운 특수형태 근로종사자(유사근로자)를 동시에 상정하고 있다. 즉 유사근로자 영역에 속하는 특수형태 근로종사자의 노동법적 보호범주를 각 개별 법률에서 규정하고 있는 반면, 외관자영사업자 영역에 속하는 특수형태 근로종사자에 대해서는 이들에 대한 노동법적용을 거부하려는 사용자가 이를 입증해야 한다는 점이다. 따라서 유사근로자로 분류되지 못하고 외관자영사업자로 분류된 특수형태 근로종사자라 하더라도 해당자에 대한 노동법 적용거부의 입증책임을 사용자에게 전환시킴으로서, 외관자영사업자 영역의 특수형태 근로종사자 사용이 쉽지 않음을 알 수 있다. 이와 같은 입법 태도는 우리의 일부 사용자와 같이 종전 근로자종사 직업군을 특수형태 근로종사자 영역으로 전환하여 노동법 영역으로부터 도피를 시도해 왔던 사례에 비추어 많은 참고가 되는 입법례임에 틀림없다. 즉 단지 노동법 적용을 회피할 목적으로 특수형태 근로종사자 사용자에게는 근로자의 대체근로 개념으로서 특수형태 근로종사자 사용이 쉽지 않도록 하는 조치가 필요하다. 다시 말하면, 특수형태 근로종사자인지 다투어질 수 있는 노무제공자에 대해서는 법적지위 확정시까지 노동법상 근로자로 추정하는 규정을 두는 입법규정도 필요하다는 것이다.


## 4. 프랑스

프랑스의 경우 특수형태 근로종사자 유형별로 보호필요성에 입각하여 보호의 내용을 달리 규정하는 개별적 접근방식을 취하고 있다. 이 같은 방법은 실태에 상응하는 실효적 보호를 행할 수 있는 장점이 있지만 규율이 복잡하다는 단점이 있다. 그럼에도 불구하고 우리나라와 같이 대법원 판례에 의해 직업군별로 근로자여부를 확정짓고 있는 국가의 입장에서는, "① 현실적으로 존재하는 대표적 직업군에 대해 명문규정으로 입법화하면서 동시에 ② 특수형태 근로종사자에 대한 일반 정의규정을 병렬적으로 두는 것"이 특수형태 근로종사자 해당 직업군에 관한 국민의 예측가능성을 높이는 데 좋은 방법임을 시사해 주고 있다.

## 5. 미 국

미국의 경우는 현재 우리와 같이 근로자만 노동법 보호를 받는다. 따라서 "보통법테스트에 의한 판례중심의 문제해결(근로자와 비근로자의 판정)이 ⓐ 예측곤란성과 ⓑ 기업주 조직의 용이성 등 때문에 현행 미국 사례의 문제점이라는 것을 인식하는 것" 자체가 우리에게는 입법적 해결방안이 필요하다는 시사점을 던져 준다. 아울러 법원의 판결 전에 근로자냐, 특수형태 근로종사자냐, 자영업자냐를 판단해서 국민의 예측가능성을 높일 수 있는 법적 기구의 마련이 필요함을 제시해 준다.

## 6. 영 국

영국의 경우, 법원이 근로계약(Contract of Service) 아니면 자유노무공급계약(Contract of Service)으로 나누고 두 가지 계약종류를 선택의 문제로 파악하면서 여러 가지 방법과 기준을 개별사례와 관련하여 채택해서 근로자성을 판단하고 있다. 그러나 이와 같은 방법이 영국에서조차 근로자개념에 대한 법원 판결의 예측가능성과 확정된 지침을 상실하여 일종의 '상식에 따른 절충적 접근방법', '직관에 따른 근로자성 판단'이라는 비판을 받고 있다. 다만 최근 영국의 제정법 가운데 그 입법목적에 의거하여 고용개념을 확대하는 경향이 있다는 점은 판례의 근로자성 판단을 보완하고 특수형태 근로종사자에 대해 통일적·전체적 보호가 아니라 개별법 차원에서의 입법목적상 부분적 보호를 꾀하려는 시도로 보인다. 또한 영국 근로자성 판단에 있어 당사자들이 의욕한 계약종류의 선택이 계약의 법적 성질에 대해, ① 간접정황증거로서의 의미 ② 선택된 계약의 종류에 상응하는 방향으로 추정을 가능하게 한다는 점에서 유용성이 있다는 것은 우리에게 시사점을 준다. 즉 특수형태 근로종사자의 문제에 있어 당사자의 의사가 불분명한 경우 추정규정을 두어 해결하는 것도 하나의 입법 정책적 방안이 된다는 점이다.

이와 같이 특수형태 근로종사자에 대한 OECD 주요국가의 입법규율 내용과 보호방법을 살펴보면 그 나라 실정에 입각한 접근방식을 취하고 있다고 볼 수 있다. 따라서 우리나라의 경우에도 OECD 주요 국가의 사례에서 시사점을 얻고 우리의 법률체계와 판례의 태도, 노사의 인식정도 등에 걸맞게 입법정책방안이 모색되어야 한다.


# Ⅳ. 특수형태 근로종사자의 노동법적 보호 정책방안


## 1. 노동법적 보호에 관한 입법론적 방향


1990년대부터 지금까지 우리나라에서 특수형태 근로종사자와 근로자개념 등과 관련하여 논문을 쓴 학자는 30여명에 이른다. 그러나 그 논문의 대부분은 대법원 판례를 비판하며 법원의 해석론적 시각교정에 의한 근로자개념의 확장을 시도하려는 것이다. 학자들의 내심에는 현행 노동법제하에서도 얼마든지 법원 특히 대법원이 해석론적 시각교정을 한다면 특수형태 근로종사자 전부는 아니더라도 근로자에 가깝다고 인정되는 일부 종사자에 대해서는 '근로자'의 지위 부여가 가능하다고 믿는 것 같다. 이러한 기대는 해를 거듭할수록 판례를 통해 무산되어 갔다. 기존의 해석론에서 탈피하여 유사근로자 개념 도입 등의 방법으로 입법론적 접근[14]을 하자는 학자(김형배·박지순, 2004)가 있다. 그 주요내용은 근로자와 사용자란 종전의 2분법적 체계에서 과감히 탈피하여 근로자와 유사근로자 그리고 사용자란 3분법적 체계로 바꾸고, 유사근로자에 대해 '개별근로관계법규정의 부분적용 및 집단적 근로관계법 전면적용'을 통해 보호를 강화하자는 것이다. 이러한 접근방식은 법원의 해석론적 시각교정을 갈망했던 종전 학자들의 주장과 비교할 때 혁신적인

---

14) 이러한 가운데 노동부가 2000년 10월에 '준근로자' 개념을 골자로 한 입법정책적 시도를 한 바 있었으나 관계부처의 반대로 입법이 좌절된 바 있다.

견해라고 할 수 있다. 다만 입법론적 견해로 제시된 적용규정 하나하나가 우리나라 특수형태 근로종사자에 걸맞는 것인지에 대한 설명이 부족한 것 같다. 이하에서는 근로자의 특수형태 근로종사자 그리고 사업자란 3분법적 체계로의 법적 규율전환이 필수적이며, 우리나라 특수형태 근로종사자 법적 지위에 걸맞는 보호규정이 어떠한 것인지 또한 헌법조항과는 어떠한 관계가 있는지를 살펴보기로 한다.

## 2. 보호방안의 입법체계와 총칙규정

### 1) 3분법체계의 인정과 특별입법

우리나라 특수형태 근로종사자의 노동법적 보호방안을 논하기 앞서 근로자와 자영인 사이의 영역 즉, 특수형태 근로종사자의 영역을 인정할 것인가에 대해 결론을 맺고 보호방안을 마련해야 한다. 왜냐하면 전통적 의미와 근로자와 자영인의 2분법 체계하에서는 보호범위가 All or Nothing이라는 극단에 치우칠 것이기 때문이다. 따라서 특수형태 근로종사자의 영역을 인정하고 이들에 대해 근로자적 요소와 자영인적 요소가 공존함을 확인하면서도 적절한 보호를 이루고자 하는 목적이 분명히 있어야 한다고 본다. 또한 보호의 범위와 수준은 근로자와 자영인사이의 중간영역이 존재한다는 전제하에 중간적 보호수준[15])이 해답이 될 것이라고 생각한다. 이렇게 될 경우 근로자·특수형태 근로종사자·자영인 등의 3분법체계를 인정하는 셈이 된다.

우리나라 특수형태 근로종사자에 대해 노동법적 보호방안을 마련한다고 할 때 입법체계는 어떻게 할 것인가의 문제이다. 여기에는 ①특별법형식으로 입법하는 방안, ② 노동관계법의 개별개정으로 특수형태 근로종사자의 적용조항 특례를 두는 방안 등이 있을 수 있다. 그러나 앞서 기술한 바와 같이 3분법체계를 인정한다면, 각각의 노동관계법 개정을 통해 특수형태 근로종사자의 적용조항 특례를 두는 방안은 바람직하지 않다고 본다. 왜냐하면 ②방안은 기존 2분법체계상 통용되어 왔던 전면적용·적용배제라는 입법기술의 근간을 흔들게 되는 결과를 초래할 수 있기 때문이다. 따라서 특별법형식으로 입법하는 ①

---

15) 여기서 말하는 "중간적 보호"란 50%나 절반을 의미하는 것이 아니다. 따라서 노동법의 전면적 적용을 받는 경우가 있고 전혀 적용받지 못하는 경우가 있다면, "중간적 보호"란 노동법의 일부 규정은 적용받고 일부 규정은 적용받지 못하는 경우를 의미한다.

방안이 법률 적용시 혼란을 방지한다는 측면에서 바람직하다.

## 2) 특수형태 근로종사자의 헌법상 지위와 법적 정의

우리나라 특수형태 근로종사자의 노동법적 보호를 하기 위한 특별법을 만든다고 할 때 법의 명칭과 목적은 무엇으로 할까 하는 것이다. 가칭 「특수형태 근로종사자법적지위에관 한특별법(안)」(이하 '특별법안'이라 한다)으로 하고, 법의 목적은 "특수형태 근로종사자의 법적 지위를 규정함으로써 대한민국 국민으로서 기본적 권리보장과 사회·경제적 지위향 상"으로 규정하는 것이다. 그 이유는 특수형태 근로종사자가 현실적으로 존재함에도 이들 에 대한 법적 지위가 법률규정에 명시적으로 없는 까닭에 혼란이 야기되고 있어 이를 명확 히 규정함으로써, 이들에 대해 국민으로서의 기본권 보장의 취지를 확인시켜 주는 데 있다.

### (1) 헌법상의 특수형태 근로종사자의 지위

여기서 특별법(안) 특수형태 근로종사자 개념이 헌법상 근로자개념과 어떤 연관성이 있는가가 문제된다. 특수형태 근로종사자는 근로종사자로서 지위와 자영업자로서 지위를 가지면서(이하 "2중적 지위"라 한다)동시에 근로자도 사용자도 아닌 법적 지위 즉 근로 자와 사용자의 중간적 지위(이하 "중간적 지위"라 한다)를 가지고 있어, 헌법상 노동3권 을 향유할 수 있는 근로자 개념과 동일한 차원의 권리를 가질 수 없다. 다만 특수형태 근 로종사자의 3중적 지위중 근로종사자로서 개념요소가 있기 때문에 헌법 제32조 근로의 권리를 향유하는 국민[16]으로서 지위[17]를 가지며, 따라서 헌법 제21조 결사의 자유도 누 리게 된다. 특수형태 근로종사자의 2중적 지위 중 자영업자로서 개념요소가 있어 헌법 제 23조 재산권도 당연히 보장된다. 특수형태 근로종사자에 대한 명칭에서도 보듯이 '근로'는 표현은 들어가지만 '근로자'라는 표현은 사용하지 않는 이유도 근로는 종사하지만 자영업 자로서 요소가 분명히 있어 헌법상 노동3권이 보장되는 제33조의 근로자는 아니라는 의

---

16) 특별법안의 목적에 "특수형태 근로종사자의 법적 지위를 규정함으로써 대한민국 국민으로서 기 본적 권리보장과 사회·경제적 지위향상"이라고 한 이유도 특수형태 근로종사자를 헌법 제33조 근로자로서 권리를 보장한다는 의미가 아니라, 국민으로서 누리는 헌법상 권리 즉 근로의 권리 (제32조), 결사의 자유(제21조), 직업선택의 자유(제15조)등을 보장한다는 취지이다.

17) 헌법 제32조제1항 근로의 권리를 향유하는 국민은 헌법 제32조제2항의 근로의 의무도 당연히 진다

미로 해석된다. 또 특별법안은 특수형태 근로종사자에 대한 노동법적 보호범위와 수준을 확정 시켜 줌으로써 특수형태 근로종사자와 그 제공노무이용자 간에 있을 수 있는 분쟁을 사전에 예방하는 기능도 할 수 있다.

### (2) 특수형태 근로종사자의 법적 정의

특수형태 근로종사자의 법적 정의는 다음과 같다. 즉 "ⓐ 근로기준법 제14조 근로자와 노동조합및노동관계조정법 제2조제1호 근로자와는 달리, ⓑ 노무공급에 있어 제3의 노동력을 이용하지 않으면서도, ⓒ 작업이 특정한 자나 사업장과의 연관성이 있고 수입의 상당 부분이 특정한 자나 사업장에 의해 지급되는 업무에 종사하는 자"를 말한다. 다시 말하면 "직업의 종류를 불문하고 사업 또는 사업장에 임금을 목적으로 근로를 제공하는 근로자"(근로기준법제14조의 근로자) 또는 "직업의 종류를 불문하고 임금·급료 기타 이에 준하는 수입에 의하여 생활하는 자"(노동조합및노동관계조정법 제2조제1호의 근로자)와는 구분이 된다는 점을 분명히 하고 있다. 그러면서도 또 다른 개념지표로 "노무공급에 있어 제3의 노동력을 이용하지 않음"이라는 '일신전속성'을 상정하고 있는 것이다. 또한 "작업이 특정한 자나 사업장과의 연관성이 있고 수입의 상당부분이 특정한 자나 사업장에 의해 지급되는 업무에 종사하는 자"라고 하여 '특정사업주 또는 특정사업장과 경제적 종속성이 존재하는 경우'가 특수형태 근로종사자의 요건이다. 이와 같이 특수형태 근로종사자로 정의되기 위해서는 소극적 요건으로서 근로기준법상 근로자와 노동조합및노동관계조정법상 근로자가 아니어야 하고, 적극적 요건으로서 노무제공의 일신전속성과 특정사업주 또는 특정사업장에의 경제적 종속성이 있어야 한다.

### (3) 특수형태 근로종사자의 법적 지위

특수형태 근로종사자의 법적 정의를 규정하면서도 이를 보완하기 위해 이들의 법적 지위를 명문으로 규정하는 것이 필요하다. 즉 "특수형태 근로종사자는 근로기준법 제14조 근로자 또는 같은법 제15조 사용자와는 다른 지위를 갖는다"고 하여 근로기준법상 근로자가 아니지만 근로기준법상 사용자도 아님을 분명히 하면서 근로자와 사용자의 중간적 지위라는 점을 표현한다. 그러면서도 특수형태 근로종사자가 2중적 지위를 동시에 갖고 있다는 것을 천명하기 위해 "특수형태 근로종사자는 근로종사자로서 지위와 자영업자로서의 지위를 동시에 갖고 있다"고 규정한다.

이렇게 특수형태 근로종사자의 법적 정의 규정과 법적 지위 규정을 각각 둠으로써 특수형태 근로종사자의 노동법적 보호를 위해 별도의 특별법을 두는 이유가 분명해지는 셈이 된다. 즉 기존의 근로자와 사용자로 구분되는 2분법적 규율체계로는 다룰 수 없는 별도의 영역 즉 특수형태 근로종사자라는 제3의 영역이 존재함을 분명히 인정하고, 근로자·특수형태 근로종사자·사업자라는 3분법적 규율체계가 확립되었다는 점을 입법적으로 선언하면서 특수형태 근로종사자는 특별법으로 규율한다는 것이다.

### 3) 특수형태 근로종사자의 판단주체

특수형태 근로종사자의 법적 정의를 규정하더라도 어떤 직업군에서 어떤 형태의 노무제공이 특수형태 근로종사자인지 근로기준법상 근로자인지 판단하기 어려우며, 종국적으로 법관의 해석에 의해 판결될 수밖에 없기 때문에 통일적 개념의 유용성에 대해 의문을 제기하는 견해가 있다(김영문, 2003: 67).[18] 물론 법적 정의와 법적 지위 규정만 두고 판단주체와 관련된 규정을 두지 않는다면 그런 결과가 올 수 있다. 그러나 노무제공자나 노무이용자의 양측이 다른 주장을 할 경우 이를 판단해 줄 법적 기구가 있다면 문제는 달라진다. 가칭 '근로형태심사위원회'[19]의 구성 및 운영규정이다.

가칭 '근로형태심사위원회'를 노동부에 두고, 동위원회는 노동부장관이 추천하는 3인, 노사정위원회위원장이 추천하는 3인, 중앙노동위원회위원장이 추천하는 3인, 간사위원 1

---

18) "독일에서 통일적인 근로자 개념의 입법화가 실패한 것도 그리고 통일적인 근로자 개념을 설정한다고 하여도 개념을 구체적 사례에 대한 적용에 있어서는 또 다시 법관에 의한 해석학적 재구성이 불가피하기 때문에 통일적 근로자 개념의 유용성도 또한 의문이 든다"고 견해를 피력하고 있다.

19) 이와 같은 입법례를 다른 나라에는 찾기 어렵다. 따라서 근로형태심사위원회가 법적 기구로 창설되어 활동한다면, 특수형태 근로종사자 문제로 고민하는 다른 나라에 대해 좋은 참고 제도가 될 것이라고 확신한다. 왜냐하면 다른 나라들도 특수형태 근로종사자가 법원의 판결을 통해 확정될 때까지 법적 지위의 불확실성이 존재하기 때문이다.

근로형태심사위원회 같은 기구는 아니지만, 참고할 만한 제도가 이탈리아의 고용계약인종절차이다. 이 절차는 고용계약의 분류와 관련된 다수의 소송을 감소시키기 위한 것으로서, 2003년에 제정된 Biagi법에 의해 도입된 것이다. 고용계약인종절차란 ① 노사대표로 구성된 단체, ② 주의 노동국 및 주당국, ③ 이러한 목적으로 등록된 공립·사립대학 등(이하 '인종주체'라 한다)이 고용계약의 분류에 대한 계약당사자의 의사가 법규정을 준수한 것인지 여부를 확인하기 위한 임의절차를 말한다. 이 절차에 의해 인증을 받으며 법원이 최종적인 결정을 내릴 때까지 제3자에 대해서도 인증의 효과를 가질 수 있다(이에 대한 자세한 설명은 이승욱, 2003: 36. 참조).

인 등 총 10인으로 구성되는 위원회로서 위원장은 위원들이 호선하게 된다. 간사위원 1인
은 노동부 근로기준국장이 담당한다. 가칭 '근로형태심사위원회'[20]는 문제가 되는 노무제
공자의 법적 지위가 근로자인지 특수형태 근로종사자인지 아니면 사용자인지를 판단하게
된다. 이렇게 되면 특수형태 근로종사자에 대해 법원의 판결이전 상태에서 오는 법적 불
안정성을 방지할 수 있는 효과가 발생한다.

### 4) 신고·등록제 운영

특수형태 근로종사자는 이른바 '특수형태근로'로서 2중적 지위와 중간적 지위를 갖고
있으므로, 일반근로자와는 달리 '인정'을 엄격하게 해야 한다. 왜냐하면 근로기준법상 근
로자나 노동조합및노동관계조정법상 근로자와 같이 노동법 전면적용 등 국가에 의한 '두
터운 보호'를 받는 것이 아니라, 노동법의 일부 조항만을 적용받는 '중간적 보호'대상이기
때문이다. 따라서 인정받은 직업군의 특수형태 근로종사자에 대해서도 신고·등록제를 운
영한다. 그 취지는 ① 사업주가 자기 사업장에서 노무를 제공하는 특수형태 근로종사자중
의 일부 또는 전부를 신고하지 않고 '또 다른 자영인화'를 추진하여 중간적 수준의 보호
혜택조차도 배제될 수 있기 때문이다. 또 ② 신고제가 아예 없을 경우에는 사업주의 사업
장에서 기존에 근무해 왔던 근로기준법상 근로자를 특수형태 근로종사자라고 주장할 가
능성이 있기 때문이다. 이 경우 근로기준법상 근로자로서 노동법상 두터운 보호를 받아야
할 근로자가 중간적 보호 수준의 특수형태 근로종사자로 오인될 소지가 있음을 사전에
방지하기 위함이다. 그리고 ③ 특수형태 근로종사자도 자신이 신고·등록되어 있는지를
확인하고, 사업주가 신고하지 않았을 경우 자기가 직접 나서서 신고할 수 있도록 제도적
장치를 마련해야 한다. 이렇게 되면 신고·등록에 소극적인 사업주가 있더라도 특수형태
근로종사자 스스로 자신의 권익을 보호할 수 있다는 장점이 있다.

만약에 특수형태 근로종사자로서 인정받은 직업군이면서도 사업주도 신고하지 않고 노

---

20) 1998년 ILO 제86차 정기회의의「도급노동위원회에서의 논의를 위하여 상정된 보고서」는 "도급
　　노동이 노동법 등의 강행법 규정의 적용을 회피하기 위해서 악용·남용될 수 있기 때문에 회
　　원국은 자국의 법률과 실무에 상응하여 근로관계가 존재하는지를 결정할 수 있는 절차를 확보
　　해야 하고, 이 절차는 이해하기 쉽고 신속해야 하며 객관적 판단기준에 의거해야 한다"고 정
　　하고 있다. 따라서 우리의 경우 가칭 특수형태 근로종사자진단위원회가 근로관계 존재여부를
　　쉽고 신속하게 판단해 주는 절차, '법적 정의와 법적 지위'규정이 '개관적 판단기준'에 해당한
　　다고 생각한다.

무제공자도 신고하지 않았을 경우 그들의 법적 지위를 어떻게 규율할 것인지가 문제가
된다. 이 경우에는 ① 근로자 추정 규정을 두는 방안과 ② 자영업자 추정 규정을 두는 방
안이 있다. 그러나 근로기준법상 근로자로 추정되는 규정을 두어야 사업주의 탈법을 방지
할 수 있다고 보아 ①의 견해가 바람직하다. 즉, 법에 "특수형태 근로종사자로 지정된 직
업군임에도 불구하고 노동부장관에게 신고 또는 금융감독위원회에 등록하지 않은 자는
신고 또는 등록시점까지 근로기준법 제14조 근로자로 추정된다"[21]는 별도의 규정을 두는
것이다. 이렇게 근로자추정 규정을 두는 이유는 특수형태 근로종사자가 근로자로 추정됨
으로써, 사업자는 노동법 수규의무자 및 각종 사회보험 부담주체로서의 역할이 부여되기
때문이다. 이런 부담을 탈피하기 위해서라도 사업자가 적극적으로 신고에 응할 수밖에 없
게끔 한다는 것이 입법의도이다.

## 5) 기준 특수형태 근로종사자 직업군 규정방법

앞서 서술한 바와 같이 특수형태 근로종사자의 법적 정의규정과 법적 지위규정을 두고
노동부내에 법적 기구로서 '근로형태심사위원회'를 구성·운영한다고 하더라도, 이미 그
직업군 자체가 판례 등을 통해 특수형태 근로종사자로 이미 인정된 ⓐ 골프장 경기보조
원, ⓑ 보험설계사, ⓒ 레미콘기사, ⓓ 학습지교사 등은 어떻게 해야 할 것인지의 문제이
다. 즉 특별법안에 규정을 넣을 것인가 아니면 그 직업군도 '근로형태심사위원회'에 판정
을 받아야 하는지가 문제가 된다. 이 경우 법률에 명문의 규정으로 넣어 분명하게 정리를
하는 것이 바람직하다고 생각한다. 예를 들면 법안 본문에 '특수형태 근로종사자는 다음
각호의 1에 해당하는 자를 말한다'라고 규정하고, 제1호에는 '골프장 경기보조업무종사자
로서 노동부장관에게 신고한 자', 제2호는 '보험설계사로서 보험업법 제84조제1항에 의해
금융감독위원회에 등록[22]된 자', 제3호는 '건설기계관리법제3조에 의해 등록된 콘크리트

---

21) 1997년 ILO 제86차 정기회의의 결의와 논의를 토대로 ILO사무국이 마련한 「도급노동권고안 5」
　　는 "도급노동이 노동법과 사회보장법에 의해서 보장된 권리를 부정하거나 이용기업의 근로자나
　　하청기업의 근로자 또는 중간매개자의 근로자로 보아야 한다"는 규정이다. 이는 노동법이나 사
　　회보장법 규정의 적용을 회피하거나 잠탈하기 위해 도급노동이 악용되거나 남용되는 것을 방지
　　하기 위한 것이다. 따라서 우리의 경우 "특수형태 근로종사자로 신고 또는 등록 등을 해태할 경
　　우 신고 또는 등록 시까지 근로기준법 제14조 근로자로 추정규정을 두는 것"은 특수형태 근로
　　종사자라는 이유로 노동법규정 적용을 회피하거나 잠탈하는 것을 막기 위한 규정이라고 생각한
　　다.
22) 여기서 보험설계사만 금융감독위원회에 등록이라는 형식으로 하는 것은 실익이 없고 불필요하

믹스트럭을 운전하는 자로서 노동부장관에게 신고한 자', 제4호는 '학습지교육상담교사로서 노동부장관에게 신고한 자', 제5호는 '기타 제공하는 노무가 특수한 형태인자로서 노동부내 「근로형태심사위원회」에서 특수형태 근로종사자로서 인정받은 직업군으로서 노동부장관에게 신고한 자'로 규정하는 방식을 말한다. 이렇게 규정하는 것이 투명하고 다툼의 소지를 가급적 없애는 방향이라고 생각한다.

또한 특수형태 근로종사자에 해당하는 직업군으로서 노동부장관 또는 금융감독위원회에 신고·등록하였다고 하더라도, 연간 소득금액이 고액인 자는 특별법 적용제외 규정을 두는 것이다. 즉 "이 법에 의한 특수형태 근로종사자라고 하더라도 1회계년도를 기준으로 연간소득금액이 대통령령으로 정하는 기준 이상의 고액인 자는 자영업자로 간주되며, 이 법에 의한 보호를 받지 못한다"라고 규정하는 것이다. 여기서 '연간 소득금액이 대통령령으로 정하는 기준이상의 고액인 자'는 어느 정도의 연소득을 기준으로 설정해야 하는 것인가 문제가 된다. 고액소득자의 기준을 대통령령으로 위임하였다. 개인적 견해로는 대통령령에 연소득 얼마인 자로 해서 구체적 소득금액을 명시하기보다는 '산업재해보상보험법 제38조제6항에 의한 최고보상기준금액을 연간 소득으로 환산한 금액'하는 것이 타당하다고 본다. 이럴 경우 2004년9월～2005년8월 적용최고보상기준금액은 151,249원이고 이를 연간 소득으로 환산하면 55,205,885원(151,249원 × 365일)이 된다. 이렇게 하는 근거는 특수형태 근로종사자 중 1일평균소득이 최고보상기준금액을 초과하는 평균임금을 가진 일반근로자보다 높을 경우에는 해당 특수형태 근로종사자에 대한 사회적 보호의 필요성이 미약하다고 보는 것이다.

## 2. 개별근로규정

특수형태 근로종사자에 대한 개별근로규정, 즉 근로조건은 헌법 제32조 제3항에 따라 인간의 존엄성을 보장하도록 법률로 정하는데 그 법률이 "특수형태 근로종사자법적지위

---

다는 견해가 있다. 이 견해에 따르면 노동법적 보호 차원이 목적이라면, 감시단속적 종사 근로자처럼 노동부장관의 승인을 받는 것으로 신고에 가름된다는 주장이다. 이와 같은 견해는 찬성할 수 없다. 보험설계사에 대해 금융감독위원회 등록으로 가름한 것은 보험업법 제84조에 의해 이미 등록하도록 규정되어 있어 같은 국가기관이라고 할 수 있는 노동부장관에게 또 다른 신고의무를 부과하는 것이 적절치 않아서이다.

에 관한특별법"이다. 다만 근로조건의 보호범위와 수준은 특수형태 근로종사자가 갖고 있는 2중적 지위와 중간적 지위를 고려할 때, 근로자보다는 미흡하지만 사용자보다는 보호가 많은 중간적 보호수준이어야 한다.

### 1) 서면계약 체결의무 부과와 계약해지 제한

특수형태 근로종사자로부터 노무제공을 받는 자(이하 '사업자'라고 한다)는 반드시 서면에 의한 노무공급계약을 체결하고 사본1부를 특수형태 근로종사자에게 교부하도록 하는 것이다. 이렇게 서면계약을 의무화하고 사본까지 교부하도록 하는 이유는 일부 사업자의 경우 "계약서 작성이 곧 근로자성 인정의 단초가 될 수 있다"고 작성을 꺼려 왔기 때문이다(정인수・김영문, 2004: 155).[23] 따라서 "특수형태 근로종사자법적지위에관한특별법(안)"이 특수형태 근로종사자의 노동법적 지위와 보호수준을 분명히 할 목적으로 규정하는 법안이라면 노무제공자나 노무이용자가 서면으로 계약을 체결하고 계약내용을 분명히 하기 위해 계약서 사본을 교부하는 정도로 투명하게 규율할 필요가 있다고 본다.

또한 상시 5인 이상 특수형태 근로종사자와 계약을 체결한 사업자(이하 '5인계약사업자'라 한다)는 특수형태 근로종사자에 대하여 정당한 이유 없이 계약해지 등 불이익처우를 하지 못하도록 하는 것이다. 또한 5인계약사업자는 특수형태 근로종사자가 업무상 부상 또는 질병의 요양을 위하여 휴업한 기간과 그 후 30일간 또는 산전・산후의 여성이 이 법의 규정에 의하여 휴업한 기간과 그 후 30일간은 계약을 해지하지 못하도록 하는 것이다. 이는 근로기준법 제30조(해고 등의 제한)규정을 참고하여 특수형태 근로종사자에 걸맞게 규정한 것이다. 그리고 5인계약사업자가 특수형태 근로종사자에 대하여 정당한 이유 없이 계약해지・징벌성 보수부당감액 등을 한 때에는 당해 특수형태 근로종사자가 노동위원회에 구제신청을 할 수 있도록 한다. 이 또한 근로기준법 제33조(정당한 이유 없는 해고 등의 구제신청)규정을 원용했다고 볼 수 있다. 이와 같은 계약해지 등의 제한 및 구제신청 절차규정을 두는 이유는 현실적으로 특수형태 근로종사자의 경우 5인계약사업자

---

23) "사례연구는 현재 캐디들이 아무런 계약도 체결하지 않은 채 노동력을 제공하고 캐디피의 보수를 받는다는 점에서 공통되어 있다. 그 이유로서는 캐디들이 회사와의 특정계약을 체결하고 계약서를 작성하면 이것이 근로자성 인정의 단초가 될 수 있다는 우려가 있다. 그러나 어떤 형태든 어떠한 근거에 의해 어떠한 법률관계 위에서 서비스나 노무급부를 제공하는지에 대한 법적 근거를 만들 필요가 있다"고 견해를 피력하면서, 골프장측이 캐디와의 계약서 작성을 꺼리는 이유를 구체적으로 설명하고 있다.

의 일방적인 계약해지가 가장 두려운 제재라고 할 수 있다. 따라서 일반근로자의 해고제한 수준의 두터운 보호는 아니라고 하더라도, 정당한 이유 없이 사업자의 자의적이고 일방적인 계약해지 등 불이익 처우는 면할 수 있도록 입법적 보호가 필요하다는 취지이다.

## 2) 보수 · 근로시간 · 휴게 · 휴일 규정

사업자는 보수를 통화로 직접 특수형태 근로종사자에게 그 전액을 지급하여야 하고, 매월 1회 이상 일정한 기일을 정하여 지급하여야 한다는 원칙규정을 두는 것이다. 다만 업무의 성격상 제3자가 특수형태 근로종사자에게 보수를 직접 지급하는 관행(장의성, 2004(A): 74)[24]이 있을 경우 이는 사업자가 직접 지급한 것으로 간주한다는 규정도 함께 둔다. 이는 근로기준법 제42조의 임금지불원칙을 참고한 규정이라고 할 수 있다.

특수형태 근로종사자의 근로시간 · 휴게 · 휴일 등에 관한 규정을 특별법안에 강행적으로 두어야 할 필요가 있냐는 것이 논란이 될 수 있다. 그러나 특수형태 근로종사자에 대해 프랑스와 같이 특정 직업군을 법률에 명시하는 나라조차도 일반근로자와 동일한 수준으로 보호하는 것이 아니라, 그 직업군에 적용되는 특칙을 규정하는 방식으로 보호한다. 예를 들면 프랑스의 경우 외무원 · 대리원 · 외판원(VRP)은 최저임금에 관한 법과 근로시간에 관한 규정은 적용되지 않으며, 공동주택의 수위 · 고용원의 경우 근로시간에 관한 법규, 정리해고 관련 법규 등은 적용되지 않는 특칙이 있는 것이다(조용만, 2003: 121, 127). 우리나라 특수형태 근로종사자의 경우 근로시간 · 휴게 · 휴일 등과 같은 근로조건은 '종사업무 성격상' 다양한 형태로 나타날 수 있기 때문에, 근로기준법상 근로시간 · 휴게 · 휴일 등과 같이 엄격히 제한된 근로조건이 적용되기는 어려울 것으로 보인다(김형배 · 박지순, 2004: 97).[25] 따라서 특수형태 근로종사자의 근로시간 · 휴게 · 휴일 등의 근로조건

---

24) "아이러니컬하게도 캐디피는 원래 내장객이 그린피를 낼 때 함께 임금시킨 캐디피를 골프장측에서 캐디에게 전달하였었다. 그러나 ①판례의 사건(캐디가 노동조합법상 근로자인지가 문제된 유성CC사건을 말함)이 법원에 제기된 이후 캐디피는 내장객이 직접 캐디에게 지급하는 방식으로 전환되었다는 사실이다"고 하면서, 골프장 캐디에 대해 내장객(제3자)이 보수(캐디피)를 직접 지급하는 관행이 있음을 설명하고 있다.

25) "특정 장소와 시간 동안 사용자의 지휘 · 감독하에 노무를 제공하는 것을 전제로 하여 마련된 휴게 · 휴일 및 월차휴가제도는 제도의 취지상 유사근로자에 대해서 적용될 수가 없는 것이다"라고 하고, "근로기준법상의 근로시간은 근로자가 사용자의 지휘 · 감독하에 근로계약상의 근로를 제공하는 시간을 말한다. 구체적인 근로시간의 결정은 원칙적으로 사용자의 지시권 행사에 의하여 결정된다. 따라서 업무시간을 자유롭게 선택하고 결정할 수 있는 유사근로자에 대

은 특별법안의 내용으로서는 적합하지 않으므로 명문의 규정을 두지 않는 것이 바람직하다[26]고 생각한다.

### 3) 연차휴가

5인 계약사업자[27]가 특수형태 근로종사자에 대해 연차휴가를 부여 할 것인지, 휴가를 부여할 경우에도 1년에 몇 일의 휴가를 부여할 것인지와 유급휴가 또는 무급휴가를 부여할 것인지가 문제된다. 이에 대해, "독일의 연방휴가법은 경제적 종속관계에 있는 유사근로자에 대해서도 유급휴가권을 인정하고 있다. 유사근로자도 그의 경제적 종속성으로 인하여 유급휴가에 대한 청구권을 가짐으로써 자기 노동력에 대하여 일반근로자와 원칙적으로 동일한 보호를 필요로 하기 때문이다"라는 견해를 피력하면서(Dersch/Neumann, 1997: Rn68; 김형배·박지순, 2004: 96-97), 우리나라 특수형태 근로종사자에 대해서도 연차유급휴가만큼은 근로기준법상 동일수준의 보호를 주장하는 견해가 있다(김형배·박지순, 2004: 97).[28] 그러나 독일의 유사근로자는 연방휴가법에 의해 연차휴가에 관한 한 이미 입법적 보호가 완비된 상황이고, 우리나라의 경우는 특수형태 근로종사자에 대해 노동법의 "중간적 수준의 보호"가 필요하며 이를 입법화해 나가야 하는 입장임을 감안할 때, 독일과 같이

해서는 기본적으로 그(근로시간)보호의 실익이 없을 것이다"라고 하면서, 특수형태 근로종사자의 근로시간·휴게·휴일 등의 적용제외를 주장한다.

26) 우리나라 특수형태 근로종사자의 경우에도 근로시간·휴게 규정 등은 몰라도, 독일 연방휴가법 제2조의 예를 들어 휴일만큼은 일반 근로자와 동등하게 보장되어야 한다는 반론이 있을 수 있다. 그러나 ① 우리나라의 휴일제도는 다른 나라와는 달리 유급휴일제를 채택하고 있다는 점, ② 특수형태 근로종사자에 대해서만 무급휴일제 등을 둔다고 하더라도 종사업무 성격상 휴무일과는 휴일의 구분이 곤란한 것 등 예측할 수 없는 다양한 현상이 나타날 수 있다는 점, ③ 계절 등과 관련된 업무자체는 휴일과 근로일의 명백한 구분이 없을 수 있다는 점 등을 감안할 때 특별법안에 강행적인 법률규정을 두기보다는 해당 사업자와 특수형태 근로종사자간 특약으로 해결하는 것이 타당하다고 본다.

27) 연차휴가부여 문제를 '5인계약사업자' 즉 '상시 5인 이상 특수형태 근로종사자와 계약을 체결한 사업자'라고 규정하는 이유는 현행 근로기준법상 근로자의 연차휴가 규정도 상시 5인 이상 근로자를 사용하는 사업 또는 사업장에 국한되고 있기 때문이다.

28) 이 경우에도 휴가지정권이 사업주에 유보되어 있는지, 아니면 유사근로자가 직접 시기를 지정할 수 있는지 여부가 문제될 수 있다고 하면서, "유사근로자는 근로자와는 달리 자신의 업무내용과 업무시간을 스스로 결정할 수 있는 위치에 있기 때문에, 즉 사업주의 지시권에 종속되어 있지 않기 때문에 원칙적으로 스스로 휴가의 시기를 정할 수 있다고 보는 것이 타당하다. 다만, 유사근로자도 휴가권의 실행시 민법상의 신의칙에 따라 사업주의 이해관계를 적절하게 고려해야 할 의무를 부담한다고 새겨야 할 것이다"라고 주장한다.

일반근로자와 같은 수준의 보호는 어렵다고 본다. 결론적으로 5인계약사업자는 노무공급계약이 1년 지속된 특수형태 근로종사자에 대하여 다음 1년 동안 12일의 무급휴가를 주도록 하는 규정이 바람직하다고 본다. '12일'의 휴가로 한 이유는 앞서 기술한 바와 같이 휴일 등의 규정적용이 힘든 근로상황이고 특수형태 근로종사자업무 특성상 근로시간·대기시간·이동시간 등 구분이 힘들기 때문에 정확히 판단하기 어려우나 최소한 1개월에 1일 또는 1년에 12일 정도의 충분한 휴식은 보장되어야 한다는 취지이다. 물론 이 기준은 최저기준이므로 당사자가 합의하여 추가로 휴가를 실시함은 별론(別論)이다. '무급휴가'로 정한 이유는 ① 계절적 요인에 좌우되는 사업 형태의 소득 자체가 없는 근로대기일이 많다는 점, ② 유급휴가로 규정한다면 사업주와 특수형태 근로종사자간 무급휴무일이냐 유급휴가일이냐를 두고 다툼의 소지가 많다는 점 등을 감안한 것이다. 따라서 무급으로 휴가를 부여하되, 시기는 서로 협의하여 조정할 수 있도록 하는 것이 바람직하다고 생각한다.

### 4) 모성보호·성희롱 예방 등

임산부인 특수형태 근로종사자의 보호규정은 "① 사업자가 특수형태 근로종사자이면서 임신 중의 여성에 대하여 산전·산후를 통해 90일간의 보호휴가[29]를 주어야 한다. 이 경우 휴가기간의 배치는 산후 45일 이상이 되어야 한다. ② 제2항의 규정에 의한 휴가 중 최초 60일에 대하여 사업자는 1일당 최저임금법에 의한 일급최저임금수준금액을 지급하여야 한다."고 규율하는 것이 바람직하다. 이는 근로기준법 제72조의 규정을 참고하여 특수형태 근로종사자에 걸맞게 규정한 것이다. 특기할 만한 것은 산전후 휴가시 최초 60일에 지급되는 유급보전수당을 일급최저임금수준으로 통일하였다는 점이다. 그 이유는 ① 특수형태 근로종사자마다 1일 소득이 다르다는 점, ② 계절적 요인에 좌우되는 사업의 경우 특정한 기간 동안에는 소득이 거의 없을 수도 있다는 점, ③ 근로기준법상 근로자와 같은 수준의 보호는 아니지만 특수형태 근로종사자에 대해 최저한의 소득 보장을 통해 생활안정을 기할 수 있도록 해야 한다는 점 등을 감안한 것이다.

생리휴가·육아휴직 등 산전후 휴가 외 모성보호 관련 규정을 적용해야 하는가의 문제이다. 이에 대해서는 육아휴직 보장은 찬성하나, 생리휴가에 대해서는 반대한다. 왜냐하면

---

29) 일반근로자와 같이 동일한 산전후 휴가일수를 보장하는 이유는 모성보호 중에서도 특히 출산과 관련된 휴가일수는 노동법적 지위를 떠나 산모의 건강과 직결되므로 보호의 수준을 동일하게 할 필요가 있다고 보기 때문이다.

생리휴가는 세계적으로 입법례를 찾아보기 힘들고, 우리나라·일본·인도네시아 등 세 개 국가만 있는 제도로 알려지고 있다. 따라서 일반근로자는 지금까지 제도적 관행으로 이어져 왔다고 하더라도 신규로 노동법 보호제도를 설정해야 하는 특수형태 근로종사자에 대해서까지 입법적으로 보호할 필요는 없다고 본다. 1년 미만의 영아를 가진 특수형태 근로종사자가 그 영아의 양육을 위하여 육아휴직을 신청하는 경우에는 사업자는 이를 보장해야 하는 것이다. 이는 남녀고용평등법 제19조 규정을 원용한 것이라고 볼 수 있다.

직장 내 성희롱의 금지와 예방에 관해서는 남녀고용평등법 제반 규정을 준용하는 규정을 입법하는 것이 타당하고 필요하다고 본다.[30]

### 5) 고충처리제도 · 사업장규칙 도입

특수형태 근로종사자를 상시 30인 이상을 사용하는 사업 또는 사업장의 사업자는 특수형태 근로종사자의 고충을 청취하고 이를 처리하는 고충처리위원을 두도록 하는 것이다. 이는 "근로자참여및협력증진에관한법률" 제5장 고충처리 규정을 참고하여, 30인 이상의 특수형태 근로종사자와 계약을 체결한 사업자에 대해 고충처리위원을 두도록 의무화한 것이다.

특수형태 근로종사자에게 적용되는 사업장규칙이 필요한 지의 문제이다. 상시 10인 이상 특수형태 근로종사자를 사용하는 사업자는 사업장규칙을 작성하여 노동부장관에게 신고하도록 하는 것이 바람직하다고 생각한다. 왜냐하면 특수형태 근로종사자가 종사하는 것도 직업의 일종이고, 종사하는 장소도 직장이라고 할 수 있다면, 직장에서의 규칙을 사전에 정해 놓는 것이 특수형태 근로종사자의 사업자간 생길 수 있는 다툼과 갈등의 소지를 없애는 데 기여할 것으로 보기 때문이다. 이는 근로기준법 제96조 및 제97조의 규정을 참고하여 10인 이상의 특수형태 근로종사자와 계약을 체결한 사업자에 대해 사업장규칙을 두도록 의무화한 것이다.

### 6) 산업안정보건규정

특수형태 근로종사자에 대해서도 재해를 사전 예방하고 쾌적한 작업환경을 조정할 필

---

30) 독일의 경우에도 직장내성희롱방지법 제1조 제2항 1호 2문에서 성희롱에 대한 보호규정을 유사근로자에 대해 적용하도록 하고 있다.

요는 있다(김형배·박지순, 2004: 97).[31]. 따라서 '상시 5인 이상 특수형태 근로종사자와 계약을 체결한 사업자', 즉 '5인 계약사업자'는 산업안전보건법제1장, 제23조 내지 제28조, 제33조 내지 제41조, 제5장 내지 제9장[32])을 적용한다. 여기서 왜 '5인 계약사업자'에 대해서만, 그리고 일부 규정만 산업안전보건법의 수규자로서 의무를 부과하는가에 대한 논란이 있을 수 있다. 이는 일반근로자에 대한 산업안전보건을 규율함에 있어 사업주에 대해 엄격히 적용하는 산업안전보건법의 규정을 특수형태 근로종사자와 계약을 체결한 사업자에 대해서는 다소 완화하여 적용할 필요가 있다는 것이다. 따라서 특별법안은 이른바 5인 계약사업자에 대해서만 산업안전보건법상 수규의무를 부과[33])한다.

## 7) 재해보상

특수형태 근로종사자에 대해 산업재해보상보험법이 적용해야 한다는 데에는 이론이 없다. 왜냐하면 2002년 5월 6일 노사정위원회에서 노사정이 "특수형태 근로종사자에 대해 산재보험 적용방안을 강구한다"고 합의하였기 때문이다. 다만 산재보험료 부담주체·징수·보상방식 등 실제 적용에 있어 닥칠 수 있는 문제가 있을 수 있다.

이 사안에 대한 해결방안으로서, ① 특별법안에 "특수형태 근로종사자는 산업재해보상보험법이 적용되며, 산업재해보상보험에 한하여 산업재해보상보험법 제4조제2호의 근로자로 본다."는 규정을 신설하는 방안과, ② 특별법안부칙에 "이 법 공포 후 1년 이내에 산

---

31) "사업주가 제공하는 장소 또는 그가 제공하는 수단과 재료를 가지고 업무를 수행하는 경우에는 근로자와 유사근로자를 가릴 것 없이 노무제공자의 생명과 건강을 보호해야 필요성이 인정된다"고 견해를 피력하고 있다.

32) 산업안전보건법 적용조항을 어떻게 선별하였는가에 대한 의문을 제기할 수 있다. 상기와 같은 산업안전보건법 조항을 적용하는 경우는 산업안전보건법 시행령 제2조의2 제1항 관련 별표1중 4호·5호·6호이다. 따라서 이와 같이 규정하는 것이 학습지교사(교육서비스업)·보험설계사(보험업)·골프장경기보조원(운동관련 서비스업) 등 특수형태 근로종사자 관련 사업에 적용되는 조항이라 할 수 있다.

33) 여기서 간과해서는 안 될 사항이 있다. 즉 ① A라는 사업장의 사업주 B가 일반근로자 3명을 고용하고 있고, 특수형태 근로종사자 5명과 계약을 체결하고 있을 경우, B는 일반근로자 3명을 고용하고 있는 데 대한 산업안전보건법상 수규의무와 특수형태 근로종사자 5명과 계약을 체결하고 있는 데 대한 산업안전보건법상 수규의무를 동시에 부담한다는 점이다. 다른 예를 들어 보면 ② 특수형태 근로종사자 3명과 계약체결 및 일반근로자 2명을 고용한 C의 경우는 일반근로자 2명을 고용하고 있는 데 대한 산업안전보건법상 수규의무만 부담하면 되고, ③ 특수형태 근로종사자 3명과 계약을 체결한 D의 경우는 산업안전보건법상 수규의무 부담을 지지 않게 되는 셈이다. 즉 B〉C〉D의 순으로 산업안전보건법상 수규의무 정도가 다르다는 점이다.

업재해보상보험법을 개정하여 특수형태 근로종사자에 대해 산업재해보상보험을 적용하여야 한다."는 관련규정을 두는 방안 등이 있다. 두 가지 방안을 평가해 보면, ①안은 간편하기는 하나 특수형태 근로종사자에 대해서도 피보험자를 근로기준법상 근로자에 국한하고 있고, 소득비례로 인한 개산보험료 징수·보상 등 기존 산업재해보상보험체계를 전제로 하고 있어, 찬성할 수 없다. 따라서 ⓐ 특수형태 근로종사자를 산업재해보상보험의 피보험자로 하는 규정을 신설하고, ⓑ 갑근세방식에 의해 보험료를 정액 징수하도록 하며, ⓒ 정액보상제 도입 등을 골자로 한 산업재해보상보험법 개정을 전제로 ②안이 바람직하다(장의성, 2004(b)：89~95).[34]

## 3. 집단근로규정

특수형태 근로종사자에 대해 헌법 제33조에 근거한 노동3권을 인정[35]할 것인가의 문제이다. 특수형태 근로종사자는 근로종사자로서 지위와 자영업자의 지위를 가지면서(2중적 지위), 근로자와 사용자의 중간적 지위를 동시에 갖고 있어 헌법상 노동3권을 향유할 수 있는 근로자개념과 동일한 차원의 권리를 가질 수 없다. 다만 특수형태 근로종사자의 2중적 지위 중 근로종사자로서 개념요소가 있기 때문에 헌법 제32조 근로의 권리를 향유하는 국민으로서 지위를 가지며 따라서 헌법 제21조 결사의 자유도 누리게 된다. 집단근로규정은 헌법 제32조와 헌법 제21조에 근거하고 특별법에 의하여 특수형태 근로종사자 직

---

34) 특수형태 근로종사자의 산재보험법상의 재해보상에 대하여는 자영업자 특례규정을 적용하도록 하는 것이 타당하다는 견해가 있다. 이러한 주장의 논거는 "이들의 수입은 자기의 성과에 따라 가변적이고, 가변적 수입에 맞춰 사업자가 보험료 산정·납부도 쉽지 않으며, 특수형태 근로종사자들 중에 많은 이들은 보험에 들기를 원치 않는 경우도 있기 때문"이라고 한다. 그러면서 이들에 대해 "자영업자 특례를 적용하여 자기를 피보험자로 산재보험에 '임의'가입하도록 하는 방안이 더 타당하다"고 주장한다. 이러한 견해는 특수형태 근로종사자가 근로종사자로서의 지위를 분명히 가지고 있기 때문에 산재보험을 임의로 자기비용으로 가입한다는 것은 타당치 않다. 다만 보수의 가변성이 분명히 있어 보수액수와 관계없이 정액징수·정액보상(단, 고액소득자 제외)이 해답이 될 수 있다.

35) 특수형태 근로종사자에 대해 헌법 제33조의 근로자개념 범주 내에 속하는 것으로 인식하면서 근로기준법상 개별보호규정은 일부규정 적용·일부규정 적용배제 법리를, 노동조합법상 집단규정은 전부 적용을 주장하는 견해가 있을 수 있다. 이러한 견해에 대해서 찬성할 수가 없다. 왜냐하면 특수형태 근로종사자는 2중적 지위와 동시에 중간적 지위를 가지고 있어 헌법 제33조의 근로자와 동일한 차원의 권리를 누릴 수 없기 때문이다.

업별단체의 조직권·교섭권·협약체결권을 부여[36]하고, 단체행동은 금지하는 규정을 두는 것이다.

## 1) 직업별 조합의 설립 인정

특수형태근로종사자법적지위에 관한 특별법(안)은 특수형태 근로종사자의 직업별조합(이하 '조합'이라 한다)의 설립을 인정하되, 조직단위는 특별시·광역시·도(이하 '시·도'라 한다) 단위 또는 전국단위에 한하도록 규정하고 있다. 특수형태 근로종사자의 조합이란 노동3권이 보장되는 헌법 제33조에 입각한 노동조합법상 노동조합은 아니지만, "특수형태 근로종사자법적지위에관한특별법"에 의해 창설된 직업별 조합을 말한다. 그리고 조직단위를 시·도 단위 또는 전국단위로 한 것은 사업장 단위로 조직됨으로써 오는 단결력의 영세성을 방지하고 해당 직업별 특수형태 근로종사자에게 공통적으로 필요한 근로조건을 확보할 수 있도록 하려는 의미이다. 또한 특수형태 근로종사자의 조합을 설립하고자 하는 자는 노동부장관에게 설립신고서를 제출하도로 하고 있다. 이는 노동조합법상 노동조합과는 달리, 특수형태 근로종사자 조합규모의 '시·도성'이나 '전국성'에 비추어 당연하다고 본다.

## 2) 조합의 교섭권 및 협약체결권 인정

특수형태 근로종사자의 조합의 대표자에게 조합 또는 조합원의 보수·근무조건 등 경

---

36) 1997년 ILO 제85차 정기회의의 결의와 논의를 토대로 ILO 사무국이 마련한 「도급노동협약안」 제5조는 '회원국이 근로관계를 맺고 있는 자와 도급노동자의 균등한 대우를 증진하도록 의무를 부과하고 있는데, 고용과 채용 시 균등대우해야 할 항목으로서는 ① 단결권과 단체교섭권의 보장, ② 인종·피부·성별·종교·정치적 견해·사회적 신분·국적 등을 이유로 한 차별금지, ③ 최저노동연령 등이 제시되어 있다. 동 사무국이 마련한 「도급노동권고안」에서도 '도급노동자들의 노무제공조건이나 기간 등에 관해 단결체를 결성·가입하여 활동할 수 있고 단체교섭을 할 수 있도록 적절한 조치를 취할 것'을 규정하고 있다.
'비정규직근로자대책특별위원회 특수형태근로 관련 공익위원안'에서는"노동조합에 준하는 단체의 조직권·교섭권·협약체결권 등을 부여'하도록 하고 동시에 '단체의 설립 및 교섭에 있어 유사근로자단체의 설립, 교섭사항, 활동 전임자의 지위, 성실교섭의무, 교섭거부금지, 협약 효력, 부당노동행위금지 등에 대해서는 노동조합및노동관계조정법상 규정을 준용'하도록 하는 것이다. 또 '교섭결렬시 분쟁조정을 위해 직권중재가 이루어질 수 있도록 하고 분쟁조정절차는 노동조합및노동관계조정법상 규정을 준용'하게 하고 있다(이호근, 2003: 21. 참조).

제적·사회적 지위향상에 관한 사항에 대하여 사업자와 교섭하고 집단협약(이하 "협약"
이라 한다)을 체결할 권한을 특별법으로 부여하는 것이다. 이 경우 사업자는 조합 파트너
로서 걸맞게 전국 또는 시·도 단위로 연합하여 교섭에 응하도록 규정한다. 또한 조합의
교섭위원은 당해 조합을 대표하는 자와 그 조합원으로 구성하도록 하고, 조직대상을 같이
하는 2개 이상 조합이 설립되어 있는 경우에는 조합은 교섭창구를 단일화하여 교섭을 요
구하도록 규정한다.

### 3) 단체행동의 금지

앞서 말한 바와 같이 노동조합법상 노동조합은 아니지만 특별법에 의해 특수형태 근로
종사자 직업별조합 설립을 인정하고 교섭권과 협약체결권을 부여하되, 단체행동은 금지한
다는 것이다. 특별법안은 "조합과 그 조합원은 업무의 정상적인 운영을 저해하는 일체의
단체행동을 하여서는 안 된다"고 규정하고 동 조항 위반 시 벌칙으로서 5년 이하의 징역
또는 5천만 원 이하의 벌금에 처하도록 한다. 동 규정은 특수형태 근로종사자의 법적 지
위, 즉 이중적 지위와 중간적 지위에서 비롯된 중간적 보호는 필요하지만, 중간적 보호의
성격상 업무의 정상적 운영을 저해하는 일체의 단체행동은 특별법에 의해 금지하는 것이
다. 다시말하면, 헌법 제32조 근로의 권리와 헌법 제21조 결사의 자유에 입각한 권리, 즉
직업별 조합결성과 교섭권, 협약체결권은 법률로서 인정하지만 단체행동권은 법률적 권리
로서 인정하지 않는다는 의미이다.

### 4) 집단쟁의의 조정·중재 등

조합의 설립권·교섭권과 협약체결권은 인정하지만 단체행동을 금지한다면, 교섭결렬시
어떻게 해결되어야 하는가가 문제가 된다. 이에 대한 대책으로서 사업자와 조합 간 교섭
이 결렬된 경우에는 당사자 일방 또는 쌍방은 중앙노동위원회에 조정을 신청할 수 있도
록 한다. 이 경우 중앙노동위원회는 지체 없이 조정을 개시하여야 하며 당사자 쌍방은 이
에 성실히 임하여야 한다. 또한 조정은 신청이 있는 날부터 30일 이내에 종료하도록 규정
한다. 또한 중앙노동위원회는 다음 세 가지 경우에 중재를 개시할 수 있도록 규정한다.
즉 ① 교섭이 결렬되어 관계당사자 쌍방이 함께 중재를 신청한 경우, ② 중앙노동위원회
가 제시한 조정안을 당사자 일방 또는 쌍방이 거부한 경우, ③ 중앙노동위원회 위원장이

직권 또는 노동부장관의 요청에 의하여 중재에 회부한다는 결정을 한 경우 등이다. 이는 조정안이 당사자 일방 또는 쌍방에 의해 거부된 경우뿐만 아니라, 쌍방합의로 중재신청을 할 수 있도록 길을 터놓은 것이며, 비상한 경우에는 직권중재를 통해 문제를 해결할 수 있도록 한 것이다.

## 4. 감독규정

### 1) 감독기관

특수형태 근로종사자의 기본적 권리를 확보하기 위한 감독기관은 근로감독관이 담당한다. 왜냐하면 특수형태 근로종사자가 근로종사자로서 지위와 자영업자로서의 지위를 동시에 갖고 있기는 하지만, 사업자와의 관계도 '근로'를 전제로 하기 때문에 이에 대한 감독기관은 근로감독관이 담당하는 것이 바람직하다고 보기 때문이다. 따라서 근로감독관의 임검권·서류제출요구권·심문권 등의 감독권한이 특수형태 근로종사자를 사용하는 사업장에게도 행사된다.

### 2) 벌칙규정과 이행강제금제도 도입

특별법안은 집단근로규정 위반 시 엄한 벌칙규정을 둔다.[37] 헌법 제33조의 노동3권이 부여된 근로자가 아니라 헌법 제32조와 헌법 제21조에 근거하고 특별법에 의하여 직업별 조합의 조직권·교섭권·협약체결권이 부여되었으며 단체행동은 금지된 특수형태 근로종사자이기 때문이다. 그러나 사업자가 개별근로규정을 위반하였을 경우 근로기준법 위반시 처벌[38]보다는 가벼운 500만 원 이하 벌금형에 처하는 수준으로 규정한다. 그 대신에 개별근

---

37) 특수형태 근로종사자의 조합이 단체행동 금지규정을 위반하였을 경우에는 5년 이하의 징역 또는 5천만 원 이하의 벌금에 처하도록 규정한다. 또한 중앙노동위원회의 중재재정이 확정된 때 관계당사자가 이에 따라야 하는데 이를 위반한 자는 2년 이하의 징역 또는 2천만 원 이하의 벌금에 처하도록 한다.

여기서 엄한 벌칙의 의미는 2중적 지위와 중간적 지위를 가진 특수형태 근로종사자의 직업별 조합의 단체행동금지 규정 위반 시 벌칙수준이 일반근로자의 불법파업 시 벌칙수준과 동일하다는 의미이다.

로규정 위반 사업자에 대한 경제적 제재는 보다 강화한다. 그 대표적인 사례가 시정조치[39]·이행강제금[40] 제도의 도입이다. 근로감독관의 체불보수[41]에 관한 시정조치를 정한 기간 내 이행하지 아니한 사업자에 대해서는 이행강제금을 부과하여 경제적 제재를 강화하는 것이다. 즉 특수형태 근로종사자에게 지급되어야 할 보수를 사업자가 지급하지 않아 근로감독관으로부터 시정조치를 받았을 경우, 정한 기간 내에 이행하지 아니하면 매 1일당 미이행금액에 1만분의 3을 곱한 금액을 초과하지 아니하는 범위 안에서 이행강제금을 부과할 수 있도록 하고 있다. 따라서 근로감독관의 시정조치를 정한 기간 내에 이행하지 아니하면 미이행기간이 길수록 국가가 경제적 제재를 추가하는 방식을 택하고 있는 것이다. 이는 독점규제및공정거래에관한법률 제17조 3의 '이행강제금 제도'를 참고하여 도입한 것이다.

이와 같이 특별법안은 특수형태 근로종사자의 집단행동은 금지하고, 개별보호규정은 위반 사업자에게 경제적 제재를 강화함으로써 그 이행을 담보하는 것이다.

---

38) 근로기준법상 부당해고처벌은 5년 이하의 징역 또는 3000만 원 이하의 벌금을, 체불임금처벌은 3년 이하의 징역 또는 2000만 원 이하의 벌금에 처하도록 규정하고 있다.

39) 특수형태 근로종사자법적지위에관한특별법(안)에 "노동부장관과 근로감독관은 이법을 위반하는 행위가 있을 때에는 당해 사업자에 대하여 시정을 위한 필요한 조치를 명할 수 있다"고 규정한다.

40) 이행강제금제도 도입에 반론이 있을 수 있다. 특히 2003년 11월 노동부가 제시한 '노사관계법·제도 선진화 방안'에서는 체불임금에 대해「지연이자제 도입(부가금제도는 현행 처벌조항 유지·지연이자제도 도입을 감안하여 신설하지 않음」의 입장을 취하고 있다. 따라서 노동부는 체불임금에 대한 경제적 제재를「지연이자제」를 근간으로 하고 있음(2005년 3월 근로기준법개정으로 2005년 7월 1일부터 지연이자제 시행)을 알 수 있다.「부가금제도」를 규정하고 있는 나라는 일본으로서 법원이 해고예고수당·휴업수당·할증임금이 체불된 때에 체불임금이외에 동일액의 부가금 지불을 명할 수 있도록 하는 민사제재(2년 이내 근로자 청구, 노동기준법 제114조)를 병용하고 있다.

41) 2005년 3월 개정근로기준법처럼 특별법안의 체불보수에 대해서는 반의사불벌죄를 도입할 필요가 있다는 주장이 있을 수 있다. 그러나 근로기준법상 체불임금은 신체형과 벌금형이 같이 규정(3년 이하의 징역 또는 3000만 원 이하의 벌금)되어 있어 상황에 따라 피의자의 신체적 자유를 제한할 수 있다. 따라서 체불피해자의 피해가 회복되어 진정이나 고소를 취하할 경우 피의자의 신체적 자유 제한(구속)을 해제시키는 효과를 가질 수 있다. 그러나 특별법안은 체불보수의 처벌규정을 500만 원 이하의 벌금형으로만 규정하고 있어 반의사불벌죄까지 도입할 필요는 없다고 본다.

# V. 결 론

이 연구에서 우리나라 특수형태 근로종사자의 노동법적 보호정책 방안을 입법정책적인 관점에서 제시해 보았다. 즉, ⓐ 특수형태 근로종사자는 근로종사자로서의 지위 외에도 자영업자로서의 지위를 가지면서(이하 '2중적 지위'라 한다) 동시에 근로자도 사용자도 아닌 법적지위, 즉 근로자와 사용자의 중간적 지위(이하 '중간적 지위'라 한다)를 가지고 있어 헌법상 노동3권을 향유할 수 있는 근로자 개념과 동일한 차원의 권리를 가질 수 없다. 다만 ⓑ 특수형태 근로종사자의 2중적 지위 중 근로종사자로서 개념요소가 있기 때문에 헌법 제32조 근로의 권리를 향유하는 국민으로서 지위를 가지며 따라서 헌법 제21조 결사의 자유도 누리게 된다. 이렇게 근로자·특수형태 근로종사자·사용자 등과 같이 ⓒ 3분법 체계를 인정하게 되면 근로종사자로서 특수형태 근로종사자의 근로조건을 따로 규율할 법률규정을 두어야 하는데 그 형식은 법률 적용 시 혼란을 방지한다는 측면에서 ⓓ 특별법 형식을 취하는 것이 바람직하다 할 것이다. ⓔ 특수형태 근로종사자는 근로기준법상 근로자와 노동조합법상 근로자가 아니면서 노무제공의 일신전속성과 특정사업주 또는 특정사업장에의 경제적 종속성을 갖는 자를 말한다고 정의된다. 이와 같이 특수형태 근로종사자의 법적지위와 법적정의를 규정하더라도 법원판결이전에는 어떤 직업군에서 어떤 형태의 노무제공이 특수형태 근로종사자인지를 판단하기 어렵다. 이를 위해 가칭 ⓕ'근로형태심사위원회'의 구성·운영함으로써 동 위원회로 하여금 해당 노무제공자가 근로자·특수형태 근로종사자·사용자인지를 판단할 수 있게 된다 할 것이다. 또한 그 효과는 특수형태 근로종사자에 대해 법원 판결이전상태에서 오는 법적불안정성을 방지할 수 있게 된다. 그리고 ⓖ 특수형태 근로종사자에 대한 신고·등록규정을 두게 되는데 신고·등록 해태의 경우에 어떻게 할 것인가가 문제된다.

이에 대해 ⓗ 신고·등록 시까지 근로기준법 제14조 근로자로 추정된다는 별도의 규정을 둠으로써, 사업자가 적극적으로 신고·등록을 할 수 있도록 한다. 아울러 특수형태 근로종사자에 해당되어도 사회적 보호의 필요성이 미약한 ⓘ 고액소득자는 보호입법인 특별법의 성격상 적용제외 규정을 둔다. 특수형태 근로종사자에 대한 ⓙ 개별근로규정은 ① 서면계약 체결의무 부과 및 정당한 이유 없는 계약해지 제한, ② 보수지급원칙보호규정, ③ 연차무급휴가(12일)규정, ④ 모성보호·성희롱 예방규정, ⑤ 고충처리제도·사업장규칙 도입, ⑥ 산업안전보건규정 등을 둔다. ⓚ 집단근로규정은 다음과 같다. 즉 헌법 제33조에 입각한 노동3권은 인정되지 않는다. 다만 헌법 제32조 근로의 권리와 헌법 제21조 결사의 자유에 입각하여 특별법규정으로 특수형태 근로종사자 직업별조합의 조직권·교섭권·협약체결권을 부여하되, 단체행동은 금지한다는 규정을 두는 것을 골자[42]로 한다.

그러나 이러한 내용들이 보호방안의 예시로서 끝나서는 안 된다. 왜냐하면 우리나라에서도 특수형태 근로종사자 보호의 문제가 더 이상 방치해서는 안 되는 문제이기 때문이다. 연혁적으로 우리나라 특수형태 근로종사자 문제는 1990년대 중반부터 본격적으로 문제가 제기[43]되더니, 1996년 골프장 캐디가 산재보험 수혜대상이 되는 근로기준법상 근로자이냐 하는 대법원 판례[44]부터 법적 논란이 휩싸이게 되었다고 볼 수 있다. 그 이후로 특수형태 근로종사자인지 근로자인지 판단이 어려운 사례마다 법원은 "특수형태 근로종사자 형태를 갖춘 노무제공자는 근로기준법상 근로자가 아니다"라는 결론을 이미 내놓고, 해당사례에 있어 근로자가 아님을 입증할 수 있는 판단지표를 집중적으로 부각시켜 판결을 내려 왔다고 해도 과언이 아니다. 이와 같은 법원의 태도에 대해 학자들은 지속적이고 일관되게 "근로자개념의 해석론적 확장이 필요함"을 강조해 왔다. 그러나 새로운 판례가 나올 때마다, "현행 노동법이 개정되지 않는다면 학자들이 기대하는 전향적인 판례는 없을 것"임을 지속적으로 확인시켜 주었다. 한편 노동부도 특수형태 근로종사자의 노동법적 보호를 위해서는 입법적 해결방안이 필요함을 인식하고, 2000년10월4일 경제장관회의에 "근로기준법상 준근로자 개념을 도입하여 임금지불, 해고제한, 재해보상 등의 규정만을 적용하는 방안"을 제안하였으나, 당시 경제부처의 반대로 입법화되지 못하였다. 노사정위원회 비정규직근로자대책특별위원회[45]가 2003년 5월 23일 마련한 공익위원안은 "특수형태근로에 대한 그간의 논의 결과를 정리[46]하되, 이에 대해서는 좀더 심도 있는 논의가

---

42) 본 연구가 기존 연구에 비해 차별화될 수 있는 특징은 헌법규정과의 정합성을 강화하고, 추상적 법규정 해석에서 오는 법적 불안정성을 입법적으로 해소하였으며, 개별규정과 집단규정의 적용범위를 명확히 제시하였다는 데에 있다.

43) 대판 94도2122, 1995.6.30(레미콘기사 근로기준법상 근로자성 부인), 대판 95다20348, 1996.4.26(학습지교사 근로기준법상 근로자성 부인)등이 있고, 그 이전에는 대판 77다972, 1997.1.11: 대판 88다카2811, 1990.5.22(보험모집인의 근로기준법상 근로자성 부인)등이 있다.

44) 대판 95누13432, 1996.7.30

45) 노사정위원회 비정규직근로자대책특별위원회는 2001년 7월 23일 발족하였으며, 그 이전 비정규직 문제는 노사정위원회 경제사회소위원회에서 2000년4월부터 논의를 시작한 바 있다.

46) 당시 공익위원들은 특수형태 근로종사자 보호방안의 하나로 특별법적인 방안인 이른바 '유사근로자의단결활동에관한법률'의 제정을 검토하는 수준에서의 논의를 정리하게 되었다. 특별법

불가피하다는 입장"으로 결론이 났고, 그 후속조치로 2003년9월 노사정위원회 특수형태 근로종사자특별위원회가 발족되어 2005년 6월까지 활동하게 되었던 것이다.

이와 같이 우리나라도 특수형태 근로종사자 문제에 관한 한, 10년이 넘는 법해석을 둘러싼 논란과 5년에 가까운 입법적 해결의 목소리가 있는 셈이다. 따라서 이제는 우리나라에 걸맞은 입법적 해결방안이 마련되어야 할 시점이라고 본다. 특히 OECD 주요 국가들도 특수형태 근로종사자 보호문제에 대해 보다 원숙한 구체적 해답을 찾지 못하고 있는 것이 현실이고, ILO에서도 2006년에 권고안을 채택하기 위한 준비를 하고 있는 상황이다. 따라서 우리나라의 노사관계 실정에 맞는 특수형태 근로종사자 보호방안을 마련하여 성공적인 제도정착을 이룬다면, '노사관계 제도 수출국' 내지 '벤치마킹 대상국'으로서 역할도 할 수 있지 않을까 기대해 본다.

이 연구가 우리나라 특수형태 근로종사자에 대한 노동법적 보호방안 마련에 도움이 되기를 기대한다.

# 참고문헌

강문대.(2004). "골프장캐디에 대한 행정법원 판결에 대한 검토". 워킹보이스인터넷판. 1-5.

강성태.(2003). "미국 노동법에서의 특수고용직의 상황".「특수형태 근로종사자 국내외 보호대책」. 노사정위원회 특수형태 근로종사자특별위원회. 239-257.

김영문.(2003). "특수고용직종사자의 집단법적 보호에 관한 입법론적 검토".「특수형태 근로종사자 관련 논의자료집」. 노사정위원회. 225-236.

김재훈.(2002). "특수형태 근로종사자에 관한 법적 보호방안".「노동법연구」. 제13호. 관악사. 147-172.

---

안의 내용은 ① 특수형태 근로종사자 정의규정을 두고 구체적인 해당직종은 대통령령으로 명시하는 방안을 고려하며, ② 개별적 보호규정은 정당한 사유 없는 계약해지로부터의 보호, 성희롱으로부터의 보호, 보수에 대한 보호를 우선적으로 강구하고, ③ 사회보험에는 산재보험의 조속한 적용을 재확인하고 기타 사회보험의 경우에는 그 적용방안을 단계적으로 검토하며, ④ 단체의 조직권·교섭권·협약체결권 등을 부여하고, ⑤ 교섭결렬시 분쟁조정을 위해 직권중재가 이루어질 수 있도록 한다는 것이다.

김재훈・홍명수.(2004). "학습지교사".「4개 직종 검토보고서(보험설계사. 골프장 경기보조원. 학습지교사. 레미콘기사)」노사정위원회 특수형태 근로종사자특별위원회. 175-212.

김형배.(2004).「신판노동법」. 박영사

김형배・박지순.(2004).「근로자개념의 변천과 관련법의 적용(유사근로자에 관한 비교법적 고찰)」. 한국노동연구원.

노사관계제도선진화연구위원회.(2003).「노사관계법・제도 선진흡아안」. 한국노동연구원.

노사정위원회.(2003).「비정규직근로자대책특별위원회 활동자료집(Ⅱ)」.

노사정위원회 특수형태 근로종사자특별위원회.(2004).「특수형태 근로종사자 관련 외국의 법제도. 대책방안 및 논의현황(ILO. 프랑스. 독일) : 2003. 12 해외실태조사결과」. 노사정위원회.

박종희.(2003). "근로기준법상 근로자 개념(근로기준법의 적용확대와 선별적용과 관련하여)".「노동법학」제16호. 69-133.

유성재.(2003). "독일에 있어서 특수고용직종사자의 법적 지위(2003.3.25. 노사정위원회 비정규직근로자대책특별위원회 제2분과위 12차 회의자료)』.「특수형태 근로종사자 관련 논의자료집」. 노사정위원회 101-114.

윤애림.(2004). "특수고용노동자의 근로자성과 입법의 방향".「민주법학」제23호. 1-23.

이광택.(2003). "특수형태근로 관련 의견발표".「특수형태 근로종사자 관련 논의자료집」노사정위원회. 253-277.

이승욱.(2005).「특수형태 근로종사자에 대한 법적 규율을 위한 시론」. 제2회 노동법・법경제포럼 주제발표논문. 한국노동연구원. 1-46.

이철수.(2003). "특수업무종사자의 노동법적 지위(2001. 2 경제사회소위 연구용역자료)".「특수형태 근로종사자 관련 논의자료집」. 노사정위원회 27-65.

이호근.(2003). "특수형태 근로종사자 논의개관".「특수형태 근로종사자 관련 논의자료집」. 노사정위원회 1-23.

장의성.(2004(a)). "골프장 경기보조원의 노동법적 지위에 관한 고찰(판례와 행정해석 분석 및 입법적 해결을 위한 제언)".「노동정책연구」제4권 제2호. 한국노동연구원. 69-94.

장의성.(2004(b)). "우리나라 특수형태 근로종사자의 산재보험 적용방안에 관한 입법정책적 연구".「노동정책연구」제4권 제3호. 한국노동연구원. 71-102.

장의성・조재정.(2004).「최신 근로기준법 노동부 행정해석모음」. (주)중앙경제.

전국불안정노동철폐연대 법률위원회.(2004).「비정규직 노동자를 위한 노동법 해설」. 잉걸.

정인섭.(2000). "근로자개념의 판단기준(판례법리를 중심으로)". 「노동법의 쟁점과 과제」. (김유

성교수 화갑기념논문집). 법문사. 31-67.

정인수·김영문.(2004). "골프장 경기보조원".「4개직종 검토보고서(보험설계사. 골프장경기보조원. 학습지교사. 레미콘기사)」. 노사정위원회 특수형태 근로종사자특별위원회. 105-174.

정호열·김인재·황기돈.(2004). "보험설계사".「4개직종 검토보고서(보험설계사). 골프장 경기보조원. 학습지교사. 레미콘기사)」. 노사정위원회 특수형태 근로종사자특별위원회. 53-104.

조경배.(2004). "독립노동과 유사근로자 그리고 위장자영인".「민주법학」제25호. 298-335.

조용만.(2003). "프랑스의 근로자 개념과 특수고용관계법제(비정규특위 제2분과위 12차 회의자료).「특수형태 근로종사자 관련 논의자료집」. 노사정위원회. 115-128.

조용만·홍명수.(2004). "레미콘기사".「4개직종 검토보고서(보험설계사. 골프장 경기보조원. 학습지교사. 레미콘기사)」. 노사정위원회 특수형태 근로종사자특별위원회. 213-267.

조임영.(2003). "근로계약의 본질과 근로자개념".「노동법연구」15호. 관악사. 177-200.

_____.(2004). "종속관계의 변화와 노동법".「민주법학」제24호. 339-367.

최영호.(2001). "특수고용노동자에 대한 법원·노동위원회 판결(정)의 문제점」. 비정규공대위토론회

최영호.(2002. "계약근로형 노무공급자의 근로자성".「노동법연구」제13호. 서울대노동법연구회. 124-146.

하경효.(2003. "근로자유사종사자에 대한 집단법적 보호가능성".「특수형태 근로종사자 관련 논의자료집」. 노사정위원회. 279-281.

Perulli, Adalberto.(2003). "Study on economically dependent work/ Para-subordinate quasi-subordinate work". *Public Hearing 'Economically Dependent Work, Para-subordinate Work'*. Co-organised by the Committee on Employment and Social & the European Commission. DG Employment and Social Affairs. http://www.europa.eu.int

Employment & Social Affairs.(2003). "Economically dependent/quasi- subordinate (para-subordinate) employment: legal. social and economic aspects". European Commission.

ILO.(2005). "International Labour Conference". 95th Session. 2006. Report V(1): The Employment Relationship of Fifth Item on the Agenda. http://www.ilo.org

Pedersini, Roberto.(2002). *Economically Dependent Workers*. Comparative Information. European Industrial Relations Observatory on-Line.

Social Dialoguem Labour Law and Labour Administration Department (DIALOGYE).(2005).

"The Employment Relationship(A standard setting discussion in 2006)". International Labour Organization.

# 제5편 교통 및 정보통신 정책

# 제15장 대중교통의 운영실태와 정책과제

이 재 림*

## I. 머리말

우리나라는 근래 자가용승용차의 급속한 증가와 더불어 심각한 교통난을 경험하고 있다. 당면한 교통문제를 해결하기 위하여 버스나 도시철도 등의 대중교통을 활성화해야 한다는 점을 인식하고, 대중교통활성화정책을 추진하였으나 그 효과는 미약한 실정이다. 이에 따라 도시나 지역 간을 막론하고 도로교통정체는 계속 심화되고 있으며, 교통비효율 또한 크게 증가하고 있다. 따라서 대중교통활성화를 위한 다양한 정책대안에도 불구하고 정책효과가 나타나지 않는 원인을 규명하고, 새로운 대중교통정책 방향을 모색해야 할 필요성이 매우 크다.

본고에서는 당면한 대중교통문제를 해결하기 위한 새로운 대중교통정책방향을 모색해 보는 것을 목적으로 하고, 우선 우리나라의 대중교통현황과 문제점을 검토한다. 다음으로 지금까지 우리나라 교통정책을 평가하고 개선점을 모색한다. 그리고 이러한 검토결과를 토대로 대중교통활성화를 위한 정책방향과 과제를 검토 제시하고자 한다.

---

\* 한국운수산업연구원장

# Ⅱ. 대중교통의 운영실태

## 1. 대중교통의 개념 및 특성

### 1) 대중교통의 개념

교통수단에는 철도나 버스, 승용차, 택시, 신 교통시스템, 오토바이, 자전거 등 통행목적, 이동거리, 수송량 등에 따라 다양한 수단이 존재한다. 도시교통수단을 수송력과 이동거리로 보면 〈그림 14-1〉에서와 같이 구분된다. 대도시에서 대량고속수송의 주역은 대량형 철도라는 것을 알 수 있다. 또 연계교통 등 비교적 단거리의 소·중량수송은 주로 버스가 이용되고 있다. 택시와 승용차는 수송력은 그다지 크지 않지만 넓은 이동성과 다양한 기능성을 가지므로 교통수단으로 큰 역할을 담당하고 있다. 특히 중소도시에서 이러한 경향이 현저하게 보인다.

이들 교통수단 중에서 일반적으로 대량수송력을 가지고 불특정 다수인을 저렴한 요금으로 수송하는 수단을 대중교통수단으로 분류한다. 이러한 분류방식에 의하면 대표적인 대중교통수단은 버스와 도시철도이다. 한편 택시는 불특정 다수인이 이용하지만 수송력이나 요금수준 측면에서 대중교통수단에 포함시키기에 다소 부적합한 점이 있어 흔히 준대중교통수단으로 분류하기도 한다.

[그림 14-1] 수송력과 이동거리를 고려한 도시교통수단의 영역

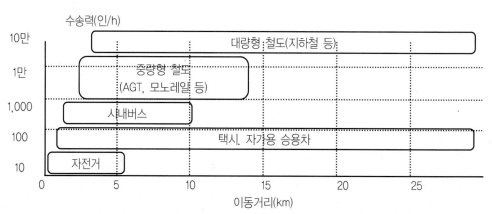

## 2) 대중교통수단의 특성

### (1) 버스

버스교통은 대도시와 중소도시, 농어촌지역 등의 광범위한 교통수요를 다양하게 담당하고 있다. 대도시에서는 지하철과의 연계교통수단으로 기능을 하고 있고, 도시철도가 정비되지 않은 중소지방도시나 대도시 주변부에서는 중요한 간선수송수단으로 역할을 하고 있다. 버스교통의 주요 특성은 장점으로 고정설비가 거의 필요 없고, 도로만 정비되어 있으면 어디라도 갈 수 있다는 점, 초기투자가 작아도 운행이 가능하고, 노선의 신설이 용이하다는 점, 그리고 소량 및 대량교통수단으로 다양한 수송이 가능하다는 점을 들 수 있다. 반면에 도로교통상황에 영향을 받으므로 정시성의 확보에 어려움이 있다는 단점이 있다.

### (2) 도시철도

도시철도는 도시교통권역에서 건설·운영되는 지하철, 철도 등 궤도에 의한 교통시설 및 수단을 의미하며 세계 각국에서 여러 종류의 차량시스템을 개발하여 운영하고 있다. 도시철도는 외형상 차량의 최대 수송능력을 기준으로 분류하는데 〈표 14-1〉에서와 같이 크게 중량(Heavy Rail Transit)전철과 경량(Light Rail Transit)전철로 대별되며, 중량전철의 차량은 대형과 중형으로 구분된다.

〈표 14-1〉 도시철도의 분류

| 구 분 | 수송용량 (인/시/방향) | 차량크기(m) | | 편성량 | 최소배차 간격(분) | 운전형태 |
|---|---|---|---|---|---|---|
| | | 차 폭 | 길 이 | | | |
| 중량 대형 | 50,000~70,000 | 2.7~3.2 | 20~22 | 6~10 | 2 | 유 인 |
| 중량 중형 | 20,000~50,000 | 2.4~2.8 | 12~18 | 4~10 | 2 | 유/무인 |
| 경 량 | 5,000~30,000 | 2.0~2.6 | 6~8 | 2~6 | 1 | 유/무인 |

자료 : 대전광역시, 대전도시철도 2호선 기본계획 및 노선재검토, 2003.

중량전철은 크게 차량의 크기에 따라 대형차량과 중형차량으로 구분할 수 있으며 먼저 중량 대형차량은 일반적으로 수송능력이 시간/방향당 50,000~70,000명 정도로 현재 서울,

동경 등과 같이 수송수요가 많은 대도시의 주요 노선에 운영되고 있다. 한편 시설용량에 대한 여유는 확보되나 터널단면이나 정거장의 규모, 선로 등의 구조물 규모가 다른 시스템에 비해 상대적으로 커지게 되어 건설·운영비가 높다는 단점이 있다.

중량 중형차량은 20,000~50,000인/시/방향 정도의 수송능력을 가지고 있으며 부산, 대구, 인천광역시 지하철에서 채택한 시스템으로 차량규모는 중량 대형차량에 비해 작지만 운영체계는 동일하다. 그러나 초기투자비나 유지보수비가 대형차량에 비해 약간 작은 이점이 있다.

경량전철은 버스와 지하철의 중간용량 수준인 약 5,000~30,000명 정도의 수송력을 가진 도시철도 시스템으로 현재 미국, 영국 등의 국가에서 운영 중이나 우리나라에서는 아직까지 운행되지 않고 있다.

### ⑶ 신 교통시스템

신 교통시스템은 최근 기술개발에 의해 새로운 기능 및 특성을 부가한 신 도시교통수단(AGT, 모노레일 등)과 기존의 교통수단을 대폭 개혁한 신 교통시스템(BRT, Demand Bus, Ride&Ride System 등)을 총칭하고 주로 대량수송을 목적으로 한다.

### ① AGT(Automated Guideway Transit)

AGT는 중량궤도기관으로서 소형경량의 고무타이어를 부착한 전차를 컴퓨터에 의해 운행 관리하는 시스템이다. AGT는 버스나 철도의 중간적 수송력(1시간 당 편도 1만인 정도)을 가지고 도로점유율이 적으며(최소 2.5m 폭의 분리대에 건설가능), 무인운전이 가능하고, 건설비가 철도에 비해 저렴하다는 특징을 가지고 있다.

### ② BRT(Bus Rapid Transit)

BRT는 고성능, 대량수송 기능을 가진 차량을 가지고 편리하고 비교적 저렴한 요금으로 운행되는 버스의 일종이다. BRT는 기본적으로 버스전용차로에 대용량 버스를 도입·운행함으로써 속도를 높이고 신뢰성을 증진시켜 버스교통중심의 교통체계 구축에 중추적 역할을 하는 신교통수단이다.

## 3) 대중교통의 중요성

대중교통의 중요성은 교통약자의 교통권을 보호하는 수단이라는 점과 사회경제적 효율성이 높은 수단이라는 두 가지 점으로 설명해 볼 수 있다.

### (1) 교통약자의 교통권 보호수단

자가용승용차 중심교통체계에서도 자가 교통수단을 가지지 못한 경제적 신체적 약자가 항상 존재하기 마련이다. 이들 교통약자의 교통권 보호를 위해서는 정부가 교통서비스를 공급해 주어야 할 것이다. 대중교통수단이 현재 이러한 기능을 수행하면서 사회적 형평성을 보장해 주고 있다.

### (2) 사회 경제적 효율성을 증진시키는 교통수단

자가교통시대에 대중교통이 중요한 이유는 대중교통수단은 사회경제적 편익이 매우 큰 교통수단이기 때문이다. 한국운수산업연구원(2003)의 분석[1]에 의하면 대중교통은 교통혼잡비용, 사고비용, 공해비용 절감효과가 매우 커서 대중교통을 무료로 운영하더라도 수요유도만 가능하다면 사회 경제적으로 이익이 발생된다고 한다.

대중교통의 중요성은 또한 자가용승용차와 버스 및 도시철도와의 운행비용을 비교해 보면 알 수 있다. 여기에서의 비용은 운영자가 부담하는 사적비용과 사회가 공동으로 부담하는 사회적 비용을 포함하는 것이 바람직하다. 이러한 방법론에 따른 연구결과를 보면 버스교통이 가장 효율적인 것으로 나타나고 있다. 최근 조규석(2004)의 연구에서는 도시교통에서 각 수단별 운행비용을 다음과 같이 추정하였다. 인-킬로미터당 운행비용은 자가용승용차가 211.34원으로 서울시 시내버스 145.97원의 1.5배 많은 것으로 나타났으며, 도시철도 181.36원에 비해 1.2배 많게 나타났다.[2]

---

1) 서울시 2001년도 통행기준으로 자가용승용차 1통행이 대중교통으로 전환될 경우 발생되는 사회경제적 편익은 다음과 같다.
   - 교통혼잡비용    절감 : 1,247원
   - 교통사고비용    절감 : ,460원
   - 교통공해처리비용 절감 : ,188원
   　　　　　　　　계 : 1,895원(1대당 1.3명 승차기준 시 1인당 1,458원)

## 2. 대중교통 운영 현황

### 1) 버스교통

우리나라의 버스교통은 소규모 다수의 민간업체에 의하여 운영되며, 업체의 사업성 위주로 운행서비스가 공급되고 있는 실정이다. 2004년 현재 전국적으로 543개 업체에서 41,634대의 차량으로 약 16,500개의 노선에 운행서비스를 제공하고 있다. 업체당 평균보유대수 규모는 시외고속버스가 216대로 가장 크며, 농어촌버스가 19대로 가장 작다. 그리고 종사원수는 93,243명으로 업체당 172명이고, 대당 2.2명이 종사하고 있다.

〈표 14-2〉 버스운행현황(2004년 기준)

| 업 종 | | 업체수 (개) | 보유대수 (대) | 업체당평균 보유대수(대) | 노선수 (개) | 종사원수 (명) |
|---|---|---|---|---|---|---|
| 시내버스 | | 339 | 30,036 | 89 | 7,316 | 70,253 |
| 농어촌버스 | | 99 | 1,910 | 19 | 4,191 | 3,338 |
| 시외 버스 | 시외일반 | 95 | 7,529 | 79 | 4,745 | 14,270 |
| | 시외고속 | 10 | 2,159 | 216 | 294 | 5,382 |
| 계 | | 543 | 41,634 | 77 | 16,546 | 93,243 |

자료 : 전국버스운송사업조합연합회, 「2004 버스통계편람」, 2005.

---

2) 조규석(2004)의 연구에서는 교통수단 운행비용을 통로비용, 운행비용, 시간손실비용 등의 사적비용과 환경비용, 교통사고비용 등의 사회적 비용으로 나누어 분석하고 있다. 통로비용은 지하철이 인-킬로미터당 47.78원으로 시내버스의 약 125배, 자가용승용차의 13배나 많이 소요되고 있다. 반면 직접운행비용은 시내버스가 가장 적은 90.99원, 지하철은 비슷한 92.92원이 소요되고 있으며 자가용승용차는 205.64원으로 이들에 비해 2배 이상 많이 소요되고 있다. 또한 자가용승용차 대신에 시내버스 또는 지하철을 이용할 경우 발생되는 시간손실비용은 시내버스가 49.58원, 지하철이 40.66원으로 나타났다. 이는 총 운행비용 중에서 약 34%와 22%에 해당하고 있다.

〈 자가용승용차 및 대중교통의 운행비용 비교 〉

| 구 분 | | 자가용승용차 | 시내버스 | 지 하 철 |
|---|---|---|---|---|
| 사적비용 | 통 로 비 용 | 3.66 (5.71) | 0.38 (3.47) | 47.78 |
| | 운 행 비 용 | 205.64 (320.83) | 90.99 (1528.63) | 92.92 |
| | 시간손실비용 | – | 49.58 (829.73) | 40.66 |
| 사회적비용 | 환 경 비 용 | 1.55 (2.42) | 4.87 (81.55) | – |
| | 교통사고비용 | 0.49 (0.76) | 0.15 (2.56) | – |
| 계 | | 211.34 (329.69) | 145.97 (2,445.94) | 181.36 |

주 : 앞의 수치는 인-킬로미터당 운행비용을 나타내며, 괄호의 숫자는 대-킬로미터당 운행비용을 나타냄.

## 2) 도시철도

도시철도는 도시교통권역에서 철도·모노레일 등 궤도에 의한 교통시설 및 교통수단이다. 현재 도시철도는 서울특별시 8개 노선, 부산광역시 2개 노선, 대구, 인천, 광주광역시가 1개 노선 등 총 13개 노선이 운행 중이며, 수도권 전철은 7개 노선이 운행 중에 있다.

〈표 14-3〉 도시철도 운행현황

| 구 분 | 지하철 | | | | | | 수도권 전 철 | 계 |
|---|---|---|---|---|---|---|---|---|
| | 소계 | 서울 | 부산 | 대구 | 인천 | 광주 | | |
| 노선 수(개) | 13 | 8 | 2 | 1 | 1 | 1 | 7 | 20 |
| 연 장(km) | 423.5 | 287.0 | 71.6 | 28.3 | 24.6 | 12.0 | 239.5 | 663.0 |
| 역 수(개) | 402 | 263 | 73 | 30 | 22 | 14 | 123 | 525 |
| 차량 수(량) | 4,660 | 3,508 | 696 | 204 | 200 | 52 | 1,824 | 6,484 |

자료 : 건설교통부, 「건설교통통계연보」, 2005.

# 3. 대중교통의 문제점 및 원인

## 1) 대중교통의 문제

현재 대중교통의 가장 큰 문제점은 경쟁력의 저하로 수송실적이 감소하면서 그 기능이 위축되고 있다는 점을 들 수 있다. 대중교통의 기능위축은 자가용승용차 등의 고급 교통수단의 이용증대를 초래하여, 교통비 증대에 따른 서민들의 경제적 부담 증가, 교통체증으로 인한 시간, 비용의 비효율, 교통시설투자 수요증대로 재정부담 증가, 교통사고 및 공해 증가와 같은 교통비효율을 가중시키게 된다. 그리고 대중교통의 수송수요 감소는 운영기관의 수입 감소와 직결되어 서비스개선을 어렵게 하고, 또한 서비스 저하는 자가용승용차의 운행 증가를 초래하여 대중교통의 운행여건을 더욱 악화시켜 수요 감소를 가속화시키는 악순환 구조를 야기하고 있다.

(1) 수송실적 변화 추이

버스교통의 수송실적은 급격한 감소 추세를 보이고 있으며, 2000년 대비 2004년 수송실적을 살펴보면 시내버스는 7.7%, 시외버스는 29.1%, 고속버스는 9.7% 감소하여 전체적으로 9.3% 감소한 것으로 나타났다.

〈표 14-4〉 버스 수송실적 변화 추이

(단위: 천명)

| 구 분 | | 2004년 | | 2000년 | | 증감(%) | |
|---|---|---|---|---|---|---|---|
| | | 수송인원 | 대당 1일 수송인원 | 수송인원 | 대당 1일 수송인원 | 수송인원 | 대당 1일 수송인원 |
| 시내버스 | | 4,451,840 | 381 | 4,823,851 | 432 | △7.7 | △11.8 |
| 시외 버스 | 일반 | 262,051 | 95 | 373,936 | 130 | △29.1 | △26.9 |
| | 고속 | 38,877 | 49 | 43,070 | 52 | △ 9.7 | △ 5.8 |
| 계 | | 4,752,768 | 312 | 5,240,857 | 353 | △ 9.3 | △11.6 |

주 : 시내버스에는 농어촌버스가 포함됨.
자료 : 건설교통부, 「건설교통통계연보」, 2005.

도시철도의 2004년도 수송실적은 2000년도에 비해 지하철은 19.9% 증가하였고, 수도권전철은 12.3% 증가하였다. 그러나 이러한 수송실적 증가는 주로 노선연장의 증가에 의한 것이다.

〈표 14-5〉 도시철도 수송실적 변화 추이

(단위: 백만 명)

| 구 분 | 2004년 | 2000 | 증감율(%) |
|---|---|---|---|
| 지하철 | 2,679 | 2,235 | 19.9 |
| 수도권전철 | 810 | 721 | 12.3 |
| 합 계 | 3,489 | 2,956 | 18.0 |

자료 : 건설교통부, 「건설교통통계연보」, 2005; 육상교통국, 내부자료, 2005.

(2) 수송 분담률 변화 추이

서울시와 부산시의 2000년 대비 2004년 대중교통 수송분담률을 비교하면, 서울시는 1.6%p 감소하였고, 부산시는 2.5%p 감소하였다. 서울시의 경우 시내버스는 2.0%p 감소한 반면 도시철도는 0.4%p 증가하였고, 부산시의 경우 시내버스는 2.5%p 감소한 반면, 지하철은 변화가 없어 시내버스의 수송분담률 하락이 대중교통 분담률 저하의 원인인 것으로 나타났다. 반면에 자가용승용차는 동기간에 서울에서 7.3%p, 부산에서 8.2%p가 증가했다.

〈표 14-6〉 서울시와 부산시의 도시교통 수송분담률 변화추이

(단위: %)

| 구 분 | 수 단 | 2004 | 2000 | 증감률(% p) |
|--------|--------|------|------|-------------|
| 서울시 | 버 스 | 26.3 | 28.3 | △2.0 |
| | 도시철도 | 35.7 | 35.3 | 0.4 |
| | ※소계 | 62.0 | 63.6 | △1.6 |
| | 택 시 | 6.6 | 8.8 | △2.2 |
| | 자가용승용차 | 26.4 | 19.1 | 7.3 |
| | 기 타 | 5.0 | 8.5 | △3.5 |
| | 계 | 100.0 | 100.0 | - |
| 부산시 | 버 스 | 27.6 | 30.1 | △2.5 |
| | 도시철도 | 11.5 | 11.5 | - |
| | ※소계 | 39.1 | 41.6 | △2.5 |
| | 택 시 | 15.9 | 17.5 | △1.6 |
| | 자가용승용차 | 28.3 | 20.1 | 8.2 |
| | 기 타 | 16.7 | 20.8 | △4.1 |
| | 계 | 100.0 | 100.0 | - |

자료 : 건설교통부, 육상교통국, 내부자료, 2005.

## 2) 대중교통문제의 발생원인

우리나라가 당면하고 있는 대중교통의 수송수요 감소와 이에 따른 교통비효율 증대문

제는 자가용승용차 이용증가가 가장 큰 이유이나 이러한 여건변화에 능동적으로 대처하지 못한 운영자와 정책당국의 요인도 있는 것으로 보인다. 대중교통문제의 발생 원인을 살펴보면 크게 다음과 같이 정리된다.

첫째, 자가용승용차 대중화 등 외부환경이 대중교통의 기능을 위축시키는 기능을 하고, 둘째, 이러한 환경에서 대중교통은 수요 감소에 따른 경영애로로 서비스개선이 이루어지 못하고, 셋째, 경영애로 상황에서 대중교통운영업체는 산업구조상 자구책을 마련하기에 한계가 있으며, 넷째, 정부의 대중교통육성·지원정책이 미흡한 점을 지적할 수 있다.

## (1) 외부환경의 변화

### 가. 자가용 승용차의 증가

자가용승용차의 대중화는 대중교통의 수요이탈을 가져오게 되었으며, 특히 버스교통의 수송수요가 감소되었다. 2004년 자가용승용차는 2000년도에 비해 31.7%나 증가하였다.

자가용승용차의 증가는 도로정체를 유발하여 버스의 경쟁력을 저하시켰으며, 교통체증으로 인한 버스의 정시성 저하, 운행시간의 과다소요 등은 수요 감소의 가장 큰 요인으로 작용하였다.

〈표 14-7〉 자가용승용차 증가추이

| 구 분 | 자동차대수 | 자가용승용차 대수 | 1대당 인구수(명) | |
|---|---|---|---|---|
| | | | 총 대수 | 자가용승용차 |
| 2000 | 12,059,276 | 7,798,452 | 3.8 | 5.9 |
| 2004 | 14,934,092 | 10,273,673 | 3.2 | 4.7 |
| 증 감 | 2,874,816 | 2,475,221 | △0.6 | △1.2 |
| 증감률(%) | 23.8 | 31.7 | - | - |

자료 : 건설교통부, 「건설교통통계연보」, 2005.

### 나. 경쟁교통수단의 증가

지역간 교통에서는 항공 및 철도교통의 발달로 시외버스의 경쟁력이 저하되었으며,

2004년 4월 개통된 고속철도로 인하여 그 영향은 더욱 클 것으로 예상된다. 그리고 고속도로망 확충은 버스교통보다 승용차의 경쟁력을 제고시켜 버스수송수요의 급격한 감소를 초래하였다.

### (2) 대중교통의 공급위축 및 서비스저하

### 가. 대중교통 서비스의 공급 위축

버스교통수요의 감소는 공급량 감축을 초래하고 이는 다시 수요감소를 가져오는 악순환 고리를 양성하게 되었다. 한편, 도시철도는 공급망이 지속적으로 확대되고 있으나 선진 주요도시들과 비교해보면 매우 부족한 실정이다. 도시철도의 확충이 어려운 이유는 재정여건이 어려워 도시철도건설계획을 연기하고 있어 공급확대가 지연되고 있기 때문이다. 또한 경량전철건설을 검토하고 있으나 운행 서비스 개시까지는 상당한 기간이 소요될 것으로 전망된다.

### 나. 대중교통의 이용 불편

먼저 버스교통의 경우에는 노선체계의 불합리, 정시성 결여, 노선안내부족, 승하차불편 등이 이용시민의 주요 불만사항이며, 그리고 도시철도 이용불편 사항으로는 굴곡노선으로 운행시간 과다소요, 역까지 접근시간이 많이 소요되는 점, 계단 오르내림의 불편, 환승불편, 출퇴근시간 차내 혼잡 등이 지적되고 있다.

### (3) 운영기관의 서비스개선능력 한계

### 가. 버스산업 구조의 취약

버스산업은 영세 다수업체로 구성되어 있어서 불황에 대처능력이 미약하고, 또한 운송수입금과 정부지원금 이외의 수입이 없는 실정이며, 노선 독점적 운영체제에서 노선간의 수지격차가 매우 크며, 비수익 노선 운영업체의 경우는 요금인상을 통한 경영개선도 불가능한 상황이다. 그리고 국민의 기저교통 수단이기 때문에 수익성에 따른 노선조정, 공급량 조정이 어려운 실정이며, 교통수요 특성상 피크 시에 맞추어 공급규모를 유지해야 하므로 과다한 장치비용의 부담을 해소할 수 없는 문제점이 있다.

### 나. 도시철도의 경영애로

도시철도는 2004년 말 현재 5대도시 지하철의 부채가 12조 9,656억원에 달한다. 그리고 2004년도 지하철 운영기관들의 재정적자도 1조 2,681억원에 이르러 수요증대를 위한 시설 개선 능력이 없는 실정이다.

### 다. 요금인상의 한계

버스교통의 경우 인건비 및 유류비의 지속적 증가로 인하여 운송비용이 크게 상승하여 운송업체의 부담이 늘어나고 있다. 버스요금은 꾸준히 인상되어 왔으나 버스수송실적 감소율과 운송비용 상승률 고려 시 요금인상률은 낮은 실정이다. 그리고 지속적인 요금인상이 버스수요를 감소시키는 요인으로 작용하여 요금인상률만큼의 경영개선효과를 기대하기 어려운 수준에 이른 것도 문제로 지적되고 있다.

### ⑷ 대중교통육성정책의 미흡

### 가. 대중교통우선정책의 부진

버스의 도로운행 시 경쟁력 제고를 위한 버스전용차로제, 버스 우선 신호체계 등 통행우선정책의 시행이 부진하고, 버스 수요증대를 위한 버스정류장 시설 및 이용안내정보 체계나 노약자를 위한 저상버스 운행 등 이용편의 시설이 미흡하다. 그리고 대중교통 정기이용자에 대한 요금할인정책도 미흡하다. 외국의 경우(파리, 런던, 베를린 등)에는 대중교통수단 정기승차권을 대폭 할인된 요금으로 공급하여 이용수요 증대를 도모하고 있다. 그리고 이용편의를 위한 대중교통 환승시설 설치도 미흡한 실정이다

### 나. 대중교통 재정지원정책의 미흡

먼저 버스교통을 살펴보면 지원규모가 불충분하다. 장래 버스산업의 여건이 더욱 열악해질 것으로 예상되는바, 이에 대한 재원대책으로는 절대 부족한 실정이다. 그리고 운수업계 지원사업이 다기화되어 있고, 안정성과 지속성이 확보되어 있지 않는 실정이다. 현

재 시행중인 지원사업도 장기적으로 안정성이 없다. 또한 재정지원의 목적이 막연하고 지원의 실효성도 미흡하다. 지원금이 대부분 버스사업운영비 보조로 사용되고, 버스산업구조조정, 시설 개선 등의 지원효과가 미약하다.

도시철도의 경우에는 건설 및 운영비에 대한 국고지원액 미흡으로 지하철 건설운영 지자체가 막대한 부채를 안고 있기 때문에 재정애로가 극심한 실정이다. 또한 지원대상이 건설비 및 운영비 중 이자에 국한되어 있어서 서비스 제고를 위한 새로운 시설, 체제 개선 등에 대한 노력은 등한시되고 있다. 그리고 현재 도시철도 지원이 교통시설특별회계에서 이루어지고 있으나, 동 회계는 2006년도까지 존속하는 한시적 재원이므로 장기적 재원 대책으로는 불안정한 실정이다.


# Ⅲ. 대중교통의 정책방향


## 1. 종래의 교통정책 평가

### 1) 도로시설 및 도시철도 시설 확충에 치중

1970년대 이후 자가용자동차의 급속한 증가로 인한 교통혼잡을 가장 심각한 교통문제로 인식하여, 교통정책의 중점을 교통시설의 확충 및 개선과 정비 등에 치중하여 왔다. 1974년 서울시 지하철 1호선 개통을 시작으로 각 지자체에서는 도시철도망을 건설·운영하고 있으나, 타 대중교통수단, 특히 버스에 대한 정책적 배려와 지원의 부족으로 미미한 개선책을 시행한 결과, 지속적인 승용차 이용자의 증가추세를 반전시키지 못하였다. 따라서 정부(지자체)에서는 당면한 교통난 해결을 위해 도로시설 확충에 노력하였다. 이러한 도로시설 확충 정책의 결과는 승용차 교통량의 지속적 증가를 가져와 도로혼잡을 심화시킴과 동시에 대중교통의 수요 감소로 인한 서비스의 감축, 저하 등으로 대중교통 기피현상을 가속시키는 결과를 낳았다.

또한 기존 대중교통정책은 시스템의 관점에서 접근하지 않고, 지하철, 도시철도, 버스, 마을버스 등에 대해 개개 수단에 대한 독자적 정책을 시행하였고, 그 결과 대중교통수단

간의 경쟁이 심화되었다. 도시의 다양한 수요를 충족하기 위해서 다양한 수단의 존재는 필수적이지만 각 수단의 궁극적인 목표는 동일하므로 대중교통은 여러 수단간 통합이 필수적이라는 점이 간과되었다.

## 2) 버스교통 활성화 정책 미흡

지금까지의 버스교통은 대도시 교통문제를 해소하기 위하여 많은 역할을 담당하여 왔다. 1970년대 도시화 및 산업화과정에서 대도시 주변의 인구집중으로 출·퇴근의 교통혼잡이 발생하였고, 특히 버스교통의 혼잡문제를 해소하기 위하여 노선 증설과 연장 등 버스공급확대로 교통문제에 대응하였다. 그리고 1980년대 자동차의 급격한 증가에 의한 소통난을 버스로 해결하는 데 한계를 느끼고 지하철위주의 교통체계로 개편하기 위해 지하철망을 확충하는 데 노력했다. 1990년대에는 자가용승용차에 비해 상대적으로 수송경쟁력이 저하되는 대중교통서비스 향상을 위하여 버스전용차로제로의 도입, 고급좌석버스의 운행, 교통카드제 등 대중교통 서비스의 다양화 및 고급화를 추진하였다.

그러나 위와 같은 대중교통 서비스향상을 위한 노력에도 불구하고 버스교통 활성화는 미흡했다. 우선, 자가용승용차 대중화시대의 도래 등 여건변화에 대처하기 위한 적절한 버스 교통체계를 적기에 구축하지 못하였다. 그리고 도시 확산과 대규모 택지개발사업의 결과로 나타난 광역통행수요를 효율적으로 처리하기 위한 버스교통중심의 광역교통체계를 사전에 마련하지 못하였다. 특히 서울로 유입하는 차량으로 시계유출입 도로에서는 출퇴근시간대에 극심한 교통정체가 발생하고 있다. 또한 시내버스운행도 지방자치단체 간 또는 업체간 이해 상충으로 적절히 운행되지 못하여 이용시민들의 불편을 초래하고 있는 실정이다.

## 2. 대중교통의 정책방향

## 1) 대중교통수단의 선택과 집중

대중교통활성화를 위한 정책 결정에서 버스와 도시철도 중 어느 수단을 중점적으로 육성해야 하는가라는 기로에 서게 된다. 먼저 도시철도와 버스의 효율성을 보면 도시철도는 버스에 비해 막대한 건설비가 소요되고 또한 인/km당 운행비용도 181.36원으로 버스의 145.97원보다 많이 소요되는 것으로 분석된다. 그러나 도시철도는 버스에 비해 대량수송의 장점이 있다. 따라서 도시철도는 비용을 줄이는 방법을, 버스는 대량수송의 방법을 강구하고 있는 것이 작금의 대중교통정책의 중요흐름의 하나이다.

이러한 관점에서 새로운 대중교통시스템의 사회적 요구에 부응하여 대안으로 제안되고 있는 신교통수단이 경전철(LRT)과 BRT이다. LRT는 철도가 발달한 유럽 및 일본을 중심으로 발전하였고, 도시철도에 비해 저렴한 공사비용투입으로 중소도시의 간선 대중교통수단으로 정착하였고, 친환경적인 교통수단으로 선호되고 있다. 그리고 BRT는 저소득층 및 교외거주자를 위한 서비스 제공을 목적으로 국가 재정여건이 취약한 남미지역에서 저렴한 고효율의 대중교통수단으로 각광받고 있다. BRT와 LRT의 효율성을 비교해 보면 BRT의 건설이 LRT에 비하여 비용측면에서 효율적이므로 대중교통수요 확보를 위하여 BRT를 도입함이 바람직하다. 이와 함께 지하철과 연계되는 BRT노선망의 구축을 통하여 중장기적으로 교통수요에 따른 LRT와 BRT의 역할분담이 바람직할 것으로 보인다.

〈표 14-8〉 대전시의 LRT와 BRT의 건설비용 비교

(단위 : 천만 원)

| 구 분 | | LRT | BRT | 비교조건 |
|---|---|---|---|---|
| 건설비 | 공사비 | 13,490 | 9,837 | – 기존지하철2호선노선에 동일 구조물을 이용하는 것으로 가정<br>– BRT차량은 내구연한 8년을 적용하여 30년 운영기간 중 4회 구입하는 것으로 가정 |
| | 차량비 | 2,256 | 3,203 | |
| | 계 | 15,746 | 13,040 | |
| 운영비 | 인건비 | 4,120 | 6,498 | |
| | 기 타 | 8,350 | 4,372 | |
| | 계 | 12,470 | 10,870 | |

자료 : 교통개발연구원, 「LRT와 BRT의 특성 비교」, 2004.

도시철도와 버스교통수단의 특성을 살펴보면 〈표 14-9〉에서와 같이 도시철도는 신속성과 정시성이 우수한 반면 공급비용이 과다하고 공급에 있어서 장시간이 소요된다는 단점이 있다. 그리고 주로 지하공간을 이용하므로 도로점유비율이 버스교통보다 낮은 반면 수요밀집 구간에만 제한적 타당성이 존재하고, 운행비용이 버스교통보다 크다는 단점이 있다.

〈표 14-9〉 도시철도와 버스의 장단점 비교

| 구 분 | 도시철도 | 버 스 |
|---|---|---|
| 장 점 | - 신속성과 정시성<br>- 대량수송력<br>- 도로점유가 적음(지하공간 이용)<br>- 환경친화적(안전, 저공해) | - 공급비용 저렴<br>- 공급의 신속성<br>- 수요에 대응한 공급조절 용이<br>- 범용적 대중교통(수요량에 무관)<br>- 운행비용 저렴 |
| 단 점 | - 공급비용이 과다<br>- 공급에 장기간 소요<br>- 수요밀집구간에만 제한적 타당성<br>- 운행비용 큼 | - 신속성, 정시성 저조<br>- 대량수송력 저조<br>- 교통사고, 공해문제 유발 |

결과적으로 대도시의 수요 집중구간에는 도시철도가 탁월한 교통수단이지만 막대한 투자비 부담문제 때문에 대부분의 도시에서 대안을 모색하고 있는 실정이다. 앞서 살펴본바와 같이 이러한 대안으로는 크게 도시철도의 공급비용을 최소화하기 위한 다양한 경전철의 건설과 버스의 신속성, 정시성과 대량 수송력 확보를 위한 간선급행버스시스템(BRT)과 버스전용차로제도의 도입 등과 같은 대안들이 시도되고 있다.

따라서 적정대중교통수단의 선택은 지역적 교통여건을 감안한 효과적인 운영체제의 구축이 요구된다. 최근에 도시여건에 맞는 적정대중교통시스템 선정기준에 대한 논의가 활발해지고 있어 향후 효율적 시스템 선택이 기대된다.[3)]

## 2) 효율적 운영체계 구축

대중교통을 활성화시키기 위해서는 지역별 교통여건에 부합되는 대중교통운영체계의 구축이 필요하다. 서울시의 경우는 도시철도가 주가 되며, 버스가 그 보완적 기능을 담당하게 하고, 기타 도시는 버스가 주가 되는 운영체계의 구축이 바람직하다. 또한 각 도시들의 재정여건을 고려하여 점진적으로 도시철도망의 확충을 추진하기 위하여 우선은 BRT등 저비용 고효율 버스교통체계를 적극 도입함이 바람직하다. 그리고 도시철도와 버스의 통합적 운영체계의 구축을 위하여 하나의 승차권으로 모든 대중교통수단의 이용이

---

3) 한국운수산업연구원과 대중교통포럼이 2005. 11. 8일 개최한 대중교통정책방향모색을 위한 전문가 심포지엄에서는 GIS를 활용한 대중교통시스템 선정방안이라는 새로운 접근방법론이 발표된 바 있다.

가능한 환승승차권제도의 조기도입과 정기환승할인권 제도와 같은 통합적 요금징수시스템의 도입이 우선적 과제라고 할 수 있을 것이다.

인구 100만 명 미만의 중소도시에는 재정여건을 고려하여 도시철도의 신설 등과 같은 무리한 시책보다는 버스중심의 교통체계의 개편이 유리하며 특히 버스노선의 경우 간선과 지선으로 분리하여 간선은 BRT 교통체계를 도입하고, 지선은 중소형 버스운행도 고려해야 할 것이다. 이와 더불어 간·지선 수단 간의 환승정기권제도의 도입 등과 같은 통합운영체계의 운영이 바람직하다.

# Ⅳ. 대중교통의 정책과제

## 1. 대중교통의 경쟁력 제고

향후 우리나라 대중교통의 가장 주요 과제는 자가용승용차에 월등히 떨어지는 경쟁력을 제고시키는 것이 급선무이다. 대중교통의 경쟁력 제고방안으로 다음과 같은 사항에 역점을 두고 정책을 추진해 나감이 바람직하다.

### 1) 접근성 및 신속성 제고

자가용승용차의 통행수요의 대중교통으로의 전환을 도모하기 위하여 대중교통의 접근성과 신속성을 향상시킬 필요성이 있다. 이를 위하여 먼저 대중교통의 노선망 확충 및 운행빈도의 향상을 통한 접근성 제고가 요구되며, 지역별로 대중교통 접근성에 대한 서비스 기준을 설정하고 이를 준수토록 노력할 필요가 있다. 그리고 버스의 도로통행우선권의 부여 등을 통하여 자가용승용차보다 대중교통수단 이용 시 통행시간이 단축되도록 하기 위한 방안이 강구되어야 한다. 이를 위하여 버스전용차로의 확대 및 간선급행버스체계(BRT)의 도입이 바람직하다.

## 2) 이용편리성 및 안락성의 제고

버스이용자의 대부분은 출퇴근 이용 노선만 인지하고 있는 실정이며, 처음 가는 행선지는 대부분 노선운행정보 부족으로 버스이용을 기피하고 있는 실정이다. 따라서 버스의 노선운행정보를 도시철도만큼 쉽게 이용자에게 전달할 필요성이 있다. 이를 위하여 노선안내책자의 발간 및 기존 운영중인 「수도권 대중교통이용 정보시스템(ALGOGA)」의 정보제공의 범위 확대 등을 통하여 버스노선운행정보를 일반시민에게 홍보하고, 기존 버스이용정보체계(BIS)의 지역적 확대를 통하여 이용편리성의 제고방안이 강구되어야 한다. 그리고 대중교통의 안락감의 확보를 위하여 저상버스, 저공해버스, 고급버스 등으로의 대체와 과밀노선에 대한 운행횟수의 조정을 통하여 입석승객의 감소방안이 요구된다. 또한 버스정류소의 시설 개선과 도시철도의 역사에 교통약자를 위한 시설의 개선이 필요하다.

## 3) 요금경쟁력의 확보

자가용승용차에 대한 대중교통수단의 경쟁력 확보를 위하여 가장 절실한 것이 요금경쟁력의 확보이다. 이를 위하여 대중교통 정기할인 승차권제도의 도입 및 대중교통환승에 할인율의 대폭 상향 등의 요금경쟁력에 확보가 요구된다. 한편 자가용승용차의 운행비용의 인상을 통한 대중교통수단으로의 수요전환을 도모할 필요가 있다.

# 2. 버스운영체계의 효율화

## 1) 버스산업의 합리화

지금까지의 버스산업 정책방향은 업체 대형화를 통한 산업조직의 개편이나 부실업체의 퇴출 및 적자노선의 폐지 등이 주를 이루었다. 그러나 부실업체의 인수 시에 고용승계, 부채인수문제 등의 번잡한 절차와 동반 부실화를 우려하여 건실한 업체에서 인수를 기피하고 있다. 또한 적자노선은 대부분 경제적·신체적 약자의 교통대책 차원에서 운행서비스를 유지하므로 적자노선의 폐지나 운행감축에 어려움이 있다. 한편 업체 양수도에 따른 양도 소득세 등의 부담문제로 인하여 업체 대형화를 위한 인위적 통폐합의 어려움이 있다. 따라서 대중교통서비스 공급의 안정적 유지와 서비스 질의 개선이 가능한 산업으로 발전과 요금인상의 압력이 완화되도록 부실업체 퇴출 등 구조조정을 통한 산업의 재무건실화 및 재정지원의 효과가 극대화가 될 수 있는 운영체계의 구축을 목표로 버스산업의 합리화방안이 필요하다. 이를 위하여 종래의 외형적 업체 대형화, 부실업체 퇴출 지향에서 내적인 업체 건실화 위주의 지원 및 규제로 구조조정 정책방향의 전환을 모색할 필요가 있다. 또한 업체의 외형적 규모 대형화보다 운영체계의 대규모화를 추진하는 동시에 업체단위의 구조조정에서 버스노선을 공공성과 사업성 노선으로 분리하여 관리하는 등과 같은 노선단위의 구조조정의 추진이 바람직하다. 그리고 다수의 소규모 영세업체로 구성된 버스산업 구조하에서 노선면허의 독점운영체제는 업체간 수익격차의 심화와 이로 인한 경영애로업체의 양산, 서비스 부실과 운행 중단 등의 불합리를 초래하고 있으며, 시민편익 위주의 노선조정 등을 불가능하게 하고 있다. 따라서 현 버스사업 운영체계를 전국적으로 동일한 방식으로 운영하기보다는 다양한 운영체계 유형 중에서 지역의 교통특성에 적합한 운형체계의 모형을 선택함이 바람직하다.

## 2) 버스교통활성화 지원 강화

버스산업에 대한 정부의 정책적·재정적 지원 활성화를 위해서는 기저 교통서비스의 유지와 서비스공급을 위한 재정지원을 확대하고, 버스운송비용의 절감을 도모하기 위한 버스시설 확충에 대한 투자비의 지원과 이러한 정부지원의 효율화를 기하기 위한 합리적 지원방식이 강구되어야 한다. 이를 위해서 중앙정부와 지자체가 투자재원을 분담하고 중앙정부는 지자체의 버스활성화계획의 타당성을 검토하여 매칭펀드(matching fund) 형태로의 지원이 강구되어야 한다. 그러나 투자비의 회수가 일부 가능한 부문에 대해서는 지원금의 일부를 융자 지원하는 방안도 모색되어야 할 것이다.

버스는 일반 서민이 가장 많이 이용하는 대중교통수단이므로 원가상승 요인을 전부 요금인상으로 해결함은 형평성에 맞지 않으므로 원가부담을 가능한 한 줄여서 요금인상을 억제하여야 한다. 이를 위하여 차량구입비나 차고지 및 터미널 건설 등의 버스운영 인프라에 대한 재정지원방안을 강구하고, 버스사용 경유에 부과되는 유류세 및 차량등록세의 면제 등 제세를 감면해줄 필요가 있다.

## 3. 효율적 대중교통운영체계의 구축

### 1) 광역버스망의 구축

현재 대도시권에 있어서 신도시 및 위성도시 일부지역에서는 대규모 택지개발을 추진하면서 대중교통을 확충하지 않아, 출퇴근 시간대에 교통체증, 환경악화 등 부작용을 초래하고 있다. 이러한 문제를 해결하기 위해서는 신도시 주민의 출퇴근 교통난의 완화와 자가용승용차 도심억제를 위하여 도심을 연결하는 광역버스의 운행을 확대할 필요성이 있다.

### 2) 대중교통환승체계의 개선

대중교통의 활성화를 위해서는 광범위하게 이루어지고 있는 수단간 환승객을 위하여 환승시설 확충과 통합요금체계의 구축이 필요하다. 대중교통환승센터는 철도, 고속·시외버스, 도시 내 교통수단을 편리하고 안전하게 연계시켜주는 시설로 대중교통수단간 또는 자가용과 대중교통 간 환승을 효율적으로 처리하기 위해서는 입지특성에 따라 광역외곽권, 시계유출입권, 도심/부도심 환승센터로 구분하여 설치하는 것이 바람직하다. 이를 효과적으로 추진하기 위해서는 '대중교통환승센터 기본계획'을 수립하여 종합적이고 체계적인 접근이 필요하다. 또한 환승주차장은 도심 진입 시 자가용승용차 이용을 억제하기 위하여 도시철도역 인근에 설치한 주차장으로 교통체증 및 교통공해 등을 완화시키는 기능을 담당하고 있다. 자가용승용차 이용감소와 대중교통활성화를 위해서는 도시철도역이나 주요 버스정류소 인근에 환승주차장을 확충해 나갈 필요가 있다.

지하철망의 지속적인 확충에도 불구하고 지하철이용수요가 당초 예상보다 증가하지 못한 원인에는 지하철과 버스 간 노선체계가 보완적 관계가 아닌 경쟁관계로 운영되기 때문에 대중교통 간 환승에 따른 요금부담이 증가하기 때문이다. 따라서 대중교통 간 또는 승용차·대중교통 간 환승에 따른 요금부담이나 이용불편을 완화하기 위한 대중교통요금체계의 정비가 필요하다. 대중교통요금체계의 개선은 단계적으로 추진할 필요가 있는데 단기적으로는 현재 시행중인 대중교통환승요금 할인제도를 확대하여 대중교통수요의 증진을 도모하다가, 중장기적으로는 대중교통 상시이용자에게 혜택을 부여하기 위한 정기권 제도도입을 추진하고, 궁극적으로는 버스·지하철 요금체계를 통합하는 것이 바람직하다.

### 3) 대중교통이용정보시스템 구축

대중교통이용수요를 증대시키기 위해 지하철/전철의 확충, 대중교통서비스의 다양화 등을 추진하였으나, 승용차이용자와 같은 비정기 대중교통이용자가 대중교통을 이용하는 데 불편하기 마련이다. 그 이유는 이용하고자 하는 대중교통에 대한 정보가 부족하여 대중교통이용을 망설이기 때문이다. 따라서 자가용승용차의 이용수요를 대중교통으로 유인하고 기존 대중교통이용자의 서비스 개선을 위해서 대중교통이용정보시스템을 구축하는 것이 시급하다. 그러나 현재 수도권 각 지방자치단체는 시내버스노선정보를 제공하고 있지만, 정보제공범위가 각 지방자치단체 행정구역 범위 내에 국한되어 있고, 민간사업자가 중심이 되어 추진 중인 수도권 첨단여행자정보시스템 구축 사업도 자가용승용차 이용자들을 위한 여행자정보중심으로 구축되고 있어 대중교통수단의 경쟁력은 날로 열악해지고 있다.

수도권광역교통 문제의 해소와 대중교통수단 이용활성화라는 두 가지 정책목표를 달성하기 위해서는 보편화된 인터넷 환경과 지리정보시스템(Geographic Information System)을 기반으로 하여 대중교통수단 운행에 대한 빠르고 정확한 정보를 제공함으로 대중교통을 이용하여 수도권 어디나 편리하고 빠르게 통행할 수 있는 체계를 구축하는 것이 필요하다. 철도, 전철/지하철, 버스 등 수도권 대중교통에 대한 노선정보, 환승정보, 연계노선정보, 소요시간 정보 등이 포함된 수도권 대중교통이용정보시스템을 구축하고, 이러한 정보내용을 인터넷, PCS(Personal Communication System: 개인휴대폰), PDA(Personal Digital Assistant: 개인휴대정보단말기)등을 통해 집, 사무실, 역, 차내 등에서 상시 접속하여 필요한 정보를 제공받을 수 있도록 하여야 한다.

## 4. 자가용승용차의 이용 억제

대중교통활성화를 위해서는 대중교통개선과 더불어 자가용승용차에 대한 적절한 부담금을 징수함으로써 자가용승용차의 이용억제를 유도할 필요성이 있다. 이를 위해 승용차이용자들로부터 혼잡통행료, 주차료, 주행세 등을 징수하여 이용을 억제하고, 징수된 수입을 대중교통시설 및 도로의 확충을 위한 투자재원으로 활용하고 대중교통요금의 상승억제에 사용함이 바람직하다. 자가용승용차의 이용억제를 유도하기 위한 정책으로 혼잡통행료의 부과대상지역 확대와 부제운행의 확대가 바람직하다.

## 1) 혼잡통행료의 부과대상지역 확대

혼잡통행료의 부과는 특정 혼잡구간 또는 혼잡구역에 대한 자가용승용차의 진입을 억제함으로써 결과적으로 자가용의 이용포기를 유도할 수 있는 유력한 방안이다. 또 시장메커니즘에 의거하여 통행자에게 선택의 여지를 주어 통행료 수준으로 효과를 조절할 수 있는 등 부제운행과 같은 규제방안에 비해 합리적인 제도라고 볼 수 있다.4) 우리나라의 경우 1980년도부터 도입이 제기되었으나 시행여건의 미비로 시행되지 못하다가, 도시교통정비촉진법에 근거하여 1996년부터 남산1·3호 터널에서 시작되어 현재 운영 중에 있다. 서울시의 시행 후 평가에 의하면 해당 터널의 승용차 비율은 시행 전의 78.4%에서 52.9%로 감소되었으며, 통행료 수입금은 공영차고지 조성 등 대중교통 서비스 개선에 기여하고 있다.

## 2) 자가용승용차 부제운행

승용차 부제운행은 일정한 기준에 의해 일부 차량의 운행을 금지시켜 교통량을 줄이는 정책이다. 그러나 이러한 부제운행은 강제적 규제에 의한 방식으로 이용자의 선택의 여지가 없으며, 효과를 거두기 위해서는 강력한 단속과 처벌이 수반되어야 한다는 제약이 있다. 부제운행에 따라 승용차의 생계유지 수단으로 하는 시민들의 반발로 고소득층의 예비차량 구입 등에 따른 부작용이 발생하여 현재는 강제적 규제방식에서 자율부제방식으로 전환되어 정부기관과 공공기관에서 부분적으로 시행되고 있다. 따라서 현재 정부 관련기관에서 운영 중인 부제운행을 민간기업으로 확대하여 참여 기업의 경우에는 세금혜택을 부여하는 등의 유인 방안이 필요하다.

---

4) 우리나라의 경우 80년도부터 도입이 제기되었으나 시행여건의 미비로 시행되지 못하다가, 도시교통정비촉진법에 근거하여 96년부터 남산1·3호 터널에서 시작되어 현재 운영 중에 있다. 서울시의 시행 전후 평가에 의하면 해당 터널의 승용차 비율은 시행 전의 78.4%에서 52.9%로 감소되었으며, 통행료 수입금은 공영차고지 조성 등 대중교통 서비스 개선에 기여하고 있다.

# V. 맺음말

자가용승용차의 급속한 증가와 대중교통 서비스의 악화는 대중교통의 급속한 수요감소와 더불어 막대한 사회경제적 비용을 부담해야 하는 교통비효율의 문제를 초래하게 되었다. 우리나라의 교통정책을 회고해 본 바 자가용승용차 대중화시대를 맞이하면서 효율적인 버스교통을 등한시 하고 도로건설에 치중한 것이 교통난을 가중시킨 것으로 평가된다. 이러한 정책적 오류는 지금도 지속되고 있는바 이제는 새로운 정책방향이 필요하다. 대중교통정책의 방향으로 먼저, 가장 효율적인 버스교통에 대해 선택과 집중전략으로 활성화하고, 아울러 지역여건에 맞게 대중교통운영체계를 구축함이 바람직하다. 다음으로 대중교통의 활성화를 위한 경쟁력제고와 운영체계 효율화정책을, 그리고 버스와 도시철도 등 대중교통망의 확충과 환승체계구축정책과 자가용승용차 이용억제정책의 시행이 필요하다.

특히 대중교통활성화 및 이용자들의 편의성 증진을 확보하기 위한 지하철 건설은 현재 막대한 재정부담 등으로 한계점에 도달하였다. 따라서 국민의 기초 생활교통 서비스 공급을 위해 버스의 역할과 기능을 지속적으로 유지시킬 수 있는 버스교통 활성화 대책을 강구할 필요가 있다.

# 참고문헌

송제룡.(2002). 「신도시 대중교통체계 개선방안」, 경기개발연구원.

강상욱・이재민.(2003). 「대중교통화성화를 위한 버스운송사업구조개혁방안연구」, 교통개발연구원.

이재림.(2003). 「대중교통 활성화를 위한 법제도 정비방안」, 교통개발연구원.

이재림외 공저.(2003). 「한국의 교통정책」, 교통개발연구원.

조규석・전상민.(2003). 「대중교통정책방향 연구」, 한국운수산업연구원.

이재림・전상민.(2004). 「버스산업 구조조정의 실태와 문제점 및 효율적 시행방안」, 한국운수산업연구원.

조규석.(2004). 「대중교통과 자가용승용차의 운행비용 비교분석」, 한국운수산업연구원.

이상민.(2001). 「버스정책의 방향」, 월간교통 2001년 7월호.

유정훈.(2004). 「수요자중심의 대중교통체계 활성화 방안」, 월간교통 2004년 5월호.

김시곤.(2005). 「대중교통시스템 선정방안 : GIS를 활용한 새로운 접근, 대중교통정책방향 모색
        을 위한 전문가 심포지엄 발표자료」, 한국운수산업연구원·대중교통포럼.

서울시정개발연구원.(2003). 「미래형 버스 BRT-보고타 사례를 중심으로」.

한국운수산업연구원.(2003). 「버스교통대책 : 여건변화와 대응전략 교통정책토론회 자료」.

전국버스운송사업조합연합회.(2003). 「2002년도 버스업계 재무제표 분석」.

_____.(2005). 「2004 버스통계편람」.

대전광역시.(2003). 「대전도시철도 2호선 기본계획 및 노선 재검토」.

교통개발연구원.(2004). 「LRT와 BRT의 특성비교」.

한국운수산업연구원.(2004). 「버스교통-창간호」.

건설교통부, 「건설교통 통계연보」, 각년도.

# 제16장 교통안전 규제완화 정책효과

김 만 배*

# I. 서 론

국가 또는 공공권력이 경제주체들의 자발적인 의사결정에 영향을 끼칠 목적으로 민간인들의 경제·사회활동에 개입한 것은 근래의 일이 아니다. 이미 서구 유럽에서 산업자본주의 경제 질서가 형성되면서 국가가 사적 교환활동에 강력히 개입하였다. 그 대표적인 예로 19세기 말의 독일이나 일본의 보호주의 무역정책을 들 수 있다[1]. 미국에서는 이미 1890년에 "Sherman 반독점법"이 시행되어 기업 활동에 대한 규제의 기본 틀을 확립하였다[2]. 이런 정부의 기본적인 정책 방향에 입각한 규제정책은 대공황을 계기로 경제활동에 대한 서구 여러 나라들의 정부개입은 더욱 확대되었고 규제의 영역은 금융거래나 상품거래뿐 아니라 사회적 문제, 환경 문제, 교통문제들에까지 포괄하게 되었다. 이후 이렇게 양산된 규제에 대한 재검토에 대한 노력 없이 규제가 더욱 확산되어 오다가[3] 제 1, 2차 석유위기를 계기로 서구 각 국들은 정부규제에 대한 회의와 함께 탈 규제정책을 채택하게

* 교통과학 연구원 연구위원

1) 일반적으로 규제를 "바람직한 경제사회 질서의 구현을 위해 정부가 시장에 개입하여 기업과 개인의 행위를 제약하는 것"으로 정의하고 정부의 기본적인 정책방향들이 법률적 근거나 적어도 행정지침 등의 형태를 통해 뒷받침되거나 구체화되어야 한다는 의미에서 정부에 의한 시장 개입 활동을 규제로 파악할 수 있다. 최병선, 정부규제론(서울 : 법문사, 1992), p.18.

2) 한국행정연구원, 분야별 규제영향분석: 경제분야 규제영향분석, 2003. 12. p.1.

3) OECD(2002)는 이런 "규제 인플레이션(regulatory inflation)" 현상이 쉽사리 교정되지 못하는 원인을 6가지로 요약하고 있다. 즉, 개혁성과의 불확실, 중첩된 이해관계, 단기의 관료위주의 유인체계, 양질규제의 저질규제로의 전화, 실질적 해결책이 아닌 상징적 행위로서의 입법활동, 규제 권력의 확산이 그것이다. 상계서, p.2.

되었다. 이제까지 정부의 정책을 실현하기 위해 필수적인 존재로 여겨져 오던 각종 규제가 경제성장에 오히려 부담이 되고 나아가 성장을 저해하는 요소로 인식되기 시작했다.

사전적 의미에서 규제란 지켜야 할 관례, 정해진 바, 규정 또는 규율을 정하여 제한하는 것으로서 규제는 원인, 이유 혹은 목적에 따라 다음과 같은 다양한 규제가 있다. 첫째, 체제나 제도를 유지함을 목적으로 한 여러 가지 제약이라는 의미의 규제가 있다. 그 전형적인 것은 조선시대의 국법이고 그것을 어기면 사형 등의 형벌을 받도록 하는 엄격한 것이었다. 현재 우리나라에는 그 만큼 엄격한 규제는 없지만 법치국가로서 국가의 존속을 위한 규제가 존재한다. 그러나 현재 민주주의 본질에 비추어 볼 때 제도나 체제는 규제를 받는 사람과 단체의 동의가 있어야 한다. 둘째, 자유방임주의(laissez-faire)에 근거한 경제활동에 의한 폐해를 방지하기 위해 경제활동을 통제하는 경제규제가 있다. 통제경제나 사회주의 경제 등은 경제규제가 모든 경제활동을 지배하지만 우리나라와 같은 자유경제주의에서도 경제규제가 적지 않으며 그것이 경제성장에 공헌해 왔다. 셋째, 본 연구의 주제인 안전 및 환경 규제가 있다[4]. 안전이란 사람의 생명, 신체, 재산이 해를 받는 일이 없이 있어야만 할 상태를 유지하기 위한 것이다. 이것은 어느 국가에서나 개인이나 단체에 대하여 지켜야 할 관례나 규정을 정하여 그 행동을 제약하는 것, 즉 규제는 안전을 확보하기 위해서 불가결하다. 왜냐하면 사람의 사회적 활동은 자유방임인 채로 방치하는 경우 일반적으로 무질서와 위험을 발생시키기 때문이다.

우리나라에서도 세계적인 탈규제의 흐름과 함께 문민정부 때부터 본격적으로 진행되던 규제개혁 정책이 IMF 위기극복을 위한 경제정책의 일환으로 국민의 정부 성립과 함께 더욱 활발하게 진행되었다. 경제규제는 물론 소위 교통안전, 환경 등 사회적 규제도 규제완화의 대상이 되었다. 그런데 감사원 등은 이러한 규제개혁 차원에서 교통안전분야의 규제(운수업체 안전관리자 의무제도 폐지, 신규면허취득자 의무 교육폐지 등)가 과도하게 철폐됨으로써 교통안전이 위협받는다는 결과가 나타나고 있다고 지적하고 있다[5]. 또한 규제강화의 대표적인 사례라고 할 수 있는 무인교통단속시스템의 확산에 대하여도 여전히 논란이 있다[6].

이와 같은 배경에서 본 연구의 목적은 규제완화 차원에서 교통안전규제도 완화하여야 하는가? 아니면 강화하여야 하는가를 몇 가지 규제완화 정책사례를 통해 교통안전에 미

4) 村田隆裕, 規制緩和の時代の交通規制, 月刊交通, 1994. 6. pp.94-95.
5) 연합뉴스, 규제철폐 과다로 교통안전위협, 2002. 2. 15.
6) 도로교통안전관리공단, 무인교통단속장비 적정설치대수 산정연구, 2004. 3; 매일경제, 2004. 9. 16.

치는 효과를 분석하고 교통안전규제정책의 강화를 위한 논리를 제시한다. 교통안전에 대한 규제를 완화함으로써 국민의 생명 보호, 즉 교통안전의 증진에 어떠한 영향을 미쳤는지를 탐색적인 연구방법으로 분석하여 향후 교통안전규제강화의 논리를 제안해 보고자 한다. 본 연구에서 분석할 교통안전 규제완화 정책사례는 감사원 등에서 문제있는 규제완화로 지적한 운수업체 교통안전관리자 의무제도 폐지, 운행기록계 관련 규제 폐지, 지정차로제 폐지 등을 선정하였다.

## II. 교통안전 규제의 개념 및 관련법상 규제의 변화

### 1. 교통안전 규제의 개념

정부규제의 한 분야로서 교통안전규제의 대상은 운수사업에 한하지 않고 널리 일반국민 전체가 포함된다. 산업일반에 대한 공적규제는 경제적 규제[7]와 사회적 규제로 나눌 수 있다. 전자는 기업의 본원적 활동과 관련된 독점거래금지법에 의한 규제, 산업정책규제로서 진입규제, 가격규제, 시설규제 등이다. 후자는 국민의 생명, 건강에 관한 안전성 확보를 목적으로 하는 것으로서 공해규제, 제품안전규제, 직업면허규제, 교통안전규제 등이 포함된다[8].

우선 교통분야를 산업정책의 시각에서 본다면 규제의 대상은 운수사업이다. 운수사업을

---

7) 경제적 규제완화의 이유는 첫째, 국민의 가치관 변화를 들 수 있다. 그 요인의 하나로 생활수준의 향상에 의한 교육수준의 상승, 매스미디어의 발달과 보급에 의한 정보량이 증대 등에 의해 국민의 자율적 정신이 높아져 있음을 생각할 수 있다. 규제를 받지 않고도 자율성에 의해 질서를 유지할 수 있고 기존의 여러 가지 제도나 체제도 자율적인 국민에게는 불필요하다는 것이다. 둘째, 보이지 않는 손의 작동에 의해서 최적 상태가 실현된다는 자유경쟁의 원칙에서 보면 경제규제는 바람직하지 않다는 것이고 이러한 사고방식이 경제규제를 부당하다고 주장하는 논리의 근거이다. 자유경제의 원칙에 근거한 외국의 기업활동은 자기 나라의 기준과 다른 기준에 근거한 규제가 있다면 부적당한 규제라고 보여져 규제완화를 추구하게 된다. 마지막으로 규제에는 비용증대를 가져오고 비용을 삭감하기 위해서는 규제를 완화하는 것이 바람직하다는 단순한 논리 등이 있다.

8) 八代尙宏編, 社會的規制の經濟分析, 日本經濟新聞社, 2000.3.

직접 대상으로 한 규제는 진입규제, 가격규제 등 경제적 규제와 이용객의 안전 확보를 위한 사회적 규제인 각종 안전규제가 설정되어 있다. 운수사업에 대한 안전규제는 소프트웨어 측면의 규제와 하드웨어 측면의 규제로 나눌 수 있는데 전자는 이용자 보호, 운행관리자제도, 승무원 자격, 과로금지, 비상시 수송력 확보 등이고 후자는 교통수단의 안전성, 교통시설의 안전성 등이다.

다음으로 일반국민을 대상으로 한 교통안전규제가 있다. 즉 일반국민이 운전을 하기 위해서는 일정 자격을 갖추어야 하는 면허규제, 운전자가 도로상을 운행하면서 지켜야 할 규범으로서의 규제, 안전시설에 대한 규제, 자동차의 성능을 높여 불의의 교통사고가 발생하더라도 승객을 최대한 보호하기 위한 각종 안전기준에 관한 규제 등이 있다.

이상과 같은 관점에서 교통안전규제의 개념은 교통사고 방지라는 공익실현을 위하여 정부가 개인이나 기업의 교통행위에 제약을 가하는 것으로 정의할 수 있다. 또한 교통안전규제는 일반국민 전체가 대상이 되는 사회적 규제에 속한다고 하겠다. 교통안전규제의 수단들이 규정되어 있는 교통안전 관계법규는 [그림 15-1]과 같이 교통안전의 증진과 깊은 관계가 있다[9].

## 2. 교통안전 관련법상 규제의 변화

우리나라의 교통안전 규제와 관련된 법은 교통안전법, 도로교통법, 자동차관리법, 여객 및 화물자동차운수사업법 등이 대표적이다. 교통안전 관련법 중에서 교통안전 추진주체와 정책에 대한 기본법은 교통안전법이라고 할 수 있으며, 운전자 관리와 운행관리에 대한 기본법은 도로교통법이며, 차량관리에 관한 기본법은 자동차관리법이고, 운수사업자의 안전에 관한 기본법은 여객 및 화물 자동차운수사업법인데 각 법의 주요 규제내용과 규제완화 및 강화내용은 다음과 같다.

---

9) Michael V Afanasyv, System Analysis for Traffic Safety Problem, Proceeding of the world conference on transport research (London : Gower w.), 1980. 3. pp. 2447-2451 : 이홍로, 한국의 교통안전정책에 관한 연구, 중앙대 박사학위논문, 1991. 재인용.

[그림 15-1] 교통안전 관련 규제와 교통안전 증진과의 관계

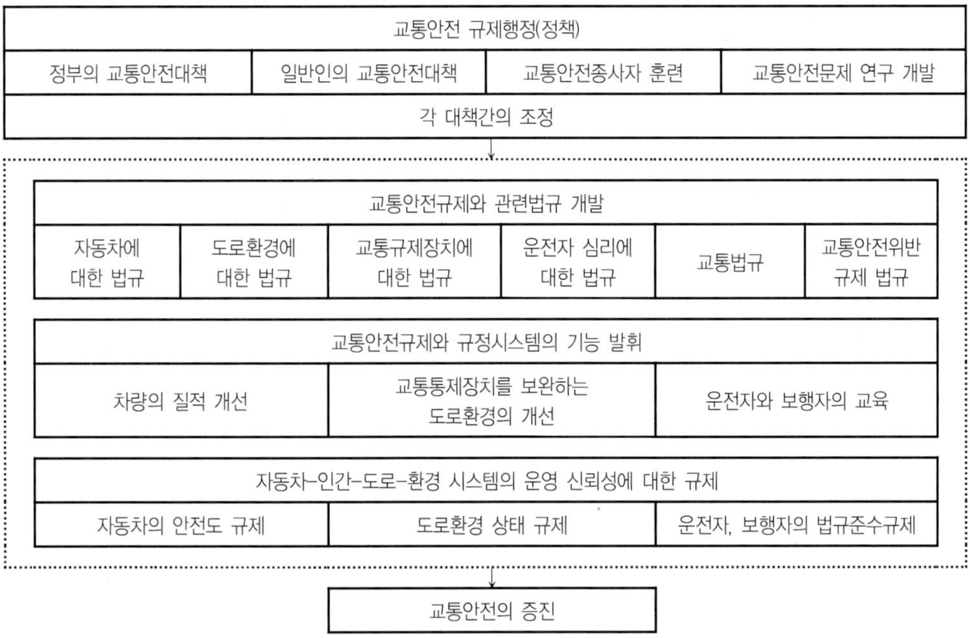

| 교통안전 규제행정(정책) | | | |
| --- | --- | --- | --- |
| 정부의 교통안전대책 | 일반인의 교통안전대책 | 교통안전종사자 훈련 | 교통안전문제 연구 개발 |
| 각 대책간의 조정 | | | |

| 교통안전규제와 관련법규 개발 | | | | | |
| --- | --- | --- | --- | --- | --- |
| 자동차에 대한 법규 | 도로환경에 대한 법규 | 교통규제장치에 대한 법규 | 운전자 심리에 대한 법규 | 교통법규 | 교통안전위반 규제 법규 |

| 교통안전규제와 규정시스템의 기능 발휘 | | |
| --- | --- | --- |
| 차량의 질적 개선 | 교통통제장치를 보완하는 도로환경의 개선 | 운전자와 보행자의 교육 |

| 자동차–인간–도로–환경 시스템의 운영 신뢰성에 대한 규제 | | |
| --- | --- | --- |
| 자동차의 안전도 규제 | 도로환경 상태 규제 | 운전자, 보행자의 법규준수규제 |

| 교통안전의 증진 |
| --- |

## 1) 교통안전법

교통안전법은 교통안전에 관한 시책의 기본을 규정함으로써 종합적 · 계획적인 추진을 도모하여 공공복리의 증진에 기여함을 목적으로 하는 법으로 1979년 12월에 제정되었다. 교통안전법의 주요 내용은 ① 정부 및 지방자치단체의 시책, ② 교통안전시설의 설치, 관리자의 의무, ③ 차량 등의 제조업자, 사용자의 의무, ④ 교통안전관리자의 자격 및 의무, 교통안전에 관한 의무 및 차량 등의 사용자에 대한 감독, ⑤ 차량운전자, 보행자, 국민의 의무, 재정 및 금융조치, ⑥ 교통안전정책심의위원회, ⑦ 교통안전기본계획, 교통안전시행계획, 교통안전세부시행계획, ⑧ 교통환경정비 및 교통안전에 관한 지식의 보급, ⑨ 차량 등의 안전운전 및 안전운항의 확보, 차량 등의 안전성 향상, ⑩ 교통안전진단과 개선명령, ⑪ 교통질서의 유지, 위험물 안전수송, ⑫ 긴급시 구조체제의 정비, 손해배상의 적정화 등이다.

대표적인 규제완화 사례는 운수업체 안전관리의 핵심이라 할 수 있는 교통안전관리자 선임에 관한 사항으로 1981년 처음 의무고용제를 실시한 이후 계속적인 고용기준 완화조치와 더불어 1999년에는 의무 고용제를 완전히 폐지하였다.

## 2) 도로교통법

도로교통법은 도로에서 일어나는 교통상의 모든 위험과 장애를 방지하여 안전하고 원활한 교통을 확보함을 목적으로 하고 있는 법으로서 1961년 12월 31일에 제정되었다. 동 법의 주요 규제 내용는 ① 보행자의 통행방법(보도통행의 원칙, 횡단보도에서의 통행요령, 맹인 및 어린이 등의 보호), ② 차마의 통행방법(도로우선순위, 속도제한, 통행방법상 안전에 관한 규제사항, 통행방법상 소통에 관한 규제사항), ③ 운전자의 의무, ④ 고용주의 의무, ⑤ 고속도로 등에 있어서의 특례, ⑥ 도로의 사용제한, ⑦운전면허제도, ⑧ 속도위반, 신호위반 등 교통위반자에 대한 범칙금 통고처분제도 등 일반 운전자를 규제하고 있다.

대표적인 규제완화 사례로는 지정차로제 폐지, 운행기록계 규정 폐지, 운전면허 응시전 안전교육 폐지, 행정처분 벌점의 30점에서 40점으로 완화, 벌점 사면 등이다. 규제강화 사례로는 무인교통단속장비에 의한 과속, 신호위반 등 동적 교통위반 단속 강화, 속도제한 다단계 처벌, 운전중 휴대전화 사용금지(2000. 7. 1) 등이다.

## 3) 자동차관리법

자동차관리법은 자동차의 등록·안전기준·형식승인·점검·정비 검사 및 자동차관리사업 등에 관한 사항을 정하여 자동차를 효율적으로 관리하고 자동차의 소유권을 공증, 자동차의 안전도를 확보함으로써 공공의 복리를 증진함을 목적으로 하고 있는 것으로 과거의 도로운송차량법을 1986년 12월 31일에 자동차관리법으로 제정하였다. 동 법의 주요 규제내용은 ① 자동차의 등록(신규등록, 변경등록, 이전등록, 말소등록, 저당권등록 등), ② 자동차의 안전기준 및 형식승인, ③ 자동차의 번호판, ④ 자동차의 점검 및 검사, ⑤ 이륜자동차의 관리, ⑥ 자동차관리사업(자동차 매매업, 자동차 정비업, 자동차 폐차업 등) 등을 규정하고 있다.[10]

대표적인 규제완화 사례로는 1999년 2월 차량 검사시 썬팅에 대한 규제폐지 등이고, 규제강화 사례로는 특수제동장치(ABS)의 설치대상을 36인 이상에서 16인승 이상 승합차와 적재량 5톤 이상에서 2.5톤 이상 화물차까지 의무화, 최고속도제한장치 봉인의무화, 자동

---

10) 이 밖에도 자동차 관련 법규는 자동차저당법, 자동차관리법 시행령, 자동차 등록령, 자동차 관리법 시행규칙, 자동차 등록규칙, 자동차 안전기준에 관한 규칙, 자동차 안전기준 시행세칙 등이 있다.

차 출고시 고장표지판(일명 안전 삼각대) 장착 의무화 등이다.

## 4) 여객 및 화물자동차운수사업법

여객 및 화물자동차 운수사업법[11])에 의한 규제이다. 운수사업은 국민의 생명과 재산을 담보하는 산업으로 공공성과 공익성이 무엇보다도 우선되어야 한다. 그러므로 기업경영과 관련된 신규 진입이나 운임·요금 등 경제적 규제는 탄력적으로 운영할 수도 있으나, 최근 선진국의 보편적 정책 흐름과 같이 사업용 자동차의 교통안전을 확보하기 위한 사회적 규제는 보다 강화하여 공익을 실현하도록 해야 한다.

자동차 운수사업법은 1961년 12월 30일에 탄생된 이후 교통여건 및 운수사업의 환경변화에 따라 9차례에 걸쳐 법이 개정되었으며, 1997년에는 자동차 운수사업법 중 화물운수분야를 분리하여 육운진흥법 및 여객자동차 터미널법을 여객자동차 운수사업에 통합한 여객자동차 운수사업법과 화물자동차 운수사업법을 제정하여 현재에 이르고 있다[12]).

대표적인 규제완화사례는 사업용 자동차의 안전운행을 확보하기 위한 목적으로 1982년 제정된 자동차 운수규칙이 1997년 여객자동차 안전운행규칙으로 개정되면서 화물운송사업자에게 부과되었던 각종 안전규제가 완화되었으며, 이후 2000년에는 여객자동차 안전운행규칙도 폐지됨에 따라 전 업종에 걸쳐 안전규제가 완화되었다. 그 외에도 운수종사자의 후생복지시설 제공의무 폐지, 운수종사자의 정기교육 완화 등 부분적으로 완화조치가 이루어졌으며, 한편 차령제도의 존치, 속도제한장치 및 운행기록장치에 대한 관리 강화, 자동차의 충당연한 규제 등 일부사항은 규제를 강화시켰다.

이상과 같이 정부의 본격적인 규제완화 시대라고 할 수 있는 1997년 이후 교통안전법, 여객자동차운수사업법, 화물자동차운수사업법, 자동차관리법과 관련된 교통안전 규제완화 정책사례를 요약하면 〈표 15-1〉과 같다.

---

11) 운수사업은 여객자동차 운수사업 및 화물자동차 운수사업으로 대별된다. 여기서 여객자동차 운수사업은 다시 노선여객자동차 운송사업과 구역여객자동차 운송사업으로, 노선여객자동차 운송사업에는 시내버스 운송사업, 농어촌버스 운송사업, 시외버스 운송사업, 마을버스 운송사업, 시외버스 운송사업(고속형, 직행형, 일반형)으로, 구역여객자동차 운송사업은 전세버스 운송사업, 특수여객자동차 운송사업, 일반택시 운송사업, 개인택시 운송사업으로 각각 분류된다. 그리고, 화물자동차 운송사업은 일반·개별·용달화물자동차 운송사업으로 분류된다.

12) 여객과 화물운수사업이 분리되기 전·후의 자동차 안전과 관련된 법개정 연혁에 대하여는 교통안전공단, 국가별 운수안전정책 비교연구, 2002. 12 참조.

〈표 15-1〉 운수사업 안전 관련 주요 규제완화 정책사례

| 관련법규 | 규 제 완 화 내 용 | 시행일자 |
|---|---|---|
| 교통안전법 | ○ 교통안전관리자 의무고용제도 폐지 | 1999. 2. 5 |
| 여객자동차<br>운수사업법 | ○ 전세버스 등록기준 완화<br>○ 예비차제도 폐지(버스)<br>○ 사업용자동차 구조기준 폐지<br>○ 여객자동차 안전운행규칙 폐지<br>○ 취업운전자 보수교육 폐지<br>○ 교육훈련담당자 교육 폐지 | 1999. 12. 16<br>2000. 1. 28<br>2000. 1. 28<br>2000. 8. 23<br>2000. 8. 23<br>2000. 8. 23 |
| 화물자동차<br>운수사업법 | ○ 신규채용운전자 승무전 교육 폐지<br>○ 교육훈련담당자 제도 폐지<br>○ 교육훈련시설 설치의무 폐지<br>○ 화물자동차 차량제한 폐지<br>○ 취업운전자 보수교육 폐지 | 1997. 8. 30<br>〃<br>〃<br>〃<br>〃 |
| 자동차<br>관리법 | ○ 정비관리자 법정 선임제도 폐지<br>○ 자동차 정비작업 기준 완화<br>　(시·도 조례로 전환) | 1999. 10. 16<br>1999. 12. 31 |

자료 : 국무조정실, 대형교통사고방지를 위한 버스·화물차 운영시스템 등 개선방안. 2001. 12.

# Ⅲ. 교통안전 규제완화 정책사례 분석 및 시사점

## 1. 규제완화 정책사례 분석

### 1) 운수업체 교통안전관리자 의무고용제 폐지

⑴ 규제완화 사유 및 효과

우리나라도 1981년에 처음으로 교통안전관리자 의무고용제(교통안전법)를 시행하여 운수업체의 안전관리 기능을 강화하였다. 그런데 운수사업에 대한 부담의 완화라는 규제완

화차원에서 1999년 2월 보유차량 10대 이상 업체가 교통안전관리자를 의무 고용하던 조항을 폐지하여 현재 운수업체는 안전관리 담당 조직의 부재를 초래하였다. 이에 따라 각 운수업체는 안전관리담당을 임명하면서 총무 등 업무를 겸임토록 하고 있는바, 이것은 안전관리 담당의 형식적 운용을 의미한다. 또한 정부에서 안전관리를 점검하고자 각 운수업체를 방문·점검하고 지도할 대상이 없어 안전에 관한 통제가 불가능하다.

따라서 국민의 생명을 보호해야 하는 공익성이 강한 운수업체의 안전관리가 경영자의 안전 의지 여부에 위임된 실정이다. 왜냐하면 경영자가 수익위주의 경영방침을 세울 경우 안전 문제는 사실상 방치될 우려가 있으며, 운전자의 피로 등을 점검할 실질 담당자인 운전관리자가 형식적으로 운영되는 등의 문제가 있기 때문이다. 감사원의 감사결과, 교통안전관리자 의무조항이 폐지된 이후 교통사고 다발업체가 종전에 비해 5배나 증가하였다. 실제 교통사고 건수는 〈표 15-2〉와 같이 14.7%, 사망자수는 11.2%, 부상자수는 17.5%로 대폭 증가하였다.

〈표 15-2〉 교통안전관리자 의무 고용제 폐지 전후의 교통사고 추이

| 구 분 | 1998년<br>(의무고용제) | 1999년 2월<br>(의무고용제 폐지) | 2000년<br>(자율고용제) | 비 고<br>('98년 대비) |
|---|---|---|---|---|
| 사고건수 | 44,860 | 52,294 | 51,467 | 14.7% 증가 |
| 사 망 자 | 1,353 | 1,564 | 1,505 | 11.2% 증가 |
| 부 상 자 | 67,564 | 80,646 | 79,398 | 17.5% 증가 |

(2) 외국 사례

외국에서는 각종 규제완화에도 불구하고 국민의 생명을 담보로 영업을 하는 운수사업자에 대한 안전관리에 대한 규제는 오히려 강화하고 있다. 영국은 운수사업 면허조건으로 업종별 교통관리자(Traffic Manager) 의무고용제를 1978년부터 운수사업법을 개정하여 현재까지 시행하고 있으며, 일본도 화물운행관리자와 동일하게 2002년부터 버스 및 택시 운행관리자의 자격을 국가자격으로 격상하여 전 업종에 의무고용을 확대하여 시행하고 있다[13]. 영국의 교통관리자, 일본의 운행관리자 등은 우리나라의 교통안전관리자와 유사한 제도로서 자격제이며 의무고용제로 현재까지 운영되고 있다.

---

13) 건설교통부 건설교통안전기획단, 건설교통 안전관리 개선방안 연구, 2003. 7. pp.33-34.

(3) 재규제 필요 : 교통안전 증진

운수업체의 안전관리는 국민의 생명과 직결됨으로 규제완화차원에서 논의될 사항이 아니라 오히려 영국, 일본 등 선진 외국과 같이 국민 생명 보호차원의 사회적 규제로서 강화될 사항이다. 감사원도 규제개혁 명분으로 교통안전분야의 규제가 과도하게 폐지됨으로써 교통안전이 위협받고 있다고 지적하면서 운수업체 안전관리자 제도가 제대로 운영되고 있지 않다고 평가[14]하고 있으며 교통행정공무원의 설문조사 결과[15], 응답자의 74%가 교통안전관리자 의무 고용제 부활의 필요성을 제기하고 있다.

## 2) 운행기록계 관련 규제 폐지 후 부활

(1) 규제완화 사유 : 이중규제

운행기록계에 관한 규제는 1998년 10월 규제개혁위원회 심사과정에서 자동차관리법 자동차안전기준에관한규칙에 규정된 내용과 중복되는 이중규제라는 이유로 폐지대상으로 선정되어 도로교통법에서 운행기록계 관련조항 폐지(1999년 1월 29일)되었다.

(2) 규제부활 논의 및 외국사례

2000. 11 경찰청 국정감사시, 추미애 의원이 자동차안전기준에관한규칙에 운행기록계 설치대상 차량이 규정되어 있지만 사후관리방안 및 처벌이 미약(과태료 30,000원)하여 동 조항이 사문화되고 있다면서 종전과 같이 도로교통법에 부활하고 관계기관과 협의하여 사후관리방안을 강구토록 요구하였다[16].

감사원도 사업용 차량의 과속이나 졸음운전 등 교통사고 방지를 위해 필수적인 운행기록계가 장착의무만 남아있고 활용의무, 경찰 단속근거법 등이 없는 관계로 과속 등 사업용 차량의 사고가 줄지 않는 등 실효성이 매우 낮은 바, 건교부와 경찰청에 사후관리방안을 적극 검토할 것을 요구하였다.

---

14) 감사원, 한국의 교통사고 발생요인 분석과 감소대책, 2001. 1.
15) 시·도 교통행정 및 진단 담당공무원 210명을 대상으로 한 설문조사 결과로 자세한 내용은 교통안전공단, 전게보고서, p.176 참조.
16) 규제개혁위원회, 도로교통법 개정안 신설·강화 규제심사, 2001. 8. 31.

유럽연합에서는 운행기록계의 부착을 의무화하고 있으며 특히 영국은 이를 위반하거나 고의로 조작하는 경우 엄격히 처벌하고 있다. 즉 운행기록계를 미부착하고 운행할 경우 최고 5,000파운드의 벌금을, 고의로 운행기록계를 조작하는 경우 2년 이하의 징역 또는 5,000파운드 이하의 벌금을 부과하고 있다[17]. 영국의 이러한 운행기록계의 철저한 활용 및 단속 결과 사업용 차량 교통사고를 50%정도 감소시켰다고 보고되고 있다[18].

(3) 규제 부활 : 사업용자동차 교통사고 감소

경찰청은 2001년 12월 도로교통법을 개정하여 운행기록계를 설치하여야 하는 자동차에 운행기록계가 설치되지 아니하거나 고장 등으로 사용할 수 없는 운행기록계가 설치된 자동차의 운전을 금지[19]하고 있다(도로교통법 제48조의 2). 적용대상은 관광버스 등 운송사업용자동차, 8톤이상 또는 쓰레기운반용 화물자동차, 탱크로리, 덤프트럭, 콘크리트믹서트럭 등이다. 운행기록계에 의하여 작성된 기록표는 1년간 보존하며, 운행기록계를 정상적으로 사용하도록 하여 위반시 20만 원 이하의 벌금이나 구류 또는 과료에 처하도록 하였다.

## 3) 운전면허 응시전 교통안전교육 폐지후 부활

(1) 규제완화 사유 및 효과

초보운전자에 의한 교통사고 증가추세 심각하여 최근 5년간('96 ~2000) 교통사고 발생율 연평균 2.32%씩 증가하였다. 특히 면허시험 합격자에 대한 안전교육이 국민의 편의 증진차원에서 폐지('99. 4. 30)된 이후 초보운전자(면허 취득후 1년 이내)에 의한 교통사고 발생율이 증가하였다. 전체 교통사고는 '98년 239,721건, 2000년 290,481건(+21%)에서

---

17) 건설교통부 건설교통안전기획단, 전게서, pp.51.-52.
18) KBS 1TV, 2003. 4. 8. 23시, 안전경보.
19) 도로교통법(제 48조의 2 제4항) 행정자치부령이 정하는 자동차의 운전자는 그 자동차를 운전할 때에는 다음 각 호의 1에 해당하는 행위를 하여서는 아니 된다. 1) 운행기록계가 설치되어 있지 아니하거나 고장 등으로 사용할 수 없는 운행기록계가 설치된 자동차를 운전하는 행위 2) 운행기록계를 원래 목적대로 사용하지 아니하는 행위(2001. 12. 31, 신설). 이에 따라 도로교통법시행령 개정하여 운행기록계를 설치하여야 하는 자동차에 운행기록계를 설치하지 아니하거나 운행기록계가 고장 난 자동차를 운전할 때 범칙금은 승합 7만 원, 승용 6만 원(2002. 6.29 공포)을, 운전면허벌점은 15점을 부과함(도로교통법시행규칙개정, 2002. 7. 3 공포).

초보운전자 교통사고는 '98년 14,915건에서 2000년 25,236건(+69%)으로 증가폭이 더욱 두드러진 현상을 보이고 있다[20]. 이러한 원인은 운전자의 안전운전 의식이 부족하기 때문이라 할 것이다. 왜냐하면 교통법규 위반율로 연간 차량 1대당 법규위반 단속 빈도가 일본에 비해 8배(한국 1회, 일본 0.12회)나 높으며, 2000년도의 경우 운전자의 "안전운전 의무 불이행"으로 인한 교통사고가 전체의 63.6% 점유하고 있기 때문이다.

특히 안전교육의 폐지로 인해 초보운전자에 의한 교통사고 발생건수가 급격히 증가하고 있음에도 불구하고, 운전면허 취득자에 대한 교통안전교육은 미흡한 실정이다. '99. 4. 30. 운전면허시험 최종합격자에 대한 안전교육(4시간)폐지하였고, '99. 4. 30. 운전면허 학과시험 합격자가 자동차운전전문학원 등록시 수강하던 학과교육(10시간) 전면 자율화됨에 따라 안전교육이 유명무실한 상태가 되었다.

<표 15-3> 연도별 면허취득 1년 이내자 교통사고 야기현황

| 연도별 | 1996 | 1997 | 1998 | 1999 | 2000 |
|---|---|---|---|---|---|
| 발생건수 | 20,134 | 14,955 | 14,915 | 20,883 | 25,236 |
| 전체사고 대비 | 7.6% | 6.1% | 6.2% | 7.6% | 8.7% |

(2) 외국 사례

독일은 운전면허시험 응시 희망자는 의무적으로 자동차운전학원에 입학, 소정교육을 수강해야 하며 교육시간은 승용차 12시간, 화물차 22시간이다. 일본은 지정자동차운전교습소(우리나라의 전문학원) 입학자는 누구나 예외없이 학과교육을 수강해야 하며[21], 교육시간은 면허종별 27~32시간이다. 미국 뉴욕주의 경우 운전면허시험 응시 희망자는 기능시험 실시 전에 교통안전교육 수강후 「교육필증」을 시험관에게 제출해야 하며 교육시간은 5시간이다.

---

20) 참고로 이 시기 초보운전자 수는 '98년 1,105,278명에서 2000년 1,305,524 (+18%)로 증가하였다.
21) 연간 면허시험 합격자의 약 95%가 지정교습소 출신임

(3) 규제의 부활 : 교통사고 예방

예비 운전자에게 교통안전의 중요성을 인식시켜 운전면허시험 응시단계부터 교통안전 의식 고취하여 초보운전자에 의한 교통사고를 예방해야 한다. 경찰청의 경우 1999년 운전 면허시험 합격자에 대한 4시간 의무 교통안전교육이 폐지된 이후 면허취득 1년이내 초보 운전자의 교통사고가 크게 늘어남에 따라 규제개혁위원회에 필요성을 상정, 2003년 7월 1 일부터 3시간의 의무 교육을 받도록 부활시켰다.

## 4) 지정차로제 폐지 후 부활

(1) 규제완화 사유 : 물류비용 절감

화물자동차의 승용자동차 수준의 성능향상과 도로의 효율을 떨어뜨려 물류비용을 증가 시키는 요인이 되고 있다는 등의 이유로 화물 자동차 등의 저성능과 교통사고 예방을 위 해 차로별 통행제한제도를 1999년 4월말부터 폐지[22]되었다. 이에 따라 편도 2차로 이상 의 차로를 설치한 일반도로에는 특수 자동차·덤프트럭 및 콘크리트믹서 트럭을 제외한 건설기계·원동기장치 자전거·자전거·우마차는 도로의 제일 오른쪽 차로로만 통행할 수 있도록 제한하였다. 또한 고속도로에서는 편도 2차로 이상의 경우 1차로를 추월차로로 지정하여 앞지르기의 경우에만 통행할 수 있도록 하였다. 특수 자동차·덤프트럭 및 콘크 리트 믹서트럭을 제외한 건설기계에 한하여 도로의 제일 오른쪽 차로만 통행할 수 있도 록 제한하였다. 이에 따라 이외의 모든 차는 차로의 제한없이 자유롭게 통행할 수 있게 되었음을 의미한다.

(2) 부활 사유 : 난폭운전 등 교통안전 위협

승합, 화물차에 대한 차별적 규제의 완화와 물류비용 절감 등을 위해 차종별 지정차로 제를 1999년 4월 30일 폐지되어 대형차량도 1, 2차로 통행을 허용했으나, 약 14개월만인 2000년 6월 1일부터 도로교통법시행규칙을 개정, 다시 시행(도로교통법 제13조2항, 동법 시행 규칙 제11조 차로에 따른 통행구분)하였다. 이유는 지정차로제의 폐지로 대형차의

---

22) 한국경제신문, 2000. 3. 16.

상위차로 진입 및 통행에 따른 운전자들의 시야장애와 화물차의 난폭운행 등으로 승용차 운전자들의 안전까지 위협당하고 있다는 높은 여론의 질타 때문이었다.

새로 개정된 지정차로제 관련 도로교통법시행규칙은 고속도로를 제외한 편도2차로의 경우 적재중량이 1.5t을 초과하는 화물자동차와 대형승합자동차 등은 1차로를 운행할 수 없으며, 고속도로(편도3로)에서는 1.5t이상의 화물차 등은 1, 2차로의 통행을 금지하고 위반시 범칙금과 벌점을 부과토록 규정되었다.


## 2. 분석결과의 시사점

### 1) 규제영향평가의 문제점

우리나라는 규제개혁위원회(Korean Regulatory Reform Commit- tee)가 만들어지고 행정규제기본법(Basic Act on Administrative Regulation)이 시행됨에 따라 규제를 관리하고 평가할 수 있는 기본 시스템은 갖추어졌다고 볼 수 있지만, 아직은 그 실질적인 활동 측면에서 보면 완전히 확립되었다고 보기는 어렵다. 실제로, 1998년 3월 1일부터 시행된 행정규제 기본법령에 따라 관련 기관장들은 신설·강화되는 모든 규제에 대한 규제영향분석을 의무적으로 실시하여야 한다. 또한, 동법 시행령 6조는 규제영향분석의 평가요소를 구체적으로 8개항 19개 요소로 규정해 놓았다[23].

그러나 이런 규제영향분석은 대다수가 아직은 형식적인 수준에서 작성되고 있다. 그 일례로, 규제를 제안할 때는 중요규제로 분류하여도, 규제영향분석서에는 비중요규제로 분류하는 것이 현실이다. 책임성있는 규제정책 수립에 핵심적 역할을 하는 규제영향분석이 이렇게 형식적으로 작성되고 있는 근본적인 이유는 물론 현재로서는 규제의 경제적, 사회적 영향에 대한 B/C분석을 비롯한 계량적 분석을 가능하게 해주는 기법이 한정되어 있다는 데 있을 것이다. 또한 현실적으로 많은 규제들의 사회적 비용과 편익이 계량하기 어렵다는 측면도 고려되어야 할 것이다. 그러나 이런 규제영향분석의 복잡성과 난점은 분석이론과 계량방법이 발전함에 따라 점차 극복되어 나갈 것이란 점 또한 간과해선 안 될 것

---

23) 규제영향분석서는 규제의 신설 또는 강화의 필요성, 규제의 목적 실현가능성, 규제외 대체수단의 존재 및 기존 규제의 중복여부, 규제의 비용과 편익분석, 경쟁제한적 요소, 규제내용의 명료성, 행정기구 인력 및 예산의 소요 등의 항목으로 구성되어 있다.

이다. 이런 이론적인 한계들 외에 현실적으로 규제영향분석에 필요한 전문인력의 부족, 규제를 둘러싼 각 부처의 이해관계 대립, 각 부처간의 조정(Coordination)문제, 규제영향분석에 필요한 체계적인 D/B 부족 등 다양한 문제들이 복합적으로 작용하여 각 부처의 규제영향분석이 형식적 분석에 그치고 있다고 판단된다.

앞에서 분석한 교통안전 규제완화사례 분석결과, 안전규제완화 이전에 충분한 영향평가가 없었다. 이로 인해 교통안전에 매우 부정적인 효과를 보여 폐지되었던 규제가 얼마 지나지 않아 부활되어 재규제되거나 혹은 재규제의 필요성이 제기되는 사례가 발생하고 있는 데 이것은 국민에게 혼란을 초래함은 물론 재규제로 인한 행정비용 등도 소요되는 문제를 야기한다. 또한 교통안전 규제강화의 긍정적 효과에도 불구하고 무인단속시스템의 설치대수가 너무 많다는 등의 논의가 아직도 끊임없이 제기되고 있는 점도 교통안전규제가 마치 경제적인 규제와 동일시하는 인식이 남아있기 때문이라고 추측해 볼 수 있다. 따라서 교통안전 규제완화시에는 사전에 완화로 인해 발생하게 될 부정적 효과를 충분히 분석하는 체계가 필요함은 물론 교통안전 규제강화의 논리에 대하여 좀더 깊은 이해가 필요함을 시사한다고 하겠다.

## 2) 교통안전 규제강화의 필요성

경찰청 소관 도로교통법은 '자동차 운전자에 대한 행위규제'를 통해 도로교통상 원활한 소통 및 안전의 확보를 주요 목적으로 하고 있으며, 건교부 소관 자동차관리법, 여객 및 화물자동차운수사업법 등은 '자동차의 구조·기능과 사업주 등의 자동차에 대한 규제'를 통해 교통안전을 확보하고자 하는 것이 개별 법령의 주요 목적이라고 할 수 있다.

자동차가 출현한 이래 항상 그 안전성을 확보하기 위하여 여러 가지 기술적, 행정적 대응이 이루어져 왔다. 왜냐하면 자동차는 인간의 능력을 훨씬 초월하는 성능을 가지고 있으며 더욱이 인간사회에서 불가결한 교통수단이 되었기 때문에 처음부터 많은 제약을 가한 후에 그 사용이 허용되어 왔다. 예를 들면 속도규제에 대해서 본다면 유럽에서는 19세기 초부터 증기자동차가 교통기관으로서 사용되었지만 영국에서는 1865년에 소위 적기조례((Red Flag Act or red code)를 제정하여 증기자동차의 최고시속은 4마일(약 6.4 km/h)로 제한하였다[24]. 독일에서는 1910년에 최초의 속도제한규제로서 15km/h(총중량

---

24) 동 법은 자동차로 인하여 시민들의 원성이 높아지자 최초의 자동차 법규로서 주요 내용은 ① 1대의 자동차에 3인의 운전수를 태운다. 그 중 한명은 낮에는 붉은 깃발, 밤에는 붉은 등을 가지고

5.5톤의 차량은 12km/h)를 도입하였다. 당시 최고속도 100km/h를 초월하는 자동차가 존재하고 있음에도 이와 같은 낮은 규제속도가 정해졌던 이유는 자동차가 당시의 사회 환경 속에서도 위험성이 높았기 때문일 것이다.

현재 속도규제는 고속도로나 일반도로에서 모든 자동차(오토바이 제외)의 법정 최고속도를 정하고 있고 상황에 따라서 법정속도를 초월하는 최고속도도 지정하는 일도 있다. 이것이 마치 규제완화 시대에 대응하여 최고속도 규제가 완화되는 것처럼 보일 수 있다. 그러나 그것은 그렇지 않다. 왜냐하면 교통규제는 방법적으로는 규제, 즉 법률, 규정을 정하여 교통행동을 제한하는 것이지만 그 목적의 첫째는 도로에 있어서 위험을 방지하는 안전규제의 일종이기 때문이다. 즉 자동차의 능력은 사람의 능력에 비하여 훨씬 강대한 것이기 때문에 이것을 바르게 통제할 수 있는 사람만이 운전면허를 부여하는 운전면허제도가 있다.

또한 여러 가지 종류의 자동차가 다른 차량이나 보행자와 공존하는 도로교통현장에서 운전자, 자동차를 조합시킨 시스템이 장해 없이 안전하게 움직이기 위한 규제는 절대적으로 필요하다[25]. 왜냐하면 자동차끼리의 동선이 교차할 때 운전자의 자율성만에 위임시켜 질서를 기대하는 일은 거의 불가능하기 때문이다. 더구나 보행자나 자전거와 자동차간에는 질량, 에너지의 어느 것에 있어서도 절대적인 강약관계가 있기 때문에 이것들 간의 접촉은 필연적으로 많은 손해를 가져오므로 이러한 동선은 공간적·시간적으로 분리할 필요가 있다. 이러한 분리를 교통참가자의 판단에 맡기는 일은 비현실적이다. 자동차는 다른 교통기관과 비교하여 본질적으로 이용의 자유도가 높아 운전자격이 있는 사람은 누구나 희망할 때 희망하는 속도로 이용할 수가 있기 때문에 그렇게 많은 자동차가 보급되어 인간의 사회활동에 불가결한 요소가 되어 있는 것이다. 그러나 자동차의 수가 증가하면 자동차가 가지고 있는 이러한 본질적 특성이 발휘되기 어렵게 된다. 운전자는 각각 독자의 운전기능과 가치관에 근거한 안전관을 가지고 있기 때문에 운전자의 자율성에 위임한 교통질서의 유지, 즉 앞 절에서 분석한 바와 같은 교통안전 규제완화는 결국 혼란만을 초래하게 될 것이다. 따라서 타율적인 제한, 즉 교통안전규제는 도로교통체계의 질서를 유지

---

55m 앞을 달리면서 자동차가 온다는 것을 알려야 한다. ② 최고속도를 6.4km/h 이하로 하고, 시가지에서는 3.2km/h로 한다. ③ 2톤 단위로 세금을 물고 시경계나 주경계를 넘을 때는 도로세를 내도록 한다. ④ 밤에는 촛불이나 가스불을 달고 운행해야 한다는 등으로 되어 있었으며 동 법은 1896년까지 존속하였다. 그러나 이것은 자동차 사용을 줄어들게 하였으며, 자동차 산업의 퇴보를 가져다주는 결과가 되었다.: http://www.hiddencar.com/car1/cont/story12.html.

25) 村田隆裕, 規制緩和の時代の交通規制, 月刊交通, 1994. 6. pp.94-95.

하기 위해서 불가결하다는 점을 본 연구의 규제 사례들은 다시 한번 강조하고 있으며 이에 대한 논리의 개발도 필요함을 시사하고 있다고 하겠다. 이러한 관점에서 다음 장에서는 교통위반을 중심으로 교통안전규제강화의 논리를 제안해 본다.

## IV. 교통안전 규제정책의 강화 논리

### 1. 교통위반의 일상화

교통사고의 요인은 운전자 요인 외에도 자동차 정비불량에 의한 교통사고 등 자동차 요인, 도로의 여건이나 일광상태 등 여러 가지 교통여건으로 인한 환경적 요인도 있지만 운전자 요인, 즉 교통위반에 의한 교통사고가 대부분이다. 지난 98년부터 2002년까지 5년간 운전자의 주요 법규위반내용별 사고발생원인은 안전운전 불이행이 약 63.6%로 가장 많고 신호위반 8.1%, 교차로 통행위반 6.7%, 중앙선 침범 6.5%, 안전거리 미확보 6.1%, 보행자 보호의무위반 2.2%순이며 이들 주요 6개 항목위반으로 인한 교통사고가 전체 교통사고의 약 93.3%를 차지[26]하고 있다.

〈표 15-4〉 연도별 교통법규위반의 단속 및 비단속율 추정

| 구 분 | 교통사고 건수(A) | 교통법규위반 건수추정 (B=A×300) | 실제 교통법규위반 단속건수(C) 및 비율 | 교통법규위반 비단속건수(B-C) 및 비율 |
|---|---|---|---|---|
| 2000년 | 290,481건 | 87,144,300건 | 10,524,575건(12.1%) | 76,619,725건(87.9%) |
| 2001년 | 260,579건 | 78,173,700건 | 17,029,538(21.8%) | 61,144,162건(78.2%) |
| 2002년 | 230,953건 | 69,285,900건 | 16,770,138건(24.2%) | 52,515,762건(75.8%) |
| 2003년 | 240,832건 | 72,249,600건 | 12,790,534건(17.7%) | 59,459,066건(82.3%) |
| 2004년 | 220,775건 | 66,232,500건 | 18,167,581건(27.4%) | 48,064,919건(72.6%) |

26) 경찰청, 도로교통안전백서, 2003. p.255. 1996년부터 법규위반 내용별로 분석한 교통사고 원인 중 음주운전 및 무면허운전은 금지행위로서 법규위반내용에서 제외하고, 사고당시의 법규위반에 포함하여 분석하고 있음.

교통사고가 1건 발생하는 데는 교통위험행위, 즉 교통위반이 300건이라는 헤인리히 법칙(H. W. Heinrich)[27]에 의하면 〈표 15-4〉와 같이 2002년 약 230,953건의 교통사고가 발생하였으므로 실제는 69,285,900건의 교통위반행위가 있었던 것으로 추론되며 동년 실제 단속건수는 16,770,138건임[28]이다. 이와 같은 관점에서 본다면 2002년도의 경우 실제 교통경찰관이 교통위반을 인지할 수 없기 때문에 교통위반을 하고서도 제재를 받지 않은 위반자는 약 75.8% (52,515,762건)로 위반을 하고서 제재를 받는 경우는 약 1/4정도에 지나지 않는다고 하겠다. 2000년부터 2004년까지 5년 평균으로는 약 79.36%의 위반자가 위반을 하고서도 제재를 받지 않고 있는 셈이다. 이로 인해 교통위반은 일상화되고 이에 따라 교통사고도 증가하게 된다고 할 수 있을 것이다.

## 2. 교통위반의 인지부조화

일반적으로 어떠한 정책이 제재성을 띠는 경우 그 정책의 주된 관심은 어떻게 사람들을 하고 싶지 않은 행위를 하도록 만들 수 있는가라는 점이다. 특히 교통위반 단속은 그것에의 위반은 처벌을 의미하지만 그 반대로 위반하지 않았을 경우 보상이 주어지지 않는다는 특성을 지닌다. 따라서 제재성을 띤 규제정책은 대부분 그 정책대상자들에게 처벌이라는 위협성의 외부적 압력을 증가시켜서 원하는 행동을 강요한다.

제재적 정책행위는 일종의 인지 부조화를 발생시킬 것이고 그러한 제재적 정책행위에 순응하게 되는 메커니즘은 순응을 유발시키는 데 사용되는 보상에 따라 다음과 같은 두 가지 유형으로 구분할 수 있다. 하나는 긍정적 유인의 방법으로서 정책의 순응에 대한 대가로서 일종의 보상을 받는 경우를 말하는데 보상이 태도변화를 일으키는 요인으로 작용한다기보다는 제재적 정책행위에 순응을 정당화시키기 위한 정보로 사용되어 순응으로부터 발생한 인지 부조화를 감소시킨다. 다른 하나는 부정적 유인이 주어질 경우로서 이것은 제재적 정책의 순응에 대하여 아무런 보상이 없거나 있다고 하더라도 아주 추상적일 경우인데 교통단속정책은 여기에 속한다. 이 유형은 첫째유형과 같이 태도변화의 원인으로서보다

---

27) 산업재해는 1건의 중대한 재해 뒤에는 29건의 경미한 재해가 있으며 그 뒤에는 300건의 경미한 위험을 체험한다는 1: 29: 300의 법칙을 교통위반에 적용해 본 것이다. H. W. Heinrich, Industrial Accident Prevention, 4th. ed(New York : McGraw Hill Book Co.: 1980), pp.22-35.

28) 경찰청, 2004 교통사고 통계, 2004.

는 정당화의 근거나 발생한 인지 부조화의 양을 줄이는 데 사용될 수 있을 것이다.

　이러한 관점에서 볼 때 교통위반 단속은 인지부조화를 발생시킬 가능성이 높을 수 있다. 즉 강력 단속행위는 기존의 교통질서에 대한 관한, 즉 과거에는 적발이 대상이 아니었던 항목에 대한 단속이 추가되고 원리 원칙적 법규의 적용이 강화되기 때문이다. 과거에 운전자들이 가졌던 관행, 즉 적당한 차선위반, 적당한 주정차, 과속 등등이 단속의 대상이 되므로 이에 대한 강력 단속은 인지부조화를 발생시킨다.

　그렇다면 정책의 제재성이 일종의 순응을 강요하는 형태로 표출되는데 그러한 제재성을 띤 정책이 중지된다고 하더라도 그러한 순응은 지속될 것인가인데 이에 대하여는 벰(Bem)의 자기지각이론(self perception theory)으로 설명할 수 있다[29]. 하나는 행위의 원인이 외부적으로 귀인될 때 태도변화는 발생하지 않을 것이며 일단 그러한 외부적 원인이 제거되면 그러한 행위는 사라질 것이다. 다른 하나는 행위의 원인이 내부적으로 귀인될 때 태도변화는 발생할 것이고 그러한 행위는 일정기간 동안 지속될 가능성이 높을 것이다. 이상을 정책유형과 관련시켜 볼 때 행위의 지속성 차원은 〈표 15-5〉와 같은 4차원으로 분류할 수 있는데 Ⅰ유형은 태도변화나 지속성이 가장 큰 반면 Ⅳ유형은 그것이 가장 작다. 교통위반 단속은 Ⅳ유형에 속하며 행위의 지속성이 가장 낮기 때문에 지속적인 제재강화가 필요하다고 하겠다.

〈표 15-5〉 정책 순응행위의 지속성 유형

| 구　분 | | 정책의 보상유형 | |
|---|---|---|---|
| | | 긍정적 유인<br>(순응시 보상) | 부정적 유인<br>(순응시 보상없고 불응시 처벌) |
| 정책순응의 선택상황 | 자유선택<br>(내부귀인) | Ⅰ | Ⅲ |
| | 환경적결정<br>(외부귀인) | Ⅱ | Ⅳ<br>(교통위반단속) |

---

29) 최병학, 제재적 공공정책의 효과성 지속문제 연구, 청주대 우암논총, 1991.

## 3. 교통위반단속의 강화

일반적으로 사람의 행동을 변화시키기 좋은 시기는 어린시절이며 그 방법은 두 가지가 있다[30]. 하나는 태도의 변화를 이룩한 후에 행동의 변화를 뒤따르게 하는 방법과 다른 하나는 우선 강요된 방법으로 원하는 행동을 시키는 것이며 이것이 반복되면 그의 태도도 무의식중에 변화를 하게 된다는 것이다. 전자의 경우 변화된 행동을 하는 사람의 입장에서 아무런 강요된 감정, 기분을 느끼지 않고 스스로의 생각에 따라 한다는 점은 장점있는 반면에 어떻게 하는 경우 태도의 변화를 이룩할 수 있느냐에 관하여 많은 연구가 이루어진 것도 아니고 말은 쉽지만 그것의 구현은 상당히 어려우며 시간이 많이 소요된다는 단점도 있다. 후자의 경우 바라는 행동이 변화를 쉽게 이룩할 수 있으나, 행동을 하는 사람의 입장에서는 강요된 기분을 느끼게 되어 불행한 감정을 갖게 된다고 하는 단점이 있다.

우리는 이러한 예를 군대생활에서 입대하자마자 여러 가지 규율의 준수가 강요되는 경우가 해당된다. 상관에 대한 경례를 위시한 여러 가지 행동의 강요는 사실상 태도의 변화가 선행되어서 이루어지는 것은 아니나 오래 지속되다 보면 초기에 느낀 것과 같은 강요된 기분을 느끼지 않고 자연스럽게 되며 이때에는 이미 태도의 변화가 수반되었다고 생각할 수 있다.

교통위반과 교통사고와의 관계는 교통사고 통계로 볼 때 대략 교통지도 단속이 많을 때는 교통사고 발생이 적은 역상관 관계가 있음을 보여주고 있다[31]. 이유는 자동차 운전자는 경찰단속으로 교통위반을 하고 검거되어 벌금을 부과받거나 범칙금의 납부를 통고받거나 운전면허에 대한 행정처분을 받는 것에 대하여 상당히 민감하게 반응하기 때문이라고 할 수 있다. 이와 같은 심리적인 요인이 교통위반을 억제하는 데 긍정적으로 작용하여 교통위험 행위가 감소시킬 것이라는 논리이다.

우리나라와 같이 교통사고가 심각한 수준에 있는 경우 교통안전을 제고하기 위한 정책은 설득이나 유인을 통한 운전자의 행태변화보다는 강압적인 방법을 통한 선 행동변화, 후 태도변화라는 논리 적용이 필수 불가결하다. 교통위반에 대한 단속이나 제재강화는 교통위반자에 대한 직접적인 제재수단일 뿐만 아니라 실제 도로교통 현장에서 운전자의 인지, 판단, 조치 등에 심리적인 주의를 유도하여 교통법규를 준수하게 하며 이는 결국 교

---

30) 도로교통안전관리공단, 도로교통안전 규제정책의 효율적 집행방안 연구, 1996.
31) 龍澤武源, 交通刑法總論(東京 : 警察時報社, 1977), pp.47.48.

통사고를 예방하는 역할을 하게 된다[32].

따라서 교통안전정책에 있어서 운전자의 선행동 변화, 후태도 변화를 위해 유용한 정책수단이 무인교통단속장비라 할 수 있다. 왜냐하면 무인교통단속장비는 주지하는 바와 같이 교통사고 잦은 지점 등에 설치되어 24시간의 상시 단속이 가능하기 때문에 운전자의 행태변화를 통한 교통안전증진에 획기적인 기여할 것이다.

무인교통단속장비에 대한 운전자의 반응 행태는 다음의 4가지로 분류[33]되며 주로 회피운전자나 조종자로 분류되는 운전자들의 행태변화를 유도하여 교통안전을 증진시킬 수 있다. 순응자(Conformer)는 평상시에도 제한속도를 준수하는 자로서 카메라 설치시에도 속도를 준수한다. 회피운전자(The Deterred Drivers)는 카메라의 설치지점에서만 속도를 감속한다. 조종자(Manipulator)는 카메라 설치지점 바로 앞에서는 속도를 줄이고 설치지점을 벗어나면 가속한다. 반항자(Defiers)는 카메라를 의식하지 않고 평소대로 제한속도 이상으로 과속 운전한다.

무인교통단속장비는 과속, 신호위반 등 운전자의 위험행위를 감소시켜 교통안전 증진에 기여한다. 운전자의 위험행위는 제한속도를 위반하는 과속, 속도분산, 최소시간 차두간격 등의 교통류 특성으로 계량화가 가능하며, 교통류 특성의 변화는 교통사고 발생에 영향을 미친다. 따라서 무인교통단속시스템이 안전도 개선에 미치는 과정은 [그림 15-2]와 같이 "단속 → 교통류 특성 변화 → 안전도 개선"에 이르는 일련의 과정으로 세분화할 수 있다[34].

우리나라에서 무인과속단속시스템은 1997년 4월부터 경기, 경북, 경남, 충남 등 5개 지방경찰청에 32대를 시작으로 1998년에는 전국에 설치하기 시작하여 2005년 9월말 현재 전국에 총 3,425대로 급격하게 확산되어 세계적인 기술수준을 갖추게 되었다. 향후에도 과속사고의 방지를 위하여 2007년까지 약 5,000대 이상으로 확대하여 과속단속을 강화함으로써 440명의 교통사고 사망자를 감소할 수 있을 것으로 추정하고 있다[35].

---

32) 정지선 지키기 집중 단속이 약 1달 정도 지났는데 전체차량의 정지선 준수율은 74.7%로 나타났으며 영업용차량의 준수율은 55%였으며 보행자 우선은 일단 자리잡았다고 평가하고 있다. 중앙일보, 2004. 7. 1.

33) Department of Transport, The Effects of Speed Cameras : How Drivers Respond. 2000.

34) 도로교통안전관리공단, 과속사고 방지 종합대책, 1998.

35) 교통개발연구원, 제5차 교통안전기본계획 목표조정 및 정책방안연구, 2003. 5.

[그림 15-2] 교통단속이 교통안전에 미치는 영향 개념도

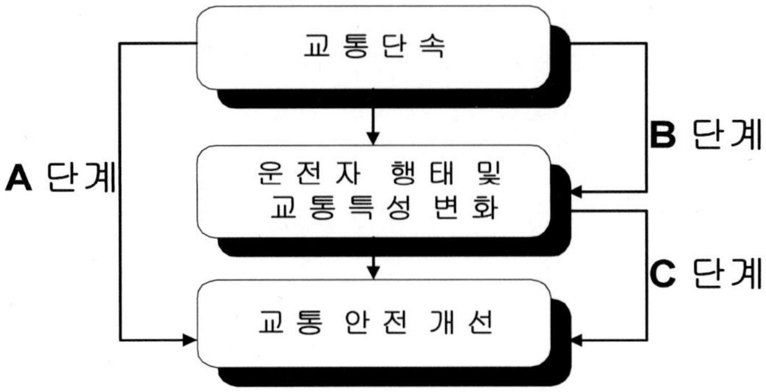

```
                ┌─────────────────────┐
                │    교 통 단 속       │
                └─────────────────────┘
   A 단계                  │                B 단계
                ┌─────────────────────┐
                │  운 전 자 행 태 및   │
                │  교 통 특 성 변 화   │
                └─────────────────────┘
                         │                C 단계
                ┌─────────────────────┐
                │  교 통 안 전 개 선   │
                └─────────────────────┘
```

# V. 결론 -교통안전규제의 진화-

　규제개혁은 국민의 정부가 출범하면서 김대중 대통령의 지시로 시작되어 규제개혁위원회가 신설되고, 각 부처의 할당식 규제 폐지가 이어졌다. 이로 인해 외관상으론 행정규제를 1998년 1만 717건에서 2004년 7,575건으로 줄이는 큰 성과를 거두었다. 그러나 할당식 폐지 때문에 없어져서는 안될 규제들이 휩쓸려 폐지됐고, 폐지됐던 규제가 얼마 안 있어 되살아나는 등 문제점을 낳아 풀어야 할 규제는 안 풀고, 필요한 규제는 풀었다는 지적이 제기[36]되고 있다.

　선진국 사례에 비춰 안전·위생·보건·환경 등 사회 관련 규제는 강화하고, 경제관련 규제는 축소하는 것이 원칙이다. 그러나 이 원칙이 제대로 지켜지지 않은 결과, 행정자치부의 경우 그 동안 폐지된 142건의 규제 중 상당수가 화재·폭발위험업소의 안전관리자 선·해임 신고제와 건물 안전관리 담당자의 소방안전교육 의무규정 등 소방관련 규제였고 이 때문에 소방법 곳곳에 구멍을 만들었고 대형 참사의 원인으로 지적[37]된다.

　특히 교통안전 규제를 완화함에 따라 작년 교통사고 건수와 사망자가 99년에 비해 크

---

36) 대한매일, 규제완화 앞으론 '量보다 質', 2003. 3. 14.
37) 규제 완화가 경쟁력 강화에 도움을 주지 못하면서 국민건강과 안전보호시스템을 약화시키는 규제는 강화키로 했다. 대한매일, 행정규제 7,800여개 원점서 전면 재검토, 2004. 6. 23.

게 증가해 그 비용만 국가 예산의 10%를 상회하는 8조1000억원에 달했다는 부패방지위원회의 최근 조사결과는 유념할 가치가 있다[38]. 운전중 휴대전화 사용금지의 경우 경찰의 단속기준이 불명확해 국민들의 반발을 부른 데다 단속도 제대로 이뤄지지 않는 유명무실한 규제로 남게 되었다.

본 연구의 규제완화정책 사례분석 결과, 교통안전규제도 사전에 충분한 규제영향평가가 이루어지지 않고 완화되어 폐지 후 재규제되거나 재규제의 필요성이 제기되고 있었다. 첫째, 운행기록계 관련규제가 폐지후 재규제, 운전면허 응시전 교통안전교육의 폐지후 재규제, 1999년 4월 화물차에 대한 속도·차선 규제를 후진국형 교통규제라는 것이 이유로 폐지, 1차선 통행을 허용했으나, 화물차들의 난폭과 과속운전 등으로 사고가 잇따르자 다음 해인 2000년 6월 다시 재규제되었다. 둘째, 운수업체 교통안전관리자 의무고용제는 규제완화차원에서 폐지되었지만 재규제의 필요성이 꾸준히 제기되고 있다. 마지막으로 교통위반행위를 24시간 상시 단속함으로써 교통사고를 감소시키는 데 크게 공헌하고 있다고 보고되고 있는 무인교통단속시스템의 확산에 의한 규제강화에 대하여 찬성과 반대논의가 끊임없이 제기되고 있음도 교통안전문제를 아직도 규제완화차원에서 접근하고 있음을 시사하고 있다고 하겠다.

실제 교통규제는 시대에 따라서 변화하여 왔는바, 교통참가자의 안전관 향상에 의해서 규제를 완화하거나 교통시스템의 질서가 보장됨을 확인시킬 수 있는 경우에 이것을 완화한 경우도 많다. 교통참가자의 가치관 변화에 의해 규제의 목적, 내용을 변화시킬 필요성이 발생하였을 경우에는 새로운 규제가 도입되어 왔으며 또한 새로운 기술이 개발된다면 수법이나 내용면에서 새로운 규제가 도입된다[39]. 사람은 자유를 추구하는 한 규제를 혐오하지만 교통안전은 규제를 하지 않고서는 교통사고 방지는 불가능하고 할 것이다. 교통참가자가 모두 교통안전 의식과 태도를 스스로 지켜서 안전하고 쾌적한 자동차 사회가 실현되도록 하기 위한 교통안전규제는 진화를 계속해 갈 것이다.

교통안전규제가 교통참가자의 행동에 어떤 제약을 가하는 것인 한 그것의 완화를 주장하는 사람은 항상 존재한다. 그러나 그 대부분은 규제의 목적을 이해하지 않고 단지 행동

---

38) 매일경제, 2002. 2. 27.

39) 하나의 예로 과거에 거의 불가능에 가깝던 안전거리 확보운전위반에 대한 단속이 첨단기술을 활용함으로써 가능하게 되었다. 즉 일본은 고속도로의 안전거리 미확보 위반차량을 단속하는 시스템이 개발되어 2003년부터 도입하였는데 차간거리위반단속시스템 또는 호크아이(Hawkeye)시스템이라고도 한다.
http://autoascii.jp/issue/2002/1218/article21526__1.html.

의 자유를 제약받는 것에 대한 저항감에 기인한다. 한편 교통참가자의 안전에 대한 요망은 최근 점차 강화되고 있으며, 또한 교통정체완화와 환경문제는 대도시에서는 교통관리의 가장 중요한 과제이다. 이러한 관점에서 규제완화란 제도규제와 경제규제에만 해당하는 것이고 교통 안전규제와는 관계없는 일임을 알 수 있고 따라서 교통안전규제는 그것을 완화하는 것보다도 오히려 진화시켜 가야 할 것이다.

# 참고문헌

감사원.(2001. 1). 한국의 교통사고 발생요인 분석과 감소대책

건설교통부 건설교통안전기획단.(2003. 7). 건설교통 안전관리 개선방안 연구

국무조정실.(2001. 12). 대형교통사고방지를 위한 버스·화물차 운영시스템 등 개선방안

규제개혁위원회.(2001. 8. 31). 도로교통법 개정안 신설·강화 규제심사

경찰청.(2004). 교통사고 통계

경찰청.(2003). 도로교통안전백서

교통안전공단.(2002. 12). 국가별 운수안전정책 비교연구

김만배·김종민.(2004. 1). 교통행정론, 서울 : 보성각

김만배.(2002. 9). 신호위반단속시스템의 기술특성 및 운영방안, 도로교통안전관리공단 교통기술
      자료집

김만배·김성제.(2004). 무인과속단속시스템의 확산에 관한 정책네트워크분석, 한국정책학회보
      제13권 제3호

도로교통안전관리공단.(1996). 도로교통안전규제정책의 효율적 집행방안 연구

도로교통안전관리공단.(1997). 무인단속시스템 설치기준 및 효과분석에 관한 연구

도로교통안전관리공단.(1998). 과속사고 방지 종합대책

도로교통안전관리공단.(2004). 무인교통단속장비 적정설치대수 산정연구

이홍로.(1991). 한국의 교통안전정책에 관한 연구, 중앙대 대학원 박사학위논문

최병선.(1992). 정부규제론, 서울 : 법문사

최병학.(1991). 제재적 공공정책의 효과성 지속문제 연구, 청주대 우암논총

한국행정연구원.(2003. 12) 분야별 규제영향분석: 경제분야 규제영향분석

龍澤武源, 交通刑法總論, 東京 : 警察時報社, 1977.

八代尚宏編, 社會的規制の經濟分析, 日本經濟新聞社, 2000. 3.

村田隆裕, 規制緩和の時代の交通規制, 月刊交通, 1994. 6.

Heinrich, H. W., *Industrial Accident Prevention*, 4th. ed, New York : McGraw Hill Book Co.,
    1980

Afanasyv, Michael V., System Analysis for Traffic Safety Problem, Proceeding of the world
    Conference on Transport Research, London : Gower w., 1980. 3.

Department of Transport, *The Effects of Speed Cameras : How Drivers Respond*. 2000.

# 제17장 교육행정정보화 정책갈등

임 정 빈*

## I. 서 론

정책을 둘러싼 정부 간, 정부기관 간 그리고 정부기관과 이해관계집단 간의 갈등과 분쟁은 정부정책의 결정과 집행의 지연을 초래하여 많은 사회적 비용을 부담시키고 있다. 그러므로 이러한 정책갈등의 해소는 국가나 시민사회의 발전을 위해서도 중요하다. 그러나 정책갈등은 정책과정에서 불가피하며 갈등 그 자체보다는 갈등에 대처하는 정부의 태도와 그 해결방법이 더 중요하다(이시경, 2003: 1). 정책과정은 연속적·순환적 과정으로서 관련당사자들에게 참여의 기회를 허용함으로써 정책이 가져올 수 있는 부작용을 최소화 또는 억제하면서 다양한 이해집단들의 주장을 조정해 나가는 과정이다. 그러므로 다양한 이해집단들에게 참여기회를 제공하는 정책갈등은 정책과정에서 정책오차 및 실패를 예방하는 기능을 수행할 수 있게 되는 것이다. 이러한 정책갈등의 긍정적이고 적극적인 상호작용은 갈등의 유무차원에서 탈피하여 얼마나 효과적으로 갈등을 관리하고 조정할 수 있는가를 지향한다. 최근의 정책갈등연구도 바로 이러한 방향으로의 갈등관리 모색에 초점을 맞추고 있다. NEIS 정책갈등은 산업사회에서 정보사회로 이행하는 과도기적인 맥락에서 공공부문의 정보화사업에 개인정보보호로 대변되는 '인권'의 문제가 최초로 등장하여 대립·갈등하는 사례이다(조화순, 2003: 37). NEIS 갈등이 쟁점화 된 가장 근본적인 문제는 빠르게 변화하는 정보화 사회 속에서 정보화의 역기능에 대해 시민사회가 관심을 가지기 시작했다는 것이다. 뿐만 아니라 시민사회의 성장은 정책이념에 변화를 불러일으키고 있는데 효율성, 효과성 중심에서 인권이나, 정보보호, 개인의 프라이버시를 중시하는 방향

* 건국대학교 행정문제 연구소 책임 연구원

으로 변화하고 있다.

이러한 현상은 국가와 시민사회의 자율성의 확대를 통하여 민주주의를 공고히 하고 이익집단의 활동의 범위를 넓혀 사회문제나 정부의 정책과정에 대한 높은 참여를 통해 정책이 성공하는 데 많은 역할을 수행하는 긍정적이 측면이 있다.

그러나 이러한 변화에도 불구하고 정부의 정책은 일방적 정책결정과정을 답습하고 있으며 국가와 시민사회가 함께 갈등을 관리하고 조정하는 제도적 메커니즘은 부재한 실정이다. 이러한 이유로 인하여 국가는 특정한 정책과 관련된 이해관계집단의 이기주의적인 집합적 행동과 동원된 시민감정이 합리적인 국가정책까지도 좌우하게 되는 엔트로피 현상에 대하여(박영주, 2004: 508) 별다른 해결책을 제시하지 못하고 있으며 오히려 정책딜레마로 이행되는 경우가 많아지고 있다.

본 연구에서는 첫째, NEIS의 갈등의 원인이 무엇인가를 분석하여 갈등의 인과구조를 분석하고자 한다. 둘째, NEIS시행을 둘러싼 집단 간의 갈등 메커니즘을 파악할 것이다. 특정한 정책은 이해관계에 밀접한 집단에 있어서는 집단의 위상에 중대한 영향을 미치므로 정책에 대한 이해관계집단의 집합적 행동 속성을 분석할 것이다.

셋째, NEIS를 둘러싼 행정기관과 이익집단 간의 상호작용 및 역동성을 분석하여 이를 통한 정책갈등의 본질을 파악하고 이에 따른 바람직한 갈등관리전략을 발전시켜 갈등해소를 제도화하는 데 연구의 목적이 있다. 이를 위해 NEIS정책갈등에 관여한 이해관계집단의 행위주체들의 갈등이슈에 따른 갈등관리전략을 분석할 것이다.

## Ⅱ. 이론적 배경과 분석틀

### 1. 정책갈등의 특성

갈등이라는 개념을 어떻게 규정하느냐에 따라 정책갈등의 개념도 확대 혹은 축소될 수도 있지만 사회과학의 각 학문영역에서 나름대로 규정하고 있는 갈등의 개념보다는 정책갈등의 개념이 훨씬 복잡하고 그 범위가 확대·해석되는 것이 일반적이다(이시경, 2003:

3). 갈등의 개념에 대한 선행연구를 검토해 본 결과 갈등은 대체로 5가지의 공통된 요소를 가지고 있음을 알 수 있다(강인호 외, 2004; 유해운외, 2001: 51-60; Lulofs & Cahn, 2000; 최해진, 2004). 첫째, 갈등은 항상 둘 이상의 행위주체사이에 발생하는 현상이다. 갈등이 성립하려면 당사자, 참여자, 행위자 등 이 있어야 한다. 둘째, 갈등당사자들의 가치나 목표에 대한 의견의 불일치에 대한 인식이 있어야 한다. 셋째, 갈등은 양립할 수 없는 상황에서 발생한다는 것이다. 넷째, 갈등은 상호작용이 있어야 한다. 다섯째, 갈등은 동태성을 갖는 다는 것이다. 갈등은 일련의 진행단계들로 이루어진 동태적 과정으로서 갈등현상은 역동적이다.

정책갈등도 이러한 범주 안에서 논의가 가능할 것이다. 박호숙(1996: 31)은 정책갈등은 희소자원의 불균형배분, 처분, 목표, 가치, 인지 등에 있어서의 차이와 같은 원인 조건에 의해서 발생하는 것이라고 주장하였다. Minnery(1985: 5-6)도 정책갈등이란 "정책결정상황에 직면해서 결정에 관여된 주체들이 정책대안을 선택 또는 결정하는 데 제약을 받고 있는 상황"으로 규정하였다. 이시경(2003: 3)은 정책과정을 통해 야기되는 정책참여자들 간의 경쟁적 또는 대립적 관계가 존재하며 정책의 효율성을 높이는 데 장애를 주는 현상을 정책갈등이라고 정의하였다. 이명숙(1995: 267)은 정책갈등이란 "정책과정에서 대상조직과 관련된 조직이나 이해집단 간의 대립정도의 함수로 볼 수 있으며, 특정한 정책을 둘러싸고 있는 집단 간에 내재된 잠재적 갈등요인이 조정과 협상에 실패하여 최종합의에 도달하지 못하고 갈등으로 표면화된 상태"로 파악하고 있다. 이렇듯 정책갈등이란 정책을 둘러싼 이해당사자들의 상호작용이 포함된 공동영역에서의 갈등으로 이러한 상호작용은 정책이슈와 이해집단 간의 상호작용에 의해서 결정되는 것이 일반적이다. 또한 정책갈등은 공식적 정책결정자들 간 또는 공식적 정책결정자들과 정책이해집단 간의 이해관계에 의해서 발생하는 구조적 측면과 갈등의 소지를 안고 있는 문제를 성급하게 다룸으로써 갈등을 확대·재생산하는 과정적 측면이 공존한다고 할 수 있다. 정책갈등과 관련하여서는 두 가지의 관점이 존재한다(박호숙, 2003: 21). 먼저 첫 번째의 관점은 정책갈등을 부정적인 견해로 파악하는 것으로 갈등은 바람직하지 못하며 조직의 효과성을 떨어뜨린다는 전통적인 시각이다(Newton, 1978: 76; Boulding, 1962), 두 번째 관점은 정책갈등을 바라보는 긍정적인 견해이다. 먼저 정책갈등이 조직에 활력을 주며 조직으로 하여금 자기평가의 기회를 주어 혁신을 꾀하게 할 수 있게 한다는 것이다(Morgan, 1989: 108). 둘째, 정책오차를 예방하는 기능을 할 수 도 있다. 정책갈등은 특정집단에 의해서 정책이 결정권이 독점되는 것을 방지할 수 있다(김영평, 1991: 19). 그러므로 다양한 이해집단들이 서로 협의와 토론의 과정을 통하여 정책을 조정할 수밖에 없다는 것이다(박호숙, 2003: 22). 셋째, 갈등으로 인해 더 많은 대안이 제시되고 정보가 제공되어 결정의 합리화를 기할 수 있다는 것이다.

최근에는 정책갈등의 긍정적인 측면에서 갈등을 관리하려고 하는 적극적인 견해가 많은 지지를 받고 있다. 그 이유는 첫째 다양한 집단들에 의하여 의견이 결집되고 상호 공유된 정책이 질적으로 세련될 가능성이 높기 때문이다. 둘째, 당사자들의 참여가 보장된 정책은 자기 선언적 의미를 가짐과 동시에 정당성을 높여주기 때문이다(박호숙, 2003: 22: 조석준, 1993: 462-464). 정책갈등 중 교육정보화 정책갈등은 두 가지 유형의 갈등으로 논의 될 수 있을 것이다(이명숙, 1995: 267). 첫째는 교육부의 정책수행과정에서 정책목표의 불일치 및 일관성결여로 인한 유사교육정책간의 갈등이다. 동일한 정책 내에 유사한 성격의 정책 간에 정책갈등이 표출이 되는 것을 의미한다. 둘째, 특정한 정책을 둘러싸고 있는 정부기관 및 이익집단 간에 대립과 분쟁이 야기되는 경우를 들 수 있다. 정책을 다양한 이해집단의 상호이익을 조정하는 갈등과정으로 본다면 이해집단 간의 협력, 조정이 이루어지지 않을 경우 정책갈등이 나타날 수 있다. 본 연구의 사례는 두 번째 유형의 갈등사례로서 이에 대한 체계적인 규명을 시도할 것이다.

## 2. 정책갈등의 전개와 수준의 변화

갈등에 관한 선행연구들 중에서 갈등사례의 전개과정에 초점을 둔 연구는 갈등이 어떻게 발생하고 진행이 되는지에 관해 초점을 두는 연구이다. 물론 이 경향의 연구도 갈등의 원인규명에 초점을 두기는 하지만, 근본적으로는 갈등이 진행되어 가는 과정에 연구의 관심을 부여한다(주상현, 2001b: 143-144). 그리고 갈등의 과정을 논의하는 대부분의 연구들은 갈등의 단계를 구분하고 있는데, 갈등의 단계를 구분하는 기준으로 가장 많이 활용되는 것이 갈등의 양상, 시간 등이었다. 이러한 상황에서 본 연구는 갈등을 동태적으로 분석하기 위한 갈등의 단계를 구분하여 보고자 한다. 그리고 각 갈등단계의 구체적인 특징은 무엇인지를 선행연구의 사례를 분석함으로써 밝히고자 한다.

첫째, 갈등의 양상을 기준으로 갈등의 단계를 나누고 있는 연구들을 살펴보면 Pondy(1967), Trolldalen(1992), 박호숙(1994), 유해운 외(1997), 이종렬·권해수(1998),

이인수(1999), 주재복(2000), 주상현(2001a, 2001b), 고경훈(2003) 등의 연구가 있다. 먼저 갈등의 양상에 따라 갈등단계를 구분하고 있는 연구로 Pondy(1967)는 갈등을 연속적인 에피소드로 보고 갈등의 단계를 잠재적 갈등, 인지적 갈등, 지각된 갈등, 현재화된 갈등, 갈등여파 등의 다섯 단계로 분류하고 이러한 단계들은 서로 연결된 것으로 보고 있다. 그리고 Pondy(1967: 306)는 각 단계의 갈등의 특징을 먼저 잠재적 갈등이란 상황에 대한 상반된 인식으로부터 출발하는 것으로, 상황에는 부족한 자원에 대한 경쟁, 자율성 추구, 목표의 분산성, 역할 등이 있다고 지적한다. 인지적 갈등이란 한 사람 이상의 당사자가 잠재적 갈등을 인식하게 되는 상태를 말한다. 그리고 지각된 갈등은 갈등이 격화되어 상대방에게 적대감을 갖게 되는 단계로 긴장, 적의, 불안, 좌절감 등이 지각된 갈등에서 나타나는 현상이다. 또한 현재화된 갈등이란 적대적인 행동이 실제로 표출되는 단계로, 행위자의 관점에서 적어도 다른 참가자들의 목표를 좌절시키는 행동을 의미한다. 마지막으로 갈등여파란 현재화된 갈등이 발생한 이후의 결과 상태로 이에는 협력적인 토대의 구축 혹은 갈등의 잠복 등이 있다(유해운 외, 1997: 80-83에서 재인용). 이종열·권해수(1998: 160-187)는 지역개발과정상 지방정부 간 갈등분석과 관리전략이라는 연구에서 정책갈등을 하나의 과정으로 보고 갈등의 환경적 요소로 정치·행정, 경제, 사회적 요인을 들고, 정책갈등을 야기하는 동원화 기제로 조직적 차원(리더십, 응집력, 구조), 이념적 차원(규범, 정당성), 정치적 기회구조(동맹, 정치적 제휴의 안정성) 요인 등을 통해 지방정부 간 정책갈등을 갈등태동기, 갈등증폭기, 갈등성숙기로 구분하여 위천공단 입지갈등 사례를 분석하고 있다. 그리고 주상현(2001a: 107-135)은 전라북도청사 부지선정 정책사례를 분석하면서 사례분석의 과정을 시간적 순서에 따라서 갈등잠재기, 갈등심화기, 갈등해결기 등의 3단계로 나누고, 각 단계의 갈등의 특징을 다음과 같이 정의하고 있다. 먼저 갈등잠재기란 갈등행위 이전의 단계로 집단 간 갈등의 기본조건 또는 상황을 나타내는데, 당사자 간에 특정 정책에 대해 갈등을 느끼기 시작하여 긴장, 적의 적대감 등 어느 정도 갈등이 나타나기 시작하는 단계라고 한다. 갈등심화기는 수동적 저항에서 명백한 대응에 이르는 행위적 갈등과정이며, 갈등해결기는 지방정부 간 정책갈등이 수면 아래로 잠재하거나 중앙정부나 제3자에 의해 중재되고, 조정되거나 정치적 해결 등에 의해 갈등이 해결 국면을 찾아가는 과정이라고 지적하고 있다(주상현, 2001b: 147).

〈표 16-1〉 갈등의 양상에 따른 단계구분

| 선행연구 | 갈등의 단계 |
|---|---|
| Pondy(1967) | • 잠재적 갈등, 인지적 갈등, 지각된 갈등, 현재화된 갈등, 갈등여파 |
| Trolldalen(1992) | • 초기적 갈등, 잠재적 갈등, 인식적 갈등, 명백한 갈등 |
| 박호숙(1994) | • 잠재된 갈등, 외현의 갈등 |
| 유해운 외 (1997) | • 잠재적 갈등단계, 명시적 갈등단계, 갈등해결의 탐색단계, 갈등의 여파단계 |
| 이종렬·권해수(1998) | • 갈등태동기, 갈등증폭기, 갈등성숙기 |
| 이인수(1999) | • 갈등이슈의 특성, 갈등유형, 갈등강도, 갈등해결방법 |
| 주재복(2000) | • 분쟁의 초기단계, 분쟁의 지속단계, 분쟁의 심화단계, 분쟁의 완화단계 |
| 주상현(2001a,2001b) | • 갈등잠재기, 갈등심화기, 갈등해결기 |
| 고경훈(2003) | • 갈등의 인지단계, 갈등의 확산단계, 갈등의 증폭단계, 갈등의 비등단계 |

　　마지막으로 고경훈(2003: 43-49)은 전북 외국어고등학교 유치를 둘러싼 전주시와 군산시 간의 갈등사례를 연구하면서의 갈등의 단계를 양자치단체가 구사하는 전략에 맞추어서 구분하고 있다. 즉, 전주시와 군산시는 갈등의 전개과정에 따라 쟁점화, 정당화, 무시, 동원 등의 전략을 적용하였는데, 각각의 전략이 구사되는 단계에 따라 갈등의 단계를 갈등의 인지단계(쟁점화 전략), 갈등의 확산단계(정당화 전략), 갈등의 증폭단계(무시전략), 갈등의 비등단계(동원전략) 등으로 구분하고 있다. 그리고 갈등의 인지단계에서는 이슈의 쟁점화를 통해 유리한 입장을 차지하려는 시도가 이루어지며, 자신의 입장에 대한 지지를 이끌어내려는 행위가 존재한다. 갈등의 확산단계에서는 적극적인 대중의 지지를 확보하기 위해 자신의 주장을 정당화하고 동시에 상대의 주장을 반박하는 전략이 구사된다. 그리고 갈등의 증폭단계에서는 상대방을 인정하지 않고 자신의 의도만을 관철시키려는 이른바 무시전략이 사용되며, 갈등의 비등단계에서는 갈등이 임계치에 도달하는 단계로 지역주민과 시민단체까지 모두 동원하여 지역의 이익과 자존심을 걸고 폭발직전의 상황까지 이르게 되며, 이 단계에서는 강압과 위협의 수단이 사용되기도 한다.

　　둘째, 시간을 기준으로 갈등의 단계를 나누고 있는 학자로는 이종렬(1995), 박상필(2000), 전주상(2000), 이선우(2001), 백종섭(2002), 전주상(2002) 등의 연구가 존재한다. 먼저 이종렬(1995: 385-388)은 핵폐기물처리장 입지선정과 주민갈등 사례를 논의하면서 주민저항의 단계를 연대기적으로 구분하고 있다. 즉 운동의 초기단계, 운동의 중간단계, 운동의 후기단계, 운동의 종결단계 등으로 구분하고 있는데, 여기서 주민저항운동은 바로 주민과 정부 간의 갈등을 의미하는 것으로 갈등의 단계구분으로 볼 수 있는 것이다. 그리고 박상필(2000: 127-130)은 한의사회와 약사회 간의 한약분쟁 과정을 시기별로 3단계로 구분하고 있다. 제1단계는 이익갈등의 발생과 분쟁의 격화(1993년 1-6월), 제2단계는 정부개입에 의한 분쟁해결 시도(1993년 6-9월), 제3단계는 경실련의 개입과 분쟁의 조정(1993년 9-12월) 등과 같이 시기별로 갈등의 과정을 구분하고 있다. 전주상(2000: 95-96)은 갈등과정을 갈등의 인지 및 탐색, 갈등의 현재화, 갈등의 영향 등의 3단계로 나누고, 갈등의 인지 및 탐색단계의 특징으로 갈등의 원인이 되는 이해관계가 구체적인 이슈로 조직화되는 단계로 정의한다. 그리고 이 단계에서 갈등상황이 조성되고 집단의 구성원들은 자신들이 원하는 것을 표현하고 행동목표를 설정한다. 갈등의 현재화란 여러 종류의 명백한 갈등행위들이 나타나는 단계로서 수동적인 반대상태로부터 능동적인 공격행위에 이르기까지 물리적이고 폭력적인 수단들이 혼재되어 나타난다. 마지막으로 갈등의 영향단계란 비선호시설의 공사착공 이후부터의 단계를 갈등의 영향단계로 설정하고 있다. 백종섭(2002)은 서울시 추모공원 건립정책의 사례를 분석하면서 사례분석의 과정을 정책의 내용, 정책형성과정, 정책집행과정 등의 단계로 나누어 사례를 분석하고 있으며, 전주상(2002: 234-244)은 강남 쓰레기소각장 입지갈등의 변화과정을 분석하기 위하여 사례에서 공통적으로 전환점이 될 수 있는 사건들에 초점을 맞추어 시간의 흐름과 갈등의 강도에 따라서 갈등단계를 제1기(주민대표기구 구성 이전), 제2기(주민대표기구 구성이후-공사착공), 제3기(공사착공 이후)로 나누어 분석하고 있다.

〈표 16-2〉 시간에 따른 갈등의 단계구분

| 선행 연구 | 갈 등 의 단 계 |
|---|---|
| 이종렬(1995) | ● 운동의 초기단계, 운동의 중간단계, 운동의 후기단계, 운동의 종결단계 |
| 박상필(2000) | ● 제1단계, 제2단계, 제3단계 |
| 전주상(2000) | ● 갈등의 인지 및 탐색, 갈등의 현재화, 갈등의 영향 |
| 이선우(2001) | ● 갈등초기, 갈등중기, 갈등말기 |
| 백종섭(2002) | ● 정책의 내용, 정책형성과정, 정책집행과정 |
| 전주상(2002) | ● 제1기, 제2기, 제3기 |

이상에서 선행연구자들이 설정한 갈등의 단계들을 살펴보았다. 그러나 모든 갈등상황이 이상과 같은 각 단계들을 거친다는 것을 의미하지는 않는다. 왜냐하면 갈등은 시간이 흐르면서 양적인 변화와 함께 질적인 변화가 일어나면서 다음 단계로 전환되는 것이 일반적이지만, 때로는 이러한 변화가 순차적으로 발생하지 않을 수도 있고, 어떠한 상태에서 다른 상태로 비약적으로 전환되기도 하기 때문이다(전주상, 2000: 94). 이러한 현상을 갈등의 변동이라고도 할 수 있는데, 갈등의 변동을 설명하기에 가장 적합한 시각이 과정론적 시각이고 과정론적 시각에서는 갈등의 단계를 갈등양상에 따라 구분하고 있다. 그러므로 본 연구에서도 갈등의 단계를 갈등의 양상에 따라 구분하고자 한다.

갈등의 단계를 갈등의 양상에 따라서 그리고 과정론적 시각에 따라서 구분할 경우의 이점을 정리하면 첫째, 갈등의 단계를 갈등의 발생과 갈등의 증폭, 갈등의 완화와 갈등의 종결 등으로 단순화시켜서 보면 각 단계를 구분하기 힘들다는 한계를 극복할 수 있고, 또한 갈등의 실제적인 진행상태를 보다 간명하게 파악할 수 있다는 실익이 존재한다. 왜냐하면 갈등의 단계를 갈등의 발생단계와 갈등의 증폭단계, 갈등의 완화단계로 나누는 것은 '관찰가능성 여부'라는 보다 명백한 기준에 따라 비교적 쉽게 구분이 가능하기 때문이다(박호숙, 1994: 20). 둘째, 갈등을 설명하는 이상과 같은 과정론적 시각은 갈등을 전개과정에 따라 체계적으로 분석하고, 해결과정 혹은 해결을 위한 정책과정을 개인이나 집단 등 개별행위자들의 상호작용의 결과로서 파악하기 때문에 개인이나 집단들의 행태와 정책산출 간 인과관계를 규명할 수 있다는 장점도 존재한다(주상현, 2001b: 148). 셋째, 본 논문에서 고찰한 선행연구들 중 가장 많은 수의 선행연구들이 갈등의 단계를 갈등의 양상에 따라서 구분하고 있다. 일반적으로 기준이나 지표 및 단계의 설정은 선행연구들에 대한 비판적 고찰로부터 출발해야 하며, 기존 선행연구들에서 원용할 수 있는 기준이나 지표 및 단계를 선별하는 것이 이론의 발달에 대단히 중요하다. 따라서 본 논문의 완성을 위한 갈등단계의 설정도 선행연구가 가장 많은 갈등의 양상에 따라 갈등단계를 구분하고자 한다.

## 3. 분석틀(갈등관리전략)

갈등의 당사자들은 자기집단에 돌아올 편익(pay-off)을 고려하여 협조 또는 갈등전략을 선택한다. 즉 갈등의 당사자가 상대방과 불일치에 직면하였을 경우 취할 수 있는 방법의 차원은 크게 두 가지, 즉 계속 자기주장을 하여 자신의 관심사를 충족시키는 방법과 양보를 하여 상대방의 관심사를 충족시켜주는 방법이 있는바, 이 두 차원의 조합에 의해 다섯 가지 갈등처리방식을 도출하였다. 첫째, 강요로 상대방을 압도하고 자기의 주장을 관철하는 처리방식이다. 둘째, 수용으로 상대방의 주장을 따르는 처리방식이다. 셋째, 타협으로 상호교환과 상호양보를 위해 양자 약간씩 자기만족을 추구하는 처리방식이다. 넷째, 협조로 서로의 관심사를 모두 만족시키는 처리방식이다. 다섯째, 회피로 갈등현장을 떠남으로써 자신과 상대방의 관심사를 모두 무시하는 처리방식이다(고경훈, 2003: 35).

Kilman과 Tomas(1978: 971-980)는 갈등관리와 관련하여 협조성(cooperative)의 수준(협조적 또는 비협조적)과 독단성(assertiveness)의 정도(독단적 또는 비독단적)라는 두 차원과 경쟁 또는 적응이라는 분리적 또는 경쟁적 방법과 회피 또는 협조라는 통합적 또는 문제해결적 방법을 통한 갈등처리양식을 통합하여 갈등처리양식을 제안하였다.

회피(avoidance)는 상호작용이 어느 집단의 목표에 상대적으로 중요하지 않고 집단의 목표가 양립할 수 없을 때 일어난다. 집단들이 양립할 수 있는 목표를 향해 노력하지 않고 문제의 이슈가 중요하지 않기 때문에 집단들은 서로 상호작용을 피하려고 하는 경우를 말한다. 수용(accommodation)은 집단들의 목표가 양립할 수는 있으나 상호작용이 전반적인 목표달성에 중요하지 않다고 생각될 때 일어나는 경우를 말한다. 협조(collaborating)는 상호작용이 집단의 목표달성에 매우 중요하고 집단들의 목표가 양립 가능할 때 일어난다. 타협(compromising)은 상호작용이 목표달성에 중간 정도로 중요하고 목표가 완전히 양립가능하지도 않고 양립 불가능하지도 않을 때 일어난다. 경쟁(competition)은 상호작용을 하는 집단들의 목표가 양립할 수 없고 상호작용이 각 집단의 목표달성에 중요할 때 발생하는 것으로 공격적인 행동을 함으로써 갈등을 해소하려 한다(이광종, 1995: 236).

[그림 16-1]은 집단 간의 관계에서 갈등의 수준이 어떻게 갈등상태를 해소하거나 증폭시키는지를 보여주고 있다. A집단과 B집단 모두 갈등현안에 대한 갈등수준이 낮을 경우 두 집단은 수용 또는 협조의 태도를 보이게 된다. 또한 적정수준의 갈등을 보이는 경우 두 집단의 타협의 과정을 거쳐 문제를 해결하는 방향으로 접근을 시도하게 된다. 하지만 일방의 집단의 갈등수준이 높을 경우 갈등수준이 높은 집단은 갈등현안에 대한 해결방안 모색에 대해 회피하여 억압된 갈등으로 이끌게 된다. 마지막으로 두 집단 모두 갈등수준이 높을 경우 경쟁을 통해 적대적 행위를 보이게 되어 갈등현안 해결은 어렵게 된다.

[그림 16-1] 집단 간 갈등수준의 변화에 따른 행위패턴

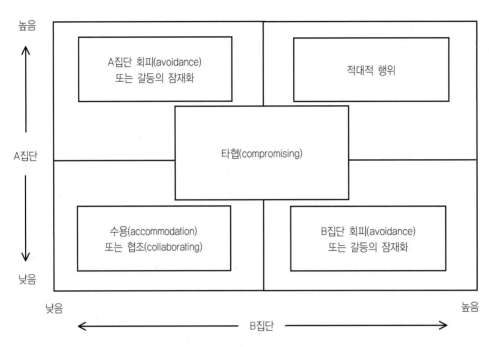

출처: 권경득·임정빈·장우영(2004: 560).

그렇지만 당사자간의 갈등해결이 어려울 경우 제3자의 개입을 통해 갈등을 해결하는 것이 보다 효율적이다. 제3자 개입은 갈등당사자가간에 해결책을 찾기 어려울 때 중립적인 제3자에 의해 해결하는 방식이다. 특히 갈등당사자의 수가 많고 쟁점을 둘러싼 갈등이 첨예하고 장기적으로 지속되는 등의 복합적인 상황에서 매우 적실성이 높은 해결방법이다(사득환, 1997: 192). 제 3자 중재는 갈등당사자가 갈등을 해결하기 위한 수차례의 협력적 과정을 거쳤으나 해결책을 찾지 못하고 해결노력에서 탈퇴하는 시점에서 필요한 조정제도이다. 또한 제3자에게 대안제시를 신청함으로써 갈등해결의 분위기를 쇄신하고 적극적으로 문제해결에 집착하고자 할 때 필요하다. 나아가 권한과 공신력을 가진 제3자가 직권으로 문제해결에 개입하겠다는 의사를 표명함에 따라 갈등당사자들이 이를 받아들이기로 하는 경우에도 성립되는 조정제도 이다(유해운·권영길·오창택, 2001: 127-128). 정책갈등과 관련된 이해집단의 개별 참여자들은 자신이 속해있는 현재의 위치와 현상에만 집착을 하고 전체적인 움직임을 소홀히 하는 경우가 있다. 이는 갈등의 근본적인 원인을 해결하기보다는 지엽적인 문제나 국지적 합리성 추구에 집착하게끔 한다. 따라서 사법

적 판단에 의존하기에 앞서 제 3자 기관 또는 집단에 의해 문제해결에 접근하는 것이 필요한데 이것이 바로 중재이다(박종화, 2001: 621-622). 제3자 중재방식으로는 상급기관에 의한 조정, 특별기구에 의한 조정, 환경분쟁조정위원회에 의한 조정, 지방자치단체분쟁조정위원회에 의한 조정, 사법부에 의한 조정 등이 있다. 우리나라의 경우 제3자에 의한 중재는 갈등의 발생원인 등에 대한 정확하고 면밀한 조사·분석을 통한 공정하고 효율적인 조정보다는 통제 위주의 조정이 우선시 되어왔다. 이럴 경우 중재가 수용되지 못 할 확률이 높으며, 오히려 갈등을 증폭시키는 역효과를 초래할 수도 있다. 오늘날과 같이 자원분배갈등이 만연하고 있는 상황에서는 비용과 편익의 불일치를 개선할 수 있는 실질적인 대안의 제시 능력이 제3자 중재의 요체로 지적되고 있다.

# Ⅲ. 교육행정정보시스템(NEIS)의 도입과 변화과정

## 1. 교육행정정보시스템의 특성

교육정보화는 새로운 사회에 적합한 교육을 재구성함에 있어 정보통신기술을 기반기술로 활용하여 교육의 내용과 방법, 교육의 형태를 다양화하고 개선해 나가는 것이다. 그러므로 교육정보화는 단순한 교육에 대한 정보통신기술의 적용이 아닌 교육관련 정보화에 대한 법과 제도의 개선, 정보화 사회에 적합한 의식의 변화 유도 그리고 효율적인 교육을 실현하기 위한 종합적이고 계획적인 활동이다(교육정보화백서, 2000: 19-20). 교육정보화는 1990년대 중반이후 교육개혁을 통하여 대입전형 시 봉사활동, 자격, 사회적 기여도 등 다양한 평가요소가 포함된 선발방식으로 전환됨에 따른 요인과 정보화시대에 맞는 환경으로 전환될 필요성에 의하여 교육행정정보화가 추진하게 되었다. 즉, 기술환경의 변화와 정보정책 연계의 필요성에서 출발하였다(황주성·최선희, 2003: 7). 교육인적자원부는 1996년 교육정보화촉진시행계획을 세워 초·중등학교의 정보화사업을 추진하였고 이때부터 학교행정 업무에 정보화가 도입되기 시작하였다. 특히 기존 교육정보들을 논리적으로 통합·연계하여 행정효율성을 제고하고자 2000년 7월에 교육행정정보시스템구축 기본계획을 수립하고 2001년 1월 대통령직속의 자문기구로서 전자정부특별위원회를 구성하여 전자정부구축사업을 추진하게 되었다. 전자정부 구축사업의 한 분과인 교육정보화 역시 국민의 정부에서는 중요하게 간주되었으며 이러한 교육정보화는 크게 학교교육의 정보화, 교육행정정보화, 국민 ICT활용역량강화, 대학 및 학술·연구부문의 정보화 등 네 분야에서 이루어졌다. NEIS 구축사업은 바로 이러한 교육행정정보화의 핵심사업으로 추진되었으며(김창환, 2002: 1, 김주애 2004: 20) 보다 직접적으로는 NEIS가 2001년 5월에 전자정부 11대 핵심정보화 과제로 선정되면서부터 시작되었다. 전자정부 11대 핵심사업은 '전자정부구현을 위한 행정업무 등의 전자화 촉진에 관한 법률'을 제정이후 이를 토대로 G4C(정부종합민원시스템), 국세, 조달, 4대보험, 국가재정 등을 중점사업으로 선정하고 추진하였다. 그 중의 하나인 교육행정정보시스템(NEIS)은 지식정보화사회의 도래에 따라 학부모에게 알권리를 보장하고 교원에게는 업무경감을 통하여 교육활동에 전념할 수 있는 시간을 확충시키고, 학교와 가정의 교육활동 연계성 확대를 통하여 효율적인 교육목적을 달성하기 위하여 개발 및 시행되게 된 시스템이다(교육인적자원부 2003: 71). NEIS는 시·도교육청 및 교육인적자원부에 시스템을 구축하고 모든 교육행정기관 및 초·중등학교를 인터넷으로 연결하여 단위학교 내 행정처리는 물론 교육행정기관에서 처리해야 할 학사, 인사, 회계 등 교육행정 전반업무를 전자적으로 연계 처리하는 시스템이다(황주성·최선희, 2003: 13).

　교육행정정보화 초창기에는 정보화에 대한 물리적 기반이 낮아 학교단위로 구축된 서버를 학내 전산망을 통하여 연결한 후 학사업무 등을 처리하는 이른 바 C/S(Client Server)방식이 채택되었다. 학교종합행정정보관리시스템(C/S)는 교원용 PC와 Server를 교내 전산망으로 연결하여 자료를 종합하는 방식으로 학교생활기록부를 비롯한 일선학교의 교무업무 전체를 종합적으로 전산처리하는 시스템이다. 그러나 이 시스템은 학교별로 많은 예산이 소요되는바 전국의 모든 초 중등교육에 이 시스템을 설치하기에는 막대한 예산이 소요되므로 국가재정형편상 1997년에서 2001년까지 5개년에 걸쳐서 C/S를 구축하였으며 C/S가 구축될 때까지는 PC에서 학교생활기록부나 전자정부만을 단순히 입력할 수 있도록 S/A(Stand Alone)를 보급하여 임무를 처리하였다.

〈표 16-3〉 NEIS 27개 개발 영역

| 단위업무 | 세 부 내 용 |
|---|---|
| 기 획 | 주요 업무, 기관 평가 |
| 공 보 | 보도자료 관리 |
| 법 무 | 법률정보, 판례정보, 법령 질의 해석 |
| 감 사 | 감사계획 및 결과, 감사현황 분석, 감사자료 공유, 사이버 감사 |
| 재산등록 | 재산등록 대상 및 내역관리, 재산신고 |
| 교육통계 | 학교 현황, 학생 현황, 교원 현황, 시설 현황, 주요 업무통계 등 |
| 입(진)학* | 초등학교 취학, 중학교 입학, 고등학교 입학 등 |
| 장 학 | 교육과정, 연구학교, 장학정보, 학생행사관리, 연구대회 등 |
| 교무/학사* | 학교교육과정, 학적**, 성적**, 학생생활기록부**, 학생생활**, 교과용도서 |
| 검정고시 | 원서접수, 성적처리, 고사장 관리, 합력처리 및 각종 통계 산출 |
| 평생교육 | 평생교육 시설 및 교육프로그램 및 관리, 학원 및 교습소 관리 |
| 보건* | 학교보건실 관리, 학교환경관리, 건강기록부**, 보건 통계** |
| 체 육 | 학교체육시설 관리, 운동부 및 선수관리, 각종 현황 및 통계관리 |
| 교원인사 | 정·현원, 임용시험, 인사기록, 임용발령, 호봉, 전보, 평정, 승진, 연수, 호봉, 상훈 및 징계, 복무, 기간제 교사, 전문직 임용, 자격검정관리 |
| 일반직인사 | 정·현원, 임용시험, 인사기록, 임용발령, 호봉, 전보, 평정, 승진, 연수, 호봉, 상훈 및 징계, 복무 |
| 급 여 | 월급여, 연봉제, 명절휴가비, 연가보상비, 성과상여금, 연말정산, 기여금, 건강보험, 국민연금, 고용보험 |
| 민 원 | 제증명, 유기한 민원, 진정/건의/질의, 정보공개, 정보공개, 현황통계 등 |
| 비상계획 | 민방위 편성, 해제, 교육훈련, 공익근무요원 편성/관리 |
| 법 인 | 법인정보, 예·결산, 법인 대장 |
| 시 설 | 시설사업관리, 학교시설승인, 학교시설사용승인, 시설유지관리, 시설현황, 수용계획 |
| 재 산 | 공유재산관리계획, 재산대장관리, 사용허가/내부관리, 폐교재산활용관리 |
| 물품/교구/기자재 | 취득/운용관리**, 재물조사**, 수급계획**, 교구기준안관리**, 교구현황 관리**, 실험실습관리**, 기자재 기준안 관리**, 기자재 현황관리**, 기자재 통계** |
| 예 산 | 예산편성**, 예산배정**, 예산이월**, 예산운용**, 예산통계** |
| 회 계 | 세입**, 세출**, 세입·세출 외 현금**, 계약/압류**, 결산**, 자금** |
| 학교회계 | 예산**, 세입**, 세출**, 결산**, 세입·세출 외 현금**, 세무관리**, 발전기금** |
| 급 식 | 학교급식통계, 급식관리, 급식 외 관리, 급식 분석 |
| 시스템 | 코드관리, 시스템연계, 보안, 사용자 인증 및 권한관리, 로그관리, 인터페이스관리, 배치작업관리, 업무처리 승인관리 |

*는 NEIS 시행과 관련한 갈등의 쟁점 영역임
**는 C/S에서도 처리되었던 업무임
출처: 장우영 (2004: 7)

이후 2001년 5월 전자정부구현을 위한 11대 중점추진과제 중 하나로 선정되면서 도입되었다. 2002년 3월 시스템 설계를 완료했고 6월에는 삼성SDS와 사업계약을 체결하고 시행에 착수했다. 2002년 11월에는 인사, 예산. 회계, 시설 등 22개 영역의 1단계 서비스사업을 시범 실시하였고 12월에는 경력증명, 졸업증명, 검정고시 등 13종의 인터넷 민원서비스를 2003년 3월부터 재학증명, 성적증명, 학교생활기록부 등 7종의 인터넷민원서비스를 실시하였다. 또한 2002년 9월부터 교원단체들과의 협의에 들어갔는데 협의기간이 끝난 2003년 2월, 전교조는 NEIS의 인권침해 가능성을 이유로 국가인권위원회에 제소하였다. 이때부터 NEIS에 대한 거부운동이 전교조와 일부시민단체, 학부모단체를 중심으로 확산되었고 반대로 교총과 정보교사들, NEIS 도입에 찬성하는 학부모단체들도 활발한 찬성운동을 벌이면서 NEIS문제는 정보정책의 이슈를 넘어서 정부와 이익집단 간의 또는 이익집단 간의 갈등을 유발하고 표출시키는 정치적 이슈로 변화되었다.


## 2. 변천과정

교육행정정보화의 변화과정을 살펴보면 먼저 수기단계로 학교 행정은 수기장부에 기록하여 문서를 보관하는 방식으로 시작되었다. 그러다가 컴퓨터의 보급이 일반화되면서 단독컴퓨터시스템(SA: Stand Alone)단계로 변화되었다. 이 시스템은 학교교사들이 컴퓨터를 이용하여 행정관련 업무를 처리하였던 방식이다. 이후 학교내에 LAN 시설 등의 네트워크체제가 활성화되면서 학교종합정보시스템(CS: Client Server) 단계로 변화되었는데 개인이 갖고 있던 정보의 상호유통이 가능해지자 단위학교에 서버를 설치하고 컴퓨터를 연결하여 행정업무를 처리하고 공유하는 체제를 갖게 되었다. 전국에 초고속인터넷이 보급되고 인터넷이 일상화되면서 교육행정도 인터넷을 이용한 정보의 활용욕구와 행정의 효율성 증진이라는 명제하에 도입된 것이 교육행정정보시스템(NEIS: National Education Information System)이다(김창환, 2003: 51). NEIS는 시ㆍ도 교육청에 서버를 두고 인터넷을 이용하여 온라인상에서 데이터를 입력ㆍ처리하는 방식에서 기존의 방식들과 차이가 있다. 그리고 기존의 CS방식이 단위학교중심의 교무영역을 주요내용으로 하는 정보화였다면 NEIS는 교무/학사 외에 인사, 회계 등 단위학교뿐만 아니라 교육청 등의 교육행정기관의 업무까지 포함하는 초대형시스템이라고 할 수 있다.

〈표 16-4〉 SA, CS, NEIS시스템의 비교

| 구 분 | SA | CS | NEIS |
|---|---|---|---|
| 주요업무 | · 학교생활 기록부 관리 | · 교무업무(학사, 교무행정)에 한정 | · 교무, 학사, 인사, 회계, 물품, 시설 등 교육행정전반 |
| 물리적 환경 (서버위치) | · 학교단위에서 디스크방식으로 처리 | · 학교단위로 서버를 두고 C/S 환경에서 사용, 교내 LAN사용 | · 시도교육청 단위로 서버를 두고 일선 학교에서는 인터넷을 이용하여 사용 |
| 시스템관리 (프로그램운영) | · 단독컴퓨터 | · 단위학교별로 패치작업을 하면서 운영 Server : Linux | · 시도교육청 단위로 패치작업을 하면서 운영 Server : 통합센터 |
| 데이터 관리 | · 파일시스템을 이용 | · 단위학교별로 학교가 책임지고 관리 | · 모든 데이터는 시도교육청서버에 있으나 데이터의 접근은 학교 사용자만이 가능하므로 학교에서 원격으로 관리 |
| 데이터 보안관리 | · 사용자 ID/Password 사용 | · 단위학교에서 자체적으로 해결 · 방화벽 도입설치(해킹감지 및 대처능력 부재) | · 시도 교육청에서 보안시스템 가동(로그관리, 데이터 변조관리 등) |
| 데이터공유 활용방법 | · 디스크로 데이터를 입력, 온라인상에서 데이터를 취합하여 정보를 생산하는 것은 불가능 | · 학교내에서만 운영되는 폐쇄형시스템, 온라인상에서 데이터를 취합하여 정보를 생산하는 것은 불가능 | · 인터넷을 이용하는 시스템, 온라인상에서 데이터를 가공하여 정보생성 활용이 자연스럽게 이루어짐 |
| 대민서비스 | · 실시간 대민 서비스불가능 | · 실시간 대민서비스 불가능 | · 실시간 대민서비스 가능 |
| 업무처리과정 | · 학교업무처리→자료생성 →시도교육청제출→정보생성→교육인적자원부로 제출→활용 | · 학교업무처리→자료생성→시도교육청 제출→정보생성→교육인적자원부로 제출→활용 | · 학교업무처리→교육인적자원부에서 필요한 정보 직접생성→ 활용 |

출처: 진동섭(2003: 42), 조화순(2003: 6)

# Ⅳ. 교육행정정보시스템(NEIS)의 갈등이슈와 구조

NEIS 갈등은 정보화 사회 속에서 교육정책에 중요한 영향을 미치는 교육부와 교원단체들 간의 행정정보화를 둘러싼 갈등이다. 교육행정정보화를 둘러싼 제 집단들의 갈등은 교육정보화정책의 정책목표와 정보화가 야기하고 있는 사회·윤리적 문제를 둘러싼 갈등으로 이러한 갈등의 내면에는 제 집단들이 선호하는 중심적 가치가 자리 잡고 있다. 본래의 정책목표인 정보화의 효율성 측면에 더 많은 가치를 부여하느냐 아니면 정보화의 진전으로 파생되는 인권보호, 보안의식, 정보문화의 성숙 등의 문제해결에 보다 많은 가치를 부여하느냐의 갈등이다. 이러한 상황 속에서 NEIS를 둘러싼 주요 이해당사자인 교육부, 전교조, 교총 등은 각기 다른 주장들을 펼치고 있는데 이는 정보화 사회로의 변화에 대한 상호 부적응적인 가치관의 결과라 할 수 있다.

먼저 교육부의 NEIS추진에 대한 주요논리는 국민의 알권리, 전자정부의 구현, 대국민 서비스 등 주로 정책의 효율성중심에 초점을 맞추어져 있다. 첫째, NEIS를 통해 디지털 행정을 통해 교육행정의 생산성향상을 도모할 수 있다는 주장이다. NEIS는 시도교육청별, 단위학교별, 단위업무에 대한 단편적인 정보화를 극복하고 연계 및 정보공유 등을 통해 교육정보화의 시너지 효과를 증진시킬 수 있다는 것이다. 둘째, 인터넷을 통한 학부모와의 정보 공유를 통해 가정과 학교의 만남을 활성화시킬 수 있다는 것이다. 즉, 학교에 대한 학부모의 알권리를 충족시켜줌으로써 학교와 가정의 올바른 역할분담을 통하여 공교육의 질을 향상시키는 데 크나큰 기여를 한다는 것이다. 셋째, 민원서비스의 획기적인 개선을 통해 대국민 만족도를 높일업 수 있다는 것이다. NEIS가 도입되면 학교관련 민원절차가 간소화되어 비용과 시간을 절약할 수 있기 때문에 국민 복지와 삶의 질 향상에 도움을 준다는 것이다. 넷째, 교사들의 잡무를 경감시켜 교육활동에만 전념케 함으로써 교육의 질 향상을 도모할 수 있다는 주장이다. 단순한 행정업무를 전산으로 일괄처리 할 수 있으며 복잡하고 다양한 업무를 표준화하여 일상적인 업무가 감소된다는 것이다(교육인적자원부, 2003: 9-11).

전교조는 NEIS가 인권침해, 통제기제, 교육가치훼손 등 정보인권침해 위에 세워진 시스템이라고 규정하면서 첫째, 정보의 집중 문제를 거론하고 있다. NEIS의 수집되는 정보는 교사와 학생사이의 신뢰관계를 통해서 교육적인 관점에서 행해지는 정보이어야 하는데 전자정부구현과 대국민서비스, 학부모의 알권리충족이라는 명분에 밀려 정보가 기계적으로 집중된다고 비판하고 있다. 둘째, 정보주체의 동의 없이 정보수집이 이루어지고 있다. 정보주체의 사전 동의권을 보장하는 조치가 마련되어 있지 않아 자기정보결정권이 침해받는 다는 것이다. 셋째, 법적 근거 없이 시행되고 있다는 것이다. 개인정보보호 법률에 따르면 정보주체의 동의를 얻거나 다른 법률에 수집대상 개인정보가 명시되어 있어야 하며 이를 보관하기 위해서는 소관업무를 수행하기 위하여 필요한 범위내여야 하는 데 NEIS 입력사항은 소관업무의 범위를 벗어난다는 것이다. 넷째, 정보유출의 가능성 이다. 금융권이 해킹당하는 상황에서 정보유출은 심각한 문제이며 NEIS 시행령에서는 개인의 신상기록이 행정자치부나 병무청, 경찰청, 국가정보원 같은 교육과 관련 없는 기관에 광범위하고도 용이하게 넘겨져 이용될 가능성이 높다는 것이다(김학한a, 2003: 8-10).

이러한 문제점으로 인하여 NEIS 출현은 불가피한 것이 아니라 CS를 개선하는 방향으로 충분히 학교 종합정보 시스템은 충분히 해결된다는 것이다. 즉, 기존의 CS체제를 보완하는 방법으로 인권침해를 차단하면서 정상적인 학사무를 추진할 수 있다는 것이다.

그러나 표면적인 이러한 갈등이슈들은 교원단체 간의 교단갈등으로 인해 갈등의 주체들이 분화되면서 또 다른 방향으로 전개되었다. 2003년 초 전교조의 반전교육과 보성초등학교 교장의 자살사건이후 한층 심화된 전교조와 교총, 전국교장단의 갈등이 자리 잡고 있었다(조화순, 2003: 41). 이는 일종의 교육단체 간의 교육계 내부의 패권경쟁으로 비화되었다. 반전수업의 경우 교육부와 교총이 "국익과 관련된 정치적 측면이나 다양한 국민정서에 대한 논의가 배제된 채 주관적 입장에서 일방적으로 실시된 반미교육"으로 규정한 데 반해, 전교조는 "현안이 되고 있는 미국·이라크 전쟁에 대한 정보를 제공하고 토론의 장을 마련해주는 탐구 학습이라고 맞섰다(중앙일보, 2003.04.23). 또한 여교사에게 차심부름을 강요하고 전교조 비하발언을 했다는 이유로 전교조의 사과요구를 받아오던 한 초등학교 교장이 자살한 '소위 서교장사건'의 경우, 교총·전국교장협의회는 사과요구를 강요한 주동자의 처벌을 요구하고 전교조는 교육현장에 만연된 잘못된 관행에 기인한 사건으로 주장하였다(동아일보2003.04.08). 이러한 사건으로 인해 NEIS 갈등은 초기 교육부와 교원단체 간 갈등에서 교단문제로 인한 전교조와 교총·전국교장단간의 갈등으로 변화되었다. 교단 갈등은 또한 교장임명방식개선, 교사회·학부모회의 법제화 등 노무현대통령의 대선공약을 전교조가 적극 추진하겠다고 선언한 이후 더욱 첨예화되었다(장우영, 2004: 173). NEIS를 둘러싼 각 이해집단은 CS와 NEIS라는 정보기술에 대한 이해를 바탕으로 정책적으로 대립하기보다는 한 시스템을 택하게 될 경우 그에 반대한 집단의 입지가 약화되는 상황으로 NEIS 갈등의 문제를 인식하고 있음을 알 수 있다(조화순, 2003: 40).

# V. 교육행정정보시스템 이해관계집단의 갈등관리전략

본 연구에서는 NEIS와 관련된 각 이해집단 간의 갈등과 관련된 행위특성 및 전략을 과정론적 시각에서 구분하여 분석하고자 한다. 갈등의 양상에 따라 갈등단계를 구분하고 있는 선행연구들을 고찰하면, 각 연구자들이 구분하고 있는 갈등의 단계들은 그 명칭에 차이가 있을 뿐, 내용상으로는 상당한 동질성을 가지고 있다. 그리고 선행연구자들이 지적하고 있는 갈등의 단계들 중 공통적으로 지적되고 있는 갈등의 단계는 갈등의 발생, 갈등의 증폭(심화, 확산), 갈등의 완화 및 조정, 갈등의 종결 등 이라는 것을 알 수 있다. 그러므로 본 연구에서도 갈등의 단계를 갈등의 발생, 갈등의 증폭, 갈등의 완화, 갈등의 종결 등으로 구분한다. 그리고 각각의 단계에 대한 특징을 살펴보면 다음과 같다.

첫째, 갈등의 발생단계는 외부적 갈등행위 이전의 단계로서 집단 간 갈등의 기본조건 또는 상황을 나타낸다. 이러한 갈등의 조건이나 원천은 관련 집단들에 의하여 인지되어 서로 간에 긴장·적의·불안 등을 느낄 수도 있다. 즉 이는 갈등행동 이전의 갈등상황이나, 행위주체들이 느끼는 긴장, 적대감 등과 같은 감정상태를 주로 의미한다(박호숙, 1994: 20-21). 따라서 이 단계에서는 갈등원인을 제공한 당사자 일방이 재빨리 조취를 취하여 갈등의 발생을 예방할 수도 있으나, 오히려 그러한 조치들이 갈등을 증폭시키기도 하는 단계이다(유해운 외, 1997: 97). 구체적인 특징은 갈등의 기본조건 또는 상황의 발생(박호숙, 1994, 전주상, 2001a), 양립할 수 없는 목표에 대한 당사자의 인식(Ttolldalen, 1992), 부정적인 환경적 효과에 노출되었다는 일방의 인식(Ttolldalen, 1992), 갈등의 원인이 되는 이해관계의 발생(전주상, 2000) 등으로 정리할 수 있다.

둘째, 갈등의 증폭단계의 특징은 노골적인 갈등행동이다. 말로 공격하는 행위, 정보를 왜곡시키는 행위, 육체적 격투행위 등이 이에 해당한다. 갈등의 표출은 공개적인 공격에서부터 사보타지, 입법방해, 방어적 연합행동 등에 이르기까지 상대방의 목표달성을 방해하기 위하여 의식적으로 행하는 행위이다(박호숙, 1994: 21). 그리고 이 단계에서는 갈등을 야기한 원인 자체가 분명하게 이슈화되고, 갈등당사자의 확인이 가능하며, 갈등이 감정적인 차원으로 지각되는 단계이다. 또한 표출된 갈등에 대한 근시안적인 대처는 갈등의 정도를 더욱 심화시키고 분쟁을 장기화시키며 조직화시키는 원인을 제공한다(유해운 외, 1997: 98). 갈등의 증폭단계의 구체적인 특징은 자신의 입장강요 및 양보의 기피(김상구, 2002: Ttolldalen, 1992), 위협 및 적대적인 행동(Pondy, 1967), 지역주민과 시민단체가 동원된 데모행위(고경훈, 2003), 경쟁적 관계 및 상호관계 악화(서휘석, 1995) 등으로 지적될 수 있다.

셋째, 갈등의 완화 및 조정단계에서 갈등관련 당사자들이 갈등이 발생하고 있음을 인식할 때에는 혹은 갈등이 표출된 때에는 갈등해결을 위한 여러 가지 제도와 정책을 마련한다. 그리고 이 단계에서는 갈등을 해결하기 위한 각종 수단이 마련되는데, 이에는 갈등이 표출되기 전에 해결책을 모색하는 예방, 표출된 갈등에 대한 협의·협상, 문제해결을 위한 제삼자의 개입(알선, 조정, 중재) 등의 조치들이 존재한다. 구체적인 특징은 협의·협상 등의 의견교환 및 타협과정의 존재(유해운 외, 1997), 중앙정부나 제3자에 의한 중재 및 조정(주상현, 2001a), 토론회 및 청문회를 통한 공동이익의 추구(김상구, 2002), 신뢰와 양보를 통한 친화적 관계형성(서휘석, 1995) 등으로 정리할 수 있다.

넷째, 갈등의 종결단계란, 갈등의 근본원인을 제거시키는 수용할 수 있는 합의를 의미한다. 그러나 갈등의 완전한 해결은 그리 쉬운 일도 아니며, 다만 단기적인 관점에서 당해 갈등문제 자체가 완전히 해소될 수 있는 경우가 아주 없는 것은 아니다. 이러한 경우는 주로 갈등이 표출되기 전에 쌍방 갈등당사자들이 예방적 차원에서 완전한 합의를 도출할 때 가능하다. 본 연구에서는 NEIS 정책갈등의 전개과정을 3단계적 접근을 통해 분석하고자 한다.

첫째는 NEIS갈등의 발생기로 NEIS 문제가 공론화되기 시작한 2002년부터 8월부터 2003년 2월까지를 분석하였다. 이시기의 갈등의 특징은 교육부와 교원단체 간의 정보가치 갈등이다(장우영, 2004: 11). 두 번째는 갈등의 증폭기로 2003년 3월부터 6월까지로 갈등의 주체와 성격이 변화하면서 갈등이 보다 첨예화되는 시기이다. 이시기는 교원단체 간의 갈등으로 변화하여 표면적으로 인권의 문제를 제기하였지만 교육계내부의 패권 장악을 위한 전교조와 교총 등의 이익집단 간의 대립구도로 이어졌다. 전교조와 교총간의 강경한 대립은 갈등을 더욱 복잡하게 심화시키는 국면으로 치달았다(조화순, 2004: 43). 셋째, 갈등의 조정기로서 이시기는 교육부의 중재에 교원단체들이 대응하기 시작한 시기로 2003년 7월부터 최종합의안을 발표한 2004년 12월까지 이다. 이 시기는 교원단체 간의 갈등이 소강국면을 맞이하던 시기이다. NEIS 갈등의 비본질적인 문제가 점점 희석되고 정보가치에 대한 관심으로 전환하였으며 조정과 타협 국면으로 변화되었다(장우영, 2004: 12).

NEIS의 문제는 도입초기에는 전자정부 사업의 하나로 기술적 측면에서 일방적으로 추진되다가 이미 대다수 학교들에 웹기반의 NEIS가 설치되어 운영될 무렵에 교원단체들과의 협의가 이루어졌다(홍성걸, 2004: 39). 이는 교육부의 NEIS에 대한 일방적인 정책결정을 의미한다. 또한 NEIS를 추진하는 과정에서 대국민 홍보가 미흡했고 충분한 시범운영기간을 갖지 못함에 따라 교원단체, 학부모 등으로부터 반대에 직면하였다(황주성·최선희 2003: 15). 또한 현장의견 수렴 및 교육·홍보 노력에도 불구하고 대국민 설득작업은 미비하였다. 교원의 행정업무를 경감하고 학부모에게 다양한 정보를 제공한다는 취지가 있었으나 교육관련 다양한 계층에 대한 홍보가 부족하였다. 특히 정보수집의 대상인 학생, 학부모, 일선교사들로부터의 의견청취노력이 부족하였고 주로 정보담당교사들을 중심으로 의견수렴이 진행되었다. 또한 전교조 및 참교육학부모회 등의 NEIS 반대의견에 대하여 시범기간을 좀더 연장실시하거나 전면개통을 연기하는 방안이 적극적으로 검토되지 못하였다. 문제의 조기발견 및 보완운영을 위해서라도 전국적인 시행전 시범운영을 보다 연장하여 운영했어야 했고 시스템구축과 운영이 안정화 된 이후에 CS에서 NEIS로 업무를 전환하는 등 전자정부백서에 나온 원래의 시범운영기간(2004.02)까지를 철저히 지키는 것이 바람직하였다.


## 1. 갈등의 표출기


2001년에 일선학교에 도입된 학교종합정보관리시스템(CS)은 각급 학교별로 업무표준이 서로 달랐으며 일부 시·도교육청의 업무는 통합 환경에 부적합한 노후기술을 바탕으로 하였다. 또한 본래의 취지와는 달리 오히려 전산화가 교사들의 잡무를 증가시킨다는 주장들이 제기되었다(한국일보, 2001.10.12). 또한 시스템구축을 위한 BPR 및 ISP의 최종보고서가 나오자 시스템 방식에 대한 의견이 대립되었다(세계일보, 2003.03.07)[2]. 그러나 2001년 7월 NEIS로 구축이 결정되었고 시스템 분석·설계·개발에 들어갔다. 이후 2002년 3월에 교육행정정보시스템 시범기관 및 시범학교를 지정했으며 2002년 7월부터 9월까지 교무/학사영역 등 27개 영역에 대한 사용자 교육을 실시하였다. 그러나 교육부의 준비부족과 일정에 쫓긴 무리한 추진으로 교육행정정보시스템이 서버조차접속 되지 않는 등 프로그램 오류가 자주 발생해 교사들의 불만이 높아졌다. 이에 교육부는 교총, 전교조, 참교육학부모회 등을 초청해 설명회를 개최하였다. 그러나 2002년 9월에 교육행정정보시스템에 대한 인권침해여부가 논란이 되었고 이에 전교조와 교원단체들은 교육행정정보시스템의 입력사항을 최소한으로 줄일 것을 요구하였다(조선일보, 2002.09.03). 즉 전교조와 교

---

44) 2001년 2월 보고서초안이 'CS폐기, 웹기반 시-도교육청 통합방식 시스템구축방식'으로 나오자 당시 교육부 담당자는 기술적 반박과 교육의 특수성을 들어 수정을 지시하였다. 이후 동년 3월 최종보고서에는 통합시스템구축이 필수적이나 실현가능성과 기 투자된 재원의 활용측면을 감안해 추진방향을 설정 이미 구축된 각급학교의 CS와 연계해 행정정보시스템을 구축'한다고 수정되었다. 이후 이 사업이 전장정부 특위 11대 과제중 중점과제로 선정되자 2001년 7월에 새시스템인 NEIS 구축으로 결정 되었다(세계일보, 2003.07).

총에서 NEIS에 대한 문제제기를 하면서 NEIS와 관련된 갈등이 표출되기 시작한 것이다.

이에 교육부는 2002년 10말 도입, 시행예정이었던 교육행정정보시스템을 2003년 3월로 연기하였다. 이러한 와중에서 2002년 10월 교육행정정보시스템 개발사업은 완료되었으며 동년 11월 4일에 교무/학사부분을 제외한 인사·회계 등 22개 영역의 NEIS를 개통하였다(조선일보, 2002.11.05). 그러나 서울시 교육청이 동년 12월에 교원들의 전자인증추진과 정에서 3만여명의 개인정보를 유출함으로써 교원단체의 반발과, NEIS에 대한 부정적 인식을 심화시켰다(대한매일, 2002.12.18). 2003년 3월 전면시행을 앞두고 인권침해 등의 이유로 교육인적자원부, 전국교직원노동조합, 시도/교육청, 학부모, 일선 정보담당교사들 간에 갈등이 고조되었던 것이다.

2003년 1월 전교조의 새로운 집행부는 기자회견을 갖고 개인정보유출위험과 교무학사영역에서 교원의 잡무가 폭발적으로 증가하는 등의 부작용이 우려되므로 교무/학사 업무를 NEIS에서 제외할 것을 요구하였다. 이에 대해 교육부는 NEIS는 교육정보화 효과를 극대화할 수 있는 시스템이며 외부 해킹에 대한 최신보안장치를 구축할 계획이라며 전교조의 요구를 일축하였다(한국일보, 2003.01.23). 전교조는 2003년 2월 11일 NEIS에 대한 불복종 운동 특별담화문을 발표하고 교육부장관과 교육부 실무자 2명을 '공공기관의 개인정보유출'혐의로 서울지검에 고발하였다. 또한 2월 19에는 전교조, 참여연대 등 24개 교육관련 시민단체가 교육부가 시행중인 교육행정정보시스템을 국가인권위원회에 제소하였다(한국일보, 02.19).

## 2. 갈등의 증폭기

2003년 3월 1일부터 전교조는 NEIS와 관련된 일체업무의 중단을 촉구하는 위원장 긴급지침을 2월 28일 각 분회에 내려 보내고 학부모를 상대로 반대서명운동을 벌여나가겠다고 발표하였다. 이에 교육부는 2002년 11월부터 시범 운영되고 있는 NEIS의 입력내용을 최소화하는 등 전교조의 요구를 최대한 반영하였다고 주장하였다. 또한 NEIS는 예정대로 전면 가동할 것이라고 밝힘으로써 전교조와 교육부간의 갈등 더욱 심화되었으며 일선학교에서는 교장과 교사간의 마찰이 발생하기도 하였다.

2003년 3월 서비스 재개통을 앞두고 2월 19일 전교조등 교육·시민단체가 국가인권위에 NEIS관련 진정서를 제출하였으며 교육부는 3월 학생정보를 15개에서 5개로 줄이고 학부모를 15개에서 세 개로 입력항목을 줄이면서 교무/학사 등 세 개 영역을 개통하였다. 이에 대해 일부교사들은 NEIS관련 업무 거부투쟁에 들어갔고 전교조는 3월 3일부터 국가인권위원회에서 무기한 농성을 시작하였다(한국일보, 2003.03.04).

전교조와 교육부가 NEIS에 대립하는 중에 국가인권위가 개입하였고 교육부총리는 2003년 5월 12일 국가인권위원회의 권고사항을 수용함으로써 NEIS의 재검토를 결정하였다(황주성·최선희, 2003: 9). 인권위원회의 결정은 NEIS중 교무/학사, 보건, 입(진)학 영역을 제외하고 제외영역은 CS를 보완하여 적용하라는 것이었다.

그러나 교육부 내부직원의 반발, 전국 교장단, 각 학교 정보담당교사, 학부모, 정치권 등으로부터 CS체제로의 복귀에 대하여 강력한 반대에 직면하여 큰 혼란이 거듭되고 있었다.

이에 6월 1일 다시 일선학교 차원에서 자율적으로 결정하라는 새 지침을 발표하여 전교조, 교총 모두가 반발하는 상황으로 전개되었다.

2003년 3월 9일에 윤덕홍 부총리가 교육부와 교육단체들이 도입여부를 놓고 대립하고 있는 NEIS를 중단하겠다고 말했다가 다시 번복하는 일이 벌어졌으며 이 문제는 교육부와 전교조 대립 외에 교육부내의 갈등으로 비쳐졌다. 이후 전교조·교총 등과 같은 교원단체뿐만 아니라 학부모 단체들 간에도 NEIS시행을 둘러싸고 갈등이 증폭되자 교육부는 3월 26일 NEIS사업과 관련해 각계의견을 수렴하기 위한 '교육행정정보화위원회'를 구성·운영키로 했으며 이 위원회는 교육부차관을 위원장으로 교총·전교조·한교조 등 세 개 교원단체와 참교육학부모회 등 세 개 학부모단체, 사회·인권단체, 정보법률 전문가대표 등 총 15명으로 구성되며 적임자 추천이후 3월 28일 제1차 회의를 개최하였다. 전교조는 위원회구성과 운영방향에 문제를 제기하며 이 위원회에 참석을 거부하였으며 정부를 상대로 손해배상청구소송 및 행정소송을 제기했다. 제2차 회의를 열고 4월11일 계획대로 전면시행하기로 결정하였다.

4월 8일 교육부와 전교조 등은 국가인권위원회가 개최한 'NEIS'쟁점과 대안 청문회에 참석하여 열띤 토론을 벌였다. 정부는 4월 15일 교육행정정보시스템 구축을 집단·사회갈등 유발 24대 과제중 하나로 선정했다.

전교조의 연가투쟁에 맞서 전국교장단 협의회는 5월11일 서울에서 대규모 장외집회를 가졌다. 이는 교단내의 갈등이 더욱 증폭되고 있는 현상을 보여주는 사건이다. 5월 6일 교육부인사에서 윤덕홍 부총리는 NEIS의 책임자였던 김정기 국제교육정보화기획관을 한국 직업능력개발원 연구위원으로 발령하고 그 자리에 김동옥 부총리 비서실장을 임명하였다. 이러한 인사조치는 전교조와의 대화에 긍정적인 역할을 한 것으로 보인다. 그런데 전교조는 6일 타협의 실마리였던 '수정안'제출을 보류키로 하는 등 강경노선으로 다시 선회하였다(경향신문, 2003.05.07).

5월 12일 국가인권위원회가 교육행정정보시스템의 일부영역에 대하여 인권침해 판단을 내렸다. 그러나 인권위원회의 결정은 전교조 측 주장을 사실상 모두 수용한 것이어서 NEIS의 대폭수정은 불가피하게 되었다. 또한 이로 인해 교육부, 전교조, 교총 등의 교육단체들 사이에 극심한 논란과 갈등이 발생하게 되었다.

인권위원회는 위원 10인 모두 참석한 가운데 전원위원회를 열고 "27개영역 중 교무/학사, 보건, 입(진)학, 영역의 대부분이 헌법상권리 및 국제 인권협약의 기준을 위반한 것으로 판단돼 제외할 것을 권고한다"고 밝혔다. 그리고 "교원인사 중 병력, 혈액형, 가족관계 등 27개 세부항목이 인권침해 소지가 있다며 NEIS에서 제외할 것"을 권고했다. 또한 "제외된 항목은 학교종합관리시스템(CS)을 이용할 수밖에 없다"며 개인정보누출로 인한 인권침해가 없도록 CS의 보안상 결함을 보완할 것도 권고하였다.

이러한 결정은 '학교를 사랑하는 학부모들의 모임'과 교총·한교조·교장협의회 등의 거센 반발을 야기 하였다. 뿐만 아니라 교육부내의 갈등도 야기 하였으며 일선학교에서는 NEIS를 CS로 이전하게 됨에 따라 업무가중 등을 우려하면서 교육부의 입장정리를 촉구하였다.

교육부는 5월 19일 민주당과의 당정협의와 교육행정정보화위원회를 잇따라 열고 인권위의 권고를 거부하는 대신 '선 NEIS 시행, 후 보완' 방안을 검토하고 하였으며 NEIS시행여부에 대한 최종결정을 미루고 원점에서 재검토하기로 해 NEIS를 둘러싼 갈등이 더욱 심화되었다.

5월 23일 교육부와 전교조는 서울 삼청동 교원징계심의위원회 회의실에서 청와대와 노사정위원회 관계자가 참석한 가운데 협상을 벌임으로써 청와대의 적극적 중재에 의한 정치적 해결 가능성을 보였다.

이 자리에서 교육부는 보건영역 가운데 학생생활기록부는 네트워크에 연결되지 않은 단독컴퓨터(SA)로 처리하고 교무/학사, 진(입)학 영역 가운데 대학입시 관련 내용은 NEIS로 처리하되 내년 1, 2월에 계속시행여부를 다시 결정할 수 있다는 입장을 제시하였다. 이에 전교조는 세 개 영역은 NEIS를 제외한 원칙으로 하고 대학입시를 위해 올해 고3에 한해 학교실정에 따라 NEIS와 CS나 SA를 사용하자고 주장하였다. 이후 청와대의 중재로 윤덕홍 교육부총리와 원영만 전교조위원장이 만나 NEIS의 핵심쟁점을 놓고 막판

협상을 벌였다(경향신문, 2003.05.27). 이 자리에서 'NEIS핵심영역'대한 시행을 전면 재검토하기로 결정하였다. 이에 전교조는 연가투쟁을 취소하고 NEIS반대 농성도 풀었다.

이와 반대로 전국 16개 시·도 교육감들은 정부안에 대한 집단거부를 선언했으며 한국교총 또한 교육부총리의 퇴진을 요구하고 나섰고 관련시민·학부모단체들도 즉각 찬반입장을 표명하는 등 교육계의 갈등은 더욱 증폭되었다.

그러나 윤덕홍 교육부총리는 언론매체들과 회견과 5월 29일 국회 교육위원회 전체회의에서 "NEIS에 대해 6개월 정도 전면 재검토하고 나면 NEIS체제의 우월성이 입증되고 국민적 합의가 이루어질 것으로 본다"고 말함으로써 6개월 후 NEIS를 다시 시행하겠다는 방침을 거듭 밝혔다. 이에 전교조는 교육부총리가 어렵게 성사된 합의를 사실상 파기한 것이라면서 강력하게 반발하였다(경향신문, 2003.05.30). 또한 전국교장협의회는 NEIS 사태와 관련 긴급이사회를 개최하여 윤덕홍 교육부총리 퇴진을 결의하였고 정보화담당교사들의 모임인 전국교육정보화 담당협의회도 NEIS의 전면재검토 결정에 반대하는 서명작업에 착수하였다(경향신문, 2003.05.30). 그리고 교총과 한교조는 윤덕홍 교육부총리 퇴진 및 CS저지를 위한 '공동투쟁위원회'발족시키면서 갈등은 더욱 확산되었다.

윤덕홍 교육부총리는 6월 1일 기자회견을 갖고" NEIS의 교무/학사, 보건. 입(진)학의 세 개 영역 등 인권침해 소지가 현저한 항목을 우선 삭제해 시행할 계획이라고 밝혔다. 이는 기존의 입장을 일주일 만에 바꿔 사실상 NEIS를 전면시행하기로 결정한 것이다.

이에 대해 전교조는 사실상 교육부와 전교조의 합의를 파기하고 국가인권위의 권고를 무시한 것이라고 주장하였으며 전국교장협의회는 NEIS관련 책임을 현장에 미뤄 교육현장을 갈등의 소용돌이로 몰아넣을 위험을 안고 있다고 비판하였다. 또한 교총도 "이번 결정은 정부가 NEIS시행에 대한 책임을 회피하고 최종 결정권을 학교단위에 위임해 학교 내 갈등과 혼란을 야기할 여지가 크다고" 비난하였다(동아일보, 2003.06.02). 이로써 NEIS와 관련된 갈등이 다시 한번 증폭되는 결과를 가져왔다.

교육부는 6월 2일 정보화위원회구성을 위한 회의를 열고 인권·법률·정보 전문가와 교원단체 추천자 외에도 학부모단체 등 가급적 많은 위원을 참여시켜 공개리에 운영하기로 하였으며 전국16개 시·도 교육청 교육정보화추진단장 회의에서 수기로 업무를 처리하되 SA, CS, NEIS 등도 사용가능하지만 가급적 학교별로 1가지로 통일 사용토록 의견을 모았다(대한매일, 2003.06.03).

그러나 전교조 소속 교사들은 '인권과 교육을 위한 교육정보화 네트워크' 창립을 선언, 정보인권을 침해하고 교원업무를 증가시키는 NEIS의 도입을 중단하라고 촉구하였다. 또한 교총 소속 '전국교육정보담당자협의회'도 학교실정에 따라 세 가지 방식 중 자율적으로 선택할 수 있게 한 것은 교사들의 업무부담을 늘리고 학사행정의 난맥을 불러오므로 교육당국은 NEIS에 대한 시행의지를 더욱 강력히 보여야 할 것이라고 주장하면서 교육부총리 퇴진을 요구하였다(경향신문, 2003.06.04).

한편 교육개혁시민운동연대는 NEIS문제의 원인과 책임규명을 위해 부패방지법의 국민감사청구제도를 이용해 감사원에 정책감사청구를 하기로 하였다. 또한 함께 하는 시민행동 등 11개 시민단체로 구성된 '프라이버시 보호-NEIS 폐기 연석회의'는 졸업생 신상정보가 당사자 동의 없이 NEIS에 입력되는 것은 명백히 프라이버시권 침해라며 국가를 상대로 손해배상청구소송을 냈다(경향신문, 2003.06.05).

교육부는 6월 9일 정보화 위원회구성을 위한 관련단체 간담회를 개최하였으나 6개 참여대상단체 가운데 전교조와 교총, 한교조 등 교원단체 관련자와 학부모단체 등이 불참하여 정보화위원회 구성에 어려움을 겪었다.

이렇게 교원단체들이 교육부를 신뢰하지 못하고 윤덕홍 교육부총리의 퇴진을 요구하는 등 NEIS 갈등이 전혀 해결될 기미를 보이지 않고 증폭되자 노무현 대통령은 국무총리에게 NEIS문제를 직접 관리하도록 지시하였고 이에 고건 국무총리가 NEIS를 둘러싼 갈등해결에 적극 나서게 되었다.


## 3. 갈등의 조정기


조정기의 주요이슈는 NEIS의 시행여부와 시행범위이다. 이시기는 주로 교육정보위원회의 활동이 활발하게 이루어진 시기이다. 또한 갈등해소를 위한 정부의 의지도 높아 교육정보위를 교육부에서 국무총리실로 이관하였으며 적극적인 조정의 역할을 수행하였다.

전교조도 교육정보위에 불참하였던 그동안의 행위에서 벗어나 교육정보위 참여함으로써 NEIS에 대한 논의는 점점 진전되고 있었다(동아일보, 2003.09.08). 물론 이 시기에도 교육정보위의 결정에 따른 시행에 대하여 교원단체 간 대립과 불신이 여전히 남아있었으며 각 교원단체 간 조직연대 등 세 불리기와 전교조의 연가투쟁으로 인한 교육부와 전교조간의 대립 등은 계속해서 남아있었다. 그러나 각각의 이해집단들은 NEIS문제에 대해서 변화된 모습들을 보여주고 있었다. 그러나 NEIS 시행여부가 결정되지 않는 상태에서 대학들이 NEIS만 인정하겠다고 교육부에 요청하자 전교조 측은 자료입력 및 서명을 거부하였다(한국일보, 2003.10.11). 결국 정시모집에 학생신상정보를 CD에 담아 대학에 제출하는 방법이 제시되는데 이에 대해 전교조 측이 CD배포중지 가처분 신청을 법원에 제출하는 등의 반발을 하였다. 이는 결국 위원회의 NEIS 시행여부 결정에 영향을 미치는 것으로 대학과 교육부, 전교조가 대립하는 양상을 보여주었다. 전교조의 CD배포중지 가처분 신청이 법원으로부터 받아들여졌다. 법원의 결정은 정부의 행정편의주의에 따른 개인의 인격권의 침해, 사생활의 비밀과 자유에 관한 권리의 침해, 정보관리 통제권 등의 침해를 방지에 대한 이 침해되어서는 안 된다는 의미이었으나 교육부가 CD배포를 강행하려고 하자 전교조는 CD배포중지서명운동, 교육관료 퇴진운동과 손해배상청구 등의 압력을 가하는 등 반발의 양상을 띤다. 결국 교육부는 한 발짝 뒤로 불러나 CD 제작 배포가 아닌 학생부 CD롬을 한국교육학술정보원과 시도교육청 등 전국 12개 센터에 비치한 뒤 각 대학이 이곳에서 해당 대학 지원자의 학생부 자료만 내려 받아 활용하는 방안으로 전환하였다.

교육정보위의 논의가 진전되면서 NEIS 의제는 세 개 영역에 대한 시행을 전제로 해서 정보공유범위, 시스템 구성 및 운영주체, 선택 가능한 시스템의 검토로 압축되었다(교육정보화위원회a, 2003.11.29). 그리고 제6차 전체회의에서 다음과 같은 개괄적인 합의가 도출되었다. 첫째, 현행 NEIS에서 교무·학사, 입·진학, 보건 세 개 영역은 별도로 시스템을 구축한다. 둘째, 별도의 시스템은 ①개인정보보호를 위해 독립적인 감독위원회의 관리하에 두고 ②기술적인 관리, 운영은 국가 공공기관이나 민간기관에 위탁 운영한다(교육정보화위원회b, 2003.12.08). 이 합의안의 골자는 교육정보관리시스템을 개방형시스템으로 전환하되, 문제발생의 소지를 감안해 특정 영역은 별도로 운영한다는 것이었다(장우영, 2004: 17).

교육정보화위원회에서는 2003년 12월15일 NEIS 27개 영역 가운데 24개는 교육부가 통합시스템으로 운영하는 대신 교무·학사, 보건, 입학·진학 등 세 개 영역은 학교나 그룹(학교 수개)별 서버에 담아 한군데에서 공동관리(co-location)하는 방안에 합의한다. 이에 대하여 각 이해관계집단들은 만족할 만한 합의는 아니지만 갈등이 어느 정도 해소되었다는 인식을 하고 있었다.(교육정보화위원회c, 2003.12.15). 그러나 위원회가 서버를 통합할 수 있는 학교 규모는 정하지 못하였고. 서버 통합 범위, 그룹에서 제외되는 대상 학교와 학생의 정보삭제청구권 허용 범위 등의 세부사항이 합의되지 않아 여전히 논란이 대상이 되었다. 또한 3500억원에 달하는 추가비용 문제, 책임소재와 여론수렴부족에 대한 질책이 교육부에 쏟아졌다.

정부는 2004년 3월 3일 2004년 4월 정보컨설팅업체 등 전문기관에 컨설팅을 의뢰, 그 결과에 따라 2004년 9월부터 서버 구축 작업에 들어가 1년 동안 시범운영을 거쳐 2006학년도부터 전면 시행할 예정이다. 또 새 시스템이 도입될 때까지 세 개 영역 관련 정보는 단독컴퓨터(SA), 학교종합정보관리시스템(CS), NEIS 등 현재 사용하는 시스템을 그대로 사용하고 수기 처리하던 학교는 SA를 사용하도록 하는 방침을 확정했다.

2004년 9월 교육부와 전교조는 교육행정정보(NEIS) 새 시스템을 2005년 7월부터 개통하기로 전격 합의, 지난 3년간 지속돼 온 'NEIS 전쟁'을 사실상 종결지었다(한겨레, 2004.09.23). 교육부와 전교조는 9월 23일 교육부 차관실에서 NEIS 새 시스템 구축 방안과 관련한 합의문을 체결하는데 그 내용은 새 시스템을 2005년 7월 1일부터 순차적으로 개통해 같은 해 9월 1일에 전국적으로 전면 개통하되, 2006년 2월까지는 시스템 안정화 기간으로 설정해 시스템의 완성도를 높인 후 같은 해 3월 1일부터 최종 시스템을 학교현장에 적용한다. 합의문은 또 새 시스템 개발 시 운영체제를 공개 소프트웨어(SW)로 사용할 수 있도록 최대한 노력한다고 규정함으로써 전교조의 주장을 수용하는 쪽으로 정리했다. 또한 양측은 시·도교육청에서 세 개 영역을 다루는 새 시스템 서버를 직접 운용하되 고교·특수학교는 통합시스템이 아닌 학교별 단독서버를, 초등·중학교는 15개 학교씩 묶어 그룹별 서버로 운용하는 내용의 이전 합의 사항을 재확인한다.(한겨레, 2003.09.24) 이에 대해 교총과 한교조등의 교원단체는 NEIS 합의도출과정에 자신들이 소외된 데 대하여 강력히 반발하였다. 자신들의 의견이 전혀 반영되지 않는 데 불만을 보이면서 합의는 무효이며 밀실야합이라고 주장하였다. 그 근거로 교총은 일부 학교를 대상으로 시험운영기간을 거치지 않고 전체 학교를 대상으로 한꺼번에 시스템을 구축하기로 한 것도 위험하다며 우려를 하고 있다. 새로운 시스템이 취약해 안정성 문제가 발생할 경우 이를 바꾸는 데 엄청난 비용과 노력이 든다는 주장이다. 즉 시스템 검증 도입을 위해서는 충분한 시간이 필요하다는 것이다.

이에 교육부는 교총, 한교조와 다시 협의를 통해 발표하게 된다. 최종적으로 NEIS와 관련해서 전교조와 단독 합의 데 대해 유감을 표시하고 유사 사례가 재발하지 않도록 약속하였다. 이렇게 하여 결국 2003년 2월 전교조가 인권위에 제소하여 불거진 NEIS문제는 2004년 11월 29일 교육행정정보시스템(NEIS) 27개 영역 가운데 학생 정보인권 보호를 위해 분리 운영하기로 한 교무 학사, 보건, 입학 진학 등 세 개 영역의 새 시스템이 2006년 3월 본격 운영하기로 하고 NEIS에서 교무 학사, 보건, 입학 진학 등 세 개 영역을 분리해 단독 또는 그룹 서버를 구축하고 이를 16개 시도교육청 단위로 운영하는 것을 골자로 한 새 시스템 구축 방안을 확정하게 되었다.

〈표 16-5〉 NEIS 시행을 둘러싼 갈등구조와 이해관계

| 구 분 | NEIS 반대측 | NEIS 찬성측 | 관련행정기관 |
|---|---|---|---|
| 중요 행위자 | 전교조 | 교총, 전국 교장단 | 교육부, 국가인권위, 청와대 |
| 후원자 | 국가인권위, 관련 학부모단체 | 교육부, 정보교사, 관련 학부모단체 | 각 이익단체 |
| 쟁 점 | -폐기 또는 전면연기<br>-시스템 우수성에 의문제기 | - 보완 후 시행 | -시행재검토<br>-한시적인 NEIS이전체제시행 (2003.6) |
| 이유<br>(명분) | -정보유출에 따른 인권침해<br>-과도한 개인신상정보 입력<br>-16개 시도교육청단위로 서버가 통합운영되는 데 따른 정보유출 우려 | -C/S 보안의 취약<br>-정보교사의 경우 C/S 사용 시 과도한 업무집중 | -교육서비스 질 개선 교사의 업무경감<br>-대국민 서비스 질 개선<br>-C/S보안성은 NEIS보다 훨씬 취약<br>-C/S 유지, 방화벽 설치를 위해 막대한 예산필요 |
| 이해관계<br>(실리) | -교육계내부의 패권 장악<br>-보성초교교장자살이후 반전교조단체와의 갈등심화 | -전교조와 교육부총리간의 협상과정/결과에 반발<br>-보성초교 교장자살이후 전교조와의 갈등심화 | -전자정부11대과제<br>-NEIS 이미 시행 (2003년 5월 97%) |
| 조정결과 | -기술적 측면: NEIS 일부항목 삭제 및 재검토, 시스템 보안검토<br>-이해관계자인 전교조와 교총의 갈등은 조정되지 못함<br>-정부의 정책능력저하<br>-국민의 개인정보보호에 대한 인식제고 | | |

출처: 조화순(2003: 48)

# VI. 결론 및 함의

본 연구는 NEIS 정책갈등을 이해관계집단 간의 이해관계에 따른 상호작용 속에서 갈등의 이슈와 구조를 중심으로 갈등의 전개과정을 통해 분석하였다. 그리고 각각의 이해관계집단의 행위전략에 의해 정부의 정책이 어떻게 변화되었는가 알아보았다.

첫째, NEIS갈등의 원인은 초기에는 교육정보화정책에 있어서 정책의 효율성을 강조하는 교육부와 개인정보보호 등의 정보 인권을 중요시하는 교육단체 간의 선호가치의 차이 때문이었다. 그러나 이후 갈등의 원인은 정보화와 관련된 가치의 선호차이가 아니라 보성초등학교 교장자살사건, 전교조 반전수업 등 교육정보화와는 관계없는 비본질적인 문제 즉, 교육계내부의 교육단체 간의 패권다툼이 중요한 요인이다. 또한 실질적인 집행 및 해결당사자인 교육부의 조정방식도 일관성과 여론수렴부족, 행정편의주의 등도 갈등의 주요한 요인이었다.

둘째, 교육부와 교원단체, 교원단체 간의 갈등에 있어서 이를 해소하여줄만한 갈등해결의 제도적 메커니즘의 역할부족이 갈등을 증폭시켰다. 또한 갈등의 조정자로서의 교육부는 근본적인 시스템문제에 대한 토의보다는 효율성 중심의 일방적 정책결정을 통한 문제해결방안을 중요시 하였다. 셋째, NEIS 정책갈등을 둘러싼 이익집단 간의 상호작용과 역동성을 살펴보면 다음과 같다. 교육부는 갈등의 표출기에 정부와 교원단체 간의 갈등과 교육계내부의 이해관계집단의 갈등에 대하여 적절하게 대처하지 못하였다. 또한 소신과 일관성 그리고 여론수렴 부족 등으로 인해 조정자의 역할을 제대로 수행하지 못하였다. NEIS갈등의 이해관계집단 중에서 전교조는 NEIS의 시행의 유보, CS체제로의 복귀주장, 연가투쟁 위협 등의 무리한 요구를 하였다. 정보화정책의 측면에서 볼 때 NEIS에 대한 전교조를 위시한 일부시민단체의 반대는 근본적으로 개인정보의 유출'가능성'에 따른 인권침해의 우려를 유일한 이유로 제기하였다는 점에서 그 논리적 근거는 취약하다고 볼 수 있다(홍성걸, 2004: 38). 전교조는 NEIS가 상급기관이나 교장 등 관리자들에 의한 일반교사들의 노동감시와 통제를 가능하게 한다고 주장하였으나 이는 잘못된 정보에 의한 것이다. NEIS는 시도교육청에서 서버의 관리자 외에 교육감 등은 학교 마스터 ID와 인증서에 접근할 수 없게 되어있다(조화순, 2003: 45). 교총과 교장단의 경우 NEIS에 대해 별다른 입장표명을 하지 않았지만 명분상으로는 개인의 인권보호라는 측면에서 갈등의 발생기에는 반대를 하였다. 그러나 이후 보성초등학교 교장 자살사건, 전교조의 반전교육 등의 문제로 전교조와의 불화로 인하여 대립하게 되자 NEIS도입의 찬성으로 돌아섰다. NEIS의 효율성과 기술적 우위 및 보안문제를 찬성의 이유로 내세웠지만 실질적으로는 교단 내의 패권 장악의 수단으로 NEIS를 활용하였다.

교육계 내부의 이해관계집단의 오랫동안 내재하였던 전교조와 교총, 그리고 이익집단과 정부와의 갈등이 NEIS의 실행으로 표면화되었지만 효율적으로 조정되지 못하였다(조화순, 2003: 42). NEIS갈등의 해결이 실패할 경우 국민들로부터 정책실패에 대한 책임추궁을 받으면서 와해될지 모른다는 우려 속에서 교육부는 고심하지만 전교조와 교총의 강경한 대립은 문제를 더욱 어렵게 만들었다.

결국 이러한 집단 간의 행위전략에 따라 NEIS는 본래 정책안보다 크게 수정되어 이 시스템의 특성이라 할 수 있는 구조, 운영주체, 대상 관리정보가 대폭 변경되는 결과를 가져왔다(장우영, 2004: 184). 시스템구조는 세 개 영역을 별도로 관리하는 코로케이션 구조로 재편되었으며 운영주체도 시·교육청에서 단위 학교장으로 바뀌었다. 대상관리정보의 경우 세 개 영역에서 66%가 삭제되었다. 이러한 결과는 정부와 교육단체들 간의 NEIS 정책을 둘러싼 각각의 갈등관리전략에 의해서 조정·합의된 내용이었다.

NEIS사례 분석결과와 같이 정보화정책을 시행하는 과정에서 지식정보화 사회로의 지속적 발전이 계속될 가능이 높고 NEIS정책과 같은 사례가 반복적으로 발생할 가능성이 크다. 그러므로 정책갈등을 해소할 수 있는 정책적·제도적 대안이 필요하다고 할 수 있다(홍성걸, 2004: 41). 이를 위한 몇 가지 대안을 제시하고자 한다.

첫째, 정보화정책 관련 이익집단내부의 의사결정과정에 민주성이 보장되고 이익집단들 간의 협상과 타협을 가능하게 하는 공정하고 신뢰할 수 있는 공적중재기구 및 중론적 의사결정을 위한 제도적 장치를 마련하는 것이다. 둘째, 개인정보보호와 관련된 법제도의 미비점을 시급히 보완하여 개인정보보호에 대한 사회적 합의를 도출하고 정보화정책이나 사업의 시행 전 개인 정보보호를 위한 주요 항목을 검토하는 것이다(홍성걸, 2004: 43). 셋째 정책의 갈등에 대한 새로운 인식이 필요하다. 정부의 정책갈등을 부정적인 측면에서 바라보는 것이 아닌 얼마나 효과적으로 갈등을 관리하고 조정할 수 있는가 하는 적극적인 관점의 인식이 필요하다. 정책갈등이 정책오차와 정책실패를 최소화할 수 있는 공론의 장이라는 사고의 전환이 필요하다.

# 참 고 문 헌

강인호 외.(2004), 지방자치단체의 갈등해결과 협력방안구축. 「2003년도 한국지방자치학회동계 학술대회 발표논문」.

고경훈.(2003). 선호시설 유치와 관련된 정부 간 정책갈등에 관한 연구: 전북 공립외국어 고등학
　　　교 유치사례를 중심으로, 「한국정책학회보」제12권 3호.

교육인적자원부a.(2001). 「전자정부 구현을 위한 전국단위 교육행정정보시스템 구축계획」

교육인적자원부b.(2001). 「교육정보화촉진시행계획」

교육인적자원부c.(2003). 국제교육정보화기획관, 교육행정정보시스템에 대한 왜곡・오해와 그
　　　실상: 9-11.

교육정보화위원회a.(2003). 「전체위원회 워크숍 합의사항」, 03/11/29.

교육정보화위원회b.(2003). 「제6차 회의자료」, 03/12/08.

교육정보화위원회c.(2003). 「제7차 회의자료」, 03/12/15.

교육정보화위원회d.(2003). 「분과별 제2차 합동회의 보고서」, 03/12/15.

교육정보화위원회e.(2003). 「제8차 회의자료」, 03/12/30.

권경득・임정빈・장우영.(2004). 수자원이용을 둘러싼 지방정부 간 갈등요인 및 관리전략분석:
　　　장곡취수장 설치사례를 중심으로, 「한국사회와 행정연구」,15(3): 551-580.

김상구.(2002). 협상의 영향요인에 관한 연구: 경기초시설의 갈등해소를 중심으로, 「한국행정학
　　　보」, 36(2).

김영평.(1991). 「불확실성과 정책의 정당성」, 서울 : 고려대학교 출판부.

김주애.(2004). 정부차원의 NEIS채택과정에 관한 연구, 서울대학교 행정대학원 석사학위논문.

김창환.(2002). 교육행정정보시스템, 한국교육평론.

김학한a.(2003). 교육행정정보시스템(NEIS)과 인권침해, 교육정보화위원회,「국가인권위원회 청
　　　문회 자료집: 교육행정정보시스템(NEIS)」: 8-10.

김학한b.(2003). 인권과 교육의 자율성에 기초한 학교교육정보화, NEIS 반대와 정보인권 수호를
　　　위한 공대위,「NEIS 문제 완전 해결을 위한 교육정보화정책 방안」

박상필.(2000). 이익집단 갈등과 사회자본: 경실련의 한약분쟁 조정 사례연구, 「한국행정학보」,
　　　34(2).

박영주.(2004). 정책갈등집단 간 인식과 정부의 정책자율성 분석, 「한국행정논집」 16(3):
　　　507-525.

박종화.(2001). 광역행정을 통한 지역이기주의 극복방안, 전국시도지사협회 등 주최, 지방자치부
　　　활 10주년 기념「21세기 지방자치발전 대토론회」, 대한상공회의소.

박호숙.(1996). 지방자치단체의 갈등관리: 이론과 실제, 서울: 다산출판사.

박호숙.(2003). 중앙-지방간 정책갈등의 원인분석과 대안, 서울행정학회 동계학술세미나, 20-39.

백종섭.(2002). 서울시추모공원건립정책의 갈등원인과 해결방안, 한국행정학회 하계학술대회 발

표논문집

사득환.(1997). 지방시대 환경갈등의 해결기제: 제3자조정을 중심으로, 「한국행정학보」, 31(3):187-201.

서휘석.(1995). 지방자치단체 간 갈등에 관한 연구: 장곡취수장 사례를 중심으로, 「호남정치학보」: 41-59.

유해운·권영길·오창택.(1997). 「환경갈등과 님비이론」, 서울 : 선학사.

이광종.(1995). 갈등관리에 관한 연구, 「생산성논집」, 13, 한국생산성학회.

이명숙.(1995). 교육정책갈등의 원인과 양상, 「교육학연구」, 33(5): 265-281.

이선우·문병기·주재복·정재동.(2001). 영월 다목적댐 건설사업의 협상론적 재해석: 정책갈등 해결의 모색, 「한국지방자치학회보」, 13(2): 231-251.

이시경.(2003). 정책갈등의 요인과 관리방안, 「서울행정학회 동계세미나」, 1-17.

이인수.(1999). 정부 간 환경문제 갈등해결방안, 「상품학 연구」, 제20호.

이종열.(1995). 핵폐기물처리장 입지선정과 주민갈등, 「한국행정학보」, 29(2): 379-394.

이종열·권해수.(1998). 지역개발과정상 지방자치단체 간 갈등분석과 관리전략: 위천공단조성과 부산 낙동강 수질개선문제를 중심으로, 「한국정책학회보」, 8(3): 99-121.

장우영.(2004). 정보기술의 정치적 제도화- NEIS도입사례를 중심으로-, 「한국정치학회」, 38(3): 163-189.

전국교직원노동조합.(2003). 「NEIS Q&A 자료집」, 3-4.

전자정부특별위원회.(2003). 「전자정부 백서」, 198: 212-214.

전주상..(2000). 비선호시설입지갈등요인에 관한 연구, 한국사회와 행정연구, 11(2).

조화순..(2003). "정보사회의 거버넌스 문제: NEIS 사례연구," 한국전산원, 「정보화이슈분석」, 03-16.

주상현.(2001a). 광역과 기초정부 간 정책갈등과 관리전략: 전라북도 도청사 입지갈등사례를 중심으로, 「한국행정학회 하계학술세미나」.

주상현.(2001b). 지방정부 간 정책갈등분석시각, 「전북행정학보」, 15(1).

주재복.(2001). 지방정부 간 정책갈등의 조정과정과 협력규칙: 서울시와 경기도의 상수원분쟁을 중심으로, 「한국정책학회보」, 10(1): 141-163.

진동섭.(2003). NEIS의 문제점과 개선방안, 제8회 관악교육정책포럼, 서울대학교 교육연구소.

최해진.(2004). 갈등의 구조와 전략, 서울 : 두남.

한국교원단체총연합회.(2003). 「NEIS 정책혼선, 무엇이 문제인가?」, 3.

홍성걸.(2004). 개인정보보호와 정책갈등-NEIS사례연구-, 한국정보보호진흥원, 「ISR」1권 2호:

27-46.

황주성·최선희.(2003).「전자정부 사업과 개인정보보호 이슈: NEIS를 중심으로」서울 : 정보통신정책연구원.

〈경향신문〉, 〈동아일보〉, 〈조선일보〉, 〈중앙일보〉, 〈한겨레신문〉, 〈한국경제신문〉,〈한국일보〉,〈세계일보〉, 〈대한매일신보〉, 각 년·월·일.

Boulding, K. E.(1962). Conflict and Defense: A General Theory(New York: Haper and Row)

Brown, L. David.(1983). *Managing Conflict at Organizational Interfaces*, Reading, MA: Addison-Wesley.

Deutsh, Merton.(1991). "Subjective Features of Conflict Resolution: Psychological, Social and Cultural Influences," Raimo Vayryner (ed.), *New Directions in Conflict Theory: Conflict Resolution and Conflict Transformation*. International Social Research Council, 9-37.

Glazer, Amihai & Konrad, Kai A.(2003). *Conflict and Governance*. Berlin: Springer. 12-17.

Kenneth Newton.(1978), "Conflict Avoidance and Conflict Suppression: The Case of Urban Politics in the United States," in Kevin Cox (ed.) Urbanization and Conflict in Market Societies(London: Methuen &Co,Ltd): 76.

Kilmann R. H. and Thomas K. W.(1978) "Four perspectives on Confilct Management." Academy of Manamement Review, January : Devloping a forced-choice measure of conflict handling Behavior : the MODE instrument. " Educational and Psychlogical Measurement, 1977.

Minnery, J. R.(1985). *Conflict Management in Urban Planning*, Gower House: Gower Publishing Company Limited.

Pondy R. Louis.(1967). Organizational Conflict Concept and models, *Administrative Science Quarterly* 12(2).

Rahim, M. A.(1983). "a Measure of Styles of a handling Interpersonal Conflict," *Academy of Management Journal* 26, 368-376.

Roxane S. Lulofs. & Dudley D. Cahn. (2000). Conflict : From Theory to Action, MA: Allyn & Bacon.

Trolldalen J. Martin.(1992). *International Environmental Conflict Resolution-The Role of the United Nations*, Washington D.C.:NIDR(National Institute for Dispute Resolution).

# 제18장 방송·통신융합정책과 과제

문 대 현*

# I. 서 론

현대사회에 있어서 디지털혁명으로 지칭되는 정보통신의 급격한 발달과 뉴미디어의 등장은 개인의 삶뿐만 아니라 정치·경제·사회·문화 및 사회구조 자체에까지 막강한 영향을 미치고 있다(Marshall Mcluhan, 1964). 지난 10여 년 동안 한국사회는 급속히 정보화 사회로 진입하게 되었다.

디지털 기술의 발전은 방송과 통신의 구분은 무의미하게 만들어 버리는 "방송·통신의 융합" 또는 "미디어 융합"을 가져오고 있다. 이러한 "방송·통신의 융합"은 단지 기술적인 의미에서만 파악할 것이 아니라, 커뮤니케이션 패러다임 측면에도 파악할 것을 요구하고 있다(윤준수, 1998).

애초에 동일한 기술 즉 전파를 사용하면서도 커뮤니케이션 방식에 있어서의 차이점으로 인해, 그동안 정치·경제·사회·문화 및 제도적으로 구분되었던 방송과 통신이 통합되는 현상 즉 "방·통의 융합"현상이 나타나고 있다. 이러한 융합은 기본적으로 기술적 융합·서비스의 융합·산업의 융합이라는 세 가지 현상에서 비롯된다는 것이 일반적인 인식이다(강남준, 1995). 그리고 이러한 세 가지 영역에서의 융합은 각각 개별적으로 발생하는 것이 아니라 기술적 융합→ 서비스 융합→ 산업의 융합 이라는 형태로 상호 연계적으로 그리고 단계적으로 진행되고 있는 것으로 파악 된다.

최근에는 휘들러(Roger Fidler)가 매체융합(Media Morphosis)이란 용어를 3C원리를 사용하여 설명하고 있다. Coevolution(공동 진화), Convergence(융합), Complexity(복합체)

---

\* 건국대학교 대학원 행정학과.

가 바로 그것이다. 다매체・다채널화와 동시에 각 매체가 통합하는 상황에서 미디어기업 간의 경쟁은 더욱 가열될 것이라고 그는 예측하고 있다. 또한 기술의 혁신과 미디어 비즈니스의 다양화・다각화(divergence)가 두 가지 중요한 동인이라고 보고 있으며, 그는 컨버전스의 상위개념으로 매체융합(Media Morphosis)이란 용어를 원용하고 있다(Roger Fidler, 2005).

전 세계적으로 보면 이러한 방송과 통신의 융합현상은 새로운 규제 완화정책에 의해 계속 가속화되고 있다. 따라서 이에 따른 방송과 통신의 융합시대에 상응하는 정책개발 즉 방송의 공공성・공익성의 이념과 통신의 보편적서비스이념 및 산업경제논리와 경쟁의 이념을 어떻게 조화시켜서 이에 맞는 규제・정책을 결정하느냐가 중요하다고 보겠다. 논리적 측면에서 헤겔의 정(thesis)-반(antithesis)-합(synthesis)의 철학논리의 틀을 적용하여(방송-통신-융합 대안), 결국 합이라는 규제・정책의 대안을 마련하고자 하는 것이다.

세계 각국은 범정부차원에서 미디어 산업의 총체적 재편을 추진하고 있다. 가장 모범적인 방통융합사례로 평가받는 영국은 2003년 새로운 커뮤니케이션법의 제정과 통합규제기구의 설립을 통해, 디지털-브로드밴드-모바일로 이어지는 미디어 산업의 르네상스 기틀을 다잡아 가고 있다. 사업자들에게는 디지털포트폴리오(digital portfolio)를 구사할 수 있는 인터미디어(inter media)전략 공간을 열어주고, 소비자들에게는 더 싼 가격으로 보다 많은 미디어 선택의 폭과 통제권을 부여하는 것이 방통융합정책의 핵심이다. 통합규제기구인 오프컴(Ofcom)이 펴낸 "커뮤니케이션 마켓 2005" 보고서에 따르면 제도정비 이후인 2004년 한 해에 방송면허 진입시장이 개방되면서 156개의 방송면허권이 새롭게 부여되었다. 철밥통 시장으로 여겨지던 방송시장에 경쟁을 도입한 것이다. 물론 경쟁만이 능사가 아니다. 그러나 자본주의 시장에서 경쟁만큼 소비자의 복지를 나아지게 하는 도구를 찾기도 힘들다.

이와 같은 방송과 통신의 융합은 기존의 규제・정책 제도에도 크나큰 지각변동을 예고하고 있다. 왜냐하면 기존에는 방송과 통신을 각각 별개의 내용과 방식으로 규율해 왔기 때문에 수직적 규제구조를 가지고 있었으나, 융합 현상은 방송과 통신이 통합되어 감으로써 수평적 규제 즉 기능적 규제구조로 가는 것이 필연적이다. 그러므로 융합시대에는 기능분석이 큰 의의를 갖게 되는 것이다. 이러한 융합현상이 단지 기술, 서비스, 산업의 융합만을 의미하는 것이 아니고 결국 제도적 융합으로 이어질 가능성이 크다.(황 근,1998) 그러므로 기능분석에 의한 새로운 행정 시스템과 구조의 모색은 필연적이며, 이에 대한 적절한 대응의 문제는 바로 본 연구가 가지고 있는 문제의식의 출발점이자 궁극적인 도착점으로 삼고 있는 것이기도 하다.

정부정책의 목표에는 기본적 가치체계 즉 구체적인 정책입안에 지도적 원리를 제공하는 이념의 정립이 매우 중요하다. 방송과 통신의 이념과 원리에 따라 국가의 정부정책과 그 기능과 내용이 결정되기 때문에 이론적 배경을 살피는 것이 아주 중요한 사항이며, 특히 융합시대에 있어서 이러한 방송과 통신의 이념과 원리에 의한 기능분석을 할 경우에만 정책대안의 모색은 의미가 있게 되는 것이다. 이념과 원리의 이론적 배경이나 근거가 없는 단순한 조직의 수직적 통합은 사상누각에 불과할 것이며, 철학이 없는 대안이 되고 말 것이다. 아날로그 시대의 기술적 차이에 따라 방송과 통신이 구별되던 것이 매개변수인 디지털기술로 인해 융합이 되면서 경계영역적서비스에 대한 새로운 패러다임의 연구가 필요하게 되었다. 정책대안의 모색에 있어서는 항상 공공성과 산업의 경쟁력 및 보편적서비스 그리고 수용자편익 이라는 이념을 항상 염두에 두어야 한다. 이념과 광의의 정부정책과 기능의 관계는 목표-수단계층구조(goals-means hierarchy)처럼 밀접한 관계를 가지고 있다.

이러한 점에서 기능분석이 의미를 갖게 되고 기능분석을 위해 기능을 규제기능과 정책기능으로 분류하여, 그 의의와 양태를 살펴보고 융합이 갖는 함의는 무엇인지 살펴볼 것이다. 또한 한국의 현황과 문제점 및 각 관련부처간의 갈등을 분석 평가하여, 보편적인 해외사례의 흐름과 비교 검토 한 후에 대안을 모색하는 것이 올바른 합리적인 정책결정 과정이 될 것이다. 이러한 논의를 통하여 바람직한 개선방향 내지 정책방안을 제시하고자 하는 것이 본 연구의 목적이다. 이상의 내용을 요약하면 본 연구의 목적은 다음과 같다.

첫째, 변화하는 정보통신환경은 행정시스템 및 법·제도의 재편을 초래한다고 보고, 방송·통신 융합에 따른 행정시스템의 바람직한 개혁방안 즉 정책방안을 모색해 보고자 한다. 둘째로, 방송과 통신의 이원론적 관점에서 일원론적 관점으로 패러다임을 변화시키는 동인에 대한 이론적 분석을 위해 기능분석의 틀을 제시하고자 하며, 셋째 규제공백과 이중규제의 방통융합 서비스에 대한 대안을 마련함으로써, 관련 산업의 발전과 비용편익의 관점에서 이용자 후생극대화를 통한 국가 경쟁력을 제고하는 데 있다.

본 연구의 방법은 문헌조사를 중심으로 하는 기술적(descriptive) 분석으로서 국내외 서적을 중심으로 이론을 도출하였다. 방송·통신의 융합에 관련된 국내와 국외의 선행연구를 비교검토 하였다. 특히 전문가조사연구 자료의 시계열분석을 통한 비교연구방법을 동원하였다. 또한 관련 부서간의 주장과 갈등요인을 비교분석하였다. 다음에는 구체적 접근방법에 대해서 설명하고자 한다.

# II. 방송·통신의 기능분석을 위한 이론적 배경

## 1. 융합이론

방송통신융합과 관련하여 우리가 고려해야 할 사항은 다음과 같다. 첫째, 융합은 편 가르기 갈등환경에서 이뤄지는 것이 아니라는 점이다.

편 가름을 지양하고, 해빙을 지향하는 분위기가 없이는 융합으로의 발전적 모색이 불가능하다는 것이다(김국진, 2004). 둘째, 융합현상은 방송과 통신부문에서만 나타나는 현상이 아니라는 것이다. 제반 산업부문과 사회부문·정치·경제를 막론하고 융합(convergence)이 시대적 양상으로 두드러지고 있다. 셋째, 방송·통신 융합영역이 기존의 방송영역이나 통신영역보다 크지 않고, 이는 점진적으로 확대될 것이며, 현재로서는 방송영역의 규제패러다임과 통신영역의 규제패러다임이 여전히 유효하다는 점이다.

위에서 지적한 대로 몇 가지의 잘못된 인식을 바로잡고 방송·통신 융합현상에 대해 접근할 때 올바른 이해가 가능할 것이며, 이에 따라 실질적 융합의 가속도가 붙게 될 것이다.

윌리엄스(R. Williams)는 기술과 사회변동 간의 관계를 서로 다른 두 가지 관점에서 바라보고 있다. 그 중 하나는 기술결정론(technological determinism)적 시각이다. 이 이론에 의하면 기술의 등장은 이미 진행 중인 사회변화로부터 생성되는 징후의 하나로 간주된다(Williams, 1975: 10-14). 오그번(W. F. Ogburn)과 님코프(M. F. Nimkoff)는 사회변동의 여러 요인 중에서 기술발전을 우위에 두었는데, 이들은 기술상의 변화는 사회제도와 관습을 변화시키며, 하나의 발명은 여러 방향의 다양한 사회적 변화를 일으킨다고 하였다. 그리고 이들은 이러한 복합적인 효과를 가리켜 파생효과(derivative effects)라 지칭하였다(Ogburn & Nimkoff, 1980: 536-538). 다니엘 벨(D. Bell) 역시 기술결정론적 입장을 견지하고 있는데, 그에 의하면 과거와 현재의 근본적인 차이를 가져오는 것은 기술이며, 이것은 사회관계와 사람들의 세계관을 변화시켰다고 한다. 벨은 이러한 변화를 가져온 기술의 역할을 같은 다섯 가지로 나누어 설명하고 있다(Bell, 1978: 188-189).

환경과 정책과의 관련성에 대하여 알몬드(Gabriel A. Almond)는 '체계, 과정, 정책' 접근방법에서 정책에 큰 비중을 두고 정치를 공공정책을 주도하는 독립변수로, 국가와 사회환경을 종속변수로 간주하였다. 또한 정치구조와 정치과정을 정치적 선택의 결과로 파악하여 구조와 기능 및 정책간의 유기적 관계를 강조하고 있다(Almond, 1971: 71). 그는 정치체계와 정치구조 및 정치기능을 동시에 분석의 대상으로 하여, 이에 대한 일반체제이론의 거시적 구조분석과 기능분석의 미시적 분석을 동시에 수행할 수 있다고 하였다. 즉 구조와 기능을 동시에 비교분석할 수 있는 틀을 제공해주고 있다.

거시적 분석에서는 국가를 하나의 시스템으로 보고, 이를 구성하는 정치, 경제, 문화 등을 하부시스템중의 하나로서 보고 있다. 이에 대하여 미시적 입장의 기능분석은 방송과 통신이 수직적으로 이원화되는 과거와 달리 현재의 일원화되는 상황에서는 수평적으로 기능을 분석하여 행정체계와 구조를 모색하고자 하는 것이다. 기능분석의 특징은 다음과 같다. 첫째, 사회는 반드시 부분들이 결합한 체계이며 전체적으로 파악하여야 한다. 둘째, 사회체계는 비록 완전한 통합을 이루지 못한다 하더라도 기본적으로 동적인 균형 상태에 머물러 있다. 외부변화에 적응할 때도 체계 내의 변화량을 최소한으로 줄이려 하는 경향이 있다. 셋째, 변동은 일반적으로 점진적 방식으로 일어나며, 급격하고 혁명적인 방식으로 일어나지 않는다. 넷째, 사회통합을 이루는 가장 기본적인 요소는 가치합의이다.

이상과 같은 원리에서 기능분석을 통한 정책대안을 탐색할 것이다. 기능분석이 특정시점에서 사회체계의 상태에 대한 기술(descriptive)로서는 유효하지만, 사회변동의 과정분석에는 한계가 있다는 점이 있다고 보지만, 이에 대응해 갈등분석으로 이를 보완해 나가고자 한다.


## 2. 기능 및 매트릭스 분석을 위한 틀


사회제도 변화의 원인에는 물리적 환경과 인구, 아이디어, 문화적 혁신, 인간행동, 기술 등 여러 가지가 있는데, 이 중 본 연구는 기술상의 변화는 사회제도와 관습을 변화시킨다는 기술결정론적 시각에 입각하고 있다. 즉 변화하는 정보통신환경은 행정 시스템 및 법·제도의 재편을 초래한다고 보고 본 연구에서는 방송·통신 융합에 대응한 행정시스템의 바람직한 개혁 방향을 모색해 보고자 하였다.

분석틀의 핵심은 구조기능분석이다. 거시적 분석틀은 정책과 환경과의 변수와 구조와 기능과 정책 간의 유기적 관계로 설정하였다. 미시적 분석틀은 기능분석이다. 규제기능과 정책기능의 설정과 두 기능의 통합과 분리 그리고 분리시의 일원화·이원화 매트릭스 분

석이다. 그리하여 첫 번째 주요변수는 환경과 정책 및 대안의 평가 가치기준이 되는 이념
이며, 특히 두 번째 주요변수는 본 연구의 핵심인 매트릭스 분석의 규제기능과 정책기능,
통합과 분리, 일원화와 이원화 이다. 이러한 변수들 간의 조합을 통해 모형을 설정하고
대안을 탐색하고자 한다.

물론 이러한 구조기능 분석이 지나친 일반화와 사회변동 과정분석에 한계가 있다 할지
라도 대안을 유형화하고 이를 이념인 9가지 가치기준에 의해 평가하여 한국형 모형의 정
책방안을 결정하는 데 유용한 도구이자 분석틀이라고 본다.

이를 위해, 여기에서는 기능분석의 개념적 이해와 규제기능과 정책기능의 내용에 대해
서 살펴보고, 양 기능의 통합과 분리매트릭스를 이용해 6가지 모형으로 분류하고자 한다.
이는 정책방안을 마련하고자 하는 본 연구의 핵심 분석틀이 될 것이다.

## 1) 기능분석적 접근

### (1) 기능분석의 개념적 이해

구조기능분석 접근방법은 체계와 구조 및 기능을 동시에 분석의 대상으로 하며 정책과
환경과의 일반체제이론의 거시적 분석과 기능분석의 미시적 분석을 동시에 수행한다. 여기
서는 미시적 접근의 기능분석에 대해 논하고자 한다. 방송통신 융합 이전에는 미디어기술
또는 매체에 따라 기구체계를 구성하던 것이, 융합 이후에는 전 세계가 업무기능의 책임성
에 입각한 분리를 시도하고 있다. 미국의 FCC는 1993년 제정된 정부업무성과 평가법
(Government Performance and Result Act, GPRA)에 의거해 2003년부터 2008년까지 향
후 6년 동안 위원회가 집행할 전략계획(Strategic Plan)을 수립 발표하였다. 그 중 하나가
FCC조직의 현대화(Modernize the FCC)이다. 이에 따라 1999년 "21세기를 향한 새로운
FCC(A New FCC for the 21st Century)"라는 미래지향적인 계획안을 발표하였는데, 계획
안의 첫 번째 내용이 '디지털 시대에 적합한 규제기구 형성'이었고, 드디어 2001년 3월 기능
적 구조 조직체계로 출범하였다(FCC, 1999).

규제기능과 정책기능의 분류가 필요한 것으로 주장되어 왔던 주요한 논거는 동일한 기
관에서 규제업무와 정책업무를 동시에 담당하게 되면, 규제기관이 피규제기관에 포획되어
규제기능의 독립성과 공공성 확보하기가 어렵다는 것이다. 이를 근거로 방송통신융합정책
의 이념적 좌표의 문제점 및 외국의 방송과 통신에 대한 정책이념과 의의의 분석을 통해

이념(정책목표)-기능(수단) 계층구조에서 이념에 대해 살펴보았던 것이다. 다음에는 이의 수단적 도구인인 기능을 정책기능과 규제기능으로 분류하여 살펴보고자한다. 이는 대안모형을 탐색하는 데 중요한 변수이다.

(2) 규제기능과 정책기능

정책기능과 규제기능이 어떻게 분리될 수 있는 것인가 하는 문제 제기도 있으나, 정책기능과 규제기능은 개념적으로나 실천적으로 엄연히 차별적인 영역이다(Cathodon, 1993: 42-45).

프랑스의 경우를 보면 정책(Réglementation)은 법, 칙령, 명령 등 성문화된 모든 차원의 규제원칙을 만들어 가는 과정이고, 규제(Régulation)는 이것을 현실 속에 실현되도록 부과하고 통제하고 감시하고 제재하는 행위를 지칭한다고 하였다. 정치적 행위인 정책수립의 과정과 행정행위인 규제행위를 철저히 구분함으로써 방송과 통신이라는 심각한 경쟁의 분야에서 시장조절을 위해 공권력을 정당하게 개입할 수 있도록 하여 규제행위의 공정성을 유지하고 있다. Mitnick은 규제를 '어떤 주체의 행동선택에 의도적으로 제한을 가하고자 하는 과정'이라고 하며, Meier는 '국민이나 기업 또는 준정부의 행태를 통제하려는 정부의 기도'라고 말하기도 한다.

다시 말하면, 제도화 과정으로서 정책기능은 법·규칙·칙령·명령 등 성문화된 규제의 원칙을 만들어가는 과정이다. 정책기능은 법령 제·개정과 중장기계획의 수립과 관련된 것으로, 기술발달과 시장 내외의 변화 등 상황이 급변하는 환경에 대응하여 전문성과 신속성 및 일관성과 다른 제반 정책간의 조화성을 특징으로 하며, 정책은 선거를 통해 선택된 집권당의 정치 이념 및 철학을 반영하여 기본제도를 형성하는 과정이라고 보기 때문에 따라서 정치적 책임성이 중요한 가치인 것이다. 이에 대하여, 규제기능은 이데올로기 및 정치행위로부터 독립되어 세부정책을 집행하는 과정의 행정행위로서 규제기능은 법령과 중장기 계획의 틀 안에서 이뤄지는 세부지침의 수립과 각종 인·허가 행위 및 내용물 심의 위반행위에 대한 제재 등으로 공정성과 공평성이 필요한 부문(절차적 민주주의 지향)이며 정치적 독립성과 공정성이 핵심적 가치일 것이다.

본 연구에서는 정부와의 관계에서 통신과 방송 사업자 또는 이용자가 직접적으로 이익을 받게 되는 기능을 정책(진흥·지원)기능으로 하지만, 정책기능으로 분류된 기능 중에서도 역으로 직접적인 진흥이나 지원대상이 아닌 국민이나 기업이 상대적으로(반사적으로) 불이익을 받을 수도 있으며, 규제기능으로 분류된 기능 중에서도 직접적인 규제대상이 아닌 국민이나 기업이 상대적으로(반사적으로) 이익을 얻을 수도 있다. 국제협력과 협상 기본계획의 수립, 법규위반에 따른 처벌 등은 지원과 규제기능의 공통적으로 나타날 수 있는 분야라고 볼 것이다. 정책기능은 기술정책기능과 진흥기능·지원기능을 통합하는 의미이며, 지원기능의 예로는 사업자에 대한 출자·조세감면·저리융자·지급보증·출연 등의 금전적 지원과 장비·인력·토지·물품 등 재화와 서비스의 제공 등의 물질적 지원, 기술개발, 기술의 보급제공, 외국 산업동향이나 시장에 관한 정보지식의 제공 및 알선과 홍보 등의 정보 서비스, 전문기술인력의 양성, 판매, 교육, 홍보인력 지원, 소비자 교육 , 공공 서비스의 공급 등을 포함한다.

Peterson이나 Gujarati를 비롯한 많은 학자들은 규제기능을 경제적·기술적 규제와 사회적·문화윤리적 규제로 나누고 있는데, 경제적·기술적 규제는 진입규제, 소유규제, 요금규제, 기술규제 등으로 나누고 있다. 예를 들면, 사업자의 허가, 승인, 등록, 신고 등의 인·허가와 사업자간의 공정경쟁과 분쟁조정을 위한 행위규제, 불공정행위 조사·중재·제재, 이용자를 보호하는 약관심사 등의 소비자보호, 사회적 약자인 중소기업이나 이용자를 보호하거나 공익적 목적의 서비스 강제, 공공기금 출연, 사회봉사 등의 공적의무(public obligation) 부과, 개인정보 및 지적재산권 보호, 사업자 및 이용자 징계(인허가권 취소 벌금), 주파수 배분과 감독, 기술시설기기 표준 설정 및 적격판정, 정보보안 강제 등이다.

사회적·문화윤리적 규제는 내용규제와 보편적 서비스제공이며, 공공서비스, 다원주의 확보, 소비자 보호, 문화정체성, 지적재산권 보호이다. 예를 들면 정보내용물(contents)에 대하여 개인의 사생활보호, 어린이보호, 미풍양속을 위한 규제, 살인·인종증오·어린이 음란물·독재 찬양 등의 반인륜성 음란물이나 폭력물 등 비윤리적인 정보내용물에 대한 등급제나 사후내용심의 선거방송, 보도·교양 방송에서의 정파적 편파성 규제, 청각장애인을 위한 폐쇄자막방송 등의 정치적 공정성 확보를 위한 규제 등이다. 경제적·기술적 규제는 정부나 위원회 조직에서 담당하지만 문화·윤리적 규제는 개개 사업자나 사업자 단체가 자율적으로 수행하기도 한다.

규제기능과 정책기능의 분석에 관한 논의에서 개념정의와 범위를 정하고 분석하는 것은 대안의 분석과 한국적 모형결정에 중요한 척도 및 기준이 된다. 정책(광의)은 규제기능과 협의의 정책기능으로 분류하고자 하며, 협의의 정책 기능은 산업의 육성·기술개발·인력양성 등 진흥·지원기능이나 여기서는 규제기능을 제외한 기능으로 보고자 한다. 앞으로 논의를 전개하는 과정에서 협의의 정책 기능을 정책기능이라고 표현할 것이다. 특

히 융합시대에 있어서 규제기능 중에서도 경제적 규제기능과 경쟁규제기능 및 내용규제
기능이 매우 중요한 변수가 된다고 본다. 특히 기술/정책·제도/문화적 기능이 복합적으
로 작용이 되는 뉴패러다임의 정립이 핵심이며, 여기에 행정·정치적 요인이 추가되어야
할 것이다. 또한 민주적 여론을 형성하고 행정의 효율화를 극대화하는 수단으로서 기능이
융합시대 기능에서 새로이 연구되어야 할 분야가 될 것이다.

　방송과 통신의 기존의 규제를 보면 크게 네 가지로서 진입규제, 요금규제, 사업규제, 내
용규제로 구분할 수가 있다. 통신은 경제적 요인 이외에 진입규제는 거의 없으며, 사업규
제분야에서는 채널정책규제·사업자의무 등에 있어서 방송규제는 대단히 많다. 특히 통
신부문에 있어서는 요금규제가 매우 중요한 규제수단으로서 기능을 발휘하고 있으며, 내
용규제부문에서는 통신은 원칙적으로 내용자유/자율규제이나 방송은 공공성이념의 특성
에서 내용규제가 강력한 규제기능 역할을 수행하고 있다. 행정은 사회적으로 바람직한 상
황을 목표로 설정하고 일련의 수단(기능)을 동원하는 정부의 의도적인 행동이라고 정의
할 수 있다. 행정의 양태는 법규의 제·개정, 기관의 형성, 계획의 수립, 규제, 지원, 조세,
서비스 공급, 국제협력, 처벌 등으로 나타난다. 규제기능과 정책기능의 전체적인 통합과
분리 및 분리형에서의 두 기능의 일원화와 이원화를 통한 분석표를 통해 전 세계의 사례
를 모두 매트릭스모형에 적용할 수 있다고 볼 것이다. 이러한 분석을 통해 정책대안을 제
시하고자 한다.

## 2) 매트릭스 분석

　매트릭스 방법론은 영향을 받게 되는 항목과 영향을 일으켜주는 행위와의 관계를 시각
적으로 나타내어 발생 가능한 영향을 알 수 있는 '상호 매트릭스 법(Interaction Matrix)'
과 사업활동과 잠재적 영향 사이의 상호관계를 서술하기 위한 '무어 영향 매트릭스법
(Moore Impacts Matrix)'이 있다. 환경과의 관계논의에서 매트릭스 분석기법을 적용한 가
장 중요한 이유는 중요한 평가항목의 추출과 대체안의 상대적 환경영향을 조사하기 위한
유효한 수단이 된다는 점이다.

　그러나 이러한 매트릭스 분석기법의 적용에 대해 일부 비판이 있는 것도 사실이다. 매
트릭스 분석기법의 적용은 전문적 판단이 요구되는 수단적 성격으로 인해 어려움이 수반
되므로 일부에서는 회피하고 있다는 지적이 있다. 전문적 정확한 예측과 판단을 위해 많
은 자료를 수집하고 분석해야 하나 이는 다른 방법도 마찬가지라고 본다. 또 하나의 비판은

기법의 적용에 있어서 상대적으로 오차가 클 수 있다는 점이다. 적용과정에서 평가항목을 추출할 때에 항목 간의 상대적 크기를 객관적으로 비교하는 것이 쉽지 않고, 인간의 주관적, 심리적 요인이 강하게 작용한다는 점이다. 그리고 평가항목도 시대에 따라 그 중요성의 대상이 변화한다는 점이다. 그러나 최근에는 평가항목의 추출과정에서 상대적 크기의 객관적 비교가 컴퓨터에서 여러 분석 도구의 발명으로 가능하게 되었다. 나아가 인간의 주관적, 심리적 요인도 객간적인 과학적 기준이 가능함으로써 주관성 문제가 큰 영향을 미치지 못할 것으로 보인다. 또한 시대에 따라 중요성의 대상이 변한다는 지적도 사실 모든 분석기법에 나타나는 문제이므로, 매트릭스 분석기법에만 적용되는 비판이 될 수 없다. 그러므로 환경·정책영향평가에서 매트릭스분석 기법을 적용하는 것에 대한 일부 비판은 설득력이 없다고 본다.

이상에서 매트릭스의 내용에 대해 살펴보았다. 〈표 17-1〉과 〈표 17-2〉에서는 규제기능과 정책기능의 통합모형에서 단임정부부처형과 독립규제위원회형으로 분류하였고, 규제기능-정책기능 분리모형에서는 규제기능일원화-정책기능일원화, 규제기능 일원화-정책기능이원화, 규제기능 이원화-정책기능일원화, 규제기능이원화-정책기능이원화 형으로 모형화하였다.

〈표 17-1〉 규제-정책기능 통합모형

|  | 규제기능 | 정책기능 | 사 례 | 모 형 |
|---|---|---|---|---|
| 통합모형 | 단임정부부처형 | | 일본 총무성 | X |
|  | 독립규제위원회형 | | 미국 FCC | Y |

규제기능과 정책기능의 전체적인 통합과 분리 및 분리형에서의 두 기능의 일원화와 이원화를 통한 분석표를 통해 전 세계의 사례를 모두 매트릭스모형에 적용할 수 있다고 볼 것이다. 이러한 분석을 통해 정책대안을 제시하고자 한다.

〈표 17-2〉 규제-정책기능 분리모형

|  | 규제기능 | 정책기능 | 사 례 | 모 형 |
|---|---|---|---|---|
| 분리모형 | 일원화 | 일원화 | 이태리 | A |
|  | 일원화 | 이원화 | 영 국 | B |
|  | 이원화 | 일원화 | 호 주 | C |
|  | 이원화 | 이원화 | 프랑스 | D |

# Ⅲ. 방송·통신기능의 실태 분석

## 1. 규제·정책체계의 현황

우리나라는 현재 규제기능이원화-정책기능이원화모형(분리형 D안)에 해당한다고 볼 것이다. 국내방송과 통신에 대한 규제업무는 방송위원회와 정보통신부 및 문화관광부가 담당하고 있다. 방송위원회가 방송법에 의거, 정부로부터 독립된 규제위원회 형태의 방송총괄기구인 반면, 정보통신부는 정부조직법에 의한 행정부처인 관계로 방송기술 및 인허가 등 일부 영역에 있어서는 방송위원회와 정보통신부가 분담하고 있다. 다시 말하면, 통신의 경우 정보통신부(정책과 경제적 규제)·통신위원회(경제적 규제)·정보통신윤리위원회(내용 규제) 등에서 나누어 맡고 있으며, 방송의 경우 방송위원회(정책과 경제적·내용 규제)·문화관광부(방송영상정책)·정보통신부(방송기술정책) 등에서 담당해 방송과 통신의 규제기능과 정책기능이 이원화 또는 다원화되어 있는 실정이다.

이를 좀더 구체적으로 살펴보고자 한다. 문화관광부가 영상산업에 대한 진흥업무를, 정보통신부가 방송기술 및 시설에 관한 사항을 담당하도록 정부조직법과 방송법에 규정되어 있으나, 방송위원회가 방송의 기본계획에 관한 사항을 심의 의결할 때에는 방송영상정책과 관련된 사항은 문화관광부장관과 합의해야 하며, 방송기술 및 시설에 관한 사항은 정보통신부장관의 의견을 듣도록 규정된 방송법의 취지를 고려해볼 때, 우리나라의 경우 방송에 대한 총괄적인 주무관청은 방송위원회가 명백하다 하겠다(방송법 제 27조).

방송위원회는 방송의 기본계획에 관한 사항, 방송프로그램 및 방송광고의 운용·편성에 관한 사항, 방송사업자의 인허가 및 등록에 관한 사항, 위원회 규칙의 제·개정 및 폐지, 방송에 관한 연구·조사 및 지원에 관한 사항, 방송사업자 상호간의 공동사업이나 분쟁의 조정, 방송프로그램 유통 상 공정거래 질서 확립에 관한 사항, 시청자 불만처리 및 청원에 관한 사항, 방송발전기금의 조성 및 관리운용의 기본계획에 관한 사항, 방송내용의 심의 및 제재조치에 관한 사항, 위원회 예산안의 편성 및 집행에 관한 사항, 시청자불만처리 및 청원에 관한 사항, 방송발전기금의 조성 및 관리 운용의 기본계획에 관한 사항, 관계법에 의한 방송사 인사에 관한 사항, 방송주무관청 기타 방송법에서 위임하고 있는 기금징수비율, 편성비율 등 고시에 관한 사항을 담당하고 있다. 그리고 방송위원회가 방송영상정책 수립 시 문화관광부장관의 합의를 구해야 할 사항을 시행령에서 구체적으로 적시하고 있는데 방송영상산업 진흥에 영향을 미치는 방송제도의 수립에 관한 사항, 방송프로그램의 제작·수급 및 유통 등에 영향을 미치는 방송사업자 구도의 변경에 관한 사항, 방송시장 개방 또는 국제협력 증진 등을 위하여 정부차원의 협조가 필요한 사항, 새로운 방송환경의 형성, 변화에 따른 정부차원의 지원이 필요한 사항 등이다. 이와 같은 방송법 제27조의 단서는 방송위원회가 방송영상정책을 수립할 경우 문화관광부장관과 반드시 합의를 하도록 규정하고 있다. 때문에 영상정책에 대한 책임소재의 불분명과 정부의 간섭과 그로 인한 방송위원회의 독립적 직무수행 저해한다는 지적과 함께 '합의'를 '협의'로 수정해야 한다는 의견이 제시되고 있는 실정이다.

정보통신부는 전파자원의 확보를 위해 새로운 주파수의 이용기술 개발, 이용 중인 주파수의 이용효율 향상, 주파수의 국제등록, 국가 간 전파혼신의 해소와 이의 방지를 위한 협의 및 조정 정책, 전파자원의 분배 및 할당 정책의 수립, 전파의 진흥을 위한 기본계획, 전파산업 육성의 기본방향, 새로운 전파자원의 개발, 전파이용기술 및 시설의 고도화와 저원, 전파매체의 개발 및 보급, 우주통신의 개발, 전파이용질서의 확립, 전파 전문 인력의 양성 전파관련 표준화, 전파환경 개선 등을 수립하고 집행한다. 그리고 정보통신부와 그 소속 기관 직제에 의거하여 인터넷기술기반, 인터넷서비스 등에 관한 종합적인 정책을 수립하고 집행한다. 아울러 정보통신부는 방송기술 및 시설 등 기술적인 규제업무를 수행하고 있으며, 방송위원회의 추천을 받아 지상파 방송 및 위성방송 사업자에게는 방송국허가를 종합유선 및 중계유선 방송 사업자에게는 사업허가업무를 담당하고 있다.

문화관광부는 정부조직법의 사무분장에 따라 영상과 광고에 관한 사무를 관장하며, 문화관광부의 문화산업국에서 영상과 광고 관련정책을 수립 시행하고 있으며 전기통신 기본법에 의거, 정보통신부내에 설치되어 있는 통신위원회는 전기통신사업의 공정한 경쟁환경의 조성 및 전기통신 역무 이용자의 권익보호에 관한 사항의 심의와 전기통신사업자간 또는 전기통신 사업자와 이용자 간 분쟁의 재정을 담당하고 있다. 전기통신사업법에 의거 설치된 정보통신윤리위원회는 정보내용의 심의를 담당하고 있다. 그 밖에 공정거래 위원회가 불공정거래에 대한 규제기능 업무를 담당하고 있다.

공정경쟁 및 독과점규제 측면의 경제적 규제기능은 통신의 경우 통신위원회와 공정거래위원회가, 방송의 경우 방송위원회와 공정거래위원회가 중복적으로 담당하고 있어, 명확한 규제영역구분이 이루어져 있지 않기 때문에 갈등의 소지가 존재한다. 또한 내용심의 측면의 사회·문화적 규제기능은 융합에 따른 경계영역적 서비스의 등장으로 방송위원회와 정보통신윤리위원회 역시 중복규제로 인한 갈등 혹은 규제의 사각지대로 인한 업무의 공백이 초래될 가능성이 있다. 방송과 통신의 규제 및 정책체계는 다음 〈표 17-3〉과 같다.

〈표 17-3〉 방송·통신의 규제·정책 체계

| 구 분 | 현행 규제기구 | | | |
| --- | --- | --- | --- | --- |
| | 규제정책 | | 산업진흥지원정책 | |
| | 기구명 | 주요기능 | 기구명 | 주요기능 |
| 방 송 | 방송위원회 | 방송정책 총괄<br>방송내용 규제 | 문화관광부 | 영상산업 진흥지원 |
| | 정보통신부 | TV주파수할당 | | |
| | 방송위원회 | 경제적 규제 | 방송위원회 | 문화관광부장관<br>합의(방송법27조) |
| 통 신 | 정보통신부 | 통신정책 총괄 | 정보통신부 | 정보통신산업 진흥지원 |
| | 정보통신윤리 위원회 | 통신내용규제 | | |
| | 통신위원회 | 경제적 규제 | | |

## 2. 전문가조사 자료분석

앞에서 분석틀로서 기능분석적 접근을 통한 여섯 가지 매트릭스 모형에 대해 살펴보았다. 여기에서는 우리나라의 방송통신융합에 따른 전문가조사 결과자료를 시계열분석을 하여 국내 전문가들의 조사결과와 매트릭스 모형과 비교·검토함으로써 대안을 마련하는 데 활용하고자 한다. 이 분석 자료는 1997년, 2001년, 2005년의 자료이다. 이 자료를 매트릭스모형 사례와 외국의 해당 사례를 비교분석하여 표로써 정리하였다. 이는 한국의 현실을 파악하는 데 있어서 중요한 실증분석 자료라고 볼 것이다.

4년마다의 조사자료내용의 흐름을 연속적 시간 속에서 통시적(diachronicity)으로 분석하여 공통점과 법칙성, 즉 추세를 발견해 이를 모형화함으로써 미래 우리의 장래의 대안의 모색에 활용하고자 한다. 매우 유용한 자료로서 방송과 통신의 부문 및 기관 간의 시각의 차이를 볼 수가 있다. 시계열분석을 통한 모형과 해외 주요국의 모델을 매트릭스모형에 맞추어 쉽게 구별하고 비교하기 위한 의미 있는 표 분석이라고 볼 수 있다. 통신을 대표하는 정보통신부와 그 산하 연구기관인 정보통신정책연구원에서 수행한 전문가조사 자료와 방송을 대변하는 국회문화관광위원회의 방송위원회조사 자료와 뉴미디어방송협회의 전문가조사 자료를 수집하여 비교분석하였다. 4년간의 시계열 내용을 분석해보면, 각 조사연구결과가 나타내는 규제와 정책모형을 알 수 가 있다.

정보통신부 산하 연구기관인 정보통신정책연구원(1997)의 "전문가여론조사"의 내용을 보면, 정책기관의 단일화 필요성이 86.9%였고, 규제기관에 관한 것은 단일독립내용규제기관은 48.2%였고, 상설협의체 운영이 28.8%, 마찰과 갈등을 중재할 상위기구 14.1%였다. 현 체제를 그대로 유지하자는 것은 3.8%에 불과하였다. 국회 정동채의원실(2001)에서의 "방송위원회 위상 및 역할에 관한 설문조사"에서 융합 환경 대응정책에 대해 잘못하고 있다가 70.3%이고, 잘했다가 3.8%이며, (가칭)방송통신위원회(미국의 FCC와 같은 독립규제위원회형) 설치에 찬성 62.6%에 반대22%였다. 또한 현재의 방송위원회가 독립적이지 못하다가 89.6%라고 응답하였다. 정보통신부의 또 다른 연구결과에 따르면 "통신·방송융합에 관한 조사"에서 통신·방송융합에 영향을 미치는 우선순위를 가중치 분석한 결과 정책·제도적요인(40), 공급적요인(32), 수요적 요인(28) 순이었다(석호익, 2001). 정책·제도적 요인 중 융합에 미치는 우선순위는 융합정책(41), 법·제도(30), 추진조직(29)순이었으며 통신·방송융합 추진조직으로는 정책기관(59), 규제기관(41)순이었다. 이는 정책기관 재조정통합이 규제기관 통합보다 더 시급하고 중요하다는 의미에서, 1997년도 정보통신정책연구원의 연구결과와 비슷하다.

이는 정보통신부와 산하연구기관의 자료분석 결과가 비슷하다는 것을 나타내고 있다는 것이다. 행정·정치적 수요요인에서는 통신·방송의 내용심의의 자율성(58)확보가 첫 번째 순위를 차지해 현행 방송과 통신의 내용심의기관의 자율성에 문제가 있음을 나타내고 있어 이에 대한 대책이 필요함을 보이고 있다. 뉴미디어방송협회(2005)의 "방송·통신융합에 관한 전문가조사"를 보면 방송·통신에 관한 제반 시스템의 융합에 대한 필요성(92%)에 대부분 찬성하였으며, 융합 이유로는 국가경쟁력강화(64%), 이원화된 규제시스템개선(22.8%)순이었다. 융합정책목표는 신규융합서비스육성(30%), 방송의 공공성 보장(19%), 소비자권익보호(17%)순 이었다. 여기에서도 규제와 정책기능에 대한 근본적 대책과 시스템의 개선이 필요함을 보이고 있다.

〈표 17-4〉 1997-2001-2005 시계열 분석표

| | 1997 | 2001 | | 2005 |
|---|---|---|---|---|
| 연구기관 | 정보통신정책 연구원 | 국 회 | 정보통신부 | 뉴미디어 방송협회 |
| 조사기관 | 미디어리서치 | 정동채 | 석호익 | 코리아리서치 |
| 응답자(모집단) | 310(310) | 182(400) | 64(69) | 100(100) |
| 조사대상 | 통신과 방송학계·연구소, 관련산업계 | 방송종사자. 방송학회. 시민단체 | 통신방송 분야 학계, 산업계 | 방송과 통신학회 |
| 조사주제 | 전문가집단여론 조사 | 방송위원회 위상 및 역할에 관한 설문조사 | 통신·방송융합에 관한 설문조사 | 방송·통신융합에 관한 전문가조사 |
| 조사내용 | 1.정책기관단일화 (86.9%)<br>2. 단일독립규제기관 (48.2%)<br>3.융합서비스지연 원인<br>· 정책미비, 경직된 규제(25.2%) | 1.(가칭)방송통신위원회 (미국 FCC 형태)<br>2.현방송위원회의 독립성<br>· 독립적이다(10%)<br>3.향후 방송위원회의 역할<br>· DTV활성화 | 1. 통방융합에 영향 미치는 우선순위<br>· 정책제도적 요인<br>· 공급 요인<br>· 수요 요인<br>2.정책제도적 요인 우선순위<br>· 융합정책<br>· 법제도<br>· 추진조직<br>3.통방추진조직<br>· 정책기관<br>· 규제기관<br>4.행정정치적 수요 요인<br>· 통방내용 자율 | 1.방송통신 관련 제반 시스템 융합 필요성<br>2.융합이유<br>· 국가경쟁력 강화<br>· 이원적 규제시스템 개선<br>3.융합시기<br>· 2005년 내<br>· 1-2년 내<br>· 2-3년 내 |
| 모 형 | [분리모형]<br>정책기능일원화-규제기능이원화 (C안) | [통합모형]<br>정책-규제기능 통합 (미국 FCC형) (Y안) | [분리모형]<br>정책기능 일원화-규제기능 이원화 (C안) | [통합모형]<br>정책-규제기능 통합 (미국 FCC형) (Y안) |

　8년간의 자료를 통시적으로(diachronic) 분석하여 보면, 방송·통신에 관한 제반시스템의 융합에 80-90%의 찬성을 보였고, 규제기관은 독립규제위원회를 선호하였다. 시계열분석결과 특이한 사항을 발견할 수 있었다. 정보통신을 대표하는 정보통신부와 정보통신정책연구원의 조사결과와 방송을 대표하는 방송학계와 방송종사자들에 대한 조사결과 사이에 차이가 있다는 사실이다.

　지금까지의 분석 내용을 정리한 시계열 분석표는 다음의 〈표 17-4〉와 같다. 이 자료를 보면 방송계종사자나 방송언론학계의 사람들은 규제기능과 정책기능을 통합하는 통합모형 (Y)안을 선호하고 있음을 알 수 있다. 그러나 통신업계종사자나 통신학자들은 매트릭스모형 분리형에서 정책기능일원화-규제기능이원화모형 (C)안을 선호하는 것을 알 수가

있다. 이는 정보통신 영역은 그대로 지키고 유지하겠다는 의미로 해석할 수 있다. 최소한 정책기능 중에서 방송정책기능은 양보한다고 하더라도 통신정책기능은 유지하겠다는 것이다. 규제기능은 이원화하여 통신 내용규제기능도 또한 유지한다는 입장으로 볼 수 있다. 즉 매트릭스모형의 분리형에서 규제기능이원화-정책기능일원화모형 (C)안이다. 정책기능 일원화에는 문화관광부의 컨텐츠 육성지원 진흥기능도 흡수하는 내용으로 해석된다. 또한 통신을 대변하는 정보통신부와 정보통신정책연구원 그리고 방송을 대변하는 방송위위원회와 뉴미디어방송협회의 조사자료 분석을 하여본 결과 내용이 아주 상이한 결과를 볼 때, 통신과 방송 부문 간에 크나큰 시각의 차이를 보이고 있음을 이러한 조사자료의 문헌분석을 통해서 확인할 수 있었다. 이는 앞으로 대안을 분석해 나가면서 아주 중요한 평가분석의 자료가 될 것이다.

# Ⅳ. 정책방안의 비교분석

## 1. 매트릭스 분석을 통해본 규제·정책체제 유형

방송과 통신의 융합의 규제정책체계에 관한 해외사례분석에서, 우리가 그대로 따라야 할 모형을 발견하기는 어렵지만, 사례분석을 통해 그 장단점을 파악함으로써, 앞으로의 한국적 규제·정책모형을 설정하는 데 시행착오를 범하지 않도록 도움을 줄 수 있을 것이다. 적어도 세계적 융합의 흐름에 대한 보편성을 발견하기에는 충분한 참고사례가 되며, 이러한 보편성과 한국이 갖는 특수성을 잘 조화시켜 기능분석을 통한 규제·정책체계의 한국적 모델을 추구할 것이다. 그리하여 각 정책대안의 장단점을 비교검토하고, 대안의 비교와 평가를 통해 한국에 적합한 모형을 제시하고자 한다. 매트릭스 분석을 통한 통합형과 분리형을 외국의 사례와 비교하여 유형별로 표로 정리하면 다음의 〈표 17-5〉와 같다.

<표 17-5> 방송통신융합 규제체제 유형

| 유 형 | 국 가 | 구 분 | 정책기관 | 규제기관 | |
|---|---|---|---|---|---|
| | | | | 경제적 규제 (독과점규제) | 사회적 규제 (내용규제) |
| 규제-정책기능통합(X) 단임부처통합형 | 일 본 | 통 신 | 총무성 | 총무성 | 자율규제 |
| | | 방 송 | | | |
| 규제-정책기능통합(Y) 독립위원회 통합형 | 미 국 | 통 신 | 연방커뮤니케이션 위원회 FCC | FCC | 자율규제 |
| | | 방 송 | | | |
| 규제-정책기능분리(A) | 이탈리아 | 통 신 | 통신성 | AGCOM | AGCOM |
| | | 방 송 | | | |
| 규제-정책기능분리(B) | 영국 (2004) | 통 신 | 통상산업부 | OFCOM | OFCOM |
| | | 방 송 | 문화매체스포츠부 | | |
| 규제-정책기능분리(C) | 호 주 | 통 신 | 정보예술 커뮤니케이션부 | ACA, ACCC | – |
| | | 방 송 | | ABA | ABA |
| 규제-정책기능분리(D) | 프랑스 | 통 신 | DIGTIP | ART | ART |
| | | 방 송 | DDM, CNC | CSA | CSA |

## 2. 정책방안의 제시와 실행방안

### 1) 규제기능일원화형(한국형 정책방안)

이상의 논의를 참고로 하여 한국형 정책방안을 최종적으로 제시하고자 한다. 먼저 현행 방송과 통신의 규제기구 모델을 최대한 존중하면서, 그 기능을 재조정하는 것이 방송통신 융합의 초기단계에 효과적 모형이라고 본다. 다음으로 방송과 통신의 규제기구를 완전 통합하고, 적정기능은 민간 기구 및 유관정부부처로 이관하는 새로운 규제모델을 창출하는 것이 방송통신융합의 성숙단계에 효과적인 모형이라고 본다.

우리나라의 통신 분야 정책기능은 정보통신부로 일원화되어 문제가 없으나, 방송 분야 의 정책수립은 정보통신부, 방송위원회, 문화관광부로 흩어져 있어 여러 가지 문제가 발생하고 있다. (B)안의 대안을 적용하려면 정책기능은 기술과 내용관련 정책으로 분리하여, 기술 관련은 정보통신부가 내용관련 정책기능은 문화부가 수립하는 것이다. 허가규제와 관련해서 허가를 무선국 허가와 사업허가로 구분하여, 무선국 허가는 종전처럼 정보통신부에서 하고, 사업허가는 방송통신위원회에서 수행하자는 것이다. 지금까지의 방송위원회의 허가추천권을 사업허가권으로 변경한다는 것이다. 영국식 OFCOM모델을 토대로 한 (B)안은 기존조직에 충격을 주지 않고 소폭의 안정적 개혁을 추진한다는 점에서, 가장 쉽게 수용할 수 있는 안이며, 현실적으로 규제기관의 통합에 따르는 부담을 최소화할 수 있는 방안이다. 기술 경제적 규제를 내용적 규제와 분리시킨다는 점에서도 현실적 효율성이 있다고 본다.

이러한 점에서, 장기적으로는 독립규제정책위원회 형태의 규제기능-정책기능 통합형 (Y)안을 검토해야 하며, 단기적으로는 규제기능 일원화-정책기능이원화 분리형 (B)안을 한국적 정책방안으로 결정하고자 한다. 방송통신 규제정책구조의 근본적 개혁을 필요로 하는 점에서는, (나)안의 경우처럼 대표적 개혁안이 바람직할 수 있지만, 당장의 경제성과 안정성을 따진다면, (B)안의 규제기능 일원화-정책기능 이원화 분리모델의 점진적 개혁안을 채택하는 것이 합리적이라고 본다.

그리하여 우선순위 설정에 있어서는, 단계적으로 1단계는, 정책과 규제의 분리형으로서 정책 기능의 이원화와 규제기능의 일원화인 문화부/ 정보통신부// 방송통신위원회(B)안을 전문가 조사자료 분석의 시계열분석 설문조사결과와 같이 향후 1-2년 이내에 추진하는 것이다. 2단계는 문화부와 정보통신부를 통합하는 규제-정책기능 일원화인 정보문화부 // 방송통신위원회 안으로 가는 것이다. 3단계는, 장기적으로 정책-규제기능 통합형인 미디어정보위원회(독립규제정책위원회-미국의 FCC) 안으로 가야 할 것이다. 조직의 비대화 방지와 예산의 효율적 집행을 위해서는 정책과 규제를 한 기관에서 수행하는 운영방식보다는, 정책기능과 규제기능의 분리를 하는 것이 조직의 슬림화와 업무영역의 투명성을 확보할 수 있는 방법이라고 볼 것이다(Saaty, 1999). 그리하여 최종 대안은 규제기능 일원화와 정책기능 이원화 모형을 선정하였다. 이것이 가장 현실적이고 저비용에 갈등을 최소화할 수 있는 방안이라고 확신한다.

지금까지 한국형모형을 설정하기 위해서 구조기능적 입장에서, 정책과 환경의 거시적 분석과 기능분석의 미시적 입장에서 논의를 전개해 왔다. 그리하여 단기적인 안으로 매트릭스분리형에서 규제기능일원화-정책기능이원화(B)안을 선택하였다. 3분할 시스템인 한국적 정책대안은 방송과 통신의 규제·정책업무가 정보통신부/문화관광부//방송위원회로 3분할되어 있는 우리나라의 경우와 매우 흡사하여 우리에게 가장 타당성이 있고 가장 현실적인 방안이라고 볼 수 있다. 정책기능은 정부부처의 권한으로 하고 각 부처에 분산되어 있는 규제기능은 모두 독립규제위원회에서 수행하는 방안인 것이다. 역할·기능분담을 구체적으로 보면, 정보통신부는 방송·통신의 기술진흥정책기능을 강화하고 문화부는 내용 관련한 콘텐츠 진흥기능을 강화하는 것이다. 기존의 방송위원회와 정보통신윤리위원회 및 통신위원회는 통합하여 방송통신위원회로 하여 규제기능을 일원화함과 동시에, 허가와 내용 및 경제적 규제기능을 총괄 수행하는 역할·기능모형안이라고 볼 것이다. 종전의 방송위원회의 허가추천권은 사업허가권으로 변경하는 것이다. 즉 콘텐츠정책과 네트워크정책 및 규제기능의 3분할체계라고 볼 수 있다. 문화부가 콘텐츠정책을 정보통신부가 네트워크정책을 방송통신위원회가 규제기능을 수행하는 모형이다. 정책기능은 정부가 담당하고, 규제기능은 독립규제위원회인 방송통신위원회가 총괄하도록 한다는 것이다. 그리고 정책기능을 기술정책기능과 내용관련 정책기능으로 분리하여, 기술 관련 정책기능은 정보통신부가, 내용 관련 정책기능은 문화부가 수립하도록 하는 방안이다. 또한, 허가규제기능과 관련해서는 허가기능을 무선국허가와 사업허가로 구분하여, 무선국허가는 종전처럼 정보통신부에서 하고, 사업허가는 방송통신위원회에서 수행하는 것이다. 이 경우 종전의 방송위원회의 허가추천권은 사업허가권으로 변경하는 것이다. 이와 같이 한국형 정책방안은 다음의 〈표 17-6〉으로 정리할 수 있다.

〈표 17-6〉 한국형 방송통신 융합정책 방안

| 현행체계 | 정책방안 | 기능역할 |
| --- | --- | --- |
| 정보통신부 | 정보통신부 | 통신과 방송의 기술진흥정책기능 강화, 방송국허가 |
| 문화관광부 | 문화부 | 방송과 통신의 콘텐츠진흥 정책기능 강화 |
| 방송위원회 | 방송통신위원회 | 방송통신규제기능 일원화 방송통신 사업허가, 내용, 경제적 규제 총괄 수행 등 |
| 정보통신윤리위원회 | | |
| 통신위원회 | | |

## 2) 실행방안

그간 산재해 있던 방송통신 규제기능과 정책기능을 통합하는 과정에 따르는 각 기관 간 갈등을 최소화하고, 통합된 기구가 조기에 제 역할을 수행할 수 있도록 하기 위하여, 통합기구의 설립은 단계적으로 이루어져야 한다고 본다. 먼저 관련 규제정책기관들이 참여하는 상설조정위원회(Standing Committee)를 운영하여 관계부처와 기관 간의 공동조사협의과정을 통해서보다 일관성 있는 정책을 제시할 수 있을 것이다.

2005년 8월 현재 방송통신 구조개편위 설치에 대한 논의가 이제 시작되었다. 그러나 방송위원회와 정보통신부의 준비위원회안이 아주 다르다. 준비 초기부터 큰 이견이 있으니 험난한 여정일 수밖에 없을 것이다. 특히 위원회 구성은 전문성을 가지고 각 기관을 대표하는 정책담당자와 객관성을 유지할 수 있는 외부전문가가 참여하여야 실현성 있는 정책제시가 가능할 것이다.

방송통신위원회를 구성하는 경우, 관련법을 모두 통합해서 가는 경우와 각각의 별도 법을 유지한 채 가느냐의 문제는 검토해볼 필요가 있다. 미국과 이탈리아는 법의 통합과 기구의 통합이 함께 이루어진 경우이며, 일본은 별도 법하에 규제정책기구만 통합을 한 상태이다. 일본의 경우 총무성이라는 단일규제정책기구를 통해 통신은 통신법으로, 방송은 방송법으로 규율해 왔으며 방송과 통신의 융합에 따라 일어나는 사안에 대해서는 그때마다 법령이나 제도를 개선, 완화하거나 새로운 법안을 제정하는 방식을 취하고 있다. 영국은 별도로 존재하던 법을 통일시켰다. 독일은 연방정부는 '정보와 커뮤니케이션서비스법'을 그리고 주정부는 국가협약형태로 '미디어서비스법'을 마련한 상태에서 융합에 대비한 제3의 법률을 준비 중에 있다. 프랑스의 경우는 규제기능은 통합하지 않은 채 '전자커뮤니케이션법'이라는 새로운 법을 통해 법률을 선정비하고 있다. 방송통신위원회의 설치는 한국에서는 대통령선거 공약사항이라는 현실적 측면과 그동안의 정책구조의 유사성, 정책이념의 유사성 등을 고려할 때에 관련법을 통합하면서 아울러 규제기능을 조정하는 영국식의 실행방안이 바람직할 것으로 본다. 영국의 경우에도 2003년의 커뮤니케이션법안이 처리되는 과정에서 별도로 Ofcom (본 연구에서의 방송통신위원회에 해당)만을 위한 법부분은 따로 우선 통과시켜 Ofcom이 먼저 구성되어 실질적인 융합 환경으로의 전환에 대비하도록 하였다. 2006년 상반기 이내에 방송통신위원회 설치법을 제정하여 먼저 방송통신위원회를 구성하고, 시계열분석의 전문가 설문조사결과처럼 2006-2007년 사이에 방송통신위원회 주도로 (가칭)커뮤니케이션 법을 제정하여야 할 것이다. 1단계로 선정된 한국형 모델에 의한 통합기구법을 제정하여 통합방송통신위원회를 먼저 구성하여야 한다. 그리고 2단계로 구체적인 법령은 통합기구 설치 후 통합방송통신위원회에서 제·개정하여야 할 것이다. 이를 구체적으로 보면, 단기적으로 가칭 '방송통신위원회법'을 제정하여 그 기준법 체계 내에서 새로운 융합서비스에 대한 법적 근거 및 규제방안을 마련해야 한다. 중장기적으로는 가칭 '방송통신위원회 주도로 소위 '커뮤니케이션법 혹은 '미디어정보법'을 제정하여야 할 것이다. 방송통신융합 법제도의 정비는 국내 시각에만 머물지 말고 글

로벌버전으로 업그레이드되어야 한다고 본다.

통합규제기구의 독립성과 민주성을 확보하기 위해서는 다음과 같은 사항을 고려하면서 실행해야 할 것이다. 통합기구의 구성방법은 1안으로는 국회, 행정부, 사법부가 각 3인씩 추천하는 방법이 있으며, 제2안으로는 5인의 위원으로 구성하고 위원장을 제외한 4인은 국회와 사법부가 각 2인씩 추천하고 대통령이 임명하는 하여 상근화하는 방법이다. 세계적 추세가 위원수를 줄이는 경향으로 가고 있다. 또한 추천위원 자격을 법정화하여 무자격자가 정치적으로 임명되는 사례가 없도록 하여야 할 것이다. 위원선임의 투명성을 확보하고 다양성을 반영하는 방법도 모색해야 한다. 전문성확보를 위해 위원의 상근화는 꼭 필요하다고 본다. 통합규제기구를 독임제 국가기관이냐, 중앙행정기관이냐, 또는 독립위원회형의 규제기관으로 할 것이냐에 의견이 분분하지만 방송의 언론기능에 대한 정부의 간섭 및 독립성훼손의 우려가 있기 때문에 방송의 민주성과 공공성확보를 위해 합의제 독립규제위원회로 하여야 한다고 본다.

가장 중요한 것은 기술과 사업자 중심의 시각에서 수용자·소비자·시민 중심의 시각에 접근하여야 할 것이다.

# V. 결 론

지금까지 한국형모형을 설정하기 위해서 구조기능적 입장에서, 정책과 환경의 거시적 분석과 기능분석의 미시적 입장에서 논의를 전개해왔다. 또한 기능분석에서 규제기능과 정책기능으로 분류하여, 이를 통합과 분리라는 관점에서 모델분석을 시도해 보았다. 분리모형에서는 기능별 일원화·이원화의 매트릭스 분석을 시도하였다. 여기에 매트릭스 모형별 해외의 사례분석과 1997-2001-2005년 사이의 전문가조사연구 사례를 시계열분석을 통해, 방송과 통신 분야에서의 선호모델에 대하여 논의를 하였고 어떠한 매트릭스모형에 해당하는지 살펴보았다. 이러한 논의를 통해 모델의 효용성을 입증하였고, 수단적 소망성인 정치적 독립성, 효율적집행력, 전문성과 실체적 소망성인 공정경쟁 확립, 산업발전, 미디어 공공성 및 실현가능성으로서 정치적 타협가능성, 적은 개편비용, 조직안정성이라는 대안의 9가지 가치기준을 적용해 대안을 비교분석 평가하여 한국형 정책방안을 선정하였다.

전문가 조사자료를 통시적으로(diachronic) 분석한 결과를 보면 다음과 같았다. 방송·통신에 관한 제반시스템의 융합에 80-90%의 찬성을 보였고, 규제기관은 독립규제위원회를 선호하였다. 시계열분석결과 특이한 사항을 발견할 수 있었다. 정보통신을 대표하는 정보통신부와 정보통신정책연구원의 조사결과와 방송을 대표하는 방송학계와 방송종사자들에 대한 조사결과 사이에 차이가 있다는 사실이다.

정보통신정책연구원의(1997) 설문조사결과는 정책기관의 일원화(86%)에 찬성이 많았다. 정보통신부가 주체가 되어 문화관광부를 흡수 통합하는 정책기능의 일원화모형 이었고, 내용규제기관은 독립규제기관으로 하면서도 기술·경제적 규제와 사회·문화적 내용규제를 분리하는, 즉 규제기능의 이원화모형을 주장하고 있다. 다시 말하면, 정책기능은 정보통신부가 주체가 되어 문화관광부의 방송정책기능을 흡수하는 것이다. 전체적으로 보면 정보통신부의 기술·경제적 기능은 그대로 두고 내용규제기능만 독립규제위원회화하는 규제기능이원화-정책기능 일원화모형(C안)이라고 볼 수 있다. 이를 보면 정보통신부는 자신들의 영역은 거의 그대로 존속시키는 안이라고 볼 수 있다.

국회 정동채의원실(2001)의 방송위원회에 관한 설문조사 결과는, 미국의 FCC와 동일한 방송과 통신의 정책기능과 규제기능을 모두 통합하는 (가칭)방송통신위원회 안(본인의 연구모델에서는 통합형 (Y)안인 가칭 정보미디어위원회이다)에 62.6%가 지지하고 있음을 알 수 있다.

뉴미디어방송협회(2005)도 사실상 (가칭)방송통신위원회(또는 미디어정보위원회) 안에 찬성하고 있음을 볼 때, 방송 분야에서는 규제기능과 정책기능의 총체적인 통합안을 지지하고 있음을 알 수 있다.

다시 말해서, 정보통신 분야에서는 방송과 통신의 정책기능에 있어서는 정보통신부가 문화관광부의 기능을 흡수 통합하는 안에 찬성을 하였다. 규제기관은 내용규제만 따로 분리하여 독립규제기관화하는 모형을 선호하였다. 이러한 점을 볼 때, 조사연구의 자료수집 분석이 해당기관의 융합정책의 합리화 도구로 전락할 위험성을 내포하고 있다고 볼 것이다. 연구조사 의뢰기관이나 주체 및 피조사자 대상선정에 따라 하나의 현상을 서로 다르게 보고 있음을 알 수 가 있으며, 각자의 입맛에 맞는 분석결과를 낼 수 있다는 것이다. 또한 해외사례의 원용을 보면 각자 자신에게 유리하게 결론을 이끌고 있다는 사실이다.

이와 같은 현상이 연구용역을 맡는 학자들의 연구결과도 마찬가지이다. 연구주관기관의 목적에 부합하는 결과를 내놓고 있다는 것이다. 심지어는, 방송 분야의 사람들은 방송·통신 융합이고 정보통신 분야에 있는 사람들은 통신·방송융합이라는 용어의 사용을 고집하고 있다는 사실이다. 하지만 분명한 흐름은 방송과 통신의 융합은 이미 많이 진전이 되고 있으며, 더욱 가속화되는 과정에 있으며, 이에 걸맞은 행정시스템의 개혁이 하루빨리 되어야 한다는 것이다.

기존 행정조직을 새로운 조직으로 개편하고 관련 법령을 제·개정하는 것은 매우 힘든 작업이다. 지난 경험으로 보아, 짧은 기간 내에 방송·통신융합과 관련하여 새로운 행정체계를 설계하고 관계기관이나 집단 간의 합의를 도출하기란 쉽지 않을 것이다. 국가 리더십의 강력한 추진과 광범위한 여론의 압력 및 지지가 있어야 할 것이다. 잘못하면 소모적 갈등과 불신만 키우게 될 우려도 있는 것이 사실이다. 관련 정부기관과 방송위원회 그리고 국회 등 관련 의사결정 집단은 기득권을 양보하고 대승적 입장에서 국가핵심전략안을 도출한다는 사명의식을 가지고 개혁 작업에 매진해야 할 것이다.

이상에서 시계열분석의 흐름과 방송·통신구조개편위원회의 갈등의 사례와 개혁의 사명감에 대하여 언급하였다. 이를 기반으로 통합모형과 분리모형을 재분석하여 한국적 정책방안을 다시 한 번 강조하고자 한다. 대안의 평가와 기준을 통해 분석해보면, 대안평가 가치기준(정치적 독립성·전문성·효율적 집행력·공정경쟁 확립·미디어 공공성·산업발전·정치적 타협가능성·개편의 비용·조직안정성)에서 보았지만, 방송·통신의 통합모형은 현실적으로 많은 비용과 시간과 정력이 필요하며 또한 갈등 요소가 내재되어 있어 현실적합성과 실현가능성이 비교적 크지 않다고 볼 것이다. 물론 시계열 분석결과를 보면, 통합형 중에서도 (Y)안인 독립규제위원회형 (미디어정보위원회)은 통신종사자나 통신학계보다는 방송종사자와 방송학계에서 선호도가 높다는 것을 알 수 있다.

그렇다면, 통합모형보다는 방송과 통신의 분리모형에서 수평적·기능적 분석을 통한 대안(매트릭스 분석표 참조)에서 우리에게 적합한 모형을 찾아야 한다고 본다. 규제기능과 정책기능의 분리와 이에 대한 일원화·이원화 매트릭스모형으로서 단계별 접근전략을 채택해야 한다. 이는 개혁안에 대한 저항도 최소화하면서 실현가능성 있는 안을 도출할 수 있는 방안인 것이다.

먼저, 매트릭스분석모형에 따른 외국사례분석에서 관찰할 수 있는 것처럼, 방송·통신 융합에 대한 각국의 접근방법이 여러 가지 패턴을 보이고 있다는 사실이다. 이는 방송·통신에 대한 역사적경험이 다르고 사회경제적자원도 다르며, 정책행위자들 간의 상호작용의 역학관계도 서로 달랐기 때문이었다. 융합에 대한 기본적 대처방법 역시 방송과 통신의 분명한 차이를 인식하고, 수직적으로 두 분야는 별개로 분리되어 있어야 한다는 나라도 있으며, 방송통신융합에 대비하기 위해 단일 규제·정책기구설립을 선호하는 나라도 있었다. 결국 정책수립자의 선택이자 가치판단의 문제이다.

프랑스는 자국의 문화적 전통을 고수하기 위해 경쟁을 통한 자유시장 원리를 강조하는 통신 분야와 문화적 보호주의를 강조하는 방송 분야의 규제기구를 통합했다가 다시 분리하는 세계유일의 특수한 예도 있었다. 그러나 범세계적으로 보면, 한국과 같이 수직적 분할규제를 계속 유지하는 방법은 효과적일 수 없다는 것이 일반적인 보편적 인식이다. 다만 일시에 단일규제 정책체계로 갈 것인지, 아니면 점증주의적 접근을 해야 할 것인지, 선택의 문제만 남았다고 본다. 이제 이 선택의 문제를 해결하기 위해, 지금까지 논의했던 기능분석에 의한 대안 중에서 가장 합리적인 방안에 대해 종합정리 하고자 한다.

정책기능과 규제기능을 통합하는 안(X안:단일부처형// Y안:독립규제위원회형)과 정책기능과 규제기능을 분리하는 안(A안:정책기능 일원화-규제기능 일원화형// B안:정책기능 이원화-규제기능 일원화형)의 모형이 있다. 장기적으로는 정책기능과 규제기능 전체를 통합하는 단일규제·정책시스템인 미국의 FCC와 같은 독립규제정책위원회(가칭. 미디어정보위원회)모형으로 하는 것이다. 중기적으로는 정책기능 일원화-규제기능 일원화안(가칭. 정보문화부//방송통신위원회)을, 단기적으로는 정책기능 이원화-규제기능 일원화안(가칭. 문화부/정보통신부//방송통신위원회)을 결정하고자 한다.

통합모형에서 일본의 총무성형인 단일행정부처형은 시계열분석 결과를 보아도 선호도가 극히 낮았고, 우리의 현실과 맞지 않다고 본다. 또한 세 가지 모형 중에서, 미국의 FCC와 같은 통합 독립규제·정책위원회는 관련 부서의 이기주의와 갈등 및 저항으로 인해, 현실적으로 단기간에 단일 시스템으로 전환하기 힘들다고 본다. 그리하여 이 안들을 본 연구의 최종대안에서 일단 유보하였던 것이다.

본 연구에서는, 제한된 합리성의 점증적 접근방법을 통해 영국의 OFCOM과 같이 규제기능만을 일원화하는 방송통신위원회를 구성하고 정책기능은 문화부와 정보통신부로 이원화하는 안을 단기 안으로 제시하고자 한다.

정책기능일원화-규제기능일원화 모형도, 이태리와 말레이시아 등에서 실시하고 있다. 하지만, 현실적으로 추진하기에는 전 기능 통합형인 독립규제·정책위원회모형의 행정시스템개혁과 동일한 노력과 시간과 비용이 수반된다. 영국은 OFCOM모형으로 산업정책으로서의 정보통신정책과, 문화정책으로서의 미디어정책, 그리고 정치적 독립성을 갖는 규제로, 균형 잡힌 3분할 시스템 행정체계로 최근에 개혁 구축하였다. OFCOM이 발족하기 전의 영국의 상황과 현재의 우리의 상황이 너무나 흡사하다. OFCOM 발족 전의 관련 기구간 갈등과 논리의 주장을 마치 우리가 재현하고 있는 상황이며, 실제로 영국에서의 과거의 각 이해 관련부서의 주장을 많이 원용하고 있다.

3분할시스템은 방송과 통신의 규제·정책업무가 정보통신부/방송위원회/문화관광부로 3분할되어 있는 우리의 경우와 매우 흡사하다. 이는 우리에게 가장 타당성이 있고 가장 현실적인 방안이라고 볼 수 있다. 정책기능은 정부부처의 권한으로 하고, 각 부처에 분산되어 있는 규제기능은 모두 독립규제위원회에서 수행하는 방안인 것이다. 역할·기능분담을 구체적으로 보면, 정보통신부는 방송·통신의 기술진흥정책기능을 강화하고 문화부는 내용 관련한 콘텐츠 진흥기능을 강화하는 것이다. 기존의 방송위원회와 정보통신윤리위원회 및 통신위원회는 통합하여 방송통신위원회로 하여 규제기능을 일원화함과 동시에 허가와 내용규제 및 경제적 규제기능을 총괄 수행하는 역할·기능 모형 안이라고 볼 것이다. 종전의 방송위원회의 허가추천권은 사업허가권으로 변경하는 것이다.

결론적으로 규제기능일원화-정책기능이원화 모형인 B안을 선택하였다. "이상적인 것은 현실적이고 ,현실적인 것은 이상적이다."라고 칸트가 역설하였듯이, 이는 사회문화적 영역에서의 공익규제기능을 명확히 하면서, 산업경제적 측면에서 방송과 통신의 경쟁력을 높이기 위한 정책기능으로서 시장경제 논리를 효과적으로 병행할 수 있는 안이라고 본다. 다시 말해, 방송통신융합과 방송통신시장의 개방화가 가속화되는 시점에, 대내적으로 공공성의 확보와 방송통신산업의 육성 및 경쟁력 강화를 도모하고, 대외적으로 방송통신상업의 환경변화에 적극적으로 대응하기 위한 가장 합리적인 정책방안이라고 본다.

본 연구는 방송·통신융합에 따른 정책방안의 연구에 있어서 다음과 같은 의미를 가지고 있다. 첫째로, 규제기능과 정책기능의 통합과 분리 및 기능별 일원화와 이원화를 통한 매트릭스분석을 시도하였다. 이러한 분류를 통한 모형의 유형화를 시도하여 체계적이고 논리적인 틀을 제공하였다는 데 의미가 있다. 둘째로, 1997년부터 2005년 사이의 실증조사자료의 통시적 분석을 통하여 관련 학계와 기관의 선호모형을 도출하였다. 셋째로, 모형별 사례의 장단점을 평가기준을 통하여 비교분석하였다. 넷째로, 실행방안을 제시하였다. 다섯째, 그동안 이해관계 당사자인 언론방송학계와 정보통신학계에서 주로 행해진 방송·통신의 융합에 따른 정책방안에 대한 논의의 장을 제3의 객관적인 입장의 행정학분야로 확대하였다.

방송과 통신의 융합이 가속화됨에 따라서 주요 선진국에서는 ①정책/규제기구의 통합 ②효율성중심의 조직기능의 변화 ③정책과정의 전략화라는 구조개혁을 통하여, 사업자간의 경쟁을 조정하고, 궁극적으로는 국가이익과 수용자이익을 보호하는 데 정책방향의 초점을 맞추고 있다. 구체적으로 보면, 시장중심적인 정책과 제도의 정비가 이루어져야 하고 정책의 목표는 방송통신융합 서비스 발전을 통한 공공복리의 증진이어야 한다. 또한 국가전략적·기술경제적·사회문화적인 규제근거와 이념의 새로운 정립이 필요하다. 즉 산업적·공익적 규제정책의 적절한 조화를 이루어야 한다는 것이다. 사업자에게는 디지털 포트폴리오(digital portfolio)를 구사할 수 있는 공간을 열어주고, 소비자에게는 더 싼 가격으로 보다 많은 미디어 선택의 폭과 통제권을 부여할 수 있는 것이 방송·통신융합정책의 핵심이다. 경쟁만큼 소비자의 복지를 나아지게 하는 도구를 찾기도 힘들다.

현재 관련기관의 방송통신융합정책에 대한 갈등이 심화되고 있다는 점에서, 방송통신융합에 하루빨리 대응하기 위해서는 제3의 기구에서 정책방안을 다루는 것도 하나의 방법이라고 본다.

경쟁정책구조면에서는, 공정거래위원회의 방송통신시장에 대한 불공정거래행위 규제권한을 한국형 정책방안의 새로운 방송통신위원회에 귀속시킬 필요가 있다. 다만, 컨텐츠에 대한 규제는 자율로 하는 것이 바람직하며, 기타 부문의 규제 역시 최소규제의 원칙을 견지하는 것이 바람직하다.

본 연구는 몇 가지 점에서 한계를 가지고 있다. 첫째는 구체적인 각론부문을 보충해야 한다는 점이다. 물론 규제기능의 일원원화에서 새로운 조직의 직원의 신분문제와 방송통신융합의 비용편익분석 및 수용자 복지를 위한 요금체계의 문제 등을 세부적으로 논의해야 할 것이나 연구의 범위 너무 넓고, 연구의 초점을 흐릴 우려가 있어서, 이는 향후의 연구과제로 하고자 한다. 둘째로, 규범론적인 접근방법이어서 실증적 분석의 보완이 필요하다는 것이다. 그러나 이를 보완하기 위하여, 기존 8년간의 전문가 실증조사자료를 통시적으로 비교분석하였다. 시계열분석 결과에서 나온 사실이지만, 앞으로는 자신의 관련기관의 정책을 옹호하는 조사자료를 도출하기 위한 실증조사는 피해야 할 것이다. 아무래도 대통령제하에서는 대통령 직속의 준비기관이 행정개혁을 위한 제3자의 입장에서, 국가의 발전과 국민의 삶의 질을 높이기 위한 준비를 하루빨리 수행하여야 할 것이다. 이를 위한 좀더 객관적이고 심층적인 조사분석은 앞으로의 연구과제로 남기고자 한다.

# 참고문헌

김국진.(2002). "방송통신의 융합과 방송의 미래". 방송공학학회.

김대호.(2002). "디지털 방송의 법제도". 방송연구. 방송위원회.

김동욱.(2004). "방송통신 관련 기관의 조직개편 대안". 한국방송광고공사. 「방송통신 융합과 방송정책 추진체계 개편 연구」.

김정기.(2003). 「전환기의 방송정책」. 도서출판 한울.

김창규.(2004). "방송·통신 융합에 따른 방송·통신관계법제정비 방안". 한국방송광고공사. 「방송통신 융합과 방송정책 추진체계 개편 연구」.

노화준.(1998). 「정책학원론」. 서울: 박영사.

박태순.(2001). "통신방송융합에 있어서 프랑스의 제도적 다원화와 이원화정책". 정보통신정책연구원.

방석호.(2004). "방송·통신 융합에 따른 법제도적 정비방인 연구-사업규제를 중심으로". 방송연구.

석호익.(2001). "통신방송의 융합요인과 효과에 관한 연구" 박사학위논문.

송종길.(2001). "방송·통신 융합 시대 정책일원화를 위한 규제·정책기구 개편방안 연구". 한국방송진흥원.

왕상한.(2002). 「디지털방송과 법」. 나남출판.

윤정길.(1991). 「정책과정론」. 서울: 법론사.

이강수.(2000). 「커뮤니케이션과 현대문화」. 나남출판.

이상식.(2001). "방송·통신 융합에 대비한 규제기구 체계 수립방안". 방송위원회.

이상우.(2004). "방송·통신 융합에 따른 해외사례 비교분석-유럽의 동향을 중심으로". 방송연구.

이원준. 부동산경기와 전략개발. (서울: RE컨설팅연구원, 1998), pp. 265~267.

정충식.(1999). 「멀티미디어시대의 행정」. 나남출판.

초성운.(2002). "통신방송융합에 따른 정책방향 및 법·제도 정비 방안". 정보통신정책연구원.

최영묵.(1999). "디지털 시대의 방송의 공공성의 의미-멀티미디어시대 공영방송의 위상과 진로". 한국방송학회.

최정호.(2000). 「매스미디어와 사회」. 나남출판.

최현철.(1996). 「유럽통합과 뉴미디어 정책」. 법문사.

황 근.(2002). "방송통신융합과 규제정책의 변화". 한국언론학회 세미나. '21세기의 미디어 정책 방향의 모색' 발제문.

방송위원회.(1999). "방송·통신 융합과 경계영역 서비스 등장에 따른 규제방안 연구".

한국전산원.(1996). "통신·방송 융합에 대응한 정책 방안".

한국방송개발원.(1998). "통신·방송융합과 규제방안". 연구자료집 98-1.

정보통신정책연구원.(2001). "방송통신융합에 대비한 방송발전 방안 수립 : 서비스 및 규제제도".

總務省.(2004). 情報通信白書(平成 16年度版).

Baldwin. T. et al.(1996). *Convergence: Integrating Media. Information. and Communication.* London: Sage.

Bell. D.(1978). *The Coming of Post-Industrial Society.* N. Y.: Basic Books.

Blackman. C. R.(1998). "Convergence between Telecommunications and Other Media: How should Regulation Adapt". *Telecom- munications Policy.* Volume 22.

Cleements. B.(1998). "The Impact of Convergence on Regulatory Policy in Europe". *Telecommunication Policy.* Vol. 21. No. 6.

Easton. D.(1965). *A System Analysis: Political Life.* New York: John Wiley & Son.

Mcluhan. M.(1964). *Understanding Media. The Extension of the Man.* New York: McGraw-Hill.

Ogburn. W. F. & Nimkoff. M. F.(1980). *Technology and the Changing Family.* Boston: Houghton Mifflin.

Ostergaard.(1988). "Convergence: Legislative Dilemmas." in Euro Media Reserch Group eds. Media Policy London.

Shepard. S.(2002). "Telecommunications Convergence". McGraw-Hill.

Tadayoni. R & Skouby. K.(1999). "Terrestrial Digital Broadcasting: Convergence and its Regularatory Implications" *Telecom- munication Policy.* No. 23.

FCC.(2000). *Biennial Regulatory Review 2000.* Staff Report. September 18.

OECD.(2003). *Working Party on Telecommunication and Information Service.*

European Commission.(1997). "Green Paper on the Convergence of the Telecommunications Media and Information Technology. Sectors and the Implications for Regulation".

http://www.fcc.gov/Reports/fcc21.html

http://www.kbc.or.kr/01/index5.html

http://www.kbi.re.kr

http://www.kpf.or.kr/lib/lib_frame.html

http://www.nua.com/surveys/index.cgi?f

• 저자 •

권경득(행정학박사, 선문대학교 행정학과 교수)

금창호(행정학박사, 한국지방행정연구원 수석연구원)

김만배(행정학박사, 교통과학연구원 연구위원)

김주환(행정학박사, 강남대학교 행정학과 교수)

김필두(행정학박사, 한국지방행정연구원 수석연구원)

문대현(행정학박사, 건국대학교 대학원 행정학과)

성연동(행정학박사, 목포대학교 지적학과 교수)

안재금(행정학박사, 건국대학교 대학원 행정학과)

안종욱(행정학박사, 건국대학교 대학원 행정학과)

우무정(행정학박사, 한국미래정책연구원 연구위원)

윤정길(행정학박사, 건국대학교 행정학과 교수)

이규천(행정학박사, 한국농촌경제연구원 농림기술센터소장)

이재림(행정학박사, 한국운수산업연구원장)

임정빈(행정학박사, 건국대학교 행정문제연구소 책임연구원)

조문현(행정학박사, 건국대학교 대학원 행정학과)

최상률(행정학박사, 국무총리실 조사심의관)

한영수(행정학박사, 강남대학교 행정학과 교수)

# 한국의 사회발전과 정책
### -마암 윤정길 교수 정년기념 논문집-

| | |
|---|---|
| • 초판 인쇄 | 2006년 8월 31일 |
| • 초판 발행 | 2006년 8월 31일 |
| • 지 은 이 | 마암윤정길교수 정년기념 논문집 발간위원회 |
| • 펴 낸 이 | 채종준 |
| • 펴 낸 곳 | 한국학술정보㈜ |
| | 경기도 파주시 교하읍 문발리 526-2 |
| | 파주출판문화정보산업단지 |
| | 전화 031) 908-3181(대표) · 팩스 031) 908-3189 |
| | 홈페이지 http://www.kstudy.com |
| | e-mail(e-Book사업부) ebook@kstudy.com |
| • 등 록 | 제일산-115호(2000. 6. 19) |
| • 가 격 | 33,000원 |

ISBN 89-534-5570-7 93350 (Paper Book)
ISBN 89-534-5571-5 98350 (e-Book)